CW00751419

Louis XII,
Père du Peuple

DU MÊME AUTEUR

En collaboration :

A la découverte de l'histoire, Hachette, Paris, 1981.

Participation à :

Jean DARIDAN, *De la Gaulle à de Gaulle ; une histoire de France,* Seuil, Paris, 1977.
Histoire de la France urbaine, tome III, *La Ville classique,* sous la direction de Georges DUBY et Emmanuel LE ROY LADURIE, Seuil, Paris, 1981.

Sous le pseudonyme de Bernard SOANEN :

L'Insolente Nation, roman sur la guerre d'Algérie, Julliard, Paris, 1964.
Le Journal de la Révolution française, Hachette, Paris, 1979 (ouvrage couronné par l'Académie française).
Une famille de militaires du Moyen Age à nos jours, Hachette, Paris, 1979.

Sous le nom de Bernard QUILLIET :

Les Corps d'officiers de la prévôté et vicomté de Paris et de l'Ile-de-France, de la fin de la guerre de Cent Ans au début des guerres de religion : étude sociale, thèse de doctorat d'État, Lille, 1982, deux volumes (ouvrage couronné par l'Académie française).
Christine de Suède, un roi exceptionnel, Presses de la Renaissance, Paris, 1982 (ouvrage couronné par l'Académie française) ; traduit en italien : *Cristina, regina di Svezia,* Ugo Mursia, Milan, 1985).
La Véritable Histoire de France, essai d'histoire-fiction, Presses de la Renaissance, Paris, 1983.
Un goût de pierre à fusil, souvenirs picards, Presses de la Renaissance, Paris, 1984.
Les Chevauchées de la gloire, roman, Presses de la Renaissance, Paris, 1985.

Bernard Quilliet

LOUIS XII,

Père du Peuple

Fayard

© Librairie Arthème Fayard, 1986.

*A la mémoire de
R. Maulde La Clavière, qui,
au siècle dernier, avait
commencé une monumentale
histoire de Louis XII, mais
sans pouvoir la terminer.*

Avant-propos

Louis XII : une énigme ? La première tentation de l'historien est assurément de commencer par cette idée, finalement bien banale. Car chaque être humain n'est-il point une énigme, à un degré ou à un autre ? Disons plutôt : un inconnu, peut-être un méconnu, qui a eu au moins une chance dans sa vie relativement brève, celle de s'être vu attribuer par ses sujets le surnom flatteur de Père du Peuple.

Pour la postérité, peu importe si le terme de « peuple » n'a pas alors la résonance qu'il acquerra plus tard. Peu importe si, en 1506, ce titre a été décerné au souverain au moins autant pour se concilier ses bonnes grâces qu'en raison d'une reconnaissance particulière. Peu importe, même, si le roi n'a peut-être pas attaché une importance excessive à l'honneur qui lui était fait. L'essentiel, au fond, n'est-il pas d'être signalé dans l'Histoire par l'un de ces adjectifs quasi officiels et un peu stéréotypés qui permettent de prendre place quelque part entre Philippe IV « le Bel », Charles V « le Sage » et Louis XIII « le Juste » ?

L'exemple de Louis XV « le Bien-Aimé » nous rappelle que l'opinion publique revient parfois sur son premier mouvement. S'il n'en fut rien pour Louis XII, il est sûr que celui-ci fait en général assez pâle figure auprès des premières étoiles du firmament français : qui, à côté du Saint Louis justicier sous son chêne, du Louis XIV à perruque ou du traditionnel Napoléon en capote verdâtre, a déjà remarqué ce quadragénaire trop sage tel que ses mon-

naies et médailles l'ont figé pour l'éternité, de profil, avec son visage glabre et inexpressif, ses cheveux longs, curieusement lisses et coiffés de cette toque si peu royale, malgré la couronne incorporée sur l'avant ? A tel point qu'en l'exécutant d'un paragraphe définitif Jules Michelet semble se faire la voix de toute une tradition historique : « ... Celui-ci, de figure vulgaire, comme on peut le voir dans ses portraits, n'eut guère la grâce des Valois ; faible et bon, à l'allemande, comme sa mère, mais colère par moments, il rappelait... [son père] par sa débilité précoce [et]... son tempérament maladif. »

Pourtant le souvenir de ce malheureux roi a peut-être connu son heure de gloire, et en un moment capital de notre histoire : dans les vingt années qui ont précédé le déclenchement de la Révolution française. On sait généralement qu'en 1775 une médaille a été frappée représentant les effigies des « trois bons Rois de la Troisième Race », des « trois souverains qui ont fait le plus de bien au pays », des « trois monarques qui se sont penchés sur les misères de leurs sujets ». A savoir Louis XVI, qui vient d'accéder au trône et en qui tous mettent leurs espérances ; Henri IV, l'homme de la poule au pot ; et... Louis XII, le Père du Peuple ! S'agit-il là d'un hasard, d'une plaisanterie, d'une promotion exceptionnelle ou aberrante ? Ou plutôt, pour beaucoup de Français d'alors, Louis XII n'aurait-il point été une sorte de référence, un modèle, sinon même un héros national ?

Quelques indices semblent nous mener à de telles conclusions... Cette même année 1775, un obscur folliculaire dénommé Auffray, « des Académies de Metz et de Marseille », croit pouvoir reprendre la balle au bond et, en cinquante pages, prétend esquisser le portrait de Louis XII surnommé le Père du Peuple, dont le présent règne nous rappelle le souvenir.

En 1782, l'Académie des Jeux floraux de Toulouse met au concours un Éloge de Louis XII roi de France. L'affaire serait aujourd'hui bien oubliée, si l'un des concurrents ne s'était appelé Bertrand Barère de Vieuzac. Oui ! il s'agit bien du futur conventionnel, qui, avocat encore obscur, s'ennuie ferme dans son Languedoc natal. Et puis voyez : Voltaire et Rousseau sont morts depuis peu, Diderot use ses dernières années, Mably et Raynal ne *font plus que radoter, des places de choix se libèrent au Parnasse national. Pourquoi ne pas tenter sa chance ? Barère taille ses plumes, couvre de noir des dizaines de feuillets et se retrouve tellement fier de sa prose qu'il la fait imprimer à ses frais.*

Le résultat ? Visiblement l'auteur a lu les bons livres, ce qui ne l'empêche pas de sombrer dans de grandiloquentes platitudes ou de prudentes flatteries à l'égard du pouvoir en place : « ... Louis XII monte sur le trône et soutient sans édit, sans taxe les dépenses de cette auguste cérémonie [du sacre]... ; aux yeux d'un tel Prince, ce jour devait être un jour de bienfaits, et le premier tribut qu'il demande est l'amour de son Peuple... Un parallèle séduisant s'offre ici à la reconnaissance des Français. Le successeur d'Henri IV, que l'Europe admire à vingt ans, a marqué l'avènement de son règne par le même trait de bienfaisance... »

Toulouse avait montré la voie, une voie que Paris n'allait pas tarder à suivre. Le mercredi 25 août 1784, jour de la Saint-Louis, dans l'après-midi, l'Académie française tient sa séance publique annuelle. « Le Directeur et le Vice-Directeur étant absents, nous dit le continuateur de Bachaumont dans ses Mémoires, c'est M. Marmontel, le Secrétaire, qui a rempli seul toutes ces fonctions. » Et celui-ci annonce en particulier que « le prix d'éloquence pour l'année prochaine 1785 aura pour objet l'éloge de Louis XII, Père du Peuple ».

Combien de candidats se mirent-ils finalement sur les rangs ? Les archives de l'Académie française n'ont conservé que neuf envois, dont deux restés anonymes. Un seul nom à peu près connu : celui du Chevalier de Florian, le futur fabuliste, alors capitaine des dragons et gentilhomme de Son Altesse Sérénissime Mgr le duc de Penthièvre. Les autres étaient essentiellement des ecclésiastiques ou des avocats au Parlement. Aucun de ces valeureux prosateurs ne devait trouver grâce aux yeux des académiciens.

En effet, le 25 août de l'année suivante, à en croire les registres de l'Académie, « Monsieur de Saint-Lambert, chancelier, qui présidait en l'absence de Monsieur de Buffon, Directeur,... a continué ses annonces en avertissant que le prix de l'éloquence, dont le sujet étoit l'Éloge de Louis XII,... étoit remis à l'année prochaine. Il a gémi sur le petit nombre des concurrens pour un éloge si beau, d'un aussi bon roi, aussi propre à exciter le zèle des orateurs françois... »

« *Monsieur de Saint-Lambert, précise de son côté le continua-teur de Bachaumont, a lu... à cette occasion des réflexions excellen-tes sur l'utilité et le but véritable des Éloges des Grands Hommes, proposés aux jeunes littérateurs : il a esquissé un croquis du règne et du caractère de Louis XII, afin de leur indiquer la route à suivre et les points sur lesquels l'Académie désiroit qu'ils s'arrêtassent prin-cipalement... »*

On pourrait croire qu'ainsi les auteurs allaient trouver une ins-piration renouvelée. Malgré de nouveaux envois, l'Académie fran-çaise devait rester aussi sévère. Le 25 août 1786, Target, le direc-teur en exercice, « *témoigne de son étonnement de ce qu'entre les soixante-huit éloges de Louis XII envoyés au concours, il n'y en ait pas un seul qui mérite quelque mention...* »

Du coup, c'est un véritable autre concours qui est lancé, toujours sur le même thème, mais pour deux ans plus tard, afin de laisser aux éventuels candidats le temps de mieux se préparer. Cette fois-ci, la moisson allait être nettement plus riche, semble-t-il, et il nous reste une trentaine de discours. Toujours beaucoup d'ecclésiastiques désœuvrés et d'avocats oisifs, mais davantage de noms connus, à un titre ou à un autre : le juriste de premier plan Jacques-Vin-cent Delacroix, l'oratorien Pierre Daunou ou encore Pierre-Louis Ginguené qui sera ministre plénipotentiaire du Directoire et de l'Empire, membre du Tribunat, de l'Académie des Sciences morales et politiques, de l'Académie des Inscriptions et Belles-Let-tres, de l'Athénée, que sais-je encore !

Il n'empêche que nos honorables académiciens eurent bien du mal et du mérite à trier dans cette avalanche de pensums. Trois seulement émergent de la gangue commune, et deux, on le sent bien, parce que les auteurs ont cherché à faire passer des idées person-nelles, qui leur tenaient visiblement à cœur.

Depuis sa lointaine résidence de Séez en Normandie, l'avocat Bochard manifeste surtout — qu'on ne s'en étonne pas ! — des préoccupations de juriste : « *...Enfin Louis XII couronne tant d'utiles règlements par cette mémorable ordonnance qu'il serait digne de tous les monarques de faire graver :* JUGEZ TOUJOURS SUIVANT LES LOIX, QUELQUES COMMANDEMENS OU LETTRES ITÉRA-

TIVES CONTRAIRES QU'ON PUISSE VOUS PRÉSENTER DE NOTRE PART (édit de 1498, article 135). Quoi ! Un monarque qui ne respire que le bonheur de ses peuples... croit n'être pas encore assez sûr par là de faire tout le bien qu'il désire, il redoute les artifices et les importunes tentatives des méchans. Il croit, pour prévenir toute surprise, devoir aller jusqu'à donner des entraves à sa royale et suprême volonté ! ».

Qu'on ne s'étonne pas non plus si le censeur ecclésiastique de service — un certain Genet, « docteur de la Maison et Société de Sorbonne » — raye ces lignes d'une main allègre, mais, fort heureusement, avec des ratures assez peu appuyées pour qu'aujourd'hui encore nous puissions lire sans trop de mal d'aussi condamnables considérations.

Les soucis de l'oratorien Daunou, eux, apparaissent comme plus égoïstes : « ...Ce qui mérite surtout nos éloges, c'est la prudente équité qui dictoit les choix de Louis XII. Ses yeux vigilants distinguoient jusque dans l'ombre ces vertus et ces talents qui, privés de l'éclat d'une naissance illustre, ...languissent trop souvent ignorés et stériles. » Plus tard personnage assez considérable, l'auteur ne pensait-il point alors à tous ceux qui, comme lui-même, végétaient dans l'impatience d'une ambition non encore satisfaite ?

Les autres candidats, la grande masse, sont plus intéressants peut-être, au moins dans la mesure où ils réagissent tous de la même façon. Comme on peut le deviner, aucun d'eux ne se lasse de tirer à la ligne sur le thème, le titre, le surnom de PÈRE DU PEUPLE. « Près de trois siècles, s'exclame Delacroix, près de trois siècles se sont écoulés depuis que l'impitoyable Mort a frappé de son glaive cette tête si chère à la France, et le temps n'a point effacé le titre de PÈRE DU PEUPLE, dont la reconnaissance a honoré Louis XII. » « Si, parmi tous ces titres, ajoute Ginguené, il en fut jamais un que doive ambitionner un Roi, c'est celui qui peint d'un seul mot, entre le souverain et ses sujets, un continuel échange de tendresse, de bienfaits et de reconnaissance. »

Évidemment, sa clémence légendaire figure partout en bonne place, aussi bien chez l'abbé de Barral que chez Belleserre, Ginguené, Delacroix ou encore l'avocat Papion : « ...Louis XII monte sur le trône... Les courtisans l'environnent pour le porter à la *vengeance... Louis n'en paroît que plus grand... Ses paroles sont écrites partout : UN ROI DE FRANCE NE VENGE POINT LES QUERELLES D'UN DUC D'ORLÉANS. Il n'eût régné qu'un an, il étoit déjà placé au nombre des grands Princes... »*

Un point délicat ne saurait, évidemment, être passé sous silence : ce sont les guerres, l'ardeur belliqueuse et le degré discutable des aptitudes militaires manifestées par le roi. Chez certains, c'est pour s'étonner de ces penchants curieux chez un homme réputé pour sa sagesse, sa prudence et sa douceur : « *...Si Louis XII se fût contenté d'être l'amour et les délices de ses peuples..., peu de règnes seroient comparables au sien, mais la manie des conquêtes dominoit alors tous les esprits et le Monarque n'eut pas le bonheur de pouvoir s'en garantir* », remarque l'abbé Michel. « *Pourquoi faut-il qu'un Prince, occupé de soins si précieux à ses sujets, en ait été détourné par le projet d'agrandir sa domination ? N'étoit-ce donc pas assez pour Louis XII que de répandre la félicité sur la France ?* » se demande Delacroix de son côté.

D'autres ne se posent même pas de telles questions ou, plus exactement peut-être, ils ne discernent point la contradiction. Et, avec autant de chaleur qu'ils avaient, quelques pages plus haut, chanté les bienfaits de la paix, ils applaudissent soudain à l'âpre beauté des carnages grandioses : « *...Ce n'est pas, précise Belleserre, que Louis XII ne possédât les vertus militaires et qu'il ne portât dans son âme le courage d'un guerrier. Gênes, alors sous la domination françoise, osa se révolter. Louis marche en personne pour châtier les rebelles, ses armes portent partout l'effroi et la désolation... Le Roi entre l'épée à la main, ses regards inspirent l'effroi, son escorte intimide tous les esprits... »*

En revanche, comme chacun sait, les rois vraiment économes ne sont pas si nombreux dans notre histoire nationale. Heureusement il y eut Louis XII, et l'on comprend du même coup combien sa perte devait être cruellement ressentie : « *...Quel Prince mérita plus les regrets de son peuple ?... [La France] ... perdoit un Prince qui savoit tout se refuser pour ne lui rien demander ; qui, en apprenant qu'on avoit porté l'oubli du respect jusqu'à insulter sur la scène à son économie, disoit : J'AIME BEAUCOUP MIEUX FAIRE RIRE MES COURTISANS DE MON AVARICE, QUE DE FAIRE GÉMIR MON PEUPLE DE MES*

PROFUSIONS. » *Une telle sollicitude ne peut entraîner qu'une incomparable popularité : «* La France, *croit pouvoir rappeler l'abbé Michel, s'applaudissoit de l'avoir pour maître et tous bénissoient le monarque juste et bon.* »

Bien d'autres de nos concurrents dominaient moins encore leur enthousiasme, sincère ou de commande. Ainsi le brave abbé Maydieu : « *... Ah ! comment ne pas adorer un Roi capable de pareils traits ! ...Je ne suis pas surpris que Louis XII soit regardé comme un dieu tutélaire... Je ne suis pas surpris de voir dans tous les lieux où ce bon Prince est annoncé les bergers quitter leurs troupeaux, ...les villageois leurs chaumières et courir se précipiter à sa rencontre ; élever leurs mains vers le ciel ; faire retentir les airs de leurs acclamations... Heureux ceux qui auront pu baiser l'empreinte que les pas de Louis XII ont tracée ; plus heureux ceux qui l'auront vu ; mais bonheur, bonheur inexprimable à ceux qui auront pu toucher ses vêtements, ou étendre leurs mains sur le coursier énorgueilli de porter un souverain si respecté, un maître si chéri !* »

Ceux qui pourraient s'effaroucher de ces effets stylistiques ne sont pas au bout de leurs peines, car nos auteurs attendent en général les dernières pages pour ouvrir en grand les vannes à leur torrentueuse éloquence. Citons l'une des plus mesurées de ces conclusions, celle du citoyen Papion : « *...Oh Prince bienfaisant ! Ici je m'arrête, et j'invoque ta mémoire sacrée, admirable Louis XII ! Élève mon génie à ta hauteur, sanctifie mon organe, qu'il puisse avec ton nom imprimer dans tous les cœurs le respect de l'humanité, gloire des grandes âmes !* » *Etc., etc.*

Il n'est pas sûr du tout que les membres de l'Académie française aient été particulièrement sensibles à ces débordements d'admiration et d'emphase. Le 25 août 1788, ils rendent enfin leur verdict et le Prix d'Éloquence est attribué à l'Éloge de Louis XII, *par M. l'abbé Noël,* « *professeur en l'Université de Paris, au Collège de Louis-le-Grand* ». *Avec un esprit très clair, celui-ci avait dès le départ précisé les limites de sa démarche :* « *Comment est-il arrivé qu'un Prince, malheureux dans ses guerres, malheureux dans ses négociations, ouvert et confiant, mais aux dépens de la prudence, ait été en quelque sorte absous de ses fautes par le jugement de tous les âges qui l'ont suivi ?* »

D'une façon générale, l'abbé Noël se comporte moins comme un panégyriste que comme un historien assez scrupuleux. Loin de s'exclamer, d'acclamer ou de proclamer, il raconte, décrit et parfois amorce une sorte d'analyse. Après avoir, comme ses concurrents, salué les efforts du roi pour rétablir l'ordre dans les campagnes, sa modération fiscale et le bonheur général qui est censé en découler, il insiste plus particulièrement sur la réforme de la législation et la réorganisation judiciaire : « ... Sa célèbre ordonnance donnée à Blois... va rappeler la gravité, la décence, le désintéressement, l'assiduité dans le sanctuaire de la Justice. La vénalité des charges est proscrite par le Prince ; elles deviennent le prix des talents et des vertus. Des examens rigoureux attestent les lumières et les mœurs de celui qui doit veiller au dépôt sacré des loix... »

On peut se demander ici où l'abbé Noël avait pu puiser sa science. Tout simplement là où ses malheureux rivaux étaient allés eux-mêmes se renseigner. En 1755, un certain abbé Tailhé avait publié une Histoire du règne de Louis XII, en trois volumes in-12, assez riche en descriptions grandioses, en détails divers, en vues nouvelles. Or la personnalité de cet ecclésiastique nous échappe à tel point qu'on peut se demander s'il a vraiment existé. Détail plus troublant encore : son ouvrage ressemble étrangement à un Tableau du siècle de Louis XII, qui paraît à peu près à la même époque, publié par Madame de M... En fait, il s'agirait, dit-on, d'une certaine Mme de Méhégan. Mais la solution ne fait que reculer : qui diable pouvait bien être cette honorable personne ?

Mystère assez facile à percer, puisque, dès l'année suivante, le même ouvrage était édité sous un autre nom, celui d'une vieille connaissance pour bien des gens : M. de Voltaire lui-même !

Voltaire ? Non, il ne s'agit point d'une erreur ou d'une coïncidence, car, en fait, son Tableau n'est constitué que par une série d'extraits, tirés eux-mêmes de l'Essai sur les mœurs, extraits concernant Louis XII certes, mais mis plus ou moins bout à bout et sommairement adaptés aux exigences d'un livre à sujet plus restreint.

Dernière question : pourquoi donc Louis XII ? C'est que — aussi curieux que cela puisse nous paraître — le souvenir de ce monar-

que a littéralement obsédé François-Marie Arouet, qui voyait en lui, même plus qu'en l'inévitable Henri IV, le modèle du roi juste, du roi bon, du roi paternel, du roi idéal peut-être.

*Dans l'œuvre énorme que nous a laissée le maître de Ferney, on voit abonder les hommages à Louis XII. Citons au hasard l'*Histoire du parlement de Paris, *les* Annales de l'Empire, *le* Panégyrique de Louis XV, *le* Discours préliminaire *à l'*histoire de Charles XII, *plusieurs moments et non des moindres de la* Correspondance *et ce passage célèbre de la* Henriade :

> Le sage Louis XII, au milieu de ces rois,
> S'élève comme un chêne et leur donne des lois.
> Ce roi, qu'à nos aïeux donna le ciel propice,
> Sur son trône avec lui fit asseoir la justice ;
> Il pardonna souvent, il régna sur les cœurs,
> Et des yeux de son peuple il essuya les pleurs...

Voltaire serait donc celui qui, assez tôt dans le siècle, aurait pour ainsi dire remis à la mode un certain Louis XII, Père du Peuple. Mode qui atteint son apogée avec cet interminable concours académique de 1784-1788 et qui se prolongea — beaucoup plus languissante — jusque sous la Restauration, avec les deux ouvrages bien médiocres de l'ancien constituant Pierre-Louis Roederer, Mémoire pour servir à une nouvelle histoire de Louis XII, *puis* Louis XII et François Ier, ou mémoires pour servir à une nouvelle histoire de leurs règnes.

Il nous faut aujourd'hui chercher si cet engouement très passager fut légitime ou non. Et, comme les biographies de ce roi sont rarissimes, pourquoi ne pas tenter de retracer sa vie ?

CHAPITRE PREMIER

L'enfant du miracle

La tentation est forte de commencer ainsi : le futur Louis XII naquit à Blois le 27 juin 1462... Pourtant il apparaît vite qu'avant même de nous consacrer à celui qui sera notre « héros », il est indispensable d'évoquer les figures de son père et de son grand-père, ne serait-ce que pour une raison très simple. Ceux-ci n'ayant point été rois, ils nous sont relativement peu connus, même celui dont on parle parfois encore, au moins dans l'histoire de la littérature française : le père, Charles d'Orléans. C'est pourquoi nous nous permettrons de proposer un autre début.

Il était une fois un historien... Ou, plus exactement, cet homme estimable se voulait tel. Aujourd'hui l'on ne se souvient plus guère de lui qu'en raison de son patronyme, à la vérité passablement cocasse : il s'appelait Crétineau-Joly. Jacques Crétineau-Joly, né en 1803 à Fontenay-le-Comte, mort à Vincennes en 1875.

Faut-il s'en réjouir ou le déplorer ? On ne lit plus que bien rarement l'œuvre qu'il nous a laissée. Destinée tout à fait méritée si l'on s'entête à considérer ces livres comme des travaux scientifiques. Destinée plutôt injuste si l'on accepte de les prendre pour ce qu'ils étaient : des pamphlets agressivement monarchistes, d'admirables pamphlets comme ils doivent l'être, injus-

tes, excessifs, passionnés. Parmi ces charges et tirs à boulets
rouges se détache en particulier une certaine *Histoire de Louis-
Philippe d'Orléans et de l'orléanisme,* en deux volumes parus à
Paris dans les années 1860, brûlot délirant de haine où, plus
légitimiste que nature, notre auteur pose en préliminaire que
tous ceux qui, de tout temps, ont porté le titre de « duc
d'Orléans » se sont toujours montrés les mauvais génies de la vie
politique française. Et de citer, à la suite, le morne Gaston, fils
cadet d'Henri IV et de Marie de Médicis ; Monsieur, le frère
inconsistant et si étrangement efféminé de Louis XIV ; Philippe
le Régent, le « roué » aux débauches bien connues ; son arrière-
petit-fils, Philippe-« Égalité », le régicide ; sans oublier, bien
évidemment, celui qui, au tournant de la cinquantaine, devait
devenir Louis-Philippe Ier, roi des Français et la bête noire de
Crétineau-Joly.

Or, pour un seul de ces « maudits princes », notre « historien »
de Fontenay-le-Comte passe un peu plus vite, ce qui est peut-
être chez lui le signe d'une relative indulgence : il s'agit justement du propre frère de Louis XII, le duc Charles d'Orléans,
resté célèbre dans notre histoire par son relatif talent de poète et
aussi par les épreuves, les déceptions, voire les infortunes qui
allaient ponctuer sa longue, très longue existence.

N'avait-il pourtant pas tout (au moins en théorie) pour être
puissant, prospère, glorieux et peut-être même heureux ? Élevé,
comme l'on dit, « sur les marches du trône », il se trouvait être
— par son père Louis duc de Touraine, puis duc d'Orléans —
petit-fils du roi Charles V et donc neveu de Charles VI. Par sa
mère, la douce et belle Valentine, il appartenait à la fastueuse et
richissime famille milanaise des Visconti, qui affirmait descendre tout à la fois de Priam, le dernier roi de Troie — prétention
qu'on retrouvait d'ailleurs chez les rois de France — et aussi de
l'empereur romain Carus, lui-même ancien *vice-comes* ou « vis-
conte » de l'empereur Probus ! Filiation assurément fantaisiste,
mais d'autant plus prestigieuse que bien peu de souverains européens se permettaient alors semblables audaces.

Né peut-être en 1391, voire en 1396 — d'autres, avec plus
de vraisemblance, disent en 1394 et avancent même la date plus

précise du 24 novembre, « *hora quarta noctis* », c'est-à-dire vers
dix heures du soir —, le jeune Charles, qui n'était alors que
comte d'Angoulême, eut surtout la malchance de venir au
monde à une époque particulièrement sombre, en cette fin d'un
XIVᵉ siècle de misères, de peste et de désordres multiples, dus
eux-mêmes à l'interminable affaire franco-anglaise, qui durait
déjà depuis plus d'un demi-siècle, devait se prolonger bien
longtemps encore et qu'on appellera plus tard la *guerre de Cent
Ans.*

Pourtant Charles devait garder au moins un souvenir attendri
de ses premières années, qui furent celle d'un prince royal
choyé par son entourage, perpétuellement promené d'un château à l'autre, au voisinage d'immenses forêts : Blois, Châteauneuf-sur-Loire, Villers-Cotterêts, Crépy-en-Valois, Coucy,
Pierrefonds, Brie-Comte-Robert, autant de belles et spacieuses
résidences au milieu de jardins remarquablement entretenus,
plantés de « rosiers blancs et de lis », de poiriers et de cerisiers,
agrémentés d'innombrables oiseaux dans leurs volières et même
parfois de lions en cages :

> *Au temps passé, quand Nature me fist*
> *En ce monde venir, elle me mist*
> *Premièrement tout en la gouvernance*
> *D'une Dame qu'on appeloit Enfance,*
> *En lui faisant estroit commandement*
> *De me nourrir et garder tendrement,*
> *Sans point souffrir soing ou mélencolie*
> *Aucunement me tenir compaignie :*
> *Dont elle fist loyaumant son devoir ;*
> *Remercier l'en doy, pour dire voir...*

En même temps, il recevait une éducation vraisemblablement très supérieure à celle des autres enfants de son milieu.
Dès avant le début de 1404 et moyennant 100 livres tournois de
pension annuelle, un certain maître Nicolas Garbet, bachelier
en théologie, avait commencé à lui révéler les règles de la
grammaire latine dans le « Donat », à lui faire réciter le sempi-

ternel *Doctrinal* d'Arnauld de Villeneuve et le *Caton* — c'est-à-dire les *Distiques moraux* de Dionysius Cato —, à lui expliquer le théâtre de Térence, un peu de Cicéron, surtout Salluste avec la *Conspiration de Catilina* et la *Guerre de Jugurtha*. Pour se distraire, l'enfant avait le droit d'écouter de beaux récits tels que *Perceval le Galloys*, les *Hystoires de Troyes*, les *Conquestes d'Alexandre*, le *Grant Ovide* — en fait, les *Métamorphoses* —, la Bible, les *Épistres et Évangiles* que lui lisait en français sa mère, toujours très soucieuse de lui orner l'esprit et de l'entretenir dans des sentiments de piété.

En revanche, l'enfant eut, semble-t-il, assez peu l'occasion de bien connaître son père. Celui-ci menait une existence particulièrement occupée, se montrant tout à la fois amateur d'art, grand seigneur bienveillant, plein de charme et de séduction, fin lettré, compagnon aimable, mais aussi très prince du Sang, fou d'orgueil, dévoré d'ambition, avide et en même temps prodigue, dévot et fastueux, mystique et sensuel, mû par une passion effrénée pour les multiples jouissances de la vie, amoureux et, à l'occasion, amant de toutes les femmes, voire de tous les beaux garçons, englué précocement dans des débauches grandioses et compliquées comme seule savait en susciter cette époque brûlante. En un mot, il apparaît que pour ce Louis Ier d'Orléans, malgré ses déclarations, malgré certaines de ses attitudes de piété sincère ou affectée, la grande affaire de sa vie consistait à accroître sans cesse sa puissance, sa fortune, ses rentes, ses domaines.

Dès 1386, alors qu'il n'a que quatorze ans, apanagé de biens déjà considérables — le Valois, le duché de Touraine, la seigneurie de Beaumont —, maître en 1389 du comté d'Asti en Italie que Valentine Visconti lui apporte en dot, acquéreur en 1391 du très beau comté de Blois avec d'importantes mouvances en Berry, il échange la Touraine l'année suivante contre le duché d'Orléans et d'immenses domaines en Normandie.

Mais là ne s'arrête pas son irrésistible ascension : il obtient bientôt de son frère Charles VI le comté d'Angoulême, le comté de Dreux, les terres et châtellenies de Montargis, de Courtenay, de bien d'autres lieux encore. A partir de 1400, il achète successivement le comté de Porcien, le château et les terres hautes-picardes relevant de Coucy, le duché de Luxembourg, le comté de Chiny, sans oublier de multiples « hôtels », manoirs, terres, maisons et dépendances diverses à Paris et dans sa banlieue immédiate.

Une telle stratégie ne pouvait évidemment se développer sans rapports étroits avec la politique. Fort de l'appui que lui accordait en général le roi son frère, Louis Iᵉʳ d'Orléans s'agite beaucoup. Il a pensé, un moment, se tailler une belle et grasse principauté dans la péninsule italienne, quelque part en Ombrie, en Émilie, dans les Abruzzes, ou encore mettre la main sur Gênes. Déçu de ce côté, il envisage alors de prendre la tête d'une nouvelle croisade contre les Turcs, rêve aussi de rétablir l'union de l'Église déchirée par le Grand Schisme d'Occident, puis tourne brusquement ses vues vers le Saint Empire et, faute de mieux, pensionne un peu au hasard plusieurs princes allemands, petits ou grands.

Le mariage de son fils nous apparaît ainsi comme une pièce, parmi tant d'autres, de ce *kriegspiel* passablement brouillon. Agé d'une dizaine d'années, Charles peut sembler manquer encore de la maturité nécessaire, mais, ainsi en a décidé son père, il lui faut épouser, au moins sur le papier, sa cousine germaine Isabelle, fille de Charles VI. Bien qu'ayant, de son côté, à peine atteint ses treize ans, la jeune personne a elle-même eu le temps de convoler déjà une première fois en justes noces avec le roi d'Angleterre Richard II et d'en être veuve. « Veuve » et « vierge », comme disait alors la rumeur populaire, car, de toute évidence, le mariage n'a jamais pu être consommé. Cette seconde union fut-elle plus heureuse pour la princesse ? Nous en ignorons les détails, sinon que l'ex-reine d'Angleterre aurait pleuré, dit-on, de devoir se remarier avec un enfant. Larmes auxquelles, comme on peut l'imaginer, le tout-puissant duc Louis Iᵉʳ d'Orléans, oncle et beau-père, dut se montrer particulièrement insensible.

Pris par le vertige de l'action, celui-ci se lançait dans de nouvelles entreprises politiques, mais cette fois beaucoup plus périlleuses. Bien que bénéficiant d'une longue trêve dans sa guerre avec l'Angleterre, le royaume de France connaissait alors une période assez difficile, due essentiellement à la démence dans laquelle sombrait peu à peu mais irrémédiablement Charles VI. Depuis quelques années donc, en présence du monarque hébété, Louis disputait au sein du Conseil royal la réalité du pouvoir à son oncle, le riche et influent duc de Bourgogne Philippe le Hardi. Quand celui-ci meurt en 1404, le duc d'Orléans croit enfin venue son heure de commander ou presque, mais il lui faut très vite compter avec le fils du défunt, Jean Sans Peur. La rivalité s'exacerbe au cours des années, jusqu'à cette belle réconciliation, apparemment définitive, de novembre 1407 où l'on voit, au cours de la même messe, les deux cousins, agenouillés l'un à côté de l'autre, communier à la même hostie.

Quelques jours plus tard, le 22 ou le 23 du même mois — sur ce point précis, les témoignages ne concordent pas — Louis est assailli rue Vieille-du-Temple par une dizaine de tueurs masqués. L'un des agresseurs lui tranche le poing d'un coup de hache, mais le malheureux a encore la force de s'écrier qu'il est le duc d'Orléans. A quoi l'autre lui répond en ricanant que c'est précisément ce qu'il voulait savoir. « Lors, comme le précise le chroniqueur, par force et abondance de coups, fut-il abattu jus de sa mule, et sa tête fut toute pourfendue, par telle manière que sa cervelle chéit dessus la chaussée. Et outre, là le retournèrent et renversèrent et martelèrent si terriblement qu'il mourut sur la place... » Quelques jours après, Jean Sans Peur avouait avec un contentement cynique être l'instigateur et le commanditaire du crime ; mais, prudent, il quittait aussitôt Paris et se réfugiait dans ses possessions flamandes.

Cet événement sinistre a beaucoup frappé les imaginations du temps. Assez impopulaire de son vivant, Louis Iᵉʳ d'Orléans va prendre du coup — au moins chez certains — l'auréole de la vicitime innocente et, près de cent ans plus tard, son petit-fils Louis XII fera placer sur son tombeau, en l'église des Célestins de Paris, un tableau symbolique, hélas ! disparu aujourd'hui, mais que nous a reproduit un fac-similé de l'érudit Gaignières et qui exprime assez bien l'effet produit pendant tout le siècle par cet assassinat. On y voit l'aïeul, jeune encore, revêtu des insignes de l'Ordre du Camail — qu'il avait créé —, agenouillé au pied d'un arbre couvert de fruits d'or, vraisemblablement l'Arbre de Vie. Apparemment troublé dans sa méditation, le prince ne peut retenir un geste d'horreur, car, derrière l'épais feuillage, il aperçoit un squelette, image de la Mort, qui brandit une flèche vers lui et s'exprime dans une sorte de phylactère enroulé autour du tronc : « *Juvenes ac senes rapio* » (« je m'empare des jeunes comme des vieux »).

Preuve émouvante de piété familiale et fidélité restée d'autant plus vivace que la disparition du duc devait entraîner pour la famille d'Orléans toute une série d'infortunes et de revers, sinon même de véritables catastrophes. Douce et sans défense, la pauvre Valentine ne sait guère que pleurer et, quand elle songe enfin à payer de grosses sommes pour trouver des vengeurs, elle se fait gruger. Qui aurait eu l'imprudence de s'opposer à l'inquiétant duc de Bourgogne, revenu à Paris plus puissant et influent que jamais ? Et pourquoi songer à aider les Orléans, alors que, visiblement, ceux-ci ont cessé d'avoir le vent en poupe ?

En effet, la veuve perd bientôt presque toutes les pensions de son mari et, au nom de Charles VI, plus fou que jamais, le pouvoir royal reprend la plupart des domaines que la faiblesse du souverain avait abandonnés à son trop remuant cadet : le comté d'Évreux, Château-Thierry, Montargis, Soissons, bien d'autres terres encore.

Pourtant Valentine s'acharne. Profitant de ce que le duc de Bourgogne vient de quitter Paris une nouvelle fois, elle rentre dans la capitale à la fin de l'été de 1408, bientôt suivie par son fils Charles, alors âgé d'une quinzaine d'années et dont c'est pratiquement la première apparition publique. La veuve et l'orphelin entreprennent de demander justice devant le Conseil royal, mais celui-ci ne se résout pas à prendre une décision. Désespérée, Valentine Visconti rentre à Blois, où elle meurt quelques mois plus tard, le 4 décembre 1408.

Elle laissait plusieurs enfants et en particulier trois fils : Philippe, Jean et Charles qui, en sa qualité d'aîné — grâce à la mort

d'autres frères plus âgés — et émancipé moins d'une semaine
après le décès de sa mère, devenait ainsi chef de la première
Maison princière de France. Sauf les biens qui reviennent à ses
frères — entre autres, le comté de Vertus et le comté d'Angoulême —, il reçoit évidemment la plus grande part de l'héritage,
dont le duché d'Orléans, les comtés de Valois et de Blois, les
seigneuries de Coucy et de Chauny, le comté d'Asti et autres
terres lombardes.

Une telle énumération ne doit pas trop faire illusion. Ces
domaines, souvent riches, se trouvaient bien trop éparpillés
pour constituer la base d'une véritable puissance ; en raison des
circonstances, il fallait une envergure ou des qualités que le
jeune homme ne possédait assurément point. Corpulent, vigoureux, physiquement très courageux comme on l'était en général
dans son milieu, mais dénué d'énergie, doux, délicat et sensible,
il possédait une culture, des goûts artistiques et une curiosité
intellectuelle qui nous semblent aujourd'hui des dispositions
fort sympathiques, mais risquaient de ne pas lui fournir un
grand secours face aux multiples épreuves de la vie.

A commencer par les humiliations. Dès le 9 mars 1409, Charles se voit imposer à Chartres par le roi — ou plutôt par ceux qui
gouvernent en son nom — une réconciliation au moins apparente avec Jean Sans Peur, le meurtrier de son père. Peu après,
perdant sa jeune femme qui meurt à vingt et un ans en donnant
le jour à une fille, il aura beaucoup de mal à lui assurer la pompe
fastueuse due à son rang et à son origine royale.

En même temps, le duc d'Orléans connaît en effet de graves
problèmes financiers. Sur ses terres morcelées, dispersées et
parfois lointaines où il est si difficile de contrôler les officiers
locaux, les revenus seigneuriaux se perçoivent d'une façon particulièrement médiocre ; ses domaines et ses villes renâclent à
payer les « aides » demandées ; toujours en quête d'un très hypothétique remboursement, les multiples créanciers de ses parents
et surtout de son père se font de plus en plus pressants. Charles
doit recourir alors à toutes sortes d'expédients : il met en vente
des bijoux de grande valeur — y compris ceux de sa mère ! —
ainsi que les plus belles pièces de sa vaisselle d'or, puis celles

d'argent, puis les plus communes, puis, plus modestement encore, les nappes et les serviettes qui lui restent. Surtout il emprunte, il emprunte sans cesse et sans trop savoir s'il pourra rembourser un jour : 55 écus par-ci, 23 par-là, et se contente à l'occasion de 15, de 7 écus, ou même seulement de 40 sous !

Une telle détresse aurait dû l'inciter à la prudence. Pourtant il n'en est rien, et l'adolescent se laisse entraîner dans une véritable guerre civile contre son puissant cousin et éternel adversaire, Jean Sans Peur, duc de Bourgogne. Dès le début de 1410, leurs bandes rivales s'affrontent devant Paris. Dans cette affaire complexe et qui va durer si longtemps, Charles, au début, semble marquer un point capital en se remariant avec Bonne, fille du comte Bernard VII d'Armagnac, grand féodal du Sud-Ouest, tête politique, cœur intrépide, chef disposant surtout de solides contingents gascons qu'il met aussitôt à la disposition de son nouveau gendre.

La lutte inexpiable que se livrent bientôt un peu partout dans la moitié nord de la France « Bourguignons » et « Armagnacs » passe provisoirement au second plan, quand, reprenant l'initiative des hostilités après vingt-cinq années de trêve effective, une armée anglaise débarque sur les côtes de Normandie au milieu du mois d'août 1415, menée par le roi Henry V qui entend s'emparer de la couronne de France. Tandis que Jean Sans Peur reste à l'écart de cette nouvelle affaire, Charles d'Orléans rejoint aussitôt la cavalerie française et prend part à la bataille d'Azincourt. Au soir de ce fâcheux 25 octobre, avec toute une cohorte d'autres grands seigneurs français comme le duc de Bourbon, le comte de Richemont, le comte d'Eu, il se retrouve parmi les prisonniers et se voit bientôt emmener en Angleterre, à la Tour de Londres. Il a alors à peu près vingt ans, et sa captivité va durer un quart de siècle.

Captivité apparemment assez douce, et certains ont même pu parler de « prison dorée ». Certes, le roi d'Angleterre tient à jouer les âmes magnanimes, réservant à ses captifs de haut rang un accueil courtois, leur faisant servir dès le premier jour un repas somptueux, leur offrant même à chacun une longue robe de damas, leur laissant plus tard une certaine liberté dans leurs

résidences insulaires successives. Mais Charles d'Orléans dut
comprendre très vite qu'il ne lui faudrait s'attendre à aucune
générosité particulière de la part de son hôte : celui-ci, un jour,
lui rendrait peut-être la liberté, mais non sans tirer de lui le plus
grand profit possible. Car non seulement le prisonnier devait
subvenir à sa propre subsistance, à son chauffage, à tous ses
besoins, mais il devait même payer de sa poche ses gardes et ses
geôliers ! Sans parler d'une rançon éventuelle, que le gouvernement anglais fixerait vraisemblablement au taux le plus élevé.

Ces conditions austères et ces sombres perspectives eurent au
moins l'avantage de familiariser le duc d'Orléans avec la gestion
de son patrimoine tant en France qu'en Italie. A peine arrivé à
Londres, il envoie des ordres précis pour recommander partout
des économies rigoureuses, suspend ou réduit provisoirement
les gages de la plupart de ses officiers, réorganise l'administration locale, ordonne un inventaire exact de ses rentes, de ses
droits, de ses biens meubles et pousse même le souci de minutie
jusqu'à régler les dépenses vestimentaires des membres de sa
famille restés sur le continent. Qu'on puisse au moins constater
la fermeté de son style :

« ... Comme il a plu à Dieu que nous soyons de présent
détenu prisonnier ès mains du Roy d'Angleterre..., pour
laquelle chose nous est besoing d'avoir et assembler la plus
grant finance que Nous pourrons, tant de Nos rentes et
revenus comme autrement, pour la délivrance de Nostre
personne, quant il plaira à Dieu..., Savoir faisons que
Nous... ordonnons les choses qui s'ensuivent.

« Premièrement, que la despense de Nostre hostel cesse
du tout quant à présent et jusques à ce que autrement en
ayons ordonné, tant au regard de la despence de bouche
comme des hostelages de noz serviteurs, excepté au regart
de Nos très chières et très amées suer et fille, desquelles
Nous voullons l'ostel et la despence estre continueez en la
manière acoustumée, au moindre frais, toutefois, que faire
se pourra bonnement.

« Item, voullons et ordonnons que, pour ceste présente

année..., tous les gaiges et pensions... de tous Noz gens, serviteurs et officiers... cessent du tout... et deffendons à nos amez et féaux les trésoriers généraux et receveurs que, desdiz gaiges et pensions, ils ne facent aucun paiement à quelque personne que ce soit pour ceste présente année... »

« Item, voullons et ordonnons que tout ce que Nous avons presté de Nos biens meubles au temps passé à quelconques personnes que ce soit, tant livres, chambres, tapisseries, comme autres choses quelconques, soient recouvrées par Nostre chancellier et les gens de Nostre hostel...

« Lesquelles ordonnances et chascune d'icelles Nous voullons estre observées, entérinées et accomplies... Mandons aussi à tous Nos officiers et serviteurs que, à Nosdictes présentes ordonnances, ilz obtempèrent et obéissent sans aucunement ne faire venir à l'encontre, sur peine de encourir Notre indignacion... »

Nous ne savons pas si, de ses brumes anglaises, Charles d'Orléans eut ou non l'occasion de s'indigner. Il semble au contraire avoir été à peu près obéi. Mais, à l'évidence, il reste vigilant, s'inquiète de tout, contrôle tout, vérifie tout et il n'oublie aucune de ses possessions, même les plus lointaines, y compris son comté d'Asti qui, malgré ses quelque 90 000 habitants seulement, se présentait comme un îlot de prospérité relative, avec ses terres fertiles, ses vignobles réputés, sa petite capitale aisément défendable, restée assez riche et commerçante malgré une décadence relative. Vite conquis par le gouvernement sage et peu pesant des Orléans, méfiants à l'égard des visées expansives de leurs trop puissants voisins tels que les Milanais et les Piémonto-Savoyards, les Astesans surent rester, pendant toute sa captivité, d'une remarquable fidélité envers leur malheureux maître, même s'ils ne parvinrent que bien rarement à lui envoyer de l'argent.

Mais évidemment, la sollicitude de Charles devait aller surtout à son cher ensemble des bords de la Loire, constitué par le duché d'Orléans et le comté de Blois. Avec l'aggravation des

hostilités entre les partisans du jeune Henry VI — héritier des
prétentions françaises de son père — et ceux du nouveau roi
Charles VII, réfugié à Bourges, ce beau domaine se trouvait
situé en plein secteur des opérations militaires : le souci du
prisonnier est donc de voir les armées des deux camps respecter
ses terres ; en juillet 1427, il confie à son fidèle demi-frère le
Bâtard d'Orléans — le futur Dunois — le soin de signer avec les
Anglais un traité de neutralité. Accord vite oublié par le comte
de Salisbury dont les troupes tiennent au printemps de 1429
tout l'Orléanais, à l'exception d'Orléans. En résistant contre
toute attente et en manifestant ainsi son attachement au « petit
roi de Bourges », la ville de Charles devient ainsi un symbole, le
symbole d'une certaine résistance nationale, jusqu'à ce que
vienne la délivrer une armée de secours, commandée par une
dénommée Jeanne d'Arc...

Nous ne savons pas de façon précise ce que fut la réaction du
duc Charles quand il apprit cette importante nouvelle, mais il
n'est peut-être pas téméraire d'imaginer sa joie, joie arrivant à
point nommé pour le consoler de sa tristesse, de ses déboires et
de ses désillusions : dès la fin de 1415, sa seconde femme, Bonne
d'Armagnac, était morte, toute jeune encore ; en 1418, son
beau-père, le comte Bernard, avait été massacré par les partisans
de Jean Sans Peur ; en 1420, avait disparu son frère cadet, Philippe, comte de Vertus, qui défendait ses intérêts sur le continent. En même temps, depuis quelques années, il lui apparaissait de plus en plus que, contrairement à ses premières espérances, son retour à la liberté serait très lent à obtenir.

Cet événement tant souhaité ne devait en effet se produire
qu'à l'extrême fin de 1440. Comme on peut l'imaginer, la situation générale avait alors beaucoup évolué. Le roi Charles VII
avait repris l'Ile-de-France et même la plus grande partie du
Bassin Parisien ; quant à Jean Sans Peur, il était mort depuis
bien longtemps, en 1419, assassiné à son tour sur les ordres de
celui qui n'était encore que le Dauphin Charles ; enfin, après
bien des années, des hésitations, des retournements, son fils
Philippe le Bon avait fini par se rapprocher du roi de France, ce
qui, malgré la continuation des hostilités avec l'Angleterre,

devait entraîner des conséquences directes pour le duc d'Orléans. En effet, son cousin de Bourgogne allait s'entremettre assez activement en sa faveur. S'engagèrent donc des négociations d'une extrême complexité, au terme desquelles le gouvernement anglais finit par accepter une transaction à peu près satisfaisante pour chacune des deux parties. Il ne restait plus qu'à payer la rançon, ce qui, pour le prisonnier aux abois, ne représentait pas la moindre des difficultés.

C'est alors que le Bourguignon Philippe le Bon, décidément bien obligeant, lui proposa d'épouser sa nièce Marie, fille du vieux duc Adolphe IV de Clèves et, par sa mère, petite-fille de Jean Sans Peur, le meurtrier de Louis d'Orléans. Acte hautement symbolique qui, effaçant définitivement le passé et parachevant la réconciliation des deux Maisons princières Bourgogne et Orléans, resserrerait encore les liens familiaux entre les deux ducs. En outre, détail non négligeable, il était prévu que la dot pourrait servir à payer partiellement la somme exigée par Henry VI, à savoir un premier versement de 80 000 écus qui rendait aussitôt la liberté au prince, et 120 000 autres à remettre au bout de six mois.

En engageant aussitôt certains de ses domaines et ce qui pouvait lui rester de ses joyaux, en empruntant à de multiples créanciers, en acceptant quelques dons gratuits, Charles d'Orléans put s'acquitter entièrement de sa rançon. Dès le 5 novembre 1440, il quittait l'Angleterre pour toujours et retrouvait sa patrie française quelque temps plus tard. Le 16 novembre, il signait le contrat de mariage ; le 26, était célébrée la cérémonie nuptiale, unissant un quadragénaire deux fois veuf à une enfant tout juste nubile âgée de quatorze ans.

Comme on peut le deviner sans trop de mal, un couple aussi médiocrement assorti allait faire beaucoup jaser. Sans être vraiment belle, Marie de Clèves était grande, majestueuse, très blonde, très pâle, très mince, « d'une constitution lymphatique assez commune de tout temps chez les femmes nées dans les contrées rhénanes de la Belgique », pour parler comme certain polygraphe du XIXᵉ siècle. Bonne, très bonne — « à l'allemande », dira notre inévitable Michelet —, dévote et charitable, elle aimait en même temps la chasse à courre, la musique, la danse, les fleurs, les romans de chevalerie et ne sembla pas être restée toujours insensible à la prestance ou à la séduction de « damoiseaux » nettement plus jeunes que son mari.

C'est ainsi que, d'après une *Chronique* adjointe à celle de Georges Chastellain, le duc et la duchesse d'Orléans se seraient rendus au mois de juin 1445 à Nancy, où Marie, tout à fait par hasard, aurait reconnu un jeune gentilhomme, nommé Jacquet de Lalain, qui avait servi son frère un peu plus tôt en qualité d'écuyer-panetier et qu'elle avait plus ou moins entrevu à la Cour de Bourgogne. Aussitôt elle lui aurait fait « quelques avances gracieuses », auxquelles le jeune homme aurait eu l'art et le bon goût de se dérober avec « une conduite habilement platonique ».

A l'occasion, Marie de Clèves se permettra, comme nous le verrons, d'autres « imprudences », imprudences généralement bien innocentes et relativement excusables, surtout si l'on songe à ce que devaient être la monotonie et la relative austérité de sa vie ordinaire. En effet, dès les lendemains mêmes de son mariage, Charles d'Orléans l'avait emmenée chez lui, à Blois, qui allait devenir ainsi la véritable capitale de ses domaines et d'où il ne sortirait plus guère jusqu'à sa mort. Dans le vieux château féodal qui dominait la Loire, la jeune Allemande allait donc avoir tout le loisir de se familiariser avec l'existence étriquée d'un prince appauvri, par surcroît en butte à la méfiance du pouvoir royal.

Le triste Charles VII, en effet, n'avait jamais tenté beaucoup d'efforts pour soulager la captivité londonienne du prince, moins encore pour hâter sa délivrance et, quand celui-ci était passé par Paris en revenant d'Angleterre, le souverain l'avait reçu avec une froideur remarquée, malgré les vingt-cinq années pendant lesquelles les deux cousins ne s'étaient pas revus. A cet égard ne doivent pas faire trop illusion aujourd'hui quelques octrois de pensions providentielles, comme celle qui lui fut consentie dans le courant de 1443 :

« Charles, par la Grâce de Dieu, roy de France, à tous ceulx qui ces présentes lettres verront, Salut. Savoir faisons

que, pour la très grant proximité de lignage dont Nous
actint Nostre très chier et très amé frère et cousin le Duc
d'Orléans, et pour luy aidier à supporter les grans charges,
fraiz et despences que faire et soustenir lui convient à
entretenir son estat en Nostre suite, et pour autres causes et
considéracions à ce Nous mouvant, à icellui Nostre dict
frère et cousin, qui, sur ce, Nous a faict requérir, avons
ordonné et ordonnons par ces présentes la somme de dix-
huit mille livres tournois de pension, à icelle avoir et prendre d'oressenavant par chascun an, tant qu'il Nous plaira,
des deniers de Nos finances ; à commencer icelle pension
le premier jour de ce présent moys de juing...

« Donné à Poictiers, le XXVIIème jour de juing etc... »

Charles VII pouvait difficilement faire moins, permettant
tout juste ainsi à son cousin de ne pas trop porter atteinte à la
gloire de la Maison capétienne en s'enfonçant dans une gêne
financière irrémédiable, mais sans aller jusqu'à lui donner les
moyens d'une magnificence excessive. Heureusement pour lui,
Charles d'Orléans, devenu économe par nécessité, se convertis-
sait avec l'âge à la simplicité. A la différence de sa femme, il
n'aimait ni la chasse, ni les chiens, ni les chevaux, se contentait
ordinairement d'habits retaillés dans de vieilles robes usées et ne
portait de velours que les dimanches et jours de fête. Cherchant
essentiellement, sur ses vieux jours, à profiter avec sagesse d'une
vie devenue plus paisible, il touchait de la harpe, poursuivait
d'interminables parties d'échecs avec ses amis ou son secrétaire,
surveillait les aménagements de son château, reprenait, corri-
geait, améliorait sans se lasser sa traduction du *De consolatione
philosophica* de Boèce et, son seul luxe restant la bibliophilie, il
collectionnait les manuscrits avec passion, jusqu'à posséder à la
veille de sa mort une bibliothèque de quelque 160 volumes,
exploit rare pour l'époque.

Il est vrai, beaucoup d'ouvrages pieux, comme souvent
encore à cette époque, et même plus du tiers de l'ensemble :
œuvres diverses sinon complètes de saint Ambroise, de saint
Augustin, de saint Athanase, de saint Bonaventure, les *Médita-*

tions de saint Anselme, les Épîtres de saint Paul et surtout, en plusieurs exemplaires, infatigablement, des bibles, des heures, des bréviaires, des missels, des oraisons, des psautiers et des vies des saints, tout particulièrement, comme l'on peut s'y attendre, la fameuse *Légende dorée* du futur Bienheureux Jacques de Voragine. Des ouvrages de divertissement aussi, entre autres le *Romant Arthur et du Sainct Gral,* le *Lancelot du lac,* le *Perceval, preux chevalier au lion,* le *De mulieribus claris* de Jean Boccace, le *Romant de la rose,* des extraits de Christine de Pisan, le *Méliador* de Froissart, ainsi que, bien évidemment, plusieurs traités sur le jeu d'échecs.

Mais apparaissent aussi, et en assez grand nombre, certains de ces auteurs ou de ces titres prestigieux qu'on retrouvera un peu plus tard chez tout humaniste de bon aloi : outre les *Métamorphoses* d'Ovide (mais en français !), outre quelques œuvres d'Aristote — l'*Éthique,* la *Politique,* la *Physique,* la *Métaphysique,* l'*Histoire des animaux* —, Ésope, Hippocrate, Galien et même l'*Alcoran* de *Mahometus* dans leurs traductions latines, on trouve — cette fois, dans le texte original — Salluste (toujours lui !), Boèce, Sénèque, Tite-Live, le *De Officiis* de Cicéron, Macrobe, Valère-Maxime, Végèce, l'*Africa* de Pétrarque, Stace, Juvénal, Térence, Lucain, Virgile, Horace.

Les œuvres de ces deux derniers correspondaient-elles pour Charles d'Orléans à des sortes de références, voire de modèles ? Il faut d'autant plus se poser la question que le vieux duc se consacrait de plus en plus aux Muses, activité qui, finalement, a le plus contribué à immortaliser son nom, faisant de lui notre poète le plus connu du XVe siècle avec François Villon. Œuvre très vaste, à la vérité, et variée, avec des vers en anglais, en français, en latin, en macaronique mêlé d'italien et de provençal, et même en un argot parisien devenu pour nous partiellement incompréhensible :

Contre fenoches et noxbuze
Peut servir un tantost de France
Da ly parolles de plaisance
Au plus sapare l'en cabuze...

Au total, cent trente et une chansons et barcarolles, cent deux ballades, sept complaintes et pas moins de quatre cents rondeaux, d'une inspiration aimable, légère et intimiste, apparemment indifférente aux malheurs de l'époque et non dénuée d'un certain talent, comme le rappelle cette pièce bien connue :

> *Le temps a laissié son manteau*
> *De vent, de froidure et de pluie,*
> *Et s'est vêtu de broderie*
> *De soleil rayant, cler et beau.*
> *Il n'y a beste ne oyseau*
> *Qu'en son jargon ne chante et crie :*
> *Le temps a laissié son manteau*
> *De vent, de froidure et de pluie.*
>
> *Rivière, fontaine et ruisseau*
> *Portent en livrée jolie*
> *Gouttes d'argent d'orfèvrerie ;*
> *Chascun s'habille de nouveau ;*
> *Le temps a laissié son manteau*
> *De vent, de froidure et de pluie...*

Pour autant, le délicat poète ne se désintéressait pas complètement des affaires et, dès son retour en France, il se soucia d'abord de rembourser au plus vite les avances et les emprunts contractés pour payer son énorme rançon. Comme il retrouvait ses terres de Blois et d'Orléans ravagées par la guerre, il s'efforçait en même temps d'améliorer son administration locale, n'hésitait pas à faire couper le bois de ses forêts et, avec le produit des ventes, ordonnait la réparation ou la reconstruction des hôpitaux, des places-fortes, des divers édifices publics. Au bout de quelques années, de tels efforts semblaient commencer à porter leurs fruits quand les affaires italiennes lui donnèrent de nouveaux soucis.

Il faut revenir ici au lointain mariage contracté en 1389 entre Louis d'Orléans et Valentine Visconti, à laquelle son père Gio-

vanni-Galeazzo avait donné en dot le comté d'Asti. Avant de
mourir brusquement en 1404, celui-ci avait rédigé un testament
aux termes duquel le duché du Milanais passerait à son fils aîné
Giovanni-Maria. Ou, à défaut de descendance, à son cadet
Filippo-Maria ; ou encore, toujours à défaut de descendance, à
Valentine ou à ses héritiers.

Filippo-Maria devait succéder assez vite à son frère aîné, mais
— bien que Charles d'Orléans fût son neveu — il ne sembla
jamais se soucier de respecter avec scrupule les volontés de son
père. La raison en est parfaitement claire : il avait un enfant, un
seul, mais fille naturelle, Bianca, qu'il avait mariée au puissant
condottiere Francesco Sforza, un homme parti de rien, mais
remarquablement intelligent, habile, ambitieux, brutal à l'occasion et qui espérait bien profiter des circonstances pour se faire
une place en Italie du Nord. Déjà, alors que le fils de Valentine
Visconti se trouvait encore prisonnier à la Tour de Londres, son
comté d'Asti avait été occupé par des troupes milanaises, malgré
l'opposition unanime des habitants. Dès son retour en France,
Charles d'Orléans avait évidemment demandé la restitution de
son domaine ; malheureusement il avait affaire à forte partie :
sans refuser à proprement parler, le fuyant Filippo-Maria ne lui
répondit que par des paroles doucereuses, mais évasives.

En même temps, gravement malade depuis plusieurs mois, le
duc de Milan s'affaiblissait à vue d'œil. A l'annonce de cette
nouvelle, Charles d'Orléans prend ses risques et envoie dans
Asti quelques hommes qui reprennent la ville pour son compte.
Mieux encore : dès qu'il apprend la mort de son oncle, en septembre 1447, il quitte Blois pour l'Italie et, le 22 octobre, il fait
une entrée solennelle dans la ville pavoisée à ses couleurs, sous
les acclamations d'une foule enthousiaste.

Succès incontestable et même légèrement grisant : pourquoi, dès lors, ne pas chercher à mettre la main sur le duché de
Milan, comme l'y autorisait expressément le testament de son
grand-père Giovanni-Galeazzo Visconti ? C'était compter sans
Francesco Sforza qui, en tant que gendre du défunt, entendait
bien devenir maître de toute la Lombardie ; qui, face aux quelques fidèles de Charles d'Orléans, commandait à des troupes

infiniment plus nombreuses ; qui, pour l'emporter sur les prétentions tout à fait légitimes du prince-poète, disposait d'appuis
décisifs, ceux des Florentins, des Vénitiens, du roi de Sicile et
même du roi de France, fort heureux de pouvoir contrecarrer
jusque dans ces terres excentriques les prétentions de son cousin !

Tout à ses illusions, Charles d'Orléans ne s'éveillera que peu
à peu aux dures réalités de la péninsule. Au bout d'une bonne
année, à la fin de septembre 1448, il rentre en France, se consolant à la pensée d'avoir au moins recouvré son comté d'Asti et
voulant croire qu'en ce qui concerne le Milanais, son bon droit
finira par l'emporter un jour. Les années passeront, le pouvoir
de son adversaire Francesco Sforza ne cessera de se renforcer,
mais jamais le bon Charles ne renoncera à ses ambitions sur le
beau duché d'outre-mont. Des événements nouveaux, d'un
ordre tout différent, n'allaient-ils pas lui rappeler bientôt, et fort
opportunément, qu'aucune situation en ce monde n'est définitive ou irrémédiable ?

Le couple d'Orléans était alors marié depuis seize années,
Marie de Clèves atteignait la trentaine, et Charles, de son côté,
dépassait largement la soixantaine. Il n'avait, paraît-il, jamais
été beau, mais il était devenu maintenant un vieillard « chenu »,
« faible comme un enfant », épais, alourdi, avec des traits massifs
et un double menton pendant. Torturé par la goutte et les rhu-
matismes, envahi par la graisse, il ne se déplaçait qu'avec difficulté, devait souvent garder la chambre et, sa vue ayant baissé, il
ne pouvait plus lire qu'à l'aide de « béryls » ou « béricles », ce
qu'on appellera plus tard des « bésicles ». Résigné à voir sa branche s'éteindre avec lui, il attendait la mort avec sagesse, s'atta-
chant toutefois à suivre l'apprentissage chevaleresque et les pro-
grès d'un jeune cousin, Pierre de Bourbon, âgé de neuf ans,
qu'il avait recueilli en 1447, et que, depuis, il considérait un peu
comme le fils qu'il n'avait pas eu.

Brusquement, dix ans plus tard, à peine croyable, la nouvelle
éclate au cours du printemps 1457 : Marie de Clèves attend un
enfant ! Mari prévenant, le vieux Charles fait aussitôt chercher à
Orléans son fidèle ami et médecin personnel, le chanoine Mais-

tre Jehan Caillau qui, après l'accouchement, recevra 50 écus
d'or pour son voyage jusqu'à Blois et les soins attentifs prodigués
pendant la grossesse. Tout devait en effet se passer le mieux du
monde et, le 19 décembre vers midi, la duchesse d'Orléans
accouchait d'une fille, qui s'appellera Marie, comme sa mère.

Apparemment point trop déçu de ne pas avoir eu d'héritier
mâle et estimant fort sagement que mieux valait une fille qu'un
foyer désert, Charles fait connaître l'heureuse nouvelle aux
habitants de ses divers domaines par un avis exprès, tout à fait
triomphal et solennel. Père vieillissant et attendri, il adorait
l'enfant, lui offrit un gros saphir à l'occasion de sa première
dent, puis, plus tard, à la moindre occasion, d'autres pierres
précieuses, une bourse brodée de perles fines, des « pommes de
musc » pour se parfumer les doigts, des collets de « thoille fine à
la façon de Flandre ». Tout naturellement, le jeune Pierre de
Bourbon, qui allait alors sur ses vingt ans, se trouva désigné pour
épouser plus tard sa petite cousine, quand elle aurait atteint
l'âge convenable.

Moment plutôt rare dans cette vie si amère, le prince-poète
allait passer alors quelques années relativement heureuses.
Mais, le 12 juillet 1461, presque abandonné de tous, le roi
Charles VII mourait de misère physiologique en son château de
Mehun-sur-Yèvre. En principe, cet événement ne pouvait
qu'être favorable à la Maison d'Orléans, envers qui le monarque
défunt n'avait jamais caché son insurmontable méfiance. Au
contraire, celui qui accédait au trône, le Dauphin Louis —
devenu maintenant Louis XI — lui avait toujours manifesté
beaucoup plus de chaleur, sinon même d'amitié, et, comme il se
trouvait alors à Avesnes, sur les terres du duc de Bourgogne,
c'est sans opposer la moindre difficulté qu'il laissa à son « beau
cousin » Charles le soin et l'honneur de conduire les obsèques,
semblant confirmer ainsi la seconde place qui revenait à celui-ci
dans le royaume de France.

De Mehun-sur-Yèvre à l'abbaye de Saint-Denis, du 13 juillet
au 6 août, durant l'imposant et interminable voyage funèbre qui
allait drainer le long du chemin des milliers et des milliers de
sujets éplorés, Charles le poète, malgré l'âge, remplit son rôle

avec toute la dignité et aussi l'efficacité souhaitables. Quand, de son côté, Louis XI eut rejoint la capitale et fait son entrée solennelle dans la ville, le 31 août, il tint à se rendre dès le lendemain chez le duc d'Orléans pour lui manifester toute sa satisfaction et même, en signe d'indéfectible amitié, projeter de réunir par une galerie de marbre la demeure ducale à l'hôtel Saint-Paul, alors résidence ordinaire des rois. Un mois plus tard, le 30 septembre, c'est Charles qui accueillait Louis XI dans sa bonne ville d'Orléans, au milieu d'une allégresse générale. Le nouveau règne semblait décidément commencer sous les meilleurs auspices et devoir être très favorable au duc, ainsi qu'à sa famille.

Pourtant, dès le même jour, sans que nul s'en rendît encore bien compte, certains nuages commençaient à s'amonceler. On signait en effet le contrat de fiançailles entre Pierre de Bourbon et la toute jeune Marie d'Orléans, alors âgée de quatre ans, héritière riche d'espérances assez substantielles pour que le roi eût préféré la voir épouser son propre frère Charles duc de Berry.

Déjà secrètement hostile à une dynastie trop proche du trône pour ne pas l'inquiéter, reprenant ainsi la tradition paternelle, Louis XI sut pourtant dissimuler l'ampleur de son dépit, se réservant d'agir dès que l'occasion s'en présenterait : faute d'héritier mâle, la Maison d'Orléans n'allait-elle pas disparaître bientôt, avec la mort si probable et tant souhaitée d'un faible vieillard, maladif et « caduc », qui approchait maintenant de la septantaine, soit, pour l'époque, un âge assez exceptionnel ?

Un mois plus tard, coup de théâtre : pour la seconde fois, la duchesse d'Orléans se trouvait enceinte. Le 27 juin 1462, à une heure qui n'est pas précisée, dans « la grant Chambre » du château de Blois, elle accouchait d'un fils, Louis II d'Orléans, notre futur Louis XII, né ainsi après vingt-deux ans de mariage.

Un événement aussi surprenant, un père sénile, chancelant, égrotant, une mère encore jeune, peut-être désirable, en tout cas aimable et enjouée, point trop prude dans ses manières : il n'en fallait pas plus pour relancer les ragots, les allusions grivoises, le scepticisme, et il est sûr que Louis II d'Orléans est, avec Charles VII, Louis XVII et Louis-Philippe, l'un des rares Capétiens dont la légitimité a pu paraître assez discutable à certains.

Pourtant, parmi les détracteurs de la duchesse et de sa vertu — au premier rang desquels nous retrouvons évidemment Louis XI qui aimait en plaisanter dans l'intimité —, on n'a jamais vraiment pu avancer le nom d'un père putatif incontestable, ou seulement à peu près vraisemblable : ni le chevalier Claude de Rabodanges, avec qui, selon certains, Marie de Clèves se serait remariée après son veuvage, entre 1473 et 1475, ni le beau Louis de Mornac, pour qui elle aurait eu des bontés vers 1464, n'étaient encore arrivés à la Cour de Blois en 1461. Quant à Pierre de Bourbon qui, en raison de son âge, aurait pu jouer le rôle d'un étalon tout à fait convenable, personne n'a jamais songé à le soupçonner, et ce que l'on sait de sa personne ou de ses mœurs rend cette hypothèse plutôt douteuse. Ne resterait guère, parmi tous les pères possibles, que ce palefrenier nommé « Bayonne » — sûrement un sobriquet — qui alors, paraît-il, ne quittait jamais la duchesse « d'une semelle ». Cette hérédité éminemment roturière expliquerait, selon certains, cette « physionomie vulgaire » du futur Louis XII, ces « traits communs », cette « absence de grâce » comme dit Michelet, ce manque de morgue et de majesté qu'on aurait tant souhaité trouver « chez un roi par ailleurs si juste et équitable ».

Selon d'autres, plaideraient au contraire pour la légitimité du jeune enfant son long nez disgracieux, ses yeux mornes et lourds, ses épaules voûtées de Valois finissant, ainsi que le physique chétif et la complexion maladive qui pourraient caractériser un « fils de vieux ». Même si — comme nous le verrons plus loin — cette dernière explication nous semble peu convaincante à bien des points de vue, le fait décisif repose en tout état de cause sur un vieux principe de droit romain : « *Is pater est, quem nuptiae demonstrant* » (le père est celui que désigne le mariage). Ou, si l'on préfère, tant que la paternité légale n'a pas été désavouée d'une façon ou d'une autre, un enfant reste, qu'on le veuille ou non, le fruit légitime du couple. De même que le juriste, l'historien doit donc considérer Louis II d'Orléans, futur Louis XII de France, comme le fils incontestable de Charles.

C'est pourquoi le sombre Louis XI n'a jamais risqué autre chose que d'hypocrites plaisanteries, alors que son intérêt le plus évident eût été de faire clairement proclamer par ses juges la bâtardise du nouveau-né. Il n'en reste pas moins que, cette fois encore, la fureur royale « ne connaissait point de bornes », et ce d'autant plus que lui-même n'avait point encore d'héritier mâle, pas plus que son frère cadet le duc Charles de Berry, un pauvre adolescent cachectique, scrofuleux et qui mourra célibataire quelques années plus tard. Quoi ? La couronne de France finirait-elle par passer aux Orléans maudits ?

Peut-être persuadé que, cette fois encore, n'allait naître qu'une fille, le roi avait accepté, peu de temps avant la naissance, d'être le parrain du futur enfant. Il attendait donc à Amboise la délivrance de sa cousine. Quand il apprit enfin la nouvelle, il eut beaucoup de mal à cacher sa mauvaise humeur. Néanmoins, il partit immédiatement à cheval, suivi seulement de deux compagnons, passa la nuit chez le sire de Chouzy et arriva le lendemain matin à Blois, dès l'aube. Parvenu devant le château, il refusa d'y pénétrer, s'arrêtant à la porte du donjon. Il s'y fit amener l'enfant et lui jeta à peine un regard, tandis que, déjà, le cortège se formait, puis avançait lentement en direction de la chapelle, derrière l'évêque de Chartres qui officiait. La marraine, la reine Marguerite d'Anjou, femme de Henry VI d'Angleterre, fermait la marche, un cierge à la main.

La cérémonie fut exceptionnellement courte, peut-être abrégée encore par le fait que, manifestement, le roi de France avait hâte d'en finir avec cette formalité. Les dernières prières à peine expédiées, on le vit demander un broc, puis se laver les mains, car, au moment où, rituellement, Louis XI avait touché les pieds de l'enfant son filleul, celui-ci s'était abondamment soulagé sur sa main. Au lieu d'en rire, le parrain, très superstitieux comme chacun sait, y avait vu un mauvais présage. Pour comble de malheur, en quittant le château, il s'était pris le pied dans le repli d'un tapis et avait fait un faux pas, ce qui lui parut plus inquiétant encore. Il quitta Blois presque aussitôt, au comble d'une fureur que, cette fois, il ne cherchait plus du tout à dissimuler.

Au contraire, dans l'enceinte du château et par toute la ville, la joie éclatait, sans aucune retenue. Malgré la fatigue et les infirmités, seulement inquiet de ne pas vivre peut-être assez longtemps pour voir grandir ce fils qui lui était donné presque miraculeusement, le vieux Charles d'Orléans rayonnait : « Le spectacle le plus étonnant d'une vie si pleine de contradictions est bien celui que nous présente, au seuil de la vieillesse, la naissance de ses enfants. Comme un vieil arbre, il fleurissait en son automne », pour reprendre les termes de son biographe, Champollion-Figeac. Et, tandis que le petit peuple se répandait spontanément dans les rues, la ville de Blois et les paroisses d'alentour accordaient au nouveau-né un don gratuit de trois mille livres parisis, geste bientôt imité par l'Élection d'Orléans, apparemment sans protestations particulières de la part des imposables.

Comme l'écrit si bien René Maulde La Clavière : « Ainsi naquit Louis XII : sa naissance fut un grand événement politique, salué avec joie par les uns, accueilli par les autres comme une grave occasion de discorde. Sa mère était la petite-fille du meurtrier de son grand-père paternel ; son père, l'ami des assassins de son grand-père maternel ; sa marraine, Marguerite d'Anjou, la femme du geôlier de son père ; son parrain, Louis XI, un ennemi mortel ; son père, un prince mourant... »

Mourant ? A ce point ? A cet égard, René Maulde La Clavière exagère passablement, puisque Charles d'Orléans va vivre deux bonnes années encore. Deux années très remplies, de plus en plus assombries par l'hostilité que lui manifeste le roi Louis XI. Maintenant celui-ci agissait en effet à visage découvert, intriguait pour affaiblir le pouvoir du vieux Charles dans son comté d'Asti et s'opposait à ses prétentions milanaises en soutenant à fond l'inquiétant Francesco Sforza : le 22 décembre 1463, Louis XI allait même jusqu'à conclure une alliance des plus intimes, en bonne et due forme, avec le *condottiere,* devenu entre-temps maître incontesté de la Lombardie : d'un seul coup, toutes les espérances de Charles d'Orléans semblaient s'effondrer.

Peut-être coïncidence, peut-être conséquence directe de cette mauvaise nouvelle, l'état du vieux duc empire brusquement dans le courant de janvier, à tel point qu'il fallut quérir de toute urgence dans sa studieuse retraite d'Orléans l'indispensable chanoine Caillau et, à Tours, Maistre Robert Poitevin, médecin royal. Au château de Blois, on croyait voir agir là un mystérieux poison envoyé soit par le Sforza, soit par quelqu'un d'autre dont personne ne prononçait le nom, mais qui, de toute évidence, ne pouvait être que le roi lui-même. Au moment des fêtes de Pâques, à en croire les quelques intimes qui avaient pu l'approcher, Charles d'Orléans se trouvait au plus mal, quand on apprit que, pour la troisième fois, sa femme était grosse.

On imagine le regain de gloussements, de sarcasmes et surtout la nouvelle fureur de Louis XI, fureur bientôt exacerbée par un autre événement : le 23 avril 1464, au château de Nogent-le-Roi, sa femme Charlotte, reine de France, accouchait elle aussi d'un enfant. Mais, alors que le roi attendait évidemment un garçon, c'était une fille, par surcroît rachitique, effroyablement mal conformée, presque monstrueuse : celle qu'on appellera Jeanne, Jeanne de France, et sera pendant des années le malheur de Louis II, l'enfant quasi miraculeux de Charles d'Orléans.

Le roi Louis XI était en effet l'un de ces hommes qui savent retourner à leur avantage les situations les plus consternantes. Il entrevit presque aussitôt les grandes lignes d'un plan particulièrement machiavélique. Quatre jours seulement après la naissance et, bien évidemment, avant que les malformations et disgrâces physiques de sa fille ne fussent connues à l'extérieur, il faisait savoir avec beaucoup de solennité à Charles d'Orléans qu'en signe de réconciliation et d'amitié il consentait à accorder la main de la nouvelle-née au jeune Louis II, fils unique de son cher cousin. Sans méfiance et même flatté, le vieux duc accepte avec empressement et, dès le 10 mai, le roi confie à son fidèle Jean de Rochechouart, bailli de Chartres, le soin de régler les détails de l'affaire :

« ... Comme puis naguères ait esté faicte certaine ouverture du mariage de nostre très chière et amée fille Jehanne et de nostre très chier et trez amé cousin Loys, filz de nostre très chier et très amé oncle le duc d'Orléans, pour lequel mairiaige traicter et conclure soit besoing de commectre et ordonner... de par Nous aucune personne à Nous seure et féable, ... promectans... en bonne foy et parolle de Roy avoir agréable, ferme et estable, à tousjours,... ce qui sera par vous faict et besongné, ... touchant la matière dessus-dicte... » Le contrat était signé dès le 19 mai au château de Blois, pour le compte d'un fiancé de deux ans à peine et d'une « promise » de vingt-quatre jours !

Sans bien se rendre compte de ce qu'il faisait alors le malheur de son fils, le naïf Charles d'Orléans avait peut-être cru que ce projet lui permettrait de rentrer quelque peu dans les bonnes grâces du toujours imprévisible souverain. Les affaires de Bretagne n'allaient pas tarder à le détromper ou, plus exactement, à le faire passer, presque malgré lui, dans le camp de ceux qui avaient choisi de résister aux entreprises de la couronne.

Les relations entre les deux Cours ducales de Nantes et de Blois étaient en effet traditionnellement des plus amicales et une alliance étroite unissait les deux grands féodaux, ce que Louis XI voyait évidemment d'un très mauvais œil. Méfiance accrue par le fait que, vers le même temps, un grave différend s'élevait entre le roi de France et le duc de Bretagne, qui menait une politique ambitieuse jugée en haut lieu beaucoup trop indépendante, et qui venait en particulier de conclure un accord avec les Anglais, accord secret certes, mais vite découvert par les agents royaux.

C'est du moins ce que prétendait Louis XI, et ses attaques peut-être injustes contre le duc de Bretagne renforcèrent en quelque sorte les rancœurs nourries par la plupart des grands féodaux — René d'Anjou, comte de Provence ; le duc de Bourgogne ; le duc de Bourbon ; le comte du Maine ; le duc d'Alençon ; sans oublier, c'est évident, le duc d'Orléans —, outrés par les excès continuels du pouvoir et qui, pour mieux lui résister, prenaient la précaution de resserrer davantage leur union.

Conscient du danger, soucieux de désamorcer au plus vite une situation aussi explosive et de présenter la situation conformément à son intérêt, Louis XI convoque en décembre 1464, à Tours, une assemblée des princes du Sang et des féodaux les

plus puissants. Charles d'Orléans aurait pu imiter le duc de
Bretagne et se dispenser de s'y rendre, car les excuses les plus
valables ne lui manquaient guère. Son état de santé s'était
encore dégradé et son troisième enfant venait de naître quelques
semaines plus tôt : il s'agissait d'Anne, dite elle aussi
« d'Orléans », qui, plus tard, serait religieuse et abbesse de Fontevrault. Pourtant, malgré les craintes de son entourage et surtout les mises en garde de ses médecins, notre septuagénaire
choisit de répondre favorablement à la convocation et non sans
un certain courage, bravant l'hiver, il prend la route.

Sur ce qui s'est passé exactement lors de cette assemblée —
qui, en fait, semble avoir siégé successivement à Tours, à Chinon et à Poitiers — et surtout sur la façon dont s'y serait com-
porté Charles d'Orléans, sur ce qu'il y aurait fait ou dit, témoins,
chroniqueurs et historiens sont loin de se montrer unanimes.
Selon Jehan de Saint-Gelays, le vieillard aurait surtout cherché
à apaiser le roi, mais, soudain inquiet de sa propre audace, il
aurait quitté précipitamment « la ville » (laquelle ? nous ne le
saurons jamais) avant la fin de la session. Selon le vieil historien
Aimé-Louis Champollion-Figeac, il aurait voulu « prononcer
quelques paroles en faveur du duc de Bretagne », contre qui
Louis XI avait tenté de dresser l'assemblée. Mais « le roi, sans
égard pour le grand âge et les infirmités de son parent, le mal-
traita en paroles. [Et]... la dureté de ses reproches troubla fort le
bon prince, qui rentra chez lui pour ne plus en sortir ». Version
fournie dès le XVIᵉ siècle par Claude de Seyssel. Au siècle suivant, François-Eudes de Mézeray, lui, va plus loin et nous
dépeint Charles s'enfuyant de Tours au comble de l'épouvante,
puis succombant d'émotion sur le chemin du retour.

Car le lieu même de son décès semble avoir fait hésiter les uns
et les autres : dans leur très classique *Histoire de Blois*, Bergevin
et Dupré, ainsi que Thomas Basin dans son *Histoire des règnes de
Charles VII et de Louis XI*, le font mourir à Tours ; à en croire
Thevet, c'est à Châtellerault qu'il aurait rendu l'âme ; selon
Nicolas Gilles et le *Rozier historial*, à Amboise, version reprise
plus tard par le poète Octavien de Saint-Gelays dans sa bien
médiocre *Épitaphe de Monsieur d'Orléans* :

... qui s'endormit en Dieu et print son somme
Mil quatre cens soixante et quatre en somme
A Amboise le quart jour...

Il semble bien en effet que le duc Charles quitta Poitiers à la fin de décembre pour rentrer au plus vite chez lui, pressé non point véritablement par la crainte du roi, mais par les soucis que lui inspiraient sa grande fatigue et son état de santé. A Châtellerault, il subit ce qu'on appellerait aujourd'hui un « refroidissement », refuse de s'arrêter à ce détail, force l'allure et, dans sa hâte de retrouver son cher refuge blésois, fait même brûler l'étape de Tours.

Mais, le 31 décembre, arrivé à Amboise, fiévreux, haletant, incapable de se tenir debout ou même assis, il lui faut s'arrêter. Arrivent bientôt de Blois sa femme Marie de Clèves — évidemment en compagnie de son palefrenier Bayonne —, plusieurs serviteurs et amis, ainsi que les chirurgiens Jehan Escanart et Geoffroy Allanquin. Leurs efforts restent vains, et, arrivé ainsi dans la « septante-unième année de son aage », Charles meurt doucement, en bon chrétien, dans la nuit du 4 au 5 janvier 1465 n. st.

C'est le futur gendre, Pierre de Bourbon — appelé maintenant « Monsieur de Beaujeu » — qui, monté sur un cheval caparaçonné de noir, vint pour escorter le corps, ramené depuis Amboise jusqu'à Blois sur un chariot d'apparat, à Blois où, dans la chapelle Saint-Sauveur du château, l'attendait sa fosse ouverte.

En raison des finances familiales toujours aussi médiocres, Marie de Clèves ne put ordonner que des obsèques assez simples, contrairement à ce qui se passait d'ordinaire pour d'aussi grands personnages. Toutefois, comme cela s'imposait, elle tint à conduire le deuil elle-même, suivie par toute la Maison ducale et les dames de sa propre Maison, sans oublier les nourrices qui, selon l'âge des enfants, les accompagnaient ou les « portaient à bras » : « Mademoiselle Marie », âgée alors de sept ans, qui marchait à côté de son fiancé Pierre de Bourbon-Beaujeu ; « Made-

moiselle Anne », qui avait à peine plus de deux mois ; et surtout
celui qu'on appelait encore « Monseigneur de Valois », le jeune
Louis, le fils miraculeux, dont c'était véritablement la première
apparition publique et qui venait d'atteindre ses deux ans et
demi.

Il portait une longue robe de drap fin avec un manteau fourré
d'agneau noir ; les jeunes d'Arbouville et de Pacry, ses deux
petits pages, venaient un peu derrière, lui tenant sa longue
traîne. Toute l'assistance remarqua l'allure grave de l'enfant,
« fort peu commune à touz ceux de son aage ». Avait-il déjà
conscience de ce qu'il était désormais le nouveau duc d'Orléans,
chef de la plus prestigieuse Maison princière de France avec
celle de Bourgogne ? Devinait-il, dans une prescience obscure,
les graves difficultés qui allaient assombrir son adolescence ?

CHAPITRE II

Les jeunes années
(1465-1473)

L'enfant devenait donc duc d'Orléans et chef de Maison princière, mais, bien trop jeune pour assumer réellement de telles responsabilités, il avait besoin d'être mis en tutelle, au moins jusqu'à sa majorité. Hostile comme il l'était à ses cousins, Louis XI aurait pu, aurait peut-être dû empêcher Marie de Clèves de devenir la tutrice de son fils, ou au moins lui susciter les pires difficultés en ce qui concernait la responsabilité, la garde, l'éducation du jeune garçon. Mais, au même moment ou presque, en ces premiers mois de 1465, se constituait une ligue dite « du Bien Public » où l'on retrouvait la plupart des grands féodaux et, dans la lutte très dure qu'il engagea alors avec eux, l'intérêt du monarque était évidemment de ne pas rejeter les Orléans du côté de ses adversaires.

Aussi le roi abandonne-t-il à la veuve et sans réticences apparentes les revenus de ses fiefs normands — surtout de Saint-Sauveur-le-Vicomte et de Saint-Sauveur-Lendelin —, lui accorde main-levée de tous ses droits, mieux encore, la laisse se présenter dans ses actes officiels comme ayant la « garde, gouvernement et administracion de Nostre tres chier et très amé filz Loys, duc dudict duchié d'Orléans, et de noz autres enffans ».

Il ne cherche pas davantage à empêcher la duchesse d'affirmer le pouvoir de sa famille sur le comté d'Asti et même de prendre quelques initiatives diplomatiques dans toute l'Italie du Nord, en particulier un projet d'alliance avec la Sérénissime

République de Venise contre « ledict Francisque Sforce », en
fait l'inquiétant Francesco Sforza, non seulement l'ennemi permanent des siens, mais l'allié traditionnel et relativement fidèle
de Louis XI.

En mai 1466, voire plus tard encore, le roi continue à combler
apparemment Marie de Clèves de certaines prévenances. Il lui
fait don des terres et seigneuries de Chaumont-sur-Loire, de La
Borde et des Rochettes, avec tous les droits qui en dépendent,
sauf les péages, particulièrement rentables sur ce qui est alors
l'une des premières voies fluviales de France. Il lui abandonne
aussi, en considération du fait qu'elle a la garde « de trois jeunes
enfants », un privilège enviable : celui de nommer les officiers
royaux sur toute l'étendue de ses domaines, en particulier les
officiers de finances.

Se fiant peut-être à l'inexpérience ou à la médiocre envergure
de la duchesse, Louis XI semble n'avoir éprouvé que la plus
totale indifférence pour les quelques prérogatives de souveraineté que la famille d'Orléans avait gardées dans le comté de
Blois. Et, de fait, Marie de Clèves ne se permit que très exceptionnellement d'affranchir des mainmortables, de légitimer des
bâtards ou d'anoblir des roturiers.

Allant plus loin, ne fût-ce que pour susciter de nouvelles
fidélités envers sa Maison, la duchesse aurait pu, comme l'avait
fait son défunt mari après 1440, tenter de redonner une certaine
vie à l'ordre de chevalerie qu'avait institué autrefois, peu avant
l'an 1400, Louis Iᵉʳ d'Orléans, imité depuis par d'autres, plus
spécialement en 1464 par René d'Anjou avec l'Ordre du Crois-
sant, puis en 1465 par le duc de Bretagne avec celui de l'Hermine et de l'Épi. L'Ordre orléanais du Porc-Épic, dit encore
l'Ordre du Camail, portait la fière devise : « *Cominus et Emi-
nus* » (de près et de loin). Les insignes consistaient en « une
longue soutane » de velours violet doublée de satin rose avec un
large collier d'argent auquel pendait un porc-épic d'or émaillé.
En somme, de quoi combler la vanité de bien des bourgeois ou
même de nobliaux vivant sur les bords de la Loire, voire en des
provinces plus lointaines, non contrôlées par les Orléans.

Or, le « financier » Michel Gaillard semble avoir été sinon le seul, du moins l'un des rares à avoir reçu cette distinction dans la seconde moitié du siècle, et il n'est même pas sûr que cela ait eu lieu pendant la délicate période de la tutelle exercée par Marie de Clèves. Tout se passe comme si celle-ci avait délibérément laissé tomber en désuétude ce qui, en d'autres mains, aurait pu se révéler un moyen assez efficace de résoudre certains problèmes politiques.

Sa seule audace, sa seule prétention souveraine, au fond, sera de signer ou de faire signer son fils de leurs premiers prénoms sans autre adjonction : « Marie », « Louis », comme le faisaient traditionnellement les rois. Habitude ou geste sans grande portée qui ne faisait qu'amuser Louis XI et, malgré les circonstances difficiles, celui-ci s'en gaussait encore quelques heures après l'indécise bataille de Montlhéry, en juillet 1465, contre la Ligue du Bien Public.

Quand, dans le courant de l'automne, la guerre civile s'achève à la paix de Saint-Maur-des-Fossés, point battu, mais point véritablement victorieux, en tout cas assez affaibli pour savoir qu'il doit encore ménager les uns et les autres, Louis XI continue à se montrer relativement accommodant avec la Maison d'Orléans et tout disposé à lui accorder une nouvelle preuve de sa bonne volonté : malgré ses réticences premières et son dépit — que nous avons entrevus au chapitre précédent —, il accepte définitivement, le 8 novembre suivant, le projet de mariage entre Pierre de Bourbon-Beaujeu et « Mademoiselle Marie », fille du défunt duc Charles.

En fait, dès qu'il le peut, le roi change d'attitude ; moins d'un an plus tard, il obtient même un succès décisif en arrachant précisément le sire de Beaujeu à l'entourage de Marie de Clèves, dont il était désormais, en tant que futur gendre, presque le seul, en tout cas le principal soutien. Méprisant allègrement l'accord pourtant solennel du 8 novembre 1465, il propose au jeune homme la main de sa fille aînée, Anne de France. Pierre avait beaucoup de bonnes dispositions morales — le courage physique, la prudence, la sobriété —, mais il nourrissait aussi de grandes ambitions : de toute évidence, comme le dit René Maulde La Clavière, pour lui « la qualité de gendre du roi l'emportait sur celle de gendre de Marie de Clèves ». Sans hésiter le moins du monde, il accepte cette offre aussi flatteuse qu'inespérée ; désormais, il change carrément de camp, soutiendra toujours son beau-père avec le plus parfait dévouement, y compris dans les entreprises dirigées contre les Orléans — auxquels pourtant il doit tant ! — et se montrera même, à l'occasion, l'un des adversaires les plus résolus du jeune duc, le futur Louis XII.

Maintenant que la situation intérieure de son royaume avait plutôt évolué à son avantage, le souverain cachait beaucoup moins sa fondamentale aversion envers les Orléans, encore accentuée par les dernières nouvelles en rapport avec les affaires italiennes. Déjà, en mars 1466, était mort son allié Francesco Sforza, auquel succédait son fils aîné Galeazzo-Maria, excessif, peu sûr, finalement assez médiocre à tous points de vue.

Conscient de la perte qu'il venait d'éprouver, Louis XI veut alors brusquer les choses, essayant de faire perdre Asti aux Orléans, et par tous les moyens. Son imagination fertile mit au point plusieurs combinaisons, dont la dernière consistait, par le biais d'une vente plus ou moins forcée, à faire passer cette belle seigneurie transalpine aux mains du sire de Beaujeu, maintenant son gendre.

Bien que tout s'ourdisse contre elle sous le sceau du secret, la duchesse d'Orléans finit par avoir vent de l'affaire et, dans son désarroi, elle ne sait que se tourner vers son frère aîné qui, régnant depuis 1448 sur le duché de Clèves, obtient facilement de l'empereur Frédéric III, toujours suzerain théorique de l'Italie du Nord, l'investiture du comté d'Asti pour sa sœur, ou plus exactement pour son neveu, le jeune Louis. Publié le 14 mai 1467, le diplôme impérial est un véritable camouflet pour Louis XI, qui se fâche et décide d'attaquer ouvertement la duchesse sur tous les fronts, y compris en ses domaines proprement français et à commencer par la ville en quelque sorte symbolique d'Orléans.

De tout temps, le roi s'était intéressé à la vieille cité, en connaissait bien les environs, aimait chasser du côté de Jargeau et affectait de venir fréquemment dans le duché sous le prétexte d'y faire ses dévotions à Notre-Dame-de-Cléry. Après la guerre de la Ligue du Bien Public, il alla plus loin dans ses audaces, s'amusant à dater symboliquement d'Orléans plusieurs de ses décisions les plus importantes. Peut-être pour mieux humilier encore la branche cadette tant détestée, il avait même projeté de s'y construire un vaste hôtel sur l'emplacement des anciens remparts, en fit au moins creuser les fondations, puis, peut-être soucieux de ne point engager des dépenses supplémentaires, se contenta de laisser le terrain en l'état — une façon comme une autre de rappeler, au cœur de ce riche apanage, la prééminence du suzerain royal.

Mais il n'était évidemment pas question pour lui de s'arrêter à ces simples gestes. Comme autrefois son mari, la duchesse continuait à se débattre au milieu des pires difficultés financières : si les dettes du duc Louis Ier avaient fini par être épongées, parfois avec plus d'un demi-siècle de retard, certaines de celles du duc Charles ne devaient être remboursées que dans le courant de 1470, de 1471, voire de 1475 ! Fort au courant de ces détails, Louis XI s'abstenait autant qu'il le pouvait de toute initiative qui aurait pu améliorer une telle situation.

C'est ainsi qu'en janvier 1472 Marie de Clèves doit envoyer son fidèle trésorier François de Villebresme auprès du roi qui se trouve alors à Tours pour lui arracher le paiement de la pension annuelle de 10 000 livres tournois que lui doit la couronne. Maître François devra y retourner le 9 avril suivant, puis encore le 10 mai, avant d'obtenir enfin satisfaction. Alors que, depuis des semaines, représentant les intérêts de plusieurs créanciers, un huissier se trouvait au château de Blois, menaçant de faire vendre le comté aux enchères si un premier versement de 3 000 livres parisis ne lui était point accordé dans les plus brefs délais.

Selon toute vraisemblance, le souverain aurait voulu aller encore plus loin dans sa politique anti-orléanaise. Un exemple parmi tant d'autres : alors que son administration exigeait depuis longtemps le reversement par les grands féodaux d'une partie des droits dits « de franc fief » payés par les roturiers possédant des seigneuries, il imagine en 1470 de réclamer à

Marie de Clèves la totalité de ces fonds. La duchesse, aux abois, fait opposition, ce qui n'aurait peut-être eu guère de succès face à la haineuse détermination de Louis XI, si elle n'avait suivi alors un judicieux conseil : celui de se faire soutenir sur ce point par les autres grands seigneurs du royaume.

Parade efficace, semble-t-il, puisque, quelques mois plus tard, après bien des négociations, le roi acceptait de lui abandonner tout le produit des francs-fiefs, en principe pour permettre de payer les dettes de son « très chier et très amé parent et oncle » feu le duc Charles. Beau succès pour la Maison d'Orléans, partiellement acquis grâce au jeu trouble et subtil d'un personnage qui, en cette affaire, sut mettre à profit tout à la fois la confiance que lui témoignait la duchesse et l'estime en laquelle le tenait le monarque. Il s'agit d'un certain Guyot Pot...

En effet, dès février 1465, presque immédiatement après la mort du vieux duc et alors qu'il semblait ménager encore la Cour de Blois, Louis XI avait pris d'élémentaires précautions, tenant à désigner lui-même ceux qui, parmi les familiers de la veuve, détiendraient les principales responsabilités : c'est ainsi que l'opulent Michel Gaillard allait gérer les finances blésoorléanaises, le terne et besogneux Pierre du Refuge, s'occuper de la justice, et surtout, poste capital, l'avide et insaisissable Guyot Pot, devenir le « régent et gouverneur » du jeune duc.

Une fois de plus, Louis XI allait montrer qu'il s'y connaissait en hommes, car, bien que les nouveaux promus aient pu être considérés auparavant comme d'authentiques fidèles par le défunt duc, ils possédaient tous un sens assez aigu de leurs intérêts pour deviner qu'ils devaient servir le monarque plus que la duchesse d'Orléans. Et, de fait, ils furent nommés avant tout pour surveiller, en un mot pour espionner tout ce qui se faisait ou se disait au château de Blois, voire, à l'occasion, donner des conseils appropriés, c'est-à-dire orienter certaines décisions capitales. Mais tous trois surent en même temps s'acquitter avec doigté de cette tâche délicate, rester dans les bonnes grâces de la veuve et même agir de telle sorte que, comme tutrice en titre, celle-ci pouvait garder l'impression d'agir en toute indépendance sur les domaines qu'elle avait reçus en garde.

L'Allemande à tête légère avait-elle un peu mûri avec les années ? Il est bien difficile de répondre. D'évidente médiocrité, de santé fragile, de caractère faible, d'une incroyable nervosité, sans jamais beaucoup de suite dans ses idées, elle laissait trop souvent ses sentiments passer d'un extrême à l'autre en des temps très courts. Comme autrefois ses contemporains, elle ne cesse de déconcerter l'historien.

Certaines années où, nous le savons, sa détresse financière est extrême, elle se laisse aller à de folles prodigalités. Ainsi, en 1470, elle envoie un dominicain de Blois jusqu'à Saint-Jacques de Compostelle pour y offrir au sanctuaire un ex-voto de grand prix, consistant en un cœur d'or massif enrichi d'un saphir, d'une émeraude et d'un gros rubis ; elle persiste, pour des services non précisés, à donner 50 livres tournois par mois à son jardinier, ce qui correspond à une gratification tout à fait inhabituelle pour ce genre de serviteur ; verse 22 livres parisis à Regnault Le Queux et à Robert du Herlin, deux obscurs écrivaillons qui lui proposent le manuscrit de leurs œuvres poétiques, « rondeaux et ballades » ; 36 sous aux écoliers de Crépy-en-Valois ; 40 à deux religieux de l'Université de Paris, trop pauvres pour continuer leurs études sans une aide extérieure ; 300 livres tournois à Jean de Cugnac, son valet de chambre, et 400 à Marie de Morant, sa demoiselle d'honneur, à l'occasion de leurs mariages respectifs ; et encore une foule de gratifications diverses à un autre valet de chambre pour les obsèques de sa mère ; à un « écuyer de cuysine » pour mieux marier sa sœur ; à son conseiller Guillaume de Villebresme, pour la construction de sa maison ; à Jean de Cugnac — encore lui —, pour s'acheter un cheval ; et pêle-mêle à Jean Brachet, son receveur à Orléans ; à Pierre Chevallier, auditeur de ses comptes ; à Simon Musset, lieutenant à Blois ; à Arnould Le Bisque, capitaine des Montils, et à bien d'autres encore.

En 1472, année presque aussi sombre, elle commande un retable sculpté, décoré d'azur et d'or, représentant la « Passion Nostre Seigneur Jesus-Christ » ; elle se fait illustrer un livre d'heures par Maistre Jehan Fouquet, miniaturiste aussi célèbre par son talent que par ses tarifs élevés ; en même temps, elle comble de faveurs son neveu Alof de Clèves, bâtard de son frère Jean et alors étudiant en l'université d'Orléans, qui reçoit successivement 6 écus d'or, puis 8 livres 15 sous parisis pour l'entretien de ses souliers *(sic)*, puis 17 livres 17 sous tournois « pour plus honnestement s'entretenir aux escolles », puis une robe de drap gris estimée 7 livres 13 sous tournois, enfin 100 livres tournois pour le voyage de retour en Allemagne.

A d'autres moments, soyons justes, la duchesse Marie retrouvait les voies d'une indispensable parcimonie. Dès le décès de son mari, elle s'était séparée de la « chapelle » qu'il avait constituée et dont il se montrait si fier. Son entourage se trouvait désormais réduit à sa plus simple expression, avec Pierre de Vervel, le vieil organiste du duc Charles ; « Maistre Jehan de Luz », orfèvre habile dont l'intimité avec la duchesse peut laisser penser qu'il tenait un autre rôle à l'occasion ; et un « tabourin » — c'est-à-dire un joueur de petit tambour — qu'elle paie chaque année à la Saint-Michel d'un salaire en nature : à savoir un cochon gras, plus un muid et deux poinçons de blé, soit beaucoup moins que ce qu'elle donne à son jardinier.

Après les jours sombres de janvier 1465, elle semble avoir renoncé à d'excessives prétentions d'élégance et l'on ne la voit plus guère porter que des bonnets de taffetas gris et des robes de drap noir — parfois brodées de larmes d'argent, tout un symbole ! —, simplement serrées à la taille par une cordelière, signe distinctif des veuves, sans oublier, le dimanche et les jours de fêtes, une sorte de scapulaire en drap rouge qu'on appelait « pièce de poitrine » et qui se trouvait alors assez à la mode.

Comme on peut l'imaginer, la vie au château de Blois apparaît dès lors comme singulièrement simple et frugale, surtout pour ce qui, en principe, restait, ne l'oublions pas, la première Cour princière de France avec celle de Bourgogne. Évidemment suffisant, mais sans excès ni recherche particulière, l'ordinaire de la table se répétait à l'infini en toutes saisons, avec une régularité des plus monotones, aux dires, du moins, du jeune Alof de Clèves, que ses habitudes germaniques n'auraient peut-être pas dû rendre aussi difficile. Tout le monde faisait maigre le vendredi et le samedi, et les maîtres, seuls cette fois, recommen-

çaient encore le mercredi, ce qui, d'après le trésorier François de Villebresme, pourtant tout dévoué aux Orléans, était une
façon comme une autre de rogner sur les dépenses de bouche.

A six jours d'intervalle, on ne connaissait guère que deux
grands moments chaque année. Le 1er janvier, fête de la Circon-
cision, la duchesse et le jeune Louis recevaient traditionnellement une aubade de la part de tous les musiciens qui habitaient
Blois ou les environs : d'abord les cors, clairons et trompettes,
puis les joueurs de « guiterne » et de « luc », suivis des « gigues »
et « rebecs », enfin les inévitables « tabourins ». Pour remercier
ces gens, la duchesse, toujours généreuse, leur lançaient quelques menues monnaies depuis le haut des tours. La fête des
Rois, elle, était célébrée dans un cadre plus intime. Traditionnellement, celui qui avait trouvé la fève recevait une belle robe
brodée, valant « au moins 12 livres tournois » : il apparaît que
l'heureux bénéficiaire était souvent le jeune duc, comme si une
main habile autant que favorable s'était arrangée pour aider le
sort...

Pour le reste du temps, qu'on tuait en jouant aux jonchets ou
aux « tables », c'est-à-dire aux dames, à moins qu'il ne s'agisse
du trictrac — sur ce point les archéologues ne semblent pas
d'accord —, seuls des passages occasionnels ou imprévus
venaient animer l'interminable grisaille des jours : tantôt on
signalait, dans une auberge toute proche, la présence d'un
enfant monstrueux, comme cette naine qui devait tant impressionner le jeune Louis, ou ce garçon qui, à trois ans, en paraissait
dix, et toute la famille ducale de se précipiter aussitôt pour aller
voir ; tantôt c'étaient des ménestrels du duc de Bourgogne ou le
fou du roi de France, un bateleur de Chauny, un joueur de
« souplesses », le tabourin du duc de Bretagne ou encore les
« trompettes » du duc de Bourbon qui, suivant la Loire, s'arrê-
taient en ville et se voyaient aussitôt inviter au château, pour y
donner une représentation du soir, événements assez rares pour
être soigneusement consignés dans les archives, parfois même
avec de plus amples détails : ainsi quand, en mai 1470, Marie de
Clèves emmène ses enfants admirer, sur les berges du fleuve,

de « belles joutes sur l'eau », puis, un peu plus tard, des « bestes sauvages » que des gens du roi René emmènent d'Angers à Moulins, ou encore lorsqu'en septembre 1472, un homme vient, en la première cour du château, lancer plusieurs fois en l'air des brandons enflammés, exploit pour lequel il reçoit une récompense de 30 sous tournois.

Peut-être par sécheresse de cœur, peut-être, plus vraisemblablement, par souci éducatif, la duchesse s'efforçait d'habituer ses enfants à une stricte économie. Les deux filles ne portaient ordinairement que de sévères robes de drap noir et seule Marie pouvait prétendre à du taffetas jaune ou rouge les jours de cérémonie, car, à la différence de sa cadette Anne, elle n'était pas destinée à entrer en religion. Quant au jeune duc d'Orléans, il n'avait pas droit à beaucoup plus de magnificence et, en tout état de cause, sa mère tenait à ce qu'il revêtît la même tenue que celle de ses pages ou ses autres compagnons de jeu : en général une robe courte de velours ou de camelot uni qu'il fallait faire souvent repriser et retailler, avant de les user jusqu'à la trame. Ce n'était qu'aux jours de fête que l'enfant pouvait arborer du satin cramoisi, signe de son rang éminent.

Beaucoup moins généreuse envers son fils qu'elle ne l'était envers son neveu Alof, son jardinier ou son orfèvre Jean de Luz, Marie de Clèves lui mesurait chichement ce qu'on appellerait aujourd'hui son argent de poche et, alors qu'il avait atteint ses douze ans, elle ne lui donnait encore que 20 sous, exceptionnellement un écu par trimestre. Molle et indulgente comme elle savait l'être en d'autres circonstances, la duchesse ne devenait sévère qu'en ce qui concernait les cordons de la bourse et draconienne sur un point qui lui importait plus encore : le strict accomplissement des devoirs religieux par ses enfants. Ils devaient en particulier pratiquer des aumônes fréquentes et substantielles, respecter le carême et surtout se tenir impeccablement pendant la Sainte Messe. Si elle n'hésitait pas à leur faire payer des amendes en cas d'infraction à cette dernière règle, il semble que son fils Louis n'ait pas souvent eu à subir de telles punitions, car, comme il devait le montrer plus tard, le fils de Charles d'Orléans fut toujours animé d'une piété sincère.

Dès ses jeunes années, il avait, plus largement, frappé son entourage par « ses heureuses dispositions », comme dit son biographe l'abbé Tailhé. Lui qui, dès avant la quarantaine, apparaît souvent à ses intimes ou à ses visiteurs comme une sorte de malade perpétuel, voire un débile précoce, bel exemple de ce qu'on appelle souvent un « fils de vieux », il était dans sa jeunesse un enfant rayonnant, d'une santé à toute épreuve, et qui s'éleva pratiquement sans jamais avoir eu besoin de médecin ni de médicaments. En grandissant, il devint ainsi un robuste jeune homme, de bonne prestance malgré une stature seulement moyenne, un dos un peu voûté et des jambes plutôt grêles. Avec son long nez qui lui descendait sur la bouche, avec son front trop étroit, il n'était point beau de visage et, plus tard, ses portraits le montreront bien. Mais, inexplicablement, sa physionomie avait quelque chose de séduisant, et un ambassadeur vénitien lui trouvait même une certaine grâce féminine. Ses gros yeux à fleur de tête, vifs, brillants, sa parole facile et persuasive, sa voix douce et dont, paraît-il, il savait jouer avec art, son rire sonore ou, selon les cas, son sourire plus ou moins retenu semblaient annoncer bienveillance, honnêteté, franchise. De fait, le prince était sinon vraiment doux, du moins très simple, aimable, gai, au total fort sympathique, et, à le voir dès le plus jeune âge ménager la susceptibilité de ses compagnons de jeux, éviter de désobliger quiconque, écouter avec une infinie patience les solliciteurs les plus importuns, les familiers du château de Blois croyaient retrouver dans cette bonté rare celle de son père aussi bien que de sa mère.

Pourtant, cette dernière, le jeune Louis semble l'avoir détestée très tôt. Que pouvait-il bien avoir à lui reprocher ? Marie de Clèves manifestait en toute circonstance la piété la plus vive, se confessait deux fois la semaine auprès de son aumônier le chanoine Jean Pillory, futur évêque *in partibus* de Bethléem, faisait dire une messe quotidienne pour elle-même, ses enfants et ses serviteurs, priait beaucoup saint Sébastien, feuilletait des livres d'heures, entretenait une foule d'œuvres pies et avait une dévotion pour saint Segond, patron de la ville d'Asti. En outre, elle tint toujours à entretenir la mémoire de son vieux mari et fonda une messe perpétuelle d'anniversaire le 4 janvier, jour de sa mort, l'une à l'église des Frères mineurs de Blois, l'autre en l'une des chapelles de l'université de Caen.

Mais cela n'empêchait nullement les rumeurs de continuer à circuler sur son dévergondage, réel ou supposé. Peu de temps avant la mort du duc Charles, un certain Louis de Pons, sire de Mornac, avait fait son apparition à la Cour de Blois. Lointain cousin de la duchesse et à peu près du même âge qu'elle, c'était un fort bel homme qui avait connu jusque-là une existence fort agitée. Adoré de toutes les femmes, il ne semble pas avoir laissé Marie de Clèves indifférente, surtout après son veuvage. Pendant plusieurs années, on ne voit pratiquement jamais l'un sans l'autre. La duchesse le consulte sur toutes ses affaires, y compris les plus importantes et les plus graves. Au château, Mornac commande en maître et s'octroie même un droit de regard sur l'éducation du prince Louis. Nous ne savons pas comment celui-ci a pu réagir face à de telles initiatives, à une telle omnipotence, qui devait se prolonger pendant près de huit années.

Mais en mai 1472, au cours d'une chasse qui se déroulait dans les environs de Blois, Mornac fut grièvement blessé par un sanglier et ramené au château dans un état alarmant. Accourue aussitôt, Marie de Clèves envoya chercher en toute hâte le vieux médecin Jean Caillau, qui l'avait assistée au cours de ses grossesses. Rien n'y fit : quelques jours plus tard, Mornac succombait à une infection généralisée. Bien plus qu'elle ne l'avait fait pour son mari, la duchesse pleura beaucoup. A en croire certain texte, il semble pourtant qu'une seconde fois elle se soit consolée...

L'auteur n'est autre que Brantôme : « Une royne blanche, nous dit-il, laquelle, ne se povant contenir, vint à espouser son maistre d'hostel, qui s'appeloit le Sieur de Rabaudange ; ce que le Roy son filz, pour le commancement, trouva fort estrange et amer ; mais pourtant, parce qu'elle estoit sa mère, il excusa et pardonna audict Rabaudange pour l'avoir espousée, en ce que, le jour, devant le monde, il la serviroit tousjours de maistre d'hostel. »

Passage d'autant plus curieux que jamais Marie de Clèves ne

fut reine, qu'elle a toujours porté le deuil en noir et que son fils ne devint roi que bien après sa mort. A tel point qu'on peut se demander qui Brantôme veut désigner par ces termes volontairement imprécis... Pourtant il y eut bien dans l'histoire un dénommé Claude de Rabodanges, seigneur de Thun, qui vint à Blois vers 1468, alors qu'il avait environ vingt-quatre ans et la duchesse quarante-deux. Resté dans l'ombre jusqu'à la mort de Mornac, il passe alors au premier plan, s'attache au service personnel de Marie de Clèves et devient effectivement son maître d'hôtel, sans qu'on sache s'il a jamais été amant ou encore moins mari. Pourtant les *Procédures politiques du règne de Louis XII*, publiées en 1885 par Maulde La Clavière, rapportent une réflexion ambiguë qui échappa plus tard à Louis d'Orléans, alors qu'il était déjà roi, et qui pourrait être interprétée à l'extrême rigueur comme une allusion pleine d'amertume au mariage de sa mère avec un serviteur.

Peut-être ces reproches, en tout cas aussi des questions d'intérêt expliqueront que, par la suite, les rancœurs du futur Louis XII iront jusqu'à faire assigner à résidence ou même, si l'on veut, exiler Marie de Clèves à Chauny, où elle mourra presque seule en 1486, à cinquante et un ans, d'un « flux de sang ». Le prince, selon certaines sources, ne se dérangera même pas pour les obsèques et, par la suite, ne se souciera jamais de rendre un culte quelconque à la mémoire de sa mère, alors qu'il ne négligeait rien pour montrer sa piété filiale à l'égard du duc Charles. Ce qu'on sait sur la bonté de Louis II d'Orléans rend ce détail d'autant plus surprenant, ce qui ne peut s'expliquer que par l'influence de certaines personnes, en particulier celles qui ont eu la responsabilité directe de son éducation.

Passablement médiocre ou du moins inégale, celle-ci a pu gâter en effet les dispositions naturelles du jeune duc. Confié d'abord, et comme il se doit, aux soins des femmes, sa nourrice, puis sa première « garde » — une certaine Dame de Guierlay, femme d'un hobereau local —, il reçut ensuite plusieurs maîtres d'école — dont nous connaissons au moins Jean Thomas — et deux précepteurs successifs, « personnes sages et modérées », nous affirme un érudit du XVIIe siècle, parmi lesquels il faut peut-être compter Robert Gaguin, futur général de l'Ordre des Mathurins et plus connu comme chroniqueur. Du moins celui-ci nous fournit-il quelques précisions, et en particulier le fait qu'après la mort de son père, Louis d'Orléans « commença moult et voulentiers à lire les livres escripts en françoys, et si voulut encore prouver et faire expériment pour sçavoir la langue latine ». Ce qui a pu faire dire que Louis XII était, avec Henri III et son lointain descendant Louis XVIII, le seul Capétien latiniste. C'est sûrement fort exagéré.

Les seules indications que nous ayons sur ce sujet sont rares et imprécises. Un jour d'hiver, Maistre Jehan Thomas, « maistre d'escolle de Monseigneur le duc », emprunte à la bibliothèque du château « ung livre en latin, nommé Lilyon medicine *(Lilium medicinae)*, compilé par Maistre Jehan de Gorgonio ». Un peu auparavant, Jean de Dampierre, « concierge et garde » du château de Blois, avait transcrit en vers latins un avis donné à Louis d'Orléans sur les champignons réputés comestibles. Mais, dans le premier cas, Maître Thomas peut avoir fait son emprunt pour son propre usage, d'autant qu'il était en même temps médecin ; et, dans le second, rien ne dit que la traduction ait été entreprise à la demande ou pour le compte du jeune duc. En effet, comme traces d'éducation littéraire dont celui-ci a pu réellement profiter, on en est réduit à mentionner des listes de « quolibets », ou petites sentences morales comme les fameux *Distiques* de Dionysius Cato dont avait déjà été abreuvé son père entre les années 1400 et 1405.

Si, par la suite, Louis XII a favorisé la vie littéraire, s'il a même souvent, après la quarantaine, montré tout à la fois une vaste culture et une vive curiosité pour les arts ou les sciences, ces goûts ne s'expliquent guère par sa première éducation, mais plutôt, comme nous le verrons, par certains événements de sa maturité, tout particulièrement les loisirs forcés de sa détention à Bourges entre 1489 et 1491.

Dans son enfance, au contraire, grâce à une incontestable facilité que les historiens n'ont pas toujours su mettre en relief, il semble assimiler sans difficulté la plupart des connaissances qu'on lui inflige, mais, assez superficiel, il s'empresse de tout oublier,

comme le font d'ordinaire les écoliers paresseux et indisciplinés.
On peut même se demander s'il n'était pas poussé dans ces
mauvais penchants par ceux-là mêmes qui avaient la charge de
son éducation. Claude de Seyssel, qui pourtant sera un peu plus
tard son panégyriste, doit reconnaître que Louis « en son jeune
et florissant aage, [fut]... plutost nourry en lubricité et lasciveté
qu'en vertus et choses requises pour régner ». Le scrupuleux
chroniqueur laisse même entendre que les maîtres du prince
avaient reçu de Louis XI la mission de corrompre l'enfant afin
de le rendre parfaitement incompétent et incapable de prétendre accéder éventuellement au trône. Un autre contemporain,
Papyre Masson, va plus loin encore et ne craint pas d'affirmer
que, le but du souverain étant de faire du jeune Louis un impie
et un analphabète, celui-ci ne dut en quelque sorte son salut
qu'à sa mère : en effet celle-ci, à l'insu des espions royaux, aurait
pris l'initiative de faire élever secrètement son fils dans les principes de la vraie religion, ainsi que dans la connaissance des
« bonnes lettres », et avec de si bons résultats que, bientôt et à la
grande fureur de Louis XI, il n'y eut « personne à la Cour pour
mieux parler que luy en toutes choses », ce qui semble au moins
confirmer les aptitudes du futur roi à l'éloquence.

Un point est sûr : le rôle qu'allait jouer le trouble Guyot Pot,
nommé très tôt gouverneur de l'enfant par décision royale.
Nous retrouvons ici en quelque sorte la double face du personnage : s'il n'a pas « corrompu » Louis d'Orléans au sens propre
du terme, il sut très bien le laisser suivre certains de ses penchants naturels, tels que l'insouciance, l'imprévoyance ou la
nonchalance, ce qui lui permettait, tout en appliquant de façon
assez fidèle les consignes de Louis XI, de gagner la confiance
totale de celui qui deviendra Louis XII.

Ce dernier, plutôt que d'approfondir les règles de la langue
latine ou s'initier au calcul élémentaire, préfère-t-il jouer aux
billes ou taquiner des chardonnerets enfermés dans une cage ?
Qu'à cela ne tienne ! Et l'avisé gouverneur le laisse passer des
heures entières à ses passe-temps préférés, en compagnie de
jeunes compagnons aussi dissipés et ignares que lui : le Bâtard
de Pons, dit encore le Sire de Ruscigny, frère naturel du beau

Mornac ; le Bâtard de La Trémoïlle, un des multiples rejetons de cette famille prolifique ; le Bâtard de Ravenstein, fils d'Adolphe de Clèves par la main gauche ; et surtout un autre cousin, l'ami le plus intime, le plus aimé, le plus turbulent aussi, Thierry de Clèves, toujours le premier dans les escapades risquées, à tel point qu'en 1470 il faillit se briser la tête dans une chute et en garda, jusqu'à sa mort relativement prématurée en 1484, une certaine « faiblesse de jugement ».

En compagnie de tels garnements et malgré tout ce qu'il pouvait y avoir de bon en lui, Louis n'allait pas tarder à devenir un enfant particulièrement difficile, à tel point que, lorsque sa mère le faisait fouetter pour le punir de telle ou telle incartade, le serviteur préposé à l'exécution de ces basses œuvres prenait la précaution de se masquer le visage pour éviter une vengeance éventuelle.

Au total, si l'éducation du prince ne fut pas négative à tous points de vue, ce fut essentiellement grâce à son apprentissage de futur soldat. Le temps qu'il ne perdait pas à jouer aux billes ou à « dresser » des oiseaux sans défense, il le passait à cheval. A six ans, tout éperonné et arborant une armure à sa taille, il montait une belle haquenée, puis on lui fit don d'un magnifique étalon appelé Guimorre. Plus tard, adolescent infatigable, il pouvait marcher pendant des heures sous un soleil de plomb, dormait peu et buvait moins encore. A seize ans, chasseur intrépide qui attaquait les sangliers à l'épieu, cavalier accompli, le meilleur à la lutte comme au jeu de paume, il était devenu en même temps un parfait homme de guerre qui connaissait à fond le maniement de l'épée à deux mains, ne craignait personne dans les tournois et, à l'arc aussi bien qu'à l'arbalète, atteignait toujours le papegai du premier coup.

Dans son entourage, on aimait à citer ses prouesses, le fait qu'il était le seul à pouvoir sauter un fossé de quinze pieds de large, fossé que, pour cette raison, on appellera plus tard le « fossé du roi » ; ou encore les longues heures qu'un jour de février il avait dû passer enfoui dans la vase jusqu'à la poitrine, alors qu'il traquait un cerf ; le prince n'avait dû son salut qu'à un serviteur, qui l'avait entendu appeler dans le lointain. Bien que

trempé et transi de froid, le jeune duc avait demandé aussitôt
une autre monture pour repartir à la poursuite de l'animal.
Celui-ci était capturé le soir même et les piqueurs offraient sa
tête au prince, ce que celui-ci devait agréer « avec la plus parfaite grâce et majesté, comme s'il eust esté jà le Roy de
France ».

En effet, même dans la situation médiocre où il se trouvait,
Louis d'Orléans ne semble jamais avoir perdu de vue son rang
éminent dans le royaume, ce qui lui permit de ne pas sombrer
dans l'amollissement le plus total ; comme tient à le faire remarquer Claude de Seyssel, « la bonté de sa nature et la noblesse et
haultesse de son cœur a vaincu et surmonté par sa propre vertu
et sans imitation d'aultruy, toutes délices et nourritures, tout
ainsi qu'Hercules vainquit les monstres, par sa prouesse, que
Juno luy avoit envoiez pour le destruyre et affoler ».

Autour du jeune homme, certains fidèles, comme les frères
Villebresme, entretenaient le souvenir de son père, celui de son
grand-père le fastueux Louis Iᵉʳ, plus encore peut-être celui de
la douce Valentine Visconti, devenue vraie figure de légende et
dont Marie de Clèves, après son veuvage, avait repris la lar-
moyante devise : « Rien ne m'est plus. » Imprégné comme il
l'était de la tradition issue de ses grands-parents, Louis
d'Orléans, malgré son apparente bonhommie, semble avoir été
très tôt obsédé par sa possible accession à la couronne de
France.

A la mort de son père, il se trouvait second dans l'ordre
dynastique, tout de suite derrière le frère cadet de Louis XI, le
triste et inconsistant Charles de Berry, plus tard duc de
Guyenne. Mais le samedi 30 juin 1470, vers deux heures du
matin, au château d'Amboise, sous un ciel de lit en taffetas
violet, la reine Charlotte accouche, et Louis XI a enfin ce garçon qu'il attendait avec impatience depuis la mort de son fils
Joachim en 1460 : ce sera le futur Charles VIII.

Moins de deux ans plus tard, Louis d'Orléans se rapproche
du trône : le dimanche 14 mai 1472, « environ huict ou neuf
heures de nuyt », à Bordeaux, Charles de Berry mourait à vingt-
six ans, à la fois de maladie vénérienne et d'infection tubercu-

leuse. Mais la reine Charlotte se trouvait de nouveau enceinte. Au mois d'octobre, elle donne naissance à un autre garçon, nouveau duc de Berry. Quand celui-ci disparaît à dix mois, en septembre 1473, Louis d'Orléans redevient second dans l'ordre de succession et surtout il est maintenant premier prince du Sang. En même temps, d'autres événements semblent le rapprocher davantage de la personne du roi.

CHAPITRE III

Premier prince du Sang

Nous retrouvons ici une vieille affaire : le projet de mariage avec Jeanne la contrefaite, seconde fille de Louis XI...

Dans les temps qui suivirent immédiatement la mort du duc Charles, le roi sembla oublier sa monstrueuse combinaison, pour le plus grand bonheur de la Maison d'Orléans. Mais, il faut le rappeler ici, la duchesse prit en 1467 la malencontreuse initiative de solliciter auprès de l'empereur Frédéric III l'investiture pour son comté d'Asti, ce qui fut ressenti comme une véritable provocation par l'ombrageux Louis XI, et, comme par hasard, celui-ci devait bientôt relancer son idée, mais en agissant comme il en avait l'habitude : à l'improviste.

Au printemps suivant, Marie de Clèves reçoit du souverain l'ordre de se rendre au plus vite à Tours avec son fils, alors âgé de bientôt six ans. Peu soucieuse de désobéir, mais toujours nonchalante, elle se met en route avec l'enfant au bout de quelques jours et, parvenue à quelques lieues de Blois, s'arrête pour coucher au château d'Onzain. Déjà des émissaires de Louis XI arrivent, pour s'étonner de ce qu'ils présentent comme un inadmissible retard et faire connaître l'impatience, voire l'irritation du monarque.

Or, gonflée par une de ces inondations brusques dont elle a le secret, la Loire se met à déborder dangereusement durant la nuit et, au petit matin, la duchesse juge plus prudent de laisser son fils sur place, ce à quoi les émissaires royaux s'opposent farouchement. Ceux-ci montent en courant jusqu'à la chambre de l'enfant, forcent la porte, veulent emmener de force le jeune Louis, et une scène d'une extrême violence les dresse alors contre la mère, dont on entend les cris jusqu'au rez-de-chaussée.

Quand elle arrive — seule — au Plessis-lez-Tours, Louis XI ne prend même pas le temps de feindre l'indignation, tout heureux de lui faire savoir la nouvelle : en effet il entend bien reprendre et mener à bien l'ancien projet de mariage entre leurs deux enfants. Marie de Clèves, tout d'abord, n'en croit pas ses oreilles, puis elle comprend la situation, proteste, s'indigne, supplie. C'est que, si bien cachée dans les premiers temps, la vérité maintenant était largement connue : Jeanne de France promettait de devenir un « chef-d'œuvre de laideur et d'infirmité », comme l'a si bien écrit Maulde La Clavière, dont la description est tout à la fois remarquable de précision réaliste et de vigueur stylistique :

« ... Il n'y avait trop rien à dire de sa figure, qui n'avait rien d'extraordinaire... Son masque qui nous est resté, tel qu'on en prit l'empreinte à l'heure de sa mort, nous la représente, en effet, avec des traits accentués et énergiques... qui ne devaient pas déplaire à tout le monde... : un visage ovale, le nez net et développé, la bouche assez grande garnie de lèvres épaisses et un peu proéminentes, enfin un ensemble de traits qui, en dépit d'une assez forte irrégularité, rappelaient beaucoup la figure de Louis XI et respiraient un certain air d'intelligence et de force. Mais il n'y avait pas à parler du reste. C'était une taille entièrement difforme ; il suffisait de la voir, quoique d'ailleurs ses femmes de service elles-mêmes n'en aient jamais pu juger d'une manière intime... Elle avait un pied-bot, la moitié du corps rachitique, une taille contournée qui lui donnait l'aspect le plus misérable, une épaule plus basse que l'autre, une hanche resserrée et rapprochée de la jambe. Son dos, mal équilibré, formait une bosse accentuée ; la poitrine, par

devant, donnait l'idée d'une gibbosité pareille. Tous ses
membres étaient disproportionnés, grêles. Bref, c'était pitié
de la voir, surtout avec la mode des vêtements collants qui
régnait alors... »

Comment un tel parangon de disgrâces physiques aurait-il pu
sauver la future union du grotesque ou du ridicule ? Comment
une pareille femme aurait-elle pu susciter le moindre désir ?
Voire, exploit plus improbable encore, mettre au monde une
descendance ? Accepter la combinaison royale, c'était admettre
la disparition à terme de la branche orléanaise. On comprend les
réactions de Marie de Clèves, dont la résistance acharnée va en
quelque sorte alimenter la chronique pendant l'année 1468. De
son côté, Louis XI met tout en œuvre pour briser cette opposition, il se gagne secrètement la complicité du beau sire de Mornac, peut-être l'amant, du moins le seul vrai confident et l'un
des rares « fidèles » de la duchesse ; il convoque à nouveau et
plusieurs fois celle-ci, la menace de lui supprimer son douaire,
de la chasser de Blois, de la renvoyer en Allemagne et de placer
à perpétuité son fils dans un couvent.

Malgré ou à cause de ses aptitudes intellectuelles limitées,
subissant peut-être aussi certaines influences discutables, Marie
de Clèves crut habile de chercher à gagner du temps. Il est vrai
que, d'une certaine façon, elle se trouvait tenue par l'engagement
qu'avait pris autrefois son défunt mari, alors que les multiples
infirmités de Jeanne n'étaient pas encore connues, détail qui,
malgré son parfum de dol, ne pouvait constituer aux yeux des
juges royaux ou ecclésiastiques un élément suffisant pour rendre leur liberté aux Orléans. Il fallait donc jouer serré, et la
duchesse choisit de confier au gouverneur de son fils, l'habile, le
trop habile Guyot Pot, la mission d'aller auprès du roi, de sembler s'y tenir prêt à confirmer les accords passés, mais de trouver
en fait le moyen de retarder indéfiniment la conclusion de
l'affaire. Or, comme nous le savons, Guyot Pot menait un double jeu, plutôt au profit de Louis XI. Dès la fin du mois de mai, il
persuadait, au contraire, la duchesse de modérer l'expression de
son refus. Changement d'attitude qui entraîna au moins la

conséquence heureuse d'apaiser l'acharnement haineux de Louis XI.

Il ne restait plus qu'à placer son espoir en d'improbables éventualités, telles que la mort de Jeanne la Boiteuse, celle du roi ou encore un changement d'attitude de sa part, et, de fait, pendant quelques années, le souverain put donner l'impression d'abandonner l'affaire. En réalité, il attendait seulement que les deux « promis » eussent suffisamment grandi en âge pour envisager plus sérieusement leur union. Durant l'été de 1473, Louis d'Orléans avait atteint ses onze ans, Jeanne ses neuf ans et le roi ne perdait nullement de vue ses objectifs, comme le prouve cette lettre du 27 septembre adressée à l'un de ses plus sinistres complices, Antoine de Chabannes, comte de Dammartin et Grand Maître de France :

> « ...J'ay veu voz lettres et, en tant que touche voz affaires, je ne les oubliray point, et aussy n'oubliez point les miennes. Je vous envoye vostre dépesche que Pierre Cleret vous porte. Monsieur le Grand Maistre, je me suis dellibéré de faire le mariage de ma petite fille Jehanne et du petit Duc d'Orléans, pour ce qu'il me semble que les enffans qu'ilz auront ensemble ne leur cousteront guères à nourrir, vous advertissant que j'espère faire ledict mariaige, ou aultrement ceulx qui yroient au contraire ne seroient jamais asseurez de leur vie en mon Royaulme ; par quoy, il me semble que j'en feroy le tout en mon intencion. Et, touchant le logis de vos gend'armes, de quoy vous m'escripvez, je les mectroi en si bonne garnison que [vous] serez content de moy... Et adieu, Monsieur le Grand Maistre. Escript à Selommes, le vingt-septiesme jour de septembre. Signé : Loys. »

Quelque temps plus tard, Louix XI arrivait inopinément à Saint-Laurent-des-Eaux, où se reposait la duchesse, exigeant d'elle un renouvellement solennel et irrévocable de l'engagement passé. Celle-ci essaya bien de tergiverser encore, prétextant cette fois la nécessité préalable de réunir son conseil privé qui, à l'en croire, avait son mot à dire sur l'opportunité du mariage prévu. Le roi réfute à l'avance l'autorité d'une telle instance et se retire pour couper court à toute discussion, mais il a soin d'envoyer presque aussitôt deux de ses fidèles, le chancelier Pierre Doriolle et le Grand Maître Dammartin (toujours lui !), chargés de vaincre définitivement toute résistance. Forts de l'appui royal et efficacement secondés par Guyot Pot qui saura user de sa mielleuse influence, les deux hommes, parfaitement indifférents au désespoir d'une mère, se montrent d'une incroyable insolence : ils parlent haut et fort, répètent inlassablement les mêmes arguments, menacent à mots couverts, ne relâchent point la pression et, finalement, l'emportent. Épuisée, la mort dans l'âme, Marie de Clèves signe le document que les deux compères tenaient tout prêt :

> « Madame la duchesse d'Orléans, tant pour elle que pour et au nom de Monseigneur le duc d'Orléans, son filz, et soy faisant fort pour luy, a conclud, juré, promis et accordé le mariage de Madame Jehanne de France, seconde fille du Roy Nostre Sire, avecques Mondict Seigneur le duc d'Orléans et a promis, audict nom, de faire sollempnizer et accomplir le dict mariaige en face de la Saincte Église, touteffois qu'il plaira au Roy... Faict à Sainct Laurens dez Eaues, le XXe jour d'octobre, l'an Mil CCCC soixante et treize, es présence de Messires les Chancellier [et]... Grand Maistre d'Hostel... »

Le sort du jeune Louis d'Orléans se trouvait donc scellé. Certes Marie de Clèves pouvait se consoler en pensant que l'âge des deux enfants ne permettait pas de faire célébrer dans l'immédiat la cérémonie religieuse et reculait d'autant l'éventuelle consommation physique d'une union aussi saugrenue. A l'inverse, le clairvoyant Louis XI montrait une grande hâte à engager l'avenir par tous les moyens à sa disposition, et, le 28 octobre suivant, faisait dresser le contrat de mariage, présenté dès le lendemain à la duchesse, puis à son fils, en présence de très nombreux témoins parmi lesquels on comptait en majorité les principaux officiers de leur Maison.

Comme on peut l'imaginer, il fut demandé solennellement à l'enfant éberlué s'il voulait prendre sa cousine Jehanne pour femme. La vérité est qu'il répondit par l'affirmative. Que pouvait-il faire d'autre, à peine adolescent et dans l'ignorance où il se trouvait ? Avec un humour peut-être involontaire, les deux notaires attestèrent dans leur procès-verbal que le jeune Louis avait incontestablement agi de son plein gré, sans subir la moindre contrainte. Mieux encore, ils estimèrent judicieux d'ajouter que, malgré ses onze ans, il manifestait une maturité et un jugement tout à fait exceptionnels pour son âge, ce qui donnait encore plus de valeur à son acceptation !

Maigre consolation dans cette affaire lugubre, Louis XI avait au moins tenu à se montrer relativement généreux envers sa fille, ce qui bénéficiait de façon indirecte à son futur gendre. Il accordait en effet une dot de 100 000 écus d'or, à payer comptant, correspondant à une somme considérable et même à un geste rarissme, y compris de la part d'un roi de France. Détail supplémentaire et non négligeable : il était prévu qu'un tiers du montant deviendrait la propriété personnelle de Louis d'Orléans.

Il est vrai que, très peu de temps après, une autre initiative royale allait restreindre considérablement la signification et même la portée d'une telle munificence : Louis XI décidait en effet de doter d'une somme équivalente sa fille préférée, Anne. Le temps était en effet venu de parfaire le mariage de son aînée avec Pierre de Beaujeu. Et, avec un raffinement d'authentique cruauté, le roi tint à faire célébrer les noces en la petite église paroissiale de Jargeau, au cœur même du duché d'Orléans, à deux pas du château de Blois, comme pour mieux narguer Marie de Clèves qui, pendant si longtemps, avait considéré Beaujeu comme le fiancé de sa fille.

Soyons justes : cette dernière, Marie d'Orléans, Louix XI ne l'oubliait pas non plus dans ses projets matrimoniaux et il s'était mis en tête de lui faire épouser l'un de ses plus fidèles « serviteurs », certains ont même dit « l'une de ses créatures ». En prenant sa décision, le roi avait peut-être eu l'intention d'abaisser ou d'humilier la branche orléanaise, car l'heureux élu, Jean,

vicomte de Narbonne, second fils du comte de Foix, n'appartenait point à une Maison de prestige comparable. Pourtant, ce
choix imposé devait, à l'usage, se révéler bénéfique : « Monsieur
de Narbonne » était un chevalier honnête, franc et loyal, qui se
montra toujours pour Marie de Clèves un gendre déférent et
pour les Orléans en général un allié sans défaillance... dans la
mesure toutefois où ce dévouement ne contrariait pas son attachement à la personne de Louis XI. Il sera le père de Gaston de
Foix, que Louis XII, son oncle, considérera un peu comme son
enfant et qui mourra tel un héros en remportant la victoire de
Ravenne au mois d'avril 1512.

Durant la période qui s'étend de 1473 à 1476, alors qu'il se
complaisait tant à combiner des mariages plus ou moins politiques, l'ingénieux Louis XI pouvait donc s'estimer heureux,
ayant simultanément réglé le sort de son favori Narbonne, de sa
fille aînée Anne, de son protégé Pierre de Beaujeu et de sa
seconde fille Jeanne la Boiteuse. Pourtant, dès ces années-là, il
commençait à apparaître que certain de ces « succès » était peut-
être plus apparent que réel, surtout en raison des sentiments que
manifestait de plus en plus violemment le duc Louis d'Orléans,
pourtant si accommodant en apparence.

Nous ne savons pas de façon précise quand le jeune homme a
vu pour la première fois le laideron qui lui était destiné, mais il
est hautement vraisemblable que, dès ce moment-là, il allait
tout entreprendre pour tenter d'échapper au sort peu enviable
qui l'attendait. En même temps, des compagnons de jeu ou des
serviteurs dévoués comme les frères de Villebresme ou son
« curateur » Gilbert du Puy, seigneur de Vatan, le confortaient
dans son opposition, entretenaient sa répugnance et allaient
même jusqu'à le dresser contre sa mère, coupable, selon eux, de
s'être résignée à renouveler l'engagement pris autrefois par son
défunt mari.

Pourtant la pauvre femme regrettait beaucoup sa « foiblesse »,
d'autant plus que, peu après la signature du contrat de mariage,
elle s'était rendue jusqu'en Berry, au château de Lignières, résidence habituelle de sa future belle-fille. Détail à noter : jusque-
là, elle ne connaissait les disgrâces de Jeanne que par ouï-dire,

mais, quand elle découvrit la réalité, ce fut pour se trouver en face d'un être qui dépassait en monstruosité tout ce qu'elle avait jamais pu imaginer. On prétend qu'elle se serait alors jetée sur un lit, en sanglotant : « Ah, Nostre Dame, faut-il que mon fils ait cette femme ainsi difforme ! »

Peu sensible à ce désespoir trop tardif, Louis d'Orléans en était venu à détester sa mère presque autant que sa future femme — ce qui n'est pas peu dire ! —, et son adolescence en fut incontestablement gâchée. Il ne pensait qu'aux sombres perspectives de sa future union et, une fois que Marie de Clèves avait osé aborder ce sujet en sa présence, il s'était détourné d'un geste brusque : « Qu'on ne m'en parle pas, je voudrois être mort ! » Seuls ses habituels compagnons avaient droit à ses confidences, comme lorsqu'il leur répétait, parfois pendant des journées entières, qu'il ne pourrait jamais épouser Jeanne. Selon certains de ses biographes du siècle suivant, il aurait même affirmé par-devant notaires — et « au desceu du Roy » — que jamais il n'accomplirait ce mariage. Sur ce point, deux constatations peuvent au moins être faites : la date d'une semblable initiative n'a jamais été précisée ; et, si cette « protestation » a été consignée par écrit, on n'en a jamais retrouvé la trace.

En même temps et malgré tout, l'affaire évoluait conformément aux vœux de Louis XI. Les deux futurs époux étant d'une parenté jugée trop proche, il fallait obtenir des dispenses ecclésiastiques. Qu'à cela ne tienne ! Par un bref en date du 19 février 1475 (n. st.), le pape Sixte IV accordait à son légat en France les pleins pouvoirs pour aplanir toutes les difficultés éventuelles et, encouragé par cette décision capitale, le roi insistait maintenant sans aucun ménagement auprès de Marie de Clèves pour qu'elle amenât Louis d'Orléans à montrer un peu plus d'empressement auprès de sa fille.

Bien qu'elle ne cessât guère de confier à ses intimes qu'elle « auroit mieulx aimé souffrir mille morts et perdre tous ses biens jusques à la chemise que de veoir un tel mariage », la duchesse emmena presque de force son fils jusqu'à Lignières et ne le laissa qu'après lui avoir fait solennellement promettre de rester au moins une semaine auprès de l'infortunée boiteuse. Mais,

aussitôt sa mère repartie, Louis l'imita et, la suivant à quelques
lieues de distance, revint au château de Blois presque en même
temps qu'elle. A ces nouvelles, la colère du roi fut telle que le
jeune homme accepta au moins de retourner de temps en temps
dans le duché de Berry, mais il ne faisait jamais le moindre
effort d'amabilité et, en réponse aux effusions de sa future
femme — qui, très tôt, semble au contraire l'avoir aimé sincèrement —, il ne se gênait nullement pour lui témoigner sa plus
totale répulsion ; on a même dit qu'en présence de Jeanne
jamais personne ne le vit esquisser le moindre sourire... Puis,
dès que le minimum de bienséance semblait l'y autoriser, on le
voyait disparaître, pour retourner à son libertinage ordinaire.

En effet, très tôt, certains précisent même dès avant sa trei-
zième année, peut-être en raison d'une nature riche, peut-être
aussi pour se consoler des tristes perspectives de sa vie matrimoniale, le futur Louix XII s'était abandonné à une débauche
effrénée. Il avait la passion des femmes et devait collectionner
un nombre à peine croyable de maîtresses : des vierges sans
défense, des épouses jusque-là irréprochables, des courtisanes
de grand prix, des veuves mûrissantes, des religieuses d'Orléans,
des paysannes du pays de Blois, des servantes, surtout des
« ribaudes », des prostituées de bas étage pour lesquelles il mar-
quait une prédilection certaine et dont la fréquentation a peut-
être contribué à lui altérer la santé.

En même temps (alors que, plus tard, il fera souvent sourire
ses sujets pour l'excessive modestie de sa tenue ou sa prétendue
pingrerie), il recherchait les accoutrements les plus somptueux,
entretenait autour de lui une véritable cour de parasites, fré-
quentait les tripots, risquait de grosses sommes au jeu, se laissait
gruger par les tricheurs et perdait avec intrépidité. Ce qui
n'aurait pu être que folies de jeunesse devenait inconséquences
et même fautes graves si l'on songe aux difficultés financières
dans lesquelles continuait à se débattre sa mère, toujours
gérante des finances ducales.

En 1473, harcelée par de multiples créanciers, elle avait dû
vendre la plupart de ses bijoux personnels, puis, l'année suivante, mettre en gage pour 1 420 parisis un tableau serti d'or, un

reliquaire ouvragé « façon d'Allemaigne », plusieurs diamants et même, moyennant cette fois 1 200 écus d'or, le joyau le plus célèbre des Orléans, l'énorme rubis dit « de la Quenouille » ; en 1475, démarche plus humiliante encore, il lui faut envoyer trois de ses officiers, demander aux Orléanais le paiement d'une taille supplémentaire « pour luy ayder à soy acquitter envers ses créanciers ». Comme on peut l'imaginer, ses « fidelles subjects », sans refuser formellement, surent faire traîner les choses en longueur ; jusqu'à obtenir un rabais important sur les exigences de la duchesse. Selon toute vraisemblance, ils avaient été poussés dans leur résistance par Louis XI lui-même, déjà alerté par la personnalité des émissaires ducaux — Charles d'Arbouville, François de Villebresme et Girard Compain — dont le dévouement sans faille à la branche des Orléans ne pouvait évidemment que lui déplaire.

D'une façon plus générale, le souverain savait, quand il le fallait, porter la terreur parmi les serviteurs, amis et fidèles de Marie de Clèves ou de son fils. Déjà, en 1474, il avait chargé le trésorier Michel Gaillard de prévenir deux écuyers, restés anonymes, du jeune duc, soupçonnés de l'encourager dans sa résistance : si jamais ils s'avisaient de continuer leur jeu dangereux, on les enverrait croupir dans un cul-de-basse-fosse jusqu'à la fin de leurs jours. L'année suivante, certains autres compagnons de Louis d'Orléans furent l'objet d'intimidations plus précises et plus directes encore : François de Guierlay fut arrêté, assigné à résidence au Plessis-lez-Tours, puis finalement libéré sans autres explications ; Hector de Monteynard fit plusieurs mois de cachot avant d'être dirigé sur un couvent de Chartreux où il devait en principe passer le reste de ses jours ; expressément soupçonné de comploter contre la Courone, Brézille de La Jallaye subit quatre fois de suite la question, avant d'être amené à entrer dans l'Ordre de Saint-Jean de Jérusalem ; quant au tout jeune fils du sire de Vatan, Pierre du Puy, à peine prévenu de l'arrivée imminente des archers royaux, il préféra ne pas les attendre et s'enfuit au triple galop pour une destination inconnue ; initiative finalement assez judicieuse, puisque, dès le début de 1476, Louis XI lui accordait son pardon, comme si les circonstances permettaient désormais au roi de relâcher quelque peu sa vigilance.

En effet, on en arrivait aux temps où, selon les critères de l'époque, l'âge des deux « promis » allait enfin permettre tout à la fois la célébration religieuse et la consommation physique de l'union : quatorze ans pour le garçon et douze pour la fille. Le 10 août, le souverain recevait de l'autorité religieuse les ultimes dispenses et fixait aussitôt la date de la cérémonie pour le mois suivant. Le 8 septembre donc, suivi de Pierre Doriolle, de la reine-mère Charlotte et de plusieurs autres personnes, l'évêque d'Orléans, François de Brilhac, se rendait au château de Montrichard où venaient d'être réunis pour la circonstance Jeanne de France et son cousin le duc Louis, encore ignorants de ce qui les attendait. C'est grâce à la déposition que le prélat fera vingt-trois ans plus tard, lors du procès en annulation, que nous connaissons un peu les détails de cette triste journée.

Le chancelier les mit bientôt au courant, avec la manière brutale qui lui était habituelle. Sans lui laisser le temps de se remettre, l'évêque entraînait Louis dans une chambre voisine et l'y laissait seul pour mieux lui permettre de réfléchir à ce qu'il allait faire, puisque en principe le jeune homme était encore libre de sa décision. Un peu plus tard, François de Brilhac revenait et, selon l'usage, lui demandait en présence de plusieurs témoins s'il acceptait d'épouser Jeanne.

« Hélas, mon amy, lui aurait alors répondu le malheureux prince, que ferai-je ? Je ne saurois résister, il me vauldroit autant estre mort que de faillir à le faire, car vous cognoissez assez à qui j'ay affaire. » Paroles sincères, mais évidemment imprudentes, qu'un fidèle des Orléans s'efforçait aussitôt de couvrir : « Taisez-vous, Monseigneur, de par le Diable ! Vous en pourriez trop parler ! »

De son côté, l'évêque voulait en finir aux moindres frais : « Monseigneur, doncques estes-vous dellibéré de passer outre ? » L'adolescent désespéré se contente d'une mimique éloquente : « Il m'est faict violence et n'y a remède. » Ce que François de Brilhac préféra considérer, sans autre forme de procès, comme un acquiescement en bonne et due forme. Quelques minutes plus tard, dans la chapelle du château, au cours d'une messe expédiée en un tournemain, les deux adolescents étaient déclarés unis pour la vie, puis bénis à la hâte par l'évêque qui, visiblement honteux du rôle qu'on lui avait fait jouer, s'empressa de disparaître dès l'*Ite, missa est.*

Comme il se doit à l'occasion de pareille « fête », la messe fut suivie d'un dîner somptueux, puis, au soir, d'un souper tout aussi magnifique. Mais, accablé par le chagrin, Louis d'Orléans ne put toucher à aucun des plats et moins encore jeter un seul regard sur celle qui, désormais, était sa femme « devant Dieu et devant les hommes ». Il ne pouvait s'empêcher de pleurer à chaudes larmes et, de son côté, Jeanne la Boiteuse sanglotait de se voir si dédaignée. Quant à l'assistance, elle restait silencieuse, consternée de devoir assister à un tel spectacle.

En effet, assez rapidement, l'indignation sera assez générale dans les hautes sphères du royaume, puis dans de larges secteurs de ce qu'on appellera plus tard l'opinion publique : grâce à certains détails qui commençaient à être connus, on découvrait l'ampleur, le sens réel de la machination, on déplorait à mots couverts le sombre acharnement de Louis XI, on plaignait le sort de ce jeune duc d'Orléans, ordinairement si aimable, si joyeux, si pétulant et condamné en quelque sorte à ne jamais avoir de descendance légitime. Seul avec les plus inconditionnels de ses familiers, le monarque se réjouissait ouvertement, comme le montre le passage d'une lettre adressée à quelque destinataire resté malheureusement anonyme : « ... Si je vous eusse creu, je n'eusse pas faict le mariaige de ma fille Jehanne et du petit duc d'Orléans, lequel j'ay faict, quelque refus qu'il en ait sceu faire, car bon besoing luy en a esté. Je ne puis trop m'esbahir qu'il vous mouvoit à s'en aller contre mon opinion... »

Pourtant il apparaissait comme évident que l'union ainsi réalisée allait être parfaitement désastreuse, et elle le fut en effet. Dès le lendemain de la cérémonie religieuse, Jeanne était repartie seule, bien vite, pour le lointain château de Lignières, où Louis ne la rejoignit jamais que sur un ordre formel du roi.

Ordre toujours exprimé sur un ton inquiétant qui poussait les intimes du duc à lui conseiller la plus extrême prudence. C'est ainsi qu'un jour, après une mise en demeure encore plus impérative que les précédentes, on entendit les échos d'une violente altercation entre le jeune homme et l'un de ses conseillers les plus fidèles. Un étranger de passage demanda aux serviteurs du château de quoi il s'agissait : « Le Roy, lui répondirent-ils, menasse Monseigneur d'Orléans que, s'il ne va veoir sa femme qui est à Lignières, il le fera jecter dedans la rivière et qu'il n'en sera aussi peu de nouvelles que du moindre homme de son royaume. »

De toute façon, à peine arrivé, le jeune prince essayait de limiter au maximum les occasions de rencontre avec sa femme et, quand il ne pouvait pas l'éviter, s'arrangeait pour lui manifester son irrémédiable dégoût, d'« une façon quelconque », mais toujours en silence. Car jamais, dit-on, personne ne le vit témoigner le moindre égard envers la malheureuse infirme, ni même lui adresser la moindre parole. A table même, pendant le *Benedicite* — qu'on disait toujours debout —, il lui tournait régulièrement le dos, puis, jusqu'à la fin du repas, affectait de ne plus s'entretenir qu'avec les gens de sa suite, en abordant un sujet de prédilection : les bonnes fortunes qu'il continuait de collectionner avec plus de frénésie que jamais.

C'est alors, dans les premiers temps de son mariage, qu'il aurait eu, semble-t-il, une liaison tapageuse avec une courtisane de haut vol et de grande beauté, nommée ou plutôt surnommée Amasie. Éperdument amoureux, Louis l'avait fait venir à Blois, l'installant dans une vaste maison bourgeoise située juste au pied du château, d'où l'on pouvait surveiller les allées et venues dans tout le quartier environnant. Car assez vite le duc se révéla d'une violente jalousie, elle-même justifiée par les mœurs extrêmement dévergondées de la jeune femme.

Ainsi Louis se trouvait un soir chez elle, en la grande salle du premier étage. En bonne maîtresse de maison, Amasie tournait consciencieusement la broche où rôtissait un pigeon quand on entendit frapper à la porte du bas. Tout naturellement, la courtisane demande à son amant de la remplacer à la broche, le temps d'aller ouvrir. Le duc se mit donc à tourner et il tournait toujours quand, au bout d'un certain temps, des soupçons lui vinrent. Il lâche le manche de bois, se précipite, descend à son tour et trouve la porte restée largement ouverte sur l'extérieur : Amasie avait disparu depuis belle lurette, partie rejoindre un autre galant, avec qui elle était sûrement en train de se donner du bon temps. Louis XII était roi depuis bien des années que parfois, avec un humour qui n'appartenait qu'à lui, il se laissait aller à raconter cette anecdote peu glorieuse, à en rire le premier, à accepter de bon cœur les grasses plaisanteries de ses commensaux, sans cacher le fait que, malgré de nombreuses autres incartades, Amasie avait régné sur son cœur et ses sens pendant longtemps encore.

Évidemment, Louis XI se tenait au courant de tout, mais, au fond, un seul détail lui importait : c'était que son gendre accomplît, au moins de temps en temps, l'intégralité de ses devoirs conjugaux, car, si le mariage finissait par être consommé, une des causes éventuelles d'annulation disparaissait. Le futur biographe de Louis XII, Jean de Saint-Gelais, ne s'est permis sur ce point délicat que des indications d'autant plus graves et suggestives qu'elles restent vagues : « ...C'est grant merveille de ce qu'on faisoit au duc d'Orléans et les menaces qu'on lui adressoit... J'aurois grand'honte de réciter comme on en usoit autour de lui, tant hommes que femmes... » Louis XI, en particulier, crut judicieux d'envoyer à Lignières un de ses plus fidèles exécutants, le médecin Gérard Cochet, exclusivement chargé de veiller aux rapports entre les deux époux. Lors du procès que Louis XII, une fois roi, intentera pour obtenir l'annulation de son mariage avec Jeanne de France, son compagnon de jeunesse, Pierre du Puy, apportera au cours de son témoignage certaines précisions assez curieuses sur les méthodes incertaines imaginées par le médicastre, et ce dans le curieux style indirect auquel ont recouru les greffiers pour transcrire la plupart de ces dépositions.

Il s'agissait, ni plus ni moins, de profiter de ce que le jeune homme, en revenant de sa partie de paume quotidienne, avait encore, comme le dit excellemment René Maulde La Clavière, le feu aux joues, le sang à la peau et le corps tout agité :

« ...Le quel médecin voyant que le roi actuel [il s'agit évidemment de Louis XII] était en grande familiarité avec le témoin *[videns quod Rex modernus familiariter se habebat cum loquente]*, ... lui déclara qu'il lui fallait dire au Roi actuel que, après que le Roi actuel eut joué à la paume *[Postquam ipse Rex modernus lusisset ad palmam]*, il allât coucher de jour [c'est-à-dire immédiatement] avec ladite Dame Jehanne afin qu'elle conçût et eût progéniture *[Quod... de die cubaret cum dicta domina Johanna ut conciperet et haberet prolem]* ; et par ce que le témoin s'excusait, disant que le roi actuel ne s'exécuterait pas, même s'il le lui disait, alors le médecin le lui dit une nouvelle fois et, de la part dudit roi Louix XI, lui donna l'ordre de le faire et de le lui dire. Si bien que le témoin, terrifié par la peur que lui inspirait ledit roi Louix XI, se rendit auprès de son maître notre Roi actuel, auquel il dit que ledit roi Louis XI avait envoyé ledit médecin pour lui dire et notifier ou faire dire et notifier que, après qu'il eut joué à la paume, il couchât de jour avec ladite Dame Jehanne et qu'il prît garde à ce qu'il dirait, parce que, lui, le médecin, il rapporterait au même roi Louis et ses paroles et ses actes *[quia ipse medicus refferret eidem Regi Ludovie co et dicta et gestus suos]*. Mais le Roi actuel répondit au témoin ces mots ou d'à peu près semblables *[haec verba vel similia]* : "Le Diable m'emporte, j'aimeroye mieulx avoir la teste coppée que je le fisse" [en français dans le texte], et il ne le fit pas ; et d'autres fois le témoin a vu que, après que le Roi Notre Sire avait joué à la paume et revenait dans sa chambre pour s'y essuyer, Dame Jehanne était introduite et l'on s'efforçait de persuader le Roi Notre Sire de coucher avec elle entre les draps *[ut inter lintheamina cum ipsa cubaret]* ; ce que le Roi Notre Sire refusait de faire et [alors]... il appelait d'autres dames pour s'ébattre en leur compagnie *[et ... vocabat alias dominas ad fabulandum...]*. »

Heureusement qu'il y a ce latin macaronique pour atténuer un peu la crudité des détails !

Pourtant, il semble bien que, le tenace Maître Gérard Cochet aidant, le duc d'Orléans a dû finir par accepter sa femme dans son lit, non seulement bien des fois, mais même pendant plusieurs années par la suite. Le tout est de s'entendre sur la signification exacte de l'expression « coucher avec » ou, si l'on préfère plus noble, « *cubare cum* ». Lors du procès en annulation, quelques années plus tard, Jeanne de France, qui essaiera par tous les moyens de s'opposer à cette solution, jouera en quelque sorte sur les mots et, du fait qu'elle s'était retrouvée souvent sur la même couche que son mari, elle se plut à laisser entendre en termes évidemment allusifs que l'union avait bien été consommée physiquement. Or tout ce que nous savons sur l'invincible répugnance de Louis d'Orléans laisse plutôt supposer le contraire, et l'on peut penser que, même s'ils ont souvent dormi l'un à côté de l'autre, le duc et la duchesse sont restés comme frère et sœur non incestueux : n'y a-t-il pas des cas où, chez certains mâles aux prises avec des personnes peu appétissantes, l'anaphrodisie la plus totale peut être considérée comme une preuve de bon goût ?

Louis XI devinait-il que, s'il n'était pas trahi par le dévoué médecin Cochet, il l'était en quelque sorte par la nature ? Toujours est-il que, jusqu'à la fin de son règne, il fit continuer cette étroite surveillance, conscient de ce que sa mort trop précoce risquait d'exposer son jeune fils Charles aux appétits peut-être dangereux de son maudit gendre. Vers l'automne de 1482, la santé du souverain avait en effet connu une sérieuse alerte, et l'une des premières précautions royales avait été de convoquer au plus vite Louis d'Orléans qui, au soir du 17 octobre, dut prêter un véritable serment d'allégeance au futur monarque, serment tout à fait solennel, sur les saints évangiles, « par sa parole d'honneur et la damnation de son âme ». Il dut promettre en outre de ne pas réclamer, comme il en avait parfaitement le droit en sa qualité de premier prince du Sang, le « gouvernement de Monseigneur le Daulphin », dont la garde serait confiée au contraire à Pierre de Beaujeu et à sa femme Anne, fille aînée de Louis XI qui avait en elle toute confiance. Une clause supplémentaire lui interdisait de conclure la moindre coalition avec d'autres grands féodaux, en particulier avec le duc de Bretagne, allié traditionnel des Orléans et bête noire du monarque moribond. Cette dernière obligation, Louis d'Orléans s'empressa de l'enfreindre au moins partiellement et dès le mois de décembre suivant, en envoyant l'un de ses émissaires les plus sûrs au château de Nantes, peut-être par goût juvénile de la provocation ou bien encore pour se prouver son esprit d'indépendance, mais ce qui représentait avant tout un certain risque.

Risque d'autant plus dangereux que, vers le début de l'année suivante, le recours à des reliques éprouvées, d'intenses prières, des pèlerinages à des sanctuaires multiples et peut-être aussi un traitement médical plus efficace avaient fini par rétablir quelque peu la santé royale. Pire encore, c'étaient maintenant les jours du duc qui semblaient en danger !

En avril 1483, alors qu'il se trouvait à Bourges, Louis d'Orléans contracta la petite vérole. Sans craindre la contagion, toujours aussi amoureuse et dévouée malgré les rebuffades, Jeanne de France accourt, reste à son chevet, essaie de le soigner, mais, toujours saisi d'horreur à la vue de sa femme, le duc se garda bien de la remercier et se retournait sur sa couche pour ne pas avoir à croiser son regard.

Il finit par guérir. Pourtant les divers biographes de Louis XII, même le meilleur, Maulde La Clavière, n'ont pas assez souligné l'importance de cette maladie qui, en fait, se trouvait être la première à l'affecter réellement, mais la première aussi d'une longue série. Désormais rien ne sera plus en effet comme auparavant : alors que tous les témoins vantaient jusque-là sa santé florissante et son inébranlable constitution, Louis va devenir peu à peu un « aegrotant chronicque ». Il est vrai que le surmenage, ainsi que la vie débauchée qu'il a menée et qu'il continuera pendant de longues années encore contribueront de toute évidence à l'user prématurément.

Au moment où le jeune prince revenait lentement, péniblement à la vie, un autre allait enfin la quitter : durant l'été de 1483, avec deux attaques d'apoplexie coup sur coup, l'état de Louis XI rechutait de façon assez brusque et le roi mourait enfin, le samedi 30 août 1483, tout juste sexagénaire. Son gendre Louis d'Orléans avait alors vingt et un ans, l'âge de toutes les ambitions, de toutes les espérances, peut-être aussi de toutes les folies...

En fait, nous avons déjà vu que, dans son impatience, le jeune homme n'avait pas attendu la mort de son terrible beau-père pour prendre d'importantes initiatives. A la fin de juillet ou au début du mois d'août 1483, il avait envoyé un second agent secret à Nantes, le moine Guillaume Chaumart, dont la prudence et l'habileté n'avaient d'égales que sa fidélité envers la Maison d'Orléans. Le saint homme était chargé de faire savoir au duc de Bretagne François II que son maître, bien décidé à faire annuler au plus vite son mariage avec Jeanne de France, sollicitait la main de sa fille aînée Anne, alors âgée de sept ans. Maintenant que Louis XI avait rendu l'âme, tout devenait incomparablement plus facile. Le Breton se déclara très flatté par la demande, et, de son côté, Louis d'Orléans commanda un anneau de fiançailles que le bon Chaumart, repartant pour Nantes, alla porter aussitôt à la fillette éblouie.

A en juger d'après les premières apparences, le changement de règne semblait offrir au fils de Marie de Clèves des perspectives plus larges encore, car, comme il avait déjà eu l'occasion de le montrer, celui-ci était fermement résolu à ne tenir aucun compte du serment prêté sous la contrainte le 17 octobre 1482. Autre élément tout aussi favorable : comme le nouveau roi Charles VIII se trouvait près d'atteindre sa majorité légale de quatorze ans, Louis XI n'avait pas jugé bon d'organiser une régence, ce qui, en un certain sens, laissait à Louis d'Orléans la possibilité de réclamer une place de choix ou même le premier rôle dans le gouvernement du royaume.

En fait, Louis XI avait tout prévu, privant à l'avance sa femme, la reine mère Charlotte, de toute influence politique, mettant en lieu sûr, dans la place-forte d'Amboise, la personne du nouveau roi, confiée aux Beaujeu, et donnant à ceux-ci les moyens de procéder dès son décès à la saisine du pouvoir.

Nous avons déjà entrevu le couple qui, dans les huit années à venir, va constituer le principal obstacle aux ambitions orléanaises. Un détail résume en grande partie la personnalité du mari, Pierre de Beaujeu, visage bouffi aux yeux plissés et aux lèvres minces, qui, alors qu'il devait tout au vieux Charles d'Orléans et à sa veuve, n'a pas hésité à délaisser, voire à trahir leur Maison pour devenir le gendre du roi. Quant à la femme, Anne, digne fille de son père, on a tout dit et tout écrit sur son intelligence pénétrante, sa prudence, son sang-froid, son âpreté, son hypocrisie, sa volonté de fer.

De rudes adversaires, en vérité, pour Louis d'Orléans qui, dans les premiers jours de septembre 1483, arrive le cœur léger au château d'Amboise où les Beaujeu viennent de convoquer « les princes et seigneurs du Sang , pour avoir leur advis ». Dans une véritable atmosphère de fête, elle-même bien étrange et presque incongrue en ce temps de deuil royal, il retrouve bon nombre de ses « pairs », entre autres le duc d'Alençon son cousin, le duc de Bourbon (frère aîné de Pierre de Beaujeu, mais jaloux de celui-ci) et surtout un autre cousin, par la main gauche certes, mais tout de même très proche : François d'Orléans, comte de Dunois et de Longueville, qu'on appelle ordinairement Dunois tout court, comme son père, le fameux capitaine compagnon de Jeanne d'Arc.

Tout ce beau monde laisse éclater une joie sans vergogne, sympathise, échafaude des projets mirifiques où la part du lion est évidemment laissée aux Grands de ce royaume. Décidément l'atmosphère ne semble plus très favorable à la couronne ou à ceux qui exercent le pouvoir en son nom. D'anciens fidèles ou exécutants inconditionnels de Louis XI changent brusquement de camp, Guyot Pot et Michel Gaillard eux-mêmes se sentent devenir « tout Orléans » et c'est l'époque où un jeune clerc de vingt-trois ans, Georges d'Amboise, devient définitivement l'ami intime du duc Louis.

Devant tous ces retournements, ces défections, ces petites lâchetés, les Beaujeu ne furent pas longs à sentir le danger. Pour calmer les plus agités de ces mécontents, rien de tel en général que quelques générosités bien calculées. Ainsi le comte de

Dunois se voit offrir le gouvernement du Dauphiné, du Valentinois et du Diois. Le duc de Bourbon reçoit l'épée de connétable. Quant au duc d'Orléans, le plus voyant et le plus proche du trône, il est littéralement comblé. Le 14 octobre, il est fait chevalier de Saint-Michel, ce qui, il est vrai, l'oblige à prêter solennellement hommage à la personne du nouveau roi. En novembre, il se voit confirmer la jouissance des gabelles sur toute l'étendue de ses domaines, octroyer le revenu des amendes et confiscations dans le duché d'Orléans, sans oublier une compagnie de cent lances et une pension de 24 000 livres tournois ainsi que le gouvernement militaire de Paris et de l'Ile-de-France.

Pourtant, tout à son ivresse, Louis aurait voulu davantage encore, et en particulier la possibilité de faire annuler à brève échéance sa catastrophique union avec Jeanne la Boiteuse. Mais celle-ci n'était-elle point la sœur du nouveau roi ? Et aussi celle de la toute-puissante Anne de Beaujeu ? Et surtout, ne fallait-il point ménager la susceptibilité de la reine mère, Charlotte de Savoie, dont l'appui pouvait se révéler décisif en matière politique ?

Maintenant qu'ils avaient été comblés de largesses, les princes s'intéressaient en effet de très près à la composition du nouveau Conseil royal, celui qu'on appelait en fait le « Conseil étroit », l'instance où se décidaient au plus haut niveau toutes les affaires du royaume. Assez rapidement, et unis au moins pour la circonstance, la Reine mère, Dunois, les ducs d'Orléans et de Bourbon avaient émis la prétention de composer à leur guise cette équipe aux compétences aussi floues qu'illimitées. Les Beaujeu avaient d'abord fait mine de céder, mais il était maintenant clair qu'ils essayaient de tergiverser, de gagner du temps, avant de renverser la situation à leur profit.

Les Grands sentaient le besoin urgent de reprendre l'initiative et c'est, semble-t-il, Louis d'Orléans qui aurait eu le premier l'idée ou qui se la laissa souffler d'un recours aux États généraux, bien évidemment « pour le bien du pays ». Du moins est-il sûr qu'il revendique cette paternité deux ans plus tard dans une lettre à un familier : « Vous sçavez les causes pour quoy j'ay faict les requestes à Monseigneur le Roy touchant les estatz du Royaulme et comment l'intencion de chascun de nous estoit pour peiner au Bien du Roy et du Royaulme, laquelle je n'ay muée et croy aussy que tel vouloir y avez et que désiriez bien que les choses vinssent à bien. »

Un point reste incontestable : le duc d'Orléans avait fait de cette idée un véritable cheval de bataille, s'imaginant déjà contraindre le couple Beaujeu à céder, sous la pression d'une opinion publique quasiment unanime. Ce qu'il n'avait pas prévu, c'est que Pierre et Anne ne tardèrent pas à voir tout le profit qu'ils pourraient tirer s'ils jouaient en quelque sorte la difficulté et reprenaient immédiatement l'idée à leur propre compte. Dès le 24 octobre à Beaugency, sous leur dictée, le petit roi faisait savoir à son bon peuple qu'il convoquait les États généraux pour le 1er janvier suivant.

Finalement c'est avec quinze bons jours de retard que se réunirent à Tours deux cent cinquante députés venus de tout le royaume, exception faite pour le duché de Bretagne, qui n'envoya que des observateurs. Après avoir cru d'abord qu'on les avait conviés pour mettre au point un programme de réformes profondes, les membres présents eurent l'occasion de découvrir assez vite ce qu'on allait leur demander. En effet les Beaujeu d'un côté, le duc d'Orléans et les princes de l'autre voulaient essentiellement se servir d'eux pour constituer le Conseil étroit selon leurs intérêts respectifs.

Mais, dans chacun de ces deux camps, les méthodes utilisées se révélèrent singulièrement différentes. Appuyés par les Bourguignons et les Parisiens, secondairement par les Normands, Anne de Beaujeu et son mari envoyèrent très tôt leurs agents circonvenir les députés indécis, en leur montrant tout ce que le programme des grands féodaux pouvait avoir de dangereux pour la paix intérieure du royaume, les libertés locales, les intérêts de la moyenne noblesse, du bas clergé ou de la bourgeoisie des villes.

Dans le même temps, entouré d'une véritable Cour de jeunes écervelés et de parasites, le duc d'Orléans se montrait beaucoup en ville, paradait en bel équipage, faisait jouer des groupes de ménestrels sur les places publiques et, avec une folle prodigalité, distribuait des étrennes aux « filles de joye ». Il s'occupait aussi un peu de politique, mais plutôt en amateur et, au lieu de participer aux travaux des États ou de chercher à se gagner des partisans, heurtait les mieux disposés à son égard par ses airs protecteurs et ses prétentions de premier prince du Sang. Le plus grave est que le bouillant Louis ne se rendait absolument pas compte de l'effet désastreux que ses allures hautaines produisaient sur le député moyen et qu'il croyait naïvement avoir l'immense majorité de l'assemblée derrière lui.

Le 31 janvier 1484, estimant la situation assez mûre pour démasquer ses batteries, il envoie l'évêque du Mans — l'un de ses fidèles — proposer aux trois États de s'entendre pour composer le Conseil étroit avec des « gens probes et expérimentés ». Ce qui, en clair, revenait à vouloir chasser la majorité des membres alors en place et acquis aux Beaujeu, puis à les remplacer par d'autres, au nombre desquels les Grands pourraient évidemment glisser plusieurs de leurs créatures. De telles perspectives avaient-elles commencé à séduire quelques députés ? Si oui, le résultat devait être de courte durée, car, dès le 5 février, le sénéchal de Normandie, puis le Bourguignon Philippe Pot de La Rochepot viennent, avec des précautions de langage qui ne masquent en rien la clarté de leurs propos, mettre en garde l'assemblée contre les propositions des princes.

Apparemment convaincus par les arguments de ce dernier orateur, les États généraux renonçaient vite à constituer eux-mêmes le Conseil étroit et préféraient s'en remettre « à la sagesse du Roi », c'est-à-dire aux Beaujeu. Tout en gardant la plupart des anciens conseillers, le couple sut, fort prudemment, faire un geste en faveur de l'assemblée, puisqu'il fit nommer en surnombre une douzaine de députés, choisis, comme on peut l'imaginer, parmi les plus dociles et les plus dévoués à sa cause. Et, si les princes du sang continuaient à pouvoir siéger de droit, ils se retrouvaient de toute façon en minorité.

Le grand perdant de l'affaire était donc bel et bien Louis d'Orléans, qui payait lourdement le prix de sa légèreté. Peut-être plus grave encore, il voyait s'effondrer en même temps son autre ambition, à peine dissimulée : celle de se voir proclamer régent par les représentants de tout le royaume. Peu avant de se séparer, le 11 mars, ceux-ci avaient en effet voté une motion dénuée de toute ambiguïté : « Attendu que le Roy jusques à ce jour a esté eslevé et gouverné débonnairement et honnestement et qu'il a encore besoing d'estre nourry et gardé avec grande sollicitude et dilligence, par ce motif nous opinons et nous requérons que le Sire et la Dame de Beaujeu continuent, en ceste circonstance, ce qu'ilz ont bien commencé et qu'ilz aient le soing, la garde et le gouvernement de Sa personne. »

Peut-être simple coïncidence — peut-être aussi et plus vrai-semblablement conséquence directe de son dépit —, Louis d'Orléans tombait malade quelques jours plus tard : première de ces rechutes qui, désormais, vont en quelque sorte ponctuer le reste de son existence. Il est difficile de savoir exactement de quelle affection il a pu s'agir alors, sinon que celle-ci, assez grave, fit craindre plusieurs fois le pire, qu'elle nécessita la venue de plusieurs médecins célèbres — François Burgensis l'aîné, Salomon de Bombelles, Robert de Léon, d'autres encore — et que l'affaire ne se termina qu'au bout de trois semaines, avec l'éclosion d'un abcès que le chirurgien Jean d'Orléans réussit à inciser sans autres complications.

Encore bien faible, mais visiblement animé par un besoin de revanche politique rapide, Louis relança aussitôt ses négocia-tions avec la Bretagne, car il ne voulait pas oublier la petite « fiancée » qui, dans ses projets, devait remplacer l'encombrante Jeanne de France. Mais se tourner vers le beau duché d'extrême Occident, c'était aussi risquer de s'embourber dans une réalité politique mouvante, d'une extrême complexité.

En effet, bien qu'âgé de trente-six ans tout juste, le duc Fran-çois II, de santé fragile et de volonté faible, était même, disaient certains, frappé de décrépitude précoce. Tour à tour, au gré des circonstances, il penchait en faveur des deux factions qui, autour de lui, se disputaient la réalité du pouvoir. Largement francisée, très imbue de ses prérogatives, soutenue en sous-main par les Beaujeu et en rapports étroits — sociaux, familiaux, économiques même — avec le reste du royaume, la noblesse bretonne se regroupait pour l'essentiel derrière le brillant Jean de Rieux, chef de guerre orgueilleux et cassant, qui, pendant longtemps, « avoit disposé des affaires de Bretagne au nom du Duc [et]... à son plaisir ».

Puis il avait fallu céder la place à d'autres, d'origine souvent plus modeste, « clercs », juristes ou « officiers » dont le représentant le plus typique se trouvait être un certain Pierre Landais ou Landois, vulgaire fils d'un marchand de Vitré et parvenu aux premières places par son seul mérite, jusqu'à se voir nommer grand trésorier du duché. Ardemment attaché aux privilèges de sa province et peut-être même « nationaliste » avant la lettre, cet homme intraitable se méfiait des prétentions royales incarnées maintenant par le couple des Beaujeu. Tout ce qui, en France ou même en Europe, essayait de s'opposer à leur toute-puissance ne pouvait, selon lui, que rejoindre les intérêts bretons.

Devenu ainsi l'allié objectif de Louis d'Orléans, Landais avait besoin d'avoir celui-ci auprès de lui, aussi bien pour résister à ses ennemis locaux qu'à toutes les entreprises inquiétantes de la puissance française. Que se passa-t-il exactement ? Que fut-il dit, négocié ou promis lors de multiples contacts discrets, par l'entremise des envoyés qui ne cessaient de faire le voyage entre les deux châteaux de Nantes et de Blois ? Évidemment nous l'ignorons dans une large mesure, mais ce qui est sûr, c'est que le 14 avril 1485, alors qu'il est à peine remis de sa maladie, Louis d'Orléans quitte secrètement Blois, suivi d'un seul compagnon, le moine Guillaume Chaumart. Il galope jusqu'à Tours, y embarque pendant la nuit de Pâques, passe chez sa sœur cadette Anne, l'abbesse de Fontevrault, emprunte de nouveaux chevaux pour reprendre la route terrestre, quitte le couvent par des chemins détournés sans éveiller l'attention de quiconque, gagne Ingrande en profitant du brouillard, doit s'y arrêter quelques heures pour récupérer ses forces chancelantes ; le 19, il arrive enfin à Nantes où il est accueilli en héros par Landais et ses partisans.

Comme partout où il passe, Louis d'Orléans, soucieux de reprendre goût à la vie après les alertes de ces derniers temps, s'enivre d'abord de l'atmosphère locale. Réédifié entre 1470 et

1480, le château de Nantes passait pour l'un des plus beaux de
France, la somptuosité de la décoration intérieure s'y alliait au
confort et le duc François — ou ceux qui l'entouraient —
avaient le sens de l'hospitalité : ce n'étaient que banquets interminables, chasses, tournois, joutes sur la Loire, aubades,
concerts de rebecs et de guiternes, sans oublier quelques séances
plus intimes en compagnie de « gentes dames » ou, à défaut, de
robustes et infatigables professionnelles.

Mais les affaires plus sérieuses n'étaient pas oubliées pour
autant. Bientôt le duc d'Alençon, puis le comte de Dunois viennent rejoindre leur ami et, à tout hasard, ces désœuvrés com-
plotent la « délivrance de nostre roy Charles huictiesme », c'est-
à-dire le renversement des Beaujeu. En même temps, pendant
ce premier séjour nantais, il est à peu près certain que Louis a dû
rencontrer Anne, la fille aînée du duc François. Certains biographes des XIXe et XXe siècles en ont profité pour échafauder
l'hypothèse d'une longue et chaste passion réciproque qui, née
alors entre le damoiseau un peu efflanqué de vingt-deux ans et
la fillette malicieuse de huit ans, se serait prolongée intacte
jusqu'au mariage de 1499, quinze années plus tard ! Ce qu'on
sait sur l'amour incontestable qu'Anne de Bretagne éprouvera
pour son premier mari Charles VIII — pourtant bien indigne
d'une telle fidélité — et aussi sur les sentiments très tièdes
qu'elle portera au second — Louis XII précisément —, ce qu'on
sait aussi sur la vie amoureuse complexe que ce dernier mènera
jusqu'à son accession au trône, toutes ces données doivent rendre l'historien très sceptique sur ce point : selon toute vraisemblance, l'essentiel pour Louis d'Orléans devait être alors non
point la personne de la petite Anne, mais les perspectives offer-
tes par la succession du duché de Bretagne.

En effet, il prend alors une double initiative d'une très grande
importance. Il envoie d'abord en Cour de Rome un premier lot
de pièces nécessaires pour faire annuler son mariage avec
Jeanne de France ; puis, sous l'œil bienveillant du trésorier
Landais, il signe avec le duc François un contrat secret, mais en
bonne et due forme, en vue d'épouser plus tard Anne de Bretagne, sa fille et son héritière.

Malgré son caractère théoriquement secret, le contenu de l'accord ne tarda pas à être connu par le couple des Beaujeu, qui flairèrent aussitôt le danger : ajouté, même à terme, aux multiples possessions dépendant des Orléans, le territoire breton menacerait gravement la stabilité intérieure du royaume ; permettre au patrimoine de François II de passer à une Maison princière quelconque, c'était reporter pour très longtemps, peut-être même annihiler à jamais la possibilité de réunir à la couronne le plus vaste domaine féodal encore existant. Le seul moyen d'éviter « ce péril majeur », c'était, pour reprendre l'expression consacrée, « de couper l'herbe sous le pied » au trop entreprenant Louis d'Orléans, en faisant épouser le plus tôt possible Anne de Bretagne au jeune roi Charles VIII. Tâche délicate, mais non irréalisable, à laquelle vont s'attacher les Beaujeu dans les années à venir.

En attendant, une urgence s'imposait, celle d'empêcher la continuation des combinaisons nantaises, conciliabules et autres complots, si dérisoires fussent-ils, en incitant Louis d'Orléans à quitter au plus vite sa résidence de Bretagne et à revenir « es Royaulme de France ». C'est très vraisemblablement dans cette intention qu'Anne de Beaujeu fit annoncer pour le 15 mai 1484 le sacre de son frère, en avançant de quelques jours la date prévue : à moins de se déclarer ouvertement rebelle à son roi, Louis, en tant que premier prince du Sang, ne pouvait se dispenser d'assister à la cérémonie.

Pourtant celui-ci manifestait sa mauvaise humeur, se répandant en propos ironiques et surtout faisant la sourde oreille. Le 7 mai, en soirée, il reçoit du Conseil un nouvel appel pressant, demande un délai de deux jours avant de partir, mais, le 10, il n'a toujours pas bougé, à tel point qu'il faut retarder le sacre de trois, puis même de dix jours. Seules deux promesses alléchantes vont le décider : s'il accepte de s'exécuter, il obtiendra les biens confisqués d'Olivier Le Dain — ancien barbier et valet de chambre de Louis XI, condamné par le Parlement de Paris et qui allait être pendu quelques jours plus tard à Montfaucon ; en outre, au cours de la cérémonie du sacre, Louis d'Orléans tiendra le premier rôle auprès du roi. En fait, le capricieux premier

prince du Sang ne se hâta pas pour autant et, quand il atteignit
enfin Meaux le 26 mai 1484, avec plus de douze jours de retard,
le roi l'y attendait depuis quarante-huit heures, ce qui ne pouvait que réjouir la vanité du jeune duc.

Malgré tout, les Beaujeu respectèrent leurs engagements. Le
29 mai, lors de l'entrée solennelle dans la ville de Reims, Louis
d'Orléans suivait immédiatement le roi, à la tête d'une brillante
escorte au sein de laquelle on reconnaissait pêle-mêle le duc
d'Alençon, le sire Pierre de Beaujeu, le comte François de
Dunois, Guyot Pot, le comte Louis de Luxembourg et même,
figure inattendue, Jean de Rieux, alors exilé du duché de Bretagne.

Le lendemain, juste avant l'interminable cérémonie, c'est le
duc d'Orléans qui arme chevalier le roi Charles VIII ; cet acte,
capital aux yeux des contemporains, créait un lien spécial, en
quelque sorte surnaturel entre les deux hommes, ce dont Louis
aura l'occasion de profiter au moins à deux moments décisifs de
son existence. Tout au long de la messe, c'est encore lui qui est
placé au rang d'honneur, tout près de l'autel, et qui tient les
fonctions de premier pair du royaume, « en lieu et place du duc
de Bourgogne ». Puis, lors du banquet, c'est toujours lui qu'on
installe à la gauche du souverain — la droite étant occupée par
l'archevêque duc de Reims —, c'est lui qui porte la couronne,
c'est lui auquel Charles VIII s'adresse le plus souvent, sur un
ton détendu et joyeux, bien naturel chez deux jeunes gens que
l'âge séparait de seulement huit années.

Dans le lent et lourd convoi qui va les ramener vers Paris, lors
de l'entrée solennelle dans la capitale le 5 juillet, puis durant les
mois d'été qu'on passe à sillonner la Brie, le Hurepoix et l'Ile-
de-France un peu dans tous les sens, Louis continue d'éblouir
son jeune cousin par sa magnificence, sa folle prodigalité, sa
gaieté, son entrain, son ardeur à la chasse, son habileté à la joute,
ses conquêtes amoureuses et ses excès de boisson. Quelques
confidences de fin de table, échappées ou arrachées au jeune
roi, peuvent laisser supposer que la tutelle de Pierre et Anne de
Beaujeu commence à lui peser. Louis s'abuse peut-être sur le
sens exact de telles paroles et prévient aussitôt ses alliés bretons,

François II et surtout le farouche trésorier Pierre Landais, ainsi que ses fidèles habitués, le moine Guillaume Chaumart, Gilbert du Puy, sire de Vatan, le comte de Dunois et celui qui, semble-t-il, est déjà l'ami le plus proche, le plus écouté aussi, Georges d'Amboise, bientôt évêque de Montauban.

Qui, parmi ces derniers, conçut le plan audacieux et risqué d'enlever le petit roi pour le soustraire à l'influence « pernicieuse » du couple tout-puissant ? Il est évidemment difficile de se prononcer. Toujours est-il qu'au milieu de septembre 1484 Anne de Beaujeu, une fois de plus, est mise au courant de tous ces conciliabules et prend l'affaire très au sérieux : Louis d'Orléans n'est-il point gouverneur militaire de Paris et de l'Ile-de-France, ce qui lui donne éventuellement de grandes possibilités d'action ?

La fille de Louis XI va réagir comme l'aurait fait celui-ci : avec rapidité et efficacité. En fait, c'est elle qui enlève le roi et le mène sous bonne garde à Montargis, plus tard jusqu'à Gien. Mieux encore, elle conclut, peut-être même elle impose à ses alliés, les nobles bretons en exil, un traité selon lequel ceux-ci jurent de reconnaître Charles VIII comme successeur du duc François II, au cas où celui-ci mourrait sans héritier mâle, ce qui revient à laisser déshériter Anne de Bretagne et sa sœur : il était difficile d'aller plus loin dans les voies du renoncement et de la subordination ! En même temps, pour éloigner l'inquiétant Dunois, les Beaujeu l'envoient comme ambassadeur en Bretagne, ils chassent de la Cour trois chambellans jugés trop orléanistes — parmi eux, le fameux Guyot Pot ! — et commencent aussi à se chercher des alliés ; c'est alors qu'ils gagnent à leur cause un tout jeune homme dont l'avenir révélera les aptitudes politiques et surtout militaires : Louis de La Trémoïlle.

Face à tant de détermination, Louis d'Orléans commence par réagir assez mal, ou plutôt il ne réagit guère et passe presque tout l'automne à bouder, à ruminer ses rancœurs, à chasser sur ses terres, tantôt du côté de Châteauneuf-sur-Loire, tantôt à Yèvre-le-Châtel. Puis lui arrivent quelques nouvelles apparemment encourageantes : Dunois profite de son ambassade à Nantes pour pousser François II, Pierre Landais et leurs Bretons à

plus d'intransigeance encore ; la Normandie, l'Anjou et quelques autres provinces commencent à mal supporter la « tyrannie » des Beaujeu ; et, à ce qu'on prétend, les Parisiens n'ont pas
du tout apprécié que certains leur aient « ravi » le souverain.
L'heure était-elle donc venue de reprendre l'initiative ?

Se souvenant fort opportunément de ce qu'il était toujours
gouverneur militaire de Paris et de l'Ile-de-France, Louis rentre
dans la capitale au début de décembre 1484, et avec la manière
passablement tonitruante qui lui est propre. Presque aussitôt
tous ses vieux complices et amis l'y rejoignent : Dunois, Guyot
Pot, son compagnon d'enfance le sire de Sandricourt, le sire de
Vatan, sans oublier Brezille de La Jallaye, qui, comme on peut
l'imaginer, a profité du changement de règne pour quitter à tout
jamais l'Ordre de Saint-Jean-de-Jérusalem. Toute cette aimable
société s'agite, distribue des aumônes à pleines mains ou organise des spectacles coûteux vers lesquels se rue le bon peuple.
Quant au duc d'Orléans, soucieux de se forger une popularité et
ne répugnant pas aux délices douteuses de la démagogie, on ne
voit littéralement que lui : il se montre dans les rues en modeste
équipage, joue à paume avec les premiers venus, accorde des
audiences à tous les solliciteurs, se rend dans les diverses cours
souveraines pour s'y familiariser avec leur fonctionnement,
visite presque chaque jour l'Hôtel de Ville pour en honorer les
échevins et déclare à qui veut l'entendre qu'il trouve beaucoup
trop lourds les impôts réclamés aux gens de petit ou de moyen
état.

Le 17 janvier 1485, il se sent assez sûr de lui-même et des
autres pour passer à l'offensive. En sa qualité de lieutenant
général de l'Ile-de-France, il convoque le Parlement, s'y rend
solennellement avec le comte de Dunois et fait lire par son
chancelier personnel, Maître Denis Le Mercier, un long réquisitoire contre « le sire et la dame de Beaujeu », désignés comme
« aulcuns qui désiroient aveoir le Roy et le royaulme entre
[leurs] mains... ». La cour se serait peut-être laissé impressionner par tant d'audace si le premier président Jean de La Vac-
querie n'avait riposté avec beaucoup de déférente fermeté, rappelant en particulier que le Parlement, institution fondamenta-

lement judiciaire, n'avait point pour mission de s'ingérer dans les affaires gouvernementales et qu'en outre ce corps ne pouvait recevoir de remontrances qu'avec le consentement explicite du roi.

Néanmoins, dans son inexpérience, Louis d'Orléans crut bon d'insister à nouveau et il fit adresser des manifestes pratiquement identiques à la Cour de Aides, à l'Hôtel de Ville, à l'Université, à diverses cités du royaume ; par une lettre en date du 19 janvier 1485, il alla même jusqu'à déclarer au roi sa ferme volonté de le « " délivrer "... pour la léaulté que je vous dois, comme Vostre sujet et parent, qui aussi suis tenu à vous aimer par privaulté... ».

Dès le lendemain, à Montargis, Anne de Beaujeu faisait signer à son frère une réponse qui contredisait et contrecarrait toutes les prétentions du duc Louis : « ... Si Nous voulons avoir continuellement emprez Nous Nostre très chière et très amée sœur la Dame de Beaujeu,... et si Nous prenons toute entière confiance en elle, personne ne s'en doit merveiller... Nous savons bien qu'il n'est rien en ce monde dont Nostre dicte Sœur aye plus grant cure comme de Nous... Aussi sa perte et son deuil seroient plus grans que de tous les aultres... »

Le premier prince du Sang comprit-il immédiatement que la situation commençait à tourner sérieusement à son désavantage ? Le 2 ou le 3 février 1485, il se trouvait aux Halles, en train de jouer à la paume, quand un avis secret de son vieux complice le connétable de Bourbon lui apprit que les Beaujeu venaient d'envoyer depuis Melun un détachement de deux cents archers pour contrôler les portes de la capitale et s'emparer de sa personne. Il a juste le temps de repasser chez lui avec Denis Le Mercier, Dunois et Guyot Pot pour se faire seller des montures résistantes et expédier leurs équipements à destination de l'ouest : en fait, il ne s'agissait point d'aller jusqu'en Bretagne — terre amie, mais dont les accès risquaient d'être étroitement surveillés —, et il fut décidé presque aussitôt de s'arrêter dès qu'on arriverait sur les terres du duc René d'Alençon, en qui l'on pouvait avoir toute confiance.

Ils galopèrent ainsi toute la journée, puis toute la nuit. Ils allaient s'arrêter quelques heures à Mantes, pour souffler un peu, quand trois messagers arrivèrent en trombe et leur annoncèrent que leur fuite venait d'être découverte à Paris. Au soir, après plus de quarante heures de galop pratiquement ininterrompu, ils atteignaient enfin Verneuil-sur-Avre, première ville du duché : désormais les archers royaux ne pourraient plus rien contre eux.

Fugitifs chanceux, les trois comparses et surtout leur chef Louis d'Orléans apparaissaient aussi comme des rebelles à l'autorité des Beaujeu et, en un certain sens, à celle du roi.

CHAPITRE IV
Les affaires bretonnes

En effet, l'initiative de Louis d'Orléans apparaît comme un véritable acte d'insubordination, d'autant plus grave qu'au même moment son allié François II subissait, plus forte que jamais, l'influence de Pierre Landais et passait donc à une politique ouvertement antifrançaise. Il nouait de multiples liens avec les rois espagnols, avec Maximilien d'Autriche, avec Richard III d'Angleterre. Objectif avoué : il s'agissait de renverser le pouvoir des Beaujeu, mais en cherchant peut-être aussi à reprendre au royaume de France quelques-unes de ses plus belles provinces. Ce que le duc de Bretagne souhaitait pour sa part, c'était, une bonne fois pour toutes, régler leur compte aux nobles de son pays qui s'étaient réfugiés sur les terres royales pour mieux lui résister. Il lève donc une armée et en confie le commandement à François d'Avaugour, son fils naturel, chargé de marcher sur Ancenis, que tenaient les barons rebelles. En quelques jours, la ville est prise et le port détruit, ce qui représentait également un assez rude coup pour la couronne de France, alliée traditionnelle de la noblesse bretonne.

Mais les Beaujeu réagissent déjà, font marcher leurs troupes en direction de Nantes et Rennes, bloquent la frontière et, forts de leurs succès, envoient au duché d'Alençon un messager chargé de mettre Louis d'Orléans en demeure de rentrer au plus vite. Peut-être le gouvernement royal savait-il que la situation du prince, en fait, n'était guère brillante : celui-ci alors critiquait amèrement l'hospitalité réticente et parcimonieuse de son cousin Alençon, il avait dépensé tous ses deniers, devait emprunter des sommes importantes aux gens de sa suite, surtout à l'omniprésent Guyot Pot et venait d'apprendre qu'on lui avait retiré ses juteux gouvernements d'Ile-de-France et de Champagne. Il en allait de même pour son fidèle Dunois qui, lui, perdait ses gouvernements du Dauphiné, du Valentinois, du Diois et qui, du coup, se voyait contraint, une fois n'est pas coutume, de conseiller à Louis l'obéissance et la résignation.

Un peu honteux celui-ci s'exécute alors et, quand Charles VIII arrive le 12 mars 1485 à Évreux, c'est pour y accueillir peu après son « cher et amé » cousin d'Orléans. Dans l'entourage royal, peut-être poussés en sous-main par les Beaujeu, quelques-uns grognent, parlent de trahison, de rébellion, de lèse-majesté. Rien n'y fait : le petit monarque — qui est maintenant majeur — tient à jouer la clémence d'Auguste ; dès le 23, le duc d'Orléans retrouve sa place, toute sa place, à la Cour et au Conseil. Sans rien laisser paraître de ses sentiments, il suit le roi à Rouen, figure en bonne place lors de l'entrée solennelle, semble s'associer à la joie générale, en profite pour mettre un peu d'ordre dans ses affaires normandes, reprend l'existence vide de premier héritier du trône et retourne à ses plaisirs en attendant des circonstances plus favorables.

En réalité, les perspectives se font pour lui plus sombres que jamais. Car, en cette fin de printemps 1485, la situation en Bretagne se retourne complètement. Les troupes que le gouvernement ducal a chargées d'exterminer les barons rebelles fraternisent au contraire avec eux. Ceux-ci entrent tête haute dans le château de Nantes, imposent leurs vues au duc affolé, se font livrer Pierre Landais et, après l'avoir fait « interroger » sommairement, l'envoient sans autre forme de procès à la potence. Arraché à ses velléités de « résistance patriotique » (pour parler comme certains historiens bretons d'aujourd'hui), François II revient donc à une politique d'entente avec la France et, par le traité de Bourges, sanctionné au début d'août 1485, conclut même une alliance intime avec le roi, c'est-à-dire avec les Beaujeu.

Trahi en quelque sorte par son « fidèle ami » le duc de Bretagne, Louis, pourtant, reprend vite espoir, car déjà Dunois,
l'un de ses conseillers les plus écoutés et à certains égards son
mauvais génie, lui propose une nouvelle affaire, au moins aussi
ambitieuse et peut-être plus dangereuse que les précédentes.
Mais peu importe, car, à peine séchée l'encre du traité signé à
Bourges, ne voyait-on pas la Bretagne de nouveau prête à violer
ses engagements ? Le connétable de Bourbon se durcir encore
dans son irréductible opposition à Anne de Beaujeu, la belle-
sœur maudite ? Certains autres Grands du royaume prêts à
reprendre leur brouillonne agitation ? Et surtout les Parisiens
regimber plus ouvertement que jamais contre le poids de la
fiscalité royale ?

Une fois encore, Louis d'Orléans va prendre contact avec les
divers mécontents. Il croit même le moment venu pour faire
publier une lettre ouverte au roi, véritable manifeste politique,
et lui demander de convoquer à nouveau les États généraux.
Mais la Cour se sent maintenant assez forte pour résister. Charles VIII et les siens quittent Paris pour Malesherbes, y rassem-
blent pas moins de vingt mille hommes de troupe et, en un acte
symbolique, entrent dans Orléans qui, ne l'oublions pas, appartient au duc Louis. Celui-ci, de son côté, bien décidé à ne pas
laisser passer l'affront, quitte Blois avec quatre cents lances et
environ deux mille hommes de pied, pour s'établir à Beaugency, possession de son fidèle Dunois. Il s'agit là d'un acte non
moins symbolique, puisque, traditionnellement, cette ville se
présente comme la rivale d'Orléans.

Décidément, l'heure est partout à la fermeté. Le 30 août,
Louis lance un nouveau manifeste dans lequel, tout en proclamant évidemment son attachement fidèle à la personne de
Charles VIII, il attaque pêle-mêle la politique financière du
gouvernement, le couple des Beaujeu et peut-être plus encore le
nouvel allié que ceux-ci viennent de s'attacher, René duc de
Lorraine, dont les qualités politiques et militaires peuvent faire
pour tous les trublions éventuels un adversaire redoutable.
Beaucoup ont vite jaugé le personnage et Louis d'Orléans se
sentait sûrement d'autant plus d'audace que bon nombre de

Grands, le connétable de Bourbon, le comte d'Angoulême, le comte d'Étampes ou encore le sire d'Albret, tous très inquiets, lui avaient promis des renforts de troupes. De son côté, le Conseil royal n'entendait pas se laisser impressionner, traita cette fois le duc d'Orléans et Dunois en authentiques rebelles, leur adressa sommation de « se départir » — c'est-à-dire de renoncer à leur action —, et même chargea le Parlement d'ouvrir contre eux une véritable instruction criminelle.

Confiée à Louis de La Trémoïlle, l'armée royale commençait à investir Beaugency, mais, malgré son écrasante supériorité numérique et la médiocrité des fortifications qui lui étaient opposées, elle semblait hésiter à donner l'assaut. Il est vrai qu'en même temps, entouré de Dunois, de Jean de Foix et d'autres valeureux capitaines comme le fameux Carquelevant, Louis d'Orléans commençait à se révéler sous un jour nouveau : celui d'un authentique homme de guerre, certes ni très grand stratège ni tacticien génial, mais intrépide, infatigable, visiblement à son aise au milieu de ces senteurs lourdes où se mêlaient intimement la sueur, le crottin de cheval et la poudre brûlée. Durant ces journées fiévreuses, on le voyait partout derrière les défenseurs de la ville, veillant aux postes des remparts, relevant le courage de tous, vérifiant les plus humbles détails, manifestant au total une indéniable efficacité et menant avec détermination plusieurs sorties qui, sans briser le blocus, coûtèrent à l'armée royale quelques-uns de ses hommes, si l'on peut employer cette expression pour trois ou quatre cavaliers tombés de cheval, mais sans autres dommages que quelques bosses et contusions.

De toute évidence, il fallait en finir, mais le prudent, le trop prudent La Trémoïlle hésitait à engager ses troupes. Or, brusquement, subissant le contre-coup de sa tension nerveuse ou consterné de ne pas voir accourir les renforts promis par les autres princes, Louis d'Orléans semble perdre courage. Plus exactement, à la mi-septembre, il accepte les offres royales, malgré tout ce qu'elles peuvent avoir de volontairement humiliant. Il doit se rendre à pied au camp de La Trémoïlle, faire amende honorable et accepter des garnisons royales dans toutes les villes de son apanage. De justesse, il obtient au moins une concession non négligeable pour un jeune homme d'esprit aussi chevaleresque : alors que le Conseil avait souhaité que Dunois soit remis comme otage aux forces royales, Charles VIII accepte que celui-ci parte pour le comté d'Asti, dans une sorte d'exil doré qui, de toute façon, n'excédera pas la durée d'un an. Quelques jours plus tard, le 22 septembre 1485, en signe de « victoire », le souverain faisait son entrée dans Beaugency, puis, le 5 octobre, au château de Blois, suivi à distance respectueuse par Louis d'Orléans, une fois de plus réduit au mutisme et à l'obéissance.

En fait, cette « triste échauffourée », comme on a dit, ne faisait véritablement « honneur à personne ». Au début de l'affaire, la Cour et les Beaujeu s'étaient affolés un peu vite, puis, par leur attitude hésitante, avaient donné une importance démesurée à une rébellion somme toute assez dérisoire. Quant à Louis, sa défaillance inattendue et ce qu'il faut bien appeler sa défaite finale faisaient oublier les trop rares moments qui lui avaient permis de manifester pour la première fois ses indéniables qualités d'homme de guerre. Dans son *De rebus gestis Francorum,* un contemporain italien, Paolo Emili dit Paul-Émile, a résumé toute cette brève crispation, cette guerre sans morts ni même la moindre effusion de sang, d'un terme qui fera fortune : « *insanum bellum* » : la Guerre folle. Un autre chroniqueur, français cette fois, Nicolas Gilles, a préféré parler de « paix fourrée », ce qui correspondait peut-être davantage à la réalité, car, inévitablement, de nouvelles difficultés, de nouveaux conflits n'allaient pas tarder à surgir.

Pourtant, assagi par ses déceptions, Louis d'Orléans commence par se conduire très correctement. Sa soumission faite, il suit sans mot dire le roi jusqu'à Bourges, pour y assister, non moins passivement, à la réduction de ses alliés à l'obéissance, en particulier le connétable de Bourbon, le comte d'Angoulême et le sire d'Albret. Une nouvelle réconciliation générale est aussitôt proclamée, puis tout le monde se sépare avec promesses d'éternelle amitié. Le cœur un peu vide, Louis se retire à Orléans, où il entreprend de regagner quelque peu l'affection de ses « sujets » locaux, toujours plus enclins à se rallier au roi qu'à leur maître théorique. Il se montre d'abord beaucoup dans la ville, offre au bon peuple concerts, tournois, spectacles de comédiens ou d'acrobates, surveille la réparation des remparts, écoute les doléances des uns et des autres. Il se fatigue assez vite de ces occupations astreignantes et, dès la fin de 1485, retourne auprès de Charles VIII pour s'y étourdir à nouveau de fêtes et de débauches. Il cherchait peut-être aussi à retrouver par là une certaine influence sur le jeune roi et y serait vraisemblablement parvenu sans les initiatives de Maximilien d'Autriche et surtout le véritable revirement politique de la noblesse bretonne.

Au traité de Montargis dont nous avons parlé plus haut, celle-ci avait semblé négliger aussi bien les privilèges provinciaux que les intérêts de la famille ducale. Mais, depuis qu'ils étaient rentrés en grâce auprès de François II, ceux qu'on appelait parfois les « barons » semblaient se rappeler qu'ils étaient avant tout bretons. A leur instigation, les États du duché se réunissent en hâte et, le 9 février 1486, votent à l'unanimité un texte fondamental, rétablissant les deux filles du duc dans tous leurs droits à l'héritage paternel, par ordre de primogéniture.

Comprenant l'importance de leur décision, les Bretons se préparent en même temps aux plus graves éventualités ; ils prêtent un serment solennel de fidélité à la dynastie princière, enrôlent des troupes, achètent des munitions, fortifient Rennes, Dinan, d'autres points importants proches de la frontière et, par surcroît de précautions, se tournent vers des alliés éventuels, en particulier Maximilien d'Autriche qui venait de se faire élire roi des Romains, c'est-à-dire successeur désigné de son père Frédéric III à la tête du Saint Empire Romain Germanique.

Or Maximilien était depuis peu veuf de Marie de Bourgogne, occasion pour les États de Vannes de lui offrir la main de la fille aînée du duc, Anne de Bretagne, et celle de la cadette, Isabelle, au prince Philippe, le propre fils de l'Autrichien. Pour parfaire le tout, un traité d'alliance en bonne et due forme est signé le 15 mars 1486 entre « Allemands » et Bretons.

La démarche de Maximilien ne doit pas étonner. Depuis quelque temps déjà, il brûlait d'en découdre avec le royaume de France. Dès le mois de décembre 1485, il aurait, selon certains, conclu un accord secret avec le duc de Bretagne, le connétable de Bourbon, le comte d'Angoulême et... le duc d'Orléans, afin d'essayer — une fois de plus ! — d'enlever le gouvernement à la dame de Beaujeu et de le confier au premier prince du Sang, qui eût alors gouverné la France au nom du trop jeune et trop faible Charles VIII. L'Autrichien se serait même engagé, par des clauses annexes, à faire tout son possible pour accélérer en Cour de Rome la procédure visant à annuler le mariage avec Jeanne la Boiteuse.

Un point est sûr : vrai ou faux, ce dernier accord faisait beaucoup jaser dans les milieux prétendument bien informés et le bruit prit même tellement de consistance que Louis, alors relativement bien vu à la Cour, crut devoir publier, le 27 janvier 1486, une déclaration solennelle dans laquelle il affirmait que « le voyage qu'il avoit faict naguères en Bretaigne vers la personne du duc... [il s'agissait de l'escapade nantaise d'avril 1486] étoit seulement pour le visiter et conseiller en aulcuns poincts pour la défense de son duché, et non poinct pour luy tenir propos de mariaige avecques les princesses ses filles... »

Cette modération rejoignait celle qu'affectait alors Maximilien. Celui-ci cherchait en effet à endormir la méfiance de Charles VIII et des Beaujeu en leur envoyant son grand échanson, « beau diseur de parolles douces et melliflues ». Mais brusquement, en juillet 1486, l'Autrichien attaque depuis les Pays-Bas la frontière septentrionale de la France, surprend le port de l'Écluse et enlève Thérouanne. En même temps, comme sa fille Marguerite avait été promise en mariage au roi de France, l'Autrichien prenait en quelque sorte des libertés de beau-père, en adressant à son futur gendre des reproches publics sur sa gestion fiscale et ses violations réitérées des décisions prises naguère par les États généraux.

De telles déclarations rejoignaient les principes toujours défendus par les princes français en général et Louis d'Orléans en particulier. Néanmoins, pour une fois, celui-ci se garda bien de bouger et même de faire entendre sa voix. Il resta sagement dans l'ombre du roi et, quand fut décidée une levée de douze mille fantassins pour répondre à l'invasion « autrichienne », il

fit envoyer sa compagnie de cavaliers sur la frontière de Champagne, mais sans rejoindre lui-même le secteur des opérations
militaires. Grand amateur comme il l'était de chevauchées et de
batailles, ce n'est évidemment pas par lâcheté qu'il agissait ainsi,
mais il ne voulait pas quitter l'entourage du roi, si bien informé
de tout ce qui se passait un peu partout en Europe et, en particulier, du côté de la Bretagne.

En septembre 1486, on apprenait en effet que l'état de François II, éternel malade, venait d'empirer tout à coup. Anne de
Beaujeu décide immédiatement son frère à se rapprocher des
marches occidentales et, comme par hasard, la Cour commence
à se diriger vers Tours. La mort éventuelle du duc ouvrait la
porte à tant d'inconnues que la perplexité, voire une certaine
émotion présidaient aux réunions du Conseil étroit. Mais le plus
ému de tous était incontestablement Louis d'Orléans, plus
obsédé que jamais par l'idée de se séparer dès que possible de
Jeanne pour épouser l'héritière du duché de Bretagne, malgré
l'âge encore très tendre de la jeune personne. En effet, il semblait bien y avoir urgence, en raison du grand nombre des autres
prétendants à sa main. Outre Louis et Maximilien, déjà nommés, le sire d'Albret se déclarait très épris et, malgré son âge
avancé, son visage couperosé, son ventre énorme, son manque
de savoir-vivre, sa vie dissolue et la répugnance invincible que
lui témoignait Anne de Bretagne, certains observateurs esti-
maient qu'il était depuis quelque temps le mieux placé pour
l'emporter. Mais c'était compter sans le maréchal de Rieux qui,
rentré en grâce auprès du duc depuis la mort de Pierre Landais
et devenu le plus ferme défenseur du particularisme breton,
s'était engagé à marier la princesse au fils aîné du vicomte de
Rohan, appartenant à l'une des plus vieilles et des plus authentiques familles du pays.

Dans ces conditions, Louis d'Orléans se sentait envahi d'une
telle inquiétude qu'il était prêt à un nouveau coup de tête :
pourquoi ne pas galoper une fois de plus jusqu'à Nantes, y
enlever sa petite « fiancée » au nez et à la barbe de tous ses
rivaux, l'épouser séance tenante et, par là, mettre le beau duché
celtique dans son escarcelle ? Nous commençons maintenant à

connaître suffisamment le fils de Marie de Clèves pour le savoir tout à fait capable de cette nouvelle folie et il fallut à son ami-confident-confesseur Georges d'Amboise beaucoup de patience, d'acharnement et de persuasion pour le faire renoncer à ses projets et le ramener à une plus sage appréciation de la réalité.

Parmi ses fidèles et habituels complices, tous n'allaient pas se montrer aussi sages et — peut-être parce qu'il n'avait pas la chance d'avoir à ses côtés un conseiller d'une prudence comparable à celle d'Amboise —, son cousin germain François de Dunois décida au même moment de mettre un terme à son exil italien bien avant la date prévue par le roi, ce qui constituait évidemment une très grave désobéissance ; mais il aurait fallu bien d'autres considérations pour impressionner le bouillant bâtard des Orléans. Il quitte Asti par une nuit sans lune, traverse la Provence et le Massif Central incognito. En novembre 1486, alors que le gros des troupes royales guerroie de façon indécise aux confins de la Champagne et de la Picardie, la France stupéfaite apprend que Dunois vient de s'installer dans la cité poitevine de Parthenay, dont il organise activement la défense !

Défi calculé, bien fait pour rappeler à l'autorité royale que certains princes n'ont nullement renoncé à faire entendre leur voix ou exercer des pressions. Affaire délicate aussi, car Parthenay est une solide place-forte, à proximité immédiate de la Bretagne, bien défendue par une double enceinte de remparts et où s'entassaient alors des bandes recrutées un peu partout, des approvisionnements considérables, de la cavalerie, de l'artillerie et une impressionnante quantité de poudre.

Encouragés par ces réconfortantes nouvelles, tous les trublions avoués ou en puissance relèvent bientôt la tête ; le prudent Georges d'Amboise lui-même envisage froidement de faire enlever le roi et soumet les détails du projet à son ami le duc d'Orléans. Mais celui-ci entrevoit déjà d'autres possibilités. Au mois d'octobre, en effet, la pénurie du trésor royal est telle que les Beaujeu se voient contraints d'augmenter la taille de 300 000 livres, en plus des 1 500 000 déjà exigées, ce qui allait entraîner une émotion considérable dans tout le royaume, aussi bien auprès des roturiers imposables que dans les autres catégories de la population. Une nouvelle fois, Louis d'Orléans croit son heure venue d'apparaître comme le défenseur des sujets opprimés. Il adresse assez vite au gouvernement une protestation publique, puis, en décembre, envoie des émissaires secrets à Maximilien d'Autriche, à son cher Dunois, au sire d'Albret, au comte Charles d'Angoulême, au prince d'Orange, au maréchal de Rieux, à François II surtout, qui, légèrement remis de ses maux, lui promet à nouveau la main de sa fille — quand elle aura atteint l'« âge requis » — et s'engage à obtenir du roi Charles VIII le pardon de Dunois.

Tout semble pousser Louis d'Orléans à regagner au plus vite la Bretagne : les heureuses dispositions que lui témoigne le duc François, contrebalancées par l'empressement que manifestent ses autres alliés, le sire d'Albret et Maximilien d'Autriche, à l'égard de la jeune Anne, car chacun d'eux ne désespère pas de l'épouser un jour ; il y a aussi l'impopularité du pouvoir royal et surtout la puissance militaire que persistait à constituer dans Parthenay son fidèle Dunois, bien appuyé au bastion armoricain.

Le 11 janvier 1487, en fin d'après-midi, Louis quitte son château de Blois comme s'il partait à la chasse, avec chiens, piqueurs, faucons et l'escorte d'une centaine de cavaliers. Après avoir dîné et laissé à Châteaurenault la plus grande partie de sa suite, il plonge dans la nuit pour passer par Fontevrault et y emprunter des sommes importantes à sa sœur toujours aussi dévouée, l'abbesse Anne. Reparti au petit jour, quelques heures avant l'arrivée des archers royaux lancés à sa poursuite, il atteignait la ville bretonne de Clisson à la tombée du jour, au terme d'une folle galopade qui lui avait fait franchir une bonne centaine de kilomètres en un temps record. Le lendemain, il couchait à Nantes, pour y dormir quinze heures de suite.

Mauvaises nouvelles pour le roi et les siens, qui, comme par hasard, décidèrent aussitôt le renforcement de la frontière franco-bretonne. Assez lucides pour redouter des lendemains difficiles, les Beaujeu voyaient la trahison gagner un peu partout autour d'eux et tous ceux qu'on soupçonnait de correspondre

avec le transfuge furent arrêtés au même moment, en un coup
de filet remarquablement préparé et exécuté : aussi bien le premier président de la Chambre des Comptes, Geoffroy de Pompadour, le sire de Bussy ou son parent Louis d'Amboise, évêque
d'Albi, que Philippe de Commines, enfermé au château de
Loches, et Georges d'Amboise, emprisonné à la grosse tour de
Corbeil. Aussitôt après, le pouvoir royal confiait au Parlement
de Paris une instruction pour crime de lèse-majesté contre
François de Dunois et son cousin Louis d'Orléans.

Or, en arrivant à Nantes, celui-ci n'avait pas été sans éprouver
certaines déceptions, le climat y étant nettement moins favorable à sa cause que du temps de Pierre Landais. Peut-être honteux de leurs anciennes compromissions avec la France, les
nobles et tout particulièrement leur « chef » le maréchal de
Rieux se présentaient désormais comme les plus ardents défenseurs du particularisme breton. A leur instigation, le faible
François II dut contraindre son « gendre » le duc d'Orléans à
faire, le 27 janvier 1487, en l'église des Cordeliers de Nantes,
devant une assemblée plus ou moins représentative de nobles,
de clercs et de bourgeois, une déclaration solennelle selon
laquelle il « n'étoit point venu en Bretagne pour traicter dudict
mariaige (avec Anne)... ne en espérance d'en parler... ». Une des
raisons de son second passage en Armorique semblait passer
ainsi au second plan, mais Louis était trop compromis par sa
nouvelle rupture avec le gouvernement français pour pouvoir
revenir en arrière. Position d'autant plus délicate que, dans les
semaines suivantes, Charles VIII allait, dans une très large
mesure, redresser la situation à son profit.

Dédaignant apparemment la menace bretonne et même
François de Dunois, toujours fébrile dans Parthenay, l'armée
royale descendait avec une majestueuse lenteur jusqu'à Bordeaux, vraisemblablement pour mieux assurer ses arrières en
Guyenne au moment de l'estocade. Tactique hasardeuse pourtant et qui aurait même pu avoir des conséquences dramatiques
si Louis d'Orléans avait su profiter de la situation. Car Paris
avait été laissé sans protection militaire et Dunois, qui avait le
coup d'œil prompt, prêchait pour une attaque éclair sur la

capitale qui, ajoutait-il, leur ferait un triomphe. Mais, s'il adorait le fracas des armes et l'odeur du sang encore tiède une fois la
bataille engagée, le duc d'Orléans ne savait pas, n'avait jamais
su, ne saurait jamais vaincre une irrésolution tenace au moment
où, bien au contraire, il faut savoir saisir des occasions aussi
fugaces qu'inespérées : nous retrouverons cette sorte de paraly-
sie quelques années plus tard quand, installé à Novare, il n'osera
pas foncer sur Milan désarmé.

Au moment où il était peut-être sur le point de se décider —
bien trop tard ! —, le roi Charles VIII revenait déjà de Bordeaux, avec des troupes grossies d'auxiliaires gascons, et sans
trop de mal, le 30 mars 1487, il obtenait la reddition de Parthenay, la cité réputée imprenable. Dunois, il est vrai, avait eu le
temps de partir peu avant l'arrivée des royaux et de rejoindre à
Nantes son cousin Louis d'Orléans.

Si son irrésolution avait compromis naguère bien des perspectives, dans la capitale bretonne, soyons juste, le fils de Marie
de Clèves manifestait certaines qualités qu'on ne lui avait point
connues jusque-là. Face aux discours antifrançais des agitateurs
les plus enflammés, sous le regard effaré d'un François II déli-
quescent, au milieu d'une extrême confusion où s'agitaient
nobliaux fanfarons, bourgeois avant tout soucieux de leur avenir
et mercenaires impatients de recevoir une solde, Louis essayait
de préparer la Bretagne à une guerre qu'il jugeait inévitable. Il
allait de ville en ville pour convaincre les municipalités de relever, s'il le fallait, leurs fortifications, poussait activement les
armements dans les ports d'Auray, de Nantes et de Saint-Malo,
se renseignait sur la situation à Cancale, à Morlaix ou à Saint-
Pol-de-Léon, persuadait certains officiers locaux de veiller à
une meilleure rentrée des impôts. Apprentissage un peu brutal
des réalités quotidiennes et administratives, qui portera ses fruits
plus tard, pour la gestion des revenus du comté d'Asti, puis,
après le mois d'avril 1498, pour celle du royaume de France.

En permettant ainsi à la Bretagne de mieux résister à d'éventuelles attaques françaises, cette activité débordante aurait peut-
être fini par porter ses fruits. Mais, excédés par les « libertés »
que se permettait chez eux un « étranger » comme Louis

d'Orléans, également inquiets de voir la cause nationale faire revenir au premier plan les anciens partisans du trésorier Pierre Landais, les incorrigibles barons bretons opéraient au même moment une nouvelle volte-face, en se réconciliant avec Charles VIII. Au traité de Châteaubriant, au mois de mars 1487, le roi acceptait en effet de mettre à leur disposition quatre cents lances et quatre mille hommes de pied, de toute évidence pour leur permettre de mater dans l'immédiat leurs rivaux politiques, ces couches sociales urbaines qui, avec leurs bourgeois, leurs « officiers » et surtout leurs milices locales, constituaient, bien plus que les barons eux-mêmes, le fer de lance de la résistance provinciale aux prétentions françaises. En revanche, le souverain s'engageait à ne jamais attaquer une ville dans laquelle séjourneraient le duc François II ou ses filles, et à retirer toutes ses troupes des parages bretons dès que Dunois et son cousin auraient quitté le duché.

Soigneusement tenu à l'écart des négociations préalables, Louis d'Orléans se sentait trahi par ses « alliés ». Il n'eut pas à déplorer longtemps une telle situation, car de telles précautions traduisaient, chez les uns et chez les autres, bien des arrière-pensées et, de sa lointaine prison corbeilloise, Georges d'Amboise avait très bien compris que la seule question importante était de savoir qui, des uns et des autres, des « royaux » ou des « barons », violerait l'entente les premiers.

Ce furent les forces royales qui, fortes de quinze mille hommes environ, commencèrent dès avril à se rapprocher de Nantes, où résidait pourtant le duc François II. Les barons auraient pu s'en émouvoir, mais, bien plus que l'intérêt propre de la Bretagne, ce qui comptait avant tout pour eux, c'était éliminer ceux de leurs compatriotes qui prétendaient s'opposer à leur domination ; pendant quelque temps encore, on verra le maréchal de Rieux et ses fidèles se battre du côté de Charles VIII. A Nantes, au contraire, ainsi qu'à Redon, à Rennes ou à Ploërmel, les communautés locales commencent à admettre plus facilement la prédominance de leur « meilleur défenseur », Louis d'Orléans, qui, éternel Sisyphe, reprend sa tâche, presse cette fois les Brestois de réparer leurs murs, équipe une escadre dans le golfe du Morbihan, réclame une avance de fouages aux paroisses du pays guérandais, emprunte de l'argent aux armateurs solvables, accueille des convois galiciens pour approvisionner Nantes, demande des renforts en hommes jusque dans les secteurs les plus reculés des monts d'Arrée, du Trégor ou de la Cornouaille, supplie l'Angleterre, l'Espagne et surtout Maximilien d'Autriche de bien vouloir secourir la Bretagne d'une façon ou d'une autre.

Car le temps presse. A la tête de la flotte royale, le comte de Montpensier a reçu mission d'attaquer par mer ; quant au maréchal de Saint-André, il arrivait par la voie de terre, du côté de Vitré, avec les quatre cents lances et les quatre mille hommes de pied qu'on avait promis aux barons par le traité de Châteaubriant ; il fonce droit jusqu'en plein cœur du pays, à Ploërmel qui, malgré une magnifique résistance, est prise d'assaut le 1ᵉʳ juin 1487, après trois jours de canonnade : bon nombre de défenseurs devaient être massacrés, la ville pillée, les murs rasés, la population soumise à rançon.

A la tête de quelques centaines de cavaliers seulement, on avait vu Louis d'Orléans essayer de ralentir la progression française, attaquer crânement l'ennemi, payer chèrement de sa personne, soutenir en permanence le moral de ses hommes, visiter les blessés, en un mot tout faire pour mériter la confiance des Bretons soupçonneux qui l'entouraient. Quand on eut appris la chute de Ploërmel, il entraîna presque de force François II jusqu'à Vannes, où une résistance prolongée, espérait-on, pourrait s'organiser plus facilement.

Ce plan allait rapidement être déjoué, car il fallait au bas mot plusieurs jours pour parachever les défenses de la ville ; or les deux ducs venaient à peine d'arriver que déjà l'on apercevait sur les hauteurs de Cosquéric les fanions et les lances de l'avantgarde royale, bientôt rejointe par un autre contingent sous les ordres de Louis de La Trémoïlle. François II, Louis d'Orléans et quelque deux mille cinq cents hommes qui leur restaient n'eurent que le temps d'embarquer dans des bateaux heureusement tout prêts à l'appareillage.

Le 4 juin au soir donc, profitant de la marée descendante, ils échappaient presque miraculeusement à leurs poursuivants. Après une traversée mouvementée, très ralentie par le mauvais état de la mer — dont le duc d'Orléans se serait accommodé « merveilleusement » —, ils échappaient aux nefs royales et parvenaient tous à regagner Nantes dans la journée du 9 — cette fois avec la marée montante —, juste au moment où l'artillerie française envoyait ses premiers boulets sur la ville. Dix jours plus tard, celle-ci était à peu près totalement investie du côté de la terre ferme.

Malgré le désarroi de François II — qui retomba malade une fois de plus —, Louis d'Orléans ne perdit pas courage : après tout, les communications extérieures restaient relativement libres du côté de la mer, et n'était-ce point là l'essentiel ? Aussi on le vit organiser la défensive avec son enthousiasme habituel ; de jour comme de nuit, il ne quittait guère les remparts, vérifiait la régularité des guets, contrôlait la vigilance des sentinelles, excitait l'ardeur des canonniers. A chaque tentative d'assaut de la part des Français, il combattait au premier rang des soldats bretons. Tous, dans le camp des assiégés, attendaient le secours d'alliés hypothétiques — tels que les Espagnols ou les Anglais dont on guettait les voiles dans l'estuaire de la Loire —, ou bien encore une percée des forces de Maximilien sur les marches de Picardie, ce qui aurait peut-être le mérite de contraindre Charles VIII à se porter en catastrophe sur un autre front.

En fait, le salut allait venir d'ailleurs. Après avoir fui Vannes lui aussi, François de Dunois, plus casse-cou que jamais, était parti vers le nord avec un seul compagnon, un homme du pays, le sire de Coëtmen. Et tous deux, dans le pays malouin, dans le marais de Dol, dans le Coglès, dans les paroisses du Fougerais, avaient réussi à enrôler des hommes du peuple, artisans, paysans, villageois, au nom de l'indépendance provinciale. Huit ou dix mille « guerriers » tout au plus, braillards, indisciplinés, évidemment peu aguerris et encore plus mal équipés mais qui, à la fin de juillet, réussissent un exploit peu banal : celui de pénétrer dans Nantes à la tombée du jour, en traversant sans aucune difficulté les lignes françaises, face à des unités trop surprises par tant d'audace pour réagir à temps ! Une telle « victoire » rendit tout leur courage aux défenseurs, par surcroît abondamment approvisionnés et bien à l'abri derrière des fortifications impressionnantes.

De son côté le roi Charles VIII comprit assez vite que le vent venait de tourner, mais point du tout en sa faveur. Le 6 août 1487, il ordonnait la levée du siège et, à peine quelques heures plus tard, ses troupes commençaient à se retirer en direction de l'est, ce qui constituait indirectement une grande victoire pour le duc d'Orléans.

Dans le même temps ou à peu près, à quelque cent vingt ou cent trente lieues de là, en la petite cité haute-picarde de Chauny, Marie de Clèves mourait obscurément d'un « flux de sang », loin de son fils donc, et plus ou moins brouillée avec lui. On peut se demander ce que fut la réaction du duc d'Orléans à cette nouvelle. Eut-il au moins un geste d'élémentaire piété filiale, comme de faire dire quelques messes en faveur de celle qui, une quinzaine ou une douzaine d'années plus tôt, s'était tant battue pour lui, pour son honneur et son bonheur ?

Il ne le semble pas. Emporté par le vertige de l'action, Louis essaie alors de mettre à profit la retraite française pour se montrer un peu dans toute la Haute-Bretagne. Il lève de nouveaux impôts, de nouvelles troupes, se fait confirmer la fidélité des Rennais, inspecte à Saint-Malo la flotte bretonne restée intacte, apprend la défection de Redon, passée au roi de France, n'accepte pas cet échec, s'empare à nouveau de la ville, apprend la perte de Dol et de Saint-Aubin-du-Cormier. Ne s'avouant pas vaincu, il prévoit de nouveaux enrôlements, se comporte un peu partout comme le véritable souverain et irrite ainsi la susceptibilité de ces Bretons pour lesquels il se dépense sans compter.

L'efficacité et la fermeté de son administration ne l'empêchent pas de manifester davantage de souplesse en d'autres domaines. Fatigué par tant d'agitation, alarmé par les ravages et l'atroce misère qui affectaient la moitié orientale de son duché, François II sollicitait la paix, avec les encouragements constants de Louis d'Orléans. Dans l'immédiat, celui-ci avait en effet intérêt à une réconciliation avec Charles VIII : le 23 juillet 1487, le gouvernement royal lui avait lancé une sommation à comparaître, en tant que pair du royaume, devant le Parlement de Paris, pour y répondre du crime de lèse-majesté. Comme l'accusé s'était bien gardé de donner suite à la convocation, un lit de justice fut tenu contre lui, le 20 février 1488, en présence du roi et des autres pairs. Mais, parmi ces derniers, très peu se présentèrent pour remplir le rôle de juge. Car, si l'on y réfléchissait bien, Louis d'Orléans se trouvait être alors l'héritier présomptif de la couronne et, malgré leur rang qui les mettait en principe à l'abri de représailles trop grossières, les Grands ne souhaitaient guère se mettre dans une position délicate vis-à-vis de quelqu'un qui, une fois devenu roi, pourrait avoir la mémoire rancunière... Il n'en reste pas moins qu'une décision sévère fut prise contre l'accusé absent, qui apprit peu après la confiscation de tous ses biens.

Louis s'attendait peut-être à la sentence, mais, apparemment indifférent, il se donnait tout entier aux affaires bretonnes. En compagnie du maréchal de Rieux qui, après une nouvelle volte-face, venait de se réconcilier bruyamment avec le duc de Bretagne, Louis d'Orléans était parti quelques jours plus tôt en direction de Vannes pour reprendre la ville aux Français qui capitulèrent le 3 mars. Dol, Auray, Moncontour, Ploërmel tombèrent à leur tour, et Josselin un peu plus tard. Victoires incontestables qui renforçaient tout à la fois le prestige et la domination du duc d'Orléans sur la Bretagne, mais aussi la détermination de Charles VIII et des Beaujeu d'en finir une bonne fois pour toutes avec cette dangereuse et interminable rébellion de l'extrême Ouest.

Pour réaliser un tel objectif, il faut de grands moyens, et d'abord de l'argent. Le gouvernement lève donc de nouvelles tailles, emprunte aux provinces, aux villes, aux officiers de finances. Finalement, on parvient à réunir près de Pouancé, en Anjou, quinze mille hommes de pied dont cinq mille Suisses, l'élite guerrière de l'Europe. En principe, le commandement en aurait dû revenir au connétable de Bourbon. Mais, ancien complice de Louis d'Orléans, ce grand féodal ne semblait pas un exécutant des plus sûrs et, de son propre aveu, sa « caducité et débillité de corps » étaient extrêmes. Le vieillard ne se trompait point, car il mourut le 1ᵉʳ avril 1488, sans enfants légitimes, ce qui fit passer tout à la fois son duché et son immense fortune à son frère cadet, Pierre de Beaujeu en personne. Déjà heureux mari d'une fille de roi et « régent » de fait pour le royaume de France, celui-ci prit aussitôt le titre de duc de Bourbon, que nous lui donnerons désormais.

Comme chef de l'armée française, il fallait donc trouver quelqu'un d'autre. C'est Anne de Bourbon — ex-Beaujeu — qui fit désigner Louis de La Trémoïlle, que beaucoup appelaient déjà le « chevalier sans reproche », surnom qui passera plus tard à Bayard. Il s'agissait d'un jeune chef de vingt-sept ans qui, avec son nez aquilin, son cou raide, son œil assuré, respirait le calme, l'autorité, la décision et allait s'acquitter de sa mission avec une remarquable maîtrise, avant de devenir l'un des grands capitaines de son temps, jusqu'à sa magnifique victoire de Fornoue en 1495, puis plus tard encore, vingt-huit ans après son premier commandement en chef, sa mort glorieuse sur le champ de bataille de Pavie, au soir du 24 février 1525.

Quand La Trémoïlle prit ses fonctions, dans la première quinzaine d'avril, l'état des troupes royales laissait beaucoup à désirer, et il lui fallut attendre encore près d'un mois avant de pouvoir se mettre véritablement en campagne : il prit Ancenis le 19 mai, puis entreprit de se diriger sur Châteaubriant, mais avec assez de lenteur pour laisser aux gouvernements bretons, d'abord impressionnés par un tel déploiement de forces, tout le temps de mettre au point leurs divers préparatifs.

Installé maintenant à Rennes, Louis d'Orléans manifestait toujours la même fiévreuse activité, aussi bien dans le domaine proprement militaire que dans l'intendance ou la diplomatie. Sur ce dernier point, ses efforts allaient être partiellement couronnés de succès : venant de Bilbao, une flottille aux ordres du sire d'Albret lui amène quelques milliers de Basques, de Navarrais et d'Espagnols ; quelques jours plus tard, au début de mai, lord Scales débarque à Saint-Malo avec sept cents Anglais.

Malgré une trêve de plus d'un mois et qui se prolongea jusqu'au 6 juillet, le choc décisif était d'autant plus inévitable que Charles VIII venait d'apprendre de source sûre que ni

Maximilien d'Autriche ni même Henry VII d'Angleterre — malgré l'envoi d'un contingent symbolique — ne se trouvaient vraiment en mesure de soutenir les Bretons. Le 12 juillet, avec toute l'armée royale grossie de nouveaux renforts, La Trémoïlle vient mettre le siège devant Fougères, ville tenue par certains des éléments les meilleurs et les plus déterminés de l'armée bretonne. Hélas ! l'artillerie française fait merveille, de multiples brèches s'ouvrent un peu partout dans les murailles et la petite rivière qui alimente la ville en eau à peu près potable est détournée en quelques heures par les assiégeants. Après une semaine de siège héroïque, l'orgueilleuse cité doit capituler elle aussi, mais non sans avoir obtenu les honneurs de la guerre pour l'ensemble de ses défenseurs.

Louis d'Orléans et le maréchal de Rieux ne se découragèrent pas pour autant. Ils remontèrent aussitôt vers le nord pour couvrir la ville de Dinan, contre laquelle, d'après ce qu'ils avaient pu apprendre, Charles VIII voulait faire maintenant porter ses efforts. Il s'agissait en effet d'une place nettement plus faible que Saint-Malo ou Rennes, que les Français se réservaient d'attaquer par la suite. Car tel était bien le plan du roi qui, dans ses recommandations à La Trémoïlle, s'exprimait en ces termes : « Sur le chemin [de Dinan]..., on pourroit attaquer l'ennemy, qui est présentement concentré non loing du Petit-Sainct-Aubin [c'est-à-dire Saint-Aubin-du-Cormier]. »

C'est là en effet, au lieu choisi par les Français, qu'aura lieu finalement la rencontre, décisive pour l'avenir de la Bretagne, le 28 juillet 1488, donc devant la petite ville de Saint-Aubin-du-Cormier, tenue alors par l'armée royale. Forte de quelque seize mille hommes, celle-ci se trouvait supérieure en nombre à celle des ducs, qui n'en comptait guère que dix ou douze mille : une majorité de Bretons, bien sûr, mais aussi des Gascons, des Navarrais, des Castillans, des Suisses, des Allemands et même quelque quatre cents Anglais. En outre, et malgré les efforts d'apaisement déployés par Louis d'Orléans, la plupart des chefs ne s'entendent guère, perdent un temps considérable à discuter, laissent à La Trémoïlle la possibilité d'installer tout à l'aise sa puissante artillerie et, pis encore, de les contraindre à se battre face au soleil.

Pourtant ce sont les « Bretons » qui attaquent les premiers, et avec tant de détermination que les Français doivent reculer en désordre. Fort heureusement pour ces derniers, la supériorité de leur artillerie va sauver la situation, en décimant les fantassins allemands de François II, qui, pour échapper aux boulets, amorcent une manœuvre hardie, en se portant sur le côté gauche. Mais en même temps les « lansquenets » se séparent du gros de l'armée bretonne, ce qui permet à la cavalerie française de se précipiter aussitôt dans la brèche ouverte, de l'élargir à l'épée, de culbuter les quelques « chevaucheurs » accourus, de ravager les bagages de l'ennemi, de faire sauter ses dépôts de poudre et de prendre son arrière-garde à revers. La panique est alors complète chez les Bretons qui fuient dans tous les sens, ainsi que la plupart de leurs chefs, le sire d'Albret, le maréchal de Rieux et son gendre Châteaubriant. Encerclés, les Anglais de lord Scalles résistent jusqu'au bout... et se font massacrer sur place jusqu'au dernier. Les chroniqueurs avancent le chiffre de quinze ou seize cents morts chez les « Français », de six mille chez les « Bretons ».

Et Louis d'Orléans ? Il n'avait guère eu l'occasion d'influer sur la stratégie déployée par l'armée bretonne, mais, quand la situation apparut comme définitivement perdue, il sut au moins se battre avec le courage qu'on pouvait attendre de lui. Suivi de son ami le prince d'Orange, de quelques Vannetais et d'un quarteron d'Allemands, il avait dirigé la petite troupe jusqu'à la lisière d'un bois, où, cernée par des forces au moins dix fois supérieures, elle résistait l'arme au poing, en réalisant des prodiges de valeur. Quand il fut clair que l'affaire ne pourrait avoir d'issue favorable, le prince d'Orange se coucha par terre entre les morts, pour essayer d'échapper à la capture, mais un archer français le reconnut et le fit prisonnier. Le duc d'Orléans, lui, fut pris les armes à la main, par une poignée de Suisses qui, ayant réussi à le désarmer et voulant venger leurs nombreux morts, avaient décidé de le tuer sans autre forme de procès. Seule l'arrivée de quelques hommes d'armes envoyés spécialement par La Trémoïlle sauva la vie du duc, qu'on mena immédiatement, sous bonne escorte, jusqu'à Saint-Aubin-du-Cormier.

Les émotions n'étaient pas finies pour autant. On avait enfermé Louis dans une maison du centre, en attendant l'arrivée du vainqueur La Trémoïlle, mais celle-ci fut bientôt attaquée par une poignée de soldats français qui, fort éméchés, venaient réclamer le prisonnier pour en tirer rançon et criaient qu'ils l'auraient mort ou vif. Seules la fermeté de ses gardiens puis l'arrivée du général en chef sauvèrent, une fois de plus, la vie de Louis.

Comme l'avait fait Henry V avec Charles d'Orléans après la bataille d'Azincourt, La Trémoïlle tint à traiter assez correctement les princes vaincus. Le soir-même, il invitait à souper Orange et Orléans, les fit asseoir à sa table et les plaça entre deux autres prisonniers, des gens de niveau social plus humble, selon les uns des Français qui s'étaient engagés dans l'armée de François II, selon les autres des Bretons. Or, au moment où l'on apportait les entremets, deux moines furent introduits, deux cordeliers qui s'avancèrent lentement, dans un silence impressionnant, le capuchon rabattu sur le visage. A cette vue, un frisson parcourt l'assistance. Mais La Trémoïlle se lève et se penche d'abord vers les deux princes : « Messeigneurs, je n'ay point mission de décider de votre sort, c'est à faire au roy nostre sire. » Puis il se tourne vers les deux prisonniers : « Quant à vous, vous avez trahi la foy jurée, vous avez esté cause de ceste fatale guerre ; vous devez en porter la peine. Confessez-vous et préparez-vous à mourir. »

Au comble de l'affolement, les deux malheureux se mettent à hurler de désespoir et supplient les princes d'intervenir en leur faveur. Très pâle, Orléans se lève à son tour, mais il a à peine ouvert la bouche que La Trémoïlle le fait taire, tandis qu'on entraîne de force les deux condamnés à l'extérieur pour leur trancher la tête. Initiative tout à fait contraire aux traditions féodales, mais qui correspond bien, semble-t-il, aux ordres du roi et traduit l'exaspération des Beaujeu à l'égard de gens considérés non pas comme d'honorables belligérants classiques, mais comme des rebelles et des traîtres.

Saint-Aubin-du-Cormier apparut en effet comme un événement capital, dont le pouvoir royal entendait tirer un profit maximum. Certes la Bretagne essayait encore de résister et, sommée de se rendre, la ville de Rennes refusa hautement. Mais, en même temps ou presque, La Trémoïlle prenait Dol, Saint-Malo, Dinan et le duc François II dut conclure, le 3 août, la paix du Verger, par laquelle il s'engageait à renvoyer chez elles toutes les troupes étrangères et à ne plus jamais accepter leur appui. Déjà très malade, affaibli, désespéré, il mourut quelques jours plus tard, le 9 septembre, après avoir dû accepter — humiliation supplémentaire — de ne laisser marier ses filles qu'avec l'accord du roi de France ; ce qui, par ailleurs, ruinait en fait les espérances de Louis d'Orléans.

Celui-ci fut-il même informé de la nouvelle ? Il passait de prison en prison, d'Angers au château de Sablé, puis de Sablé au château de Lusignan en Poitou, nanti pour la circonstance d'une garnison impressionnante — deux cents lances ! — et gardé si sévèrement que l'entrée de la ville était interdite à tous les étrangers, marchands, saltimbanques, pèlerins et autres voyageurs. Visiblement, le pouvoir royal s'acharnait sur lui, comme à plaisir. En effet, dès le mois de septembre, tous les anciens chefs rebelles — sauf lui — bénéficiaient d'une amnistie : le sire d'Albret, le sire de Lescun, le prince d'Orange et même le comte de Dunois. Bien au contraire, les conditions de vie devinrent au même moment bien plus sévères pour le duc d'Orléans, à qui l'on donna bientôt, comme « maistre d'hostel », un geôlier très rude et borné qui s'appelait Philippe Guérin.

Dès le début de cette captivité, le but précis du pouvoir royal semble fixé. Certes, il s'agissait peut-être de faire expier ses incartades à celui qui avait été, pendant quelques années, le trublion le plus dangereux du royaume. Mais il y avait aussi d'autres motivations, car, même si, à cette époque, Charles VIII n'est pas encore décidé à épouser Anne de Bretagne, il est sûr que Louis d'Orléans s'acharne à considérer celle-ci comme sa fiancée. Or tout va être mis en œuvre pour amener le prisonnier à abandonner ses menées romaines en vue de faire annuler son fâcheux mariage avec Jeanne la Boiteuse : il faut impérativement qu'il finisse par considérer celle-ci comme sa femme « pour tousjours et à jamais ».

Enfermé dans une pièce minuscule du donjon de Lusignan, malsaine et verte d'humidité, il ne recevait comme repas qu'une cruche d'eau, un morceau de pain et une tranche de lard. Un jour qu'il se plaignait particulièrement de la faim, Philippe Guérin lui répondit en ricanant qu'il n'avait qu'à manger les rats et les araignées. Au début, Louis passa ses journées à se plaindre, puis sembla se résigner, se remit au latin, demanda des livres : les *Chroniques de France*, Froissart, Jacques de Voragine, ainsi que la *Consolation philosophique* de Boèce, que son père avait traduite bien des années plus tôt et qui semble lui avoir apporté un certain réconfort.

Toujours aussi charitable et dévouée, Jeanne de France obtint de venir le visiter. Il la reçut d'abord fort mal, puis dut comprendre assez vite qu'en la traitant avec un peu plus de douceur, elle pourrait éventuellement l'aider auprès de Charles VIII ou des Beaujeu et travailler à sa libération. Elle arracha au moins son transfert, à Poitiers d'abord, puis à Mehun-sur-Yèvre, enfin, au mois de juillet 1489, dans la grosse tour de Bourges, qui passait pour la plus solide prison de France et où il allait rester près de deux ans encore.

Cette nouvelle installation entraîna-t-elle au moins une amélioration de sa situation ? Ce n'est pas sûr du tout, car Philippe Guérin l'y suivit, plus tatillon et impitoyable que jamais ; sa nouvelle cellule, sans cheminée, ne voyait le jour que par une ouverture minuscule et l'hiver de 1490, exceptionnellement long et rude, fut très difficile à passer ; il gela dans la pièce pendant plus de trois mois et, une fois de plus, le prisonnier tomba malade. On lui fit alors savoir qu'il aurait quelque chance de quitter sa geôle s'il renonçait à sa volonté de faire annuler son mariage, mais il refusa et les vexations redoublèrent. C'est du moins ce qu'il prétendait auprès des quelques personnes autorisées à le visiter, en particulier son médecin personnel Salomon de Bombelles ; selon lui, on avait essayé plusieurs fois de l'empoisonner, Guérin lui refusait des livres, du papier, de l'encre et même des souliers neufs, sous prétexte que les siens n'étaient pas suffisamment percés. En fait, il est au moins sûr qu'il pouvait communiquer assez bien avec l'extérieur, en par-

ticulier avec certains de ses fidèles, le sire de La Monta, le sire de
Vatan, son cousin Dunois, le sire de Lis-Saint-Georges et surtout Georges d'Amboise qui, maintenant libéré, avait retrouvé
une certaine influence auprès du gouvernement royal. Par eux,
il se tenait au courant de tout ce qui se passait à la Cour et
entretenait le moral de ses divers partisans.

Au total, s'il semble avoir surtout souffert de sa chasteté
forcée, ces dures années de captivité contribuèrent à le mûrir, à
l'apaiser, sinon même à le faire vieillir prématurément. Quand
il quittera son donjon sinistre, il n'aura plus grand-chose de
commun avec le fringant cavalier, avec la tête folle qu'il avait
été jusque-là ; à vingt-neuf ans, maigre, voûté, l'œil terne et le
visage ridé, il en paraîtra quarante ou quarante-cinq, sa nature
primesautière, ses gestes vifs, son allure impatiente et nerveuse
feront place à plus de sérénité apparente, une sérénité qui, avec
les années, prendra les dehors d'une sénile lenteur, avec, de
temps en temps, les brefs retours d'une vitalité estompée.

En attendant, Jeanne la Boiteuse continuait ses démarches
avec acharnement et, comme dit Brantôme, avec « quelle bonté
de femme ! Et là-dessus croyez si elle n'estoit pas bien au vray sa
femme et très bien congnue, en importunant tous les jours le
Roy son frère... et sa sœur qui répugnoit tant qu'elle povoit ».

En effet, si, comme nous l'avons vu, Charles VIII avait ses
raisons de maintenir son beau-frère en prison, l'opposition à
une libération éventuelle venait surtout d'Anne de Bourbon, car
depuis fort longtemps le duc d'Orléans s'en était fait une ennemie redoutable. Selon certains, parmi lesquels nous retrouvons
une fois de plus Brantôme, elle l'aurait aimé follement avant de
le haïr ; elle aurait même souhaité s'en faire épouser, malgré les
projets concernant Jeanne de France, et tout aurait échoué par
la faute du duc d'Orléans, qui l'aurait jugée « trop ambitieuse »
et trop avide de « toujours tenir le haut lieu ». Notre chroniqueur insiste sur ce point en un autre passage et précise même
que, « si le duc eust voulu un peu fléchir à l'amour de Madame
Anne de France, toujours éprise de luy », ses affaires auraient
connu un cours beaucoup plus favorable.

De tels racontars sont en fait assez peu vraisemblables. Jamais personne, y compris cette mauvaise langue de Brantôme, n'a mis en cause la vertu de « Madame Anne » ou sa fidélité envers Pierre de Bourbon, qu'elle aimait sincèrement, mais à sa manière — constante et paisible, sans plus. En revanche, il est sûr que Louis d'Orléans affecta toujours de la traiter assez cavalièrement, ce qui, de toute évidence, constituait une grave maladresse. Une anecdote parmi tant d'autres, racontée elle aussi par notre chroniqueur : alors que le duc se trouvait encore à la Cour de France, vers 1485 ou 1486, il jouait à la paume en présence de plusieurs dames, parmi lesquelles Anne de France, déjà toute-puissante. Soudain une contestation s'éleva entre les joueurs au sujet d'un point que Louis estimait avoir remporté. Priée d'émettre son avis, la « Régente » donna tort à son beau-frère. Choqué par cette décision qu'il n'attendait pas, celui-ci s'exclama, au comble de la colère, que « quiconque l'avoit condamné, si c'estoit un homme, il en avoit menti, et si c'estoit une femme, ce n'étoit qu'une belle gouge ». Insultée publiquement, Madame de Beaujeu sut se contenir assez pour ne rien répondre, mais elle « la garda bonne au duc d'Orléans, sous un beau semblant ».

Que cette histoire soit vraie ou fausse, il est certain que, confrontée aux sollicitations de sa sœur, Anne de Bourbon sut rester inébranlable. Aussi, avec une intuition que certains qualifieront de féminine, Jeanne comprit assez vite que, si elle avait quelque chance de faire libérer un jour son mari, ce serait plutôt en influant sur la volonté du roi. Agé de vingt et un ans en 1491, Charles VIII avait déjà su gagner sinon l'amour de ses lointains sujets, du moins celui de son entourage immédiat. On a beaucoup parlé de ses disgrâces physiques et de sa laideur. Avant que Mme Yvonne Labande-Mailfert ne lui rende partiellement justice dans un très beau livre, certains ont jugé avec sévérité les qualités intellectuelles de cet homme « de peu de sens, plein de son vouloir et non accompaigné de sages gens » (nous dit Philippe de Commines), « non seulement sans aucune connaissance des bonnes sciences, mais à grand'peine connaissant les caractères des lettres » (selon Guichardin). Toutefois, s'il s'est laissé aller parfois à d'excessifs penchants luxurieux et s'il lui est même arrivé de violer au passage une jeune fille ou une jeune femme qui lui résistait, jamais personne n'a nié par ailleurs la relative aménité de son caractère, qu'il tenait, semble-t-il, de la douce Charlotte de Savoie, sa mère : « Lequel roy fut si doux et si gracieux que l'on ne seut oncques trouver homme à qui il dit une rude parole... Plaisant et asseuré estoit en tous ses faicts... Sa grande douceur estoit entremeslée d'une gravité agréable à tous ceulx qui le regardoient », etc. « ...Il estoit si bon, dit Philippe de Commines un peu plus sobrement, qu'il n'estoit point du tout possible de veoir meilleure créature. »

Après de nouvelles visites et peut-être d'autres supplications de sa sœur, peut-être aussi pour toute une série de raisons supplémentaires, Charles VIII quitte le Plessis-lez-Tours au soir du 27 juin 1491, équipé comme s'il allait à la chasse. Il couche à Montrichard, puis chevauche toute la matinée du lendemain jusque près de Vierzon, d'où il envoie à Bourges Beraud Stuart d'Aubigny, son homme de confiance, avec un ordre dûment signé de ramener Louis d'Orléans. Emprisonné comme il l'était depuis près de trois ans, le malheureux duc désespérait de recouvrer la liberté dans un délai proche : en apprenant la nouvelle, il eut bien du mal à en croire ses oreilles. Quand il aperçoit le roi au loin, sur la route de Tours, Louis descend de cheval et s'agenouille, au comble de l'émotion ; mais déjà Charles galope droit jusqu'à lui, le relève et le serre dans ses bras, en s'abandonnant lui aussi aux larmes, car ces hommes rompus aux rudes exercices du corps ont en même temps les nerfs passablement fragiles. De toute façon, les deux beaux-frères ne sont-ils pas unis par un lien particulièrement sacré, le plus âgé ayant armé chevalier le plus jeune, juste avant la cérémonie du sacre ? L'un à côté de l'autre, ils se rendent à Bourges en devisant comme s'ils s'étaient quittés la veille, soupent gaiement et évoquent des souvenirs communs tard dans la nuit, tout à la joie des retrouvailles, avant de s'endormir dans le même lit, non seulement en tout bien tout honneur, mais en signe d'une indéfectible amitié, saine et virile.

Louis est donc libre, il voit bientôt lever le séquestre de ses biens personnels, retrouve même son apanage de l'Orléanais, apprend bientôt qu'il est gratifié d'une pension de dix mille livres tournois et, à la place de son ancienne lieutenance d'Ile-de-France, reçoit en novembre 1491 une charge presque aussi importante : le gouvernement de la riche et grasse Normandie.

En fait, ces multiples gestes bienveillants de Charles VIII ne s'expliquent pas seulement par la pure et simple générosité. Comme prix de ces largesses, on apprit assez vite que Louis d'Orléans, vaincu par ses trois ans de captivité, avait dû en particulier s'engager à vivre sagement à la Cour ou sur ses terres, à servir loyalement le gouvernement royal et surtout, surtout à garder Jeanne la Boiteuse comme épouse, ce qui correspondait évidemment au sacrifice le plus pénible. Par surcroît, il semble que le souverain ait désormais eu besoin de Louis d'Orléans à ses côtés, de ses avis, de ses conseils, de son dynamisme réel ou surfait, de son expérience militaire ou administrative, compte tenu des perspectives bretonnes et italiennes qui se dessinaient à l'horizon de la politique.

Il s'était passé en effet bien des événements pendant la captivité du premier prince du Sang, en particulier du côté de son ancienne petite « fiancée », la duchesse Anne de Bretagne. Dès 1489, la guerre avait repris entre Français et Bretons, ces derniers soutenus par les Anglais, les Espagnols et, plus indirectement, par les Austro-Flamands de Maximilien. Événements extraordinairement confus qui avaient vu ce dernier se décider enfin à répondre favorablement aux États de Vannes et à épouser la jeune princesse. En décembre 1490, il envoya son mignon, le maréchal de Polheim, pour procéder à la cérémonie des fiançailles selon la coutume germanique, pittoresque mais passablement barbare aux yeux de certains : Anne s'était mise au lit en présence de sa gouvernante, de plusieurs personnages de sa Maison et de quelques témoins assermentés, l'Allemand avait introduit sa jambe nue dans la couche « nuptiale » et pris ainsi possession symbolique de l'adolescente, au nom de son maître le roi des Romains. Mais, détail non négligeable, en se « mariant » ainsi sans le consentement du roi de France, Anne contrevenait gravement au traité du Verger signé deux ans plus tôt par son père.

Acte d'insoumission d'autant plus risqué que, dans la guerre franco-bretonne qui se continuait par ailleurs, les forces royales allaient remporter bientôt des victoires décisives. Le 19 mai 1491, elles prennent Vannes, puis Concarneau le 6 juin, Redon et Guingamp quelques jours plus tard. Ne restait plus que Rennes, avec Anne dans ses murs pour symboliser, sinon animer la résistance.

Quand Louis d'Orléans quitta sa prison berrichonne, Charles VIII commençait à nourrir pour lui-même de nouvelles ambitions matrimoniales. Certes, depuis le traité d'Arras signé le 23 décembre 1482, il se trouvait fiancé à la propre fille de Maximilien, née du premier mariage avec Marie de Bourgogne, Marguerite d'Autriche, qui attendait en France d'avoir atteint l'âge de la nubilité. Mais, depuis quelque temps, le roi songeait à épouser plutôt la duchesse Anne, ce qui, espérait-il, présenterait au moins l'avantage de résoudre à l'amiable le problème breton.

Ce qui n'empêchait point le siège de Rennes de se poursuivre avec âpreté durant tout l'été de 1491 et au-delà. Le 27 octobre, pour abréger des dévastations et souffrances de leur province, les États de Vannes passent outre à l'engagement pris avec Maximilien et décident de conseiller à leur duchesse le mariage avec Charles VIII. Trois semaines plus tard, la ville de Rennes se rend aux Français. Anne, qui n'a pas quinze ans, hésite encore à se décider sur les propositions vannetaises, mais subit des pressions considérables de la part d'hommes en qui elle a mis toute sa confiance : le maréchal de Rieux — qui, à son habitude, vient de refaire providentiellement surface et prend le vent d'où il vient —, le prince d'Orange, le sire de Coëtmen et... le duc d'Orléans qui, semblant oublier tout à coup ses prétentions d'autrefois, se fait, au cours de conversations discrètes et avec beaucoup de persuasion, le meilleur défenseur des intérêts royaux.

Au bout de quelques mois, le fils de Marie de Clèves avait en effet acquis à la Cour une influence qu'il n'avait jamais connue jusque-là. Faisant peut-être contre mauvaise fortune bon cœur, ses anciens ennemis Pierre et Anne de Bourbon n'avaient pas hésité à se rapprocher de lui et tous trois avaient maintenant des soucis communs, en particulier celui d'éviter au jeune roi — visiblement en proie à une imagination brouillonne — la tentation d'ambitions déraisonnables. Une sorte d'accord est même passé en septembre 1491 entre ces alliés de bien fraîche date, vite rejoints par d'autres « avisés personnaiges » tels que les deux frères Louis et Georges d'Amboise, le maréchal de Baudricourt et ou encore François de Dunois, maintenant bien assagi.

Dans les journées fiévreuses qui devaient suivre la reddition de Rennes et les négociations tramées autour d'Anne de Bretagne, Louis d'Orléans avait donc toute la confiance du pouvoir royal. Peu à peu, la jeune duchesse surmontait ses scrupules religieux, en particulier grâce à son confesseur qui, gagné aux intérêts français, réussit à la convaincre de ce que son « mariage » avec Maximilien d'Autriche n'était pas véritablement une union valable aux yeux de l'Église. Le 15 novembre, elle cède enfin aux arguments de ses « amis », et c'est Louis d'Orléans qui apporte au roi impatient la réponse affirmative tant souhaitée. Charles VIII, qui attend au milieu du camp français, part aussitôt avec cent lances et une cinquantaine d'archers, fait une entrée discrète dans Rennes, rencontre Anne, cache la déception physique que celle-ci lui cause, entreprend avec elle une longue conversation, et leurs fiançailles sont célébrées dès le lendemain 17 novembre, très discrètement, devant quelques pesonnes au premier rang desquelles on reconnaît la frêle silhouette du duc d'Orléans, apparemment ravi par cette heureuse issue.

Quand le mariage est célébré à Langeais, le 6 décembre suivant, Louis assiste évidemment à la signature du contrat, qui permettait une large emprise du roi sur l'administration du duché ; Anne et Charles VIII se faisaient abandon réciproque et perpétuel de tous leurs droits sur la Bretagne ; enfin, « pour éviter que les guerres et sinistres fortunes qui venoient de prendre fin ne se renouvelassent », en particulier si le roi mourait prématurément, Anne s'engageait à ne se remarier qu'avec son successeur ou le plus proche héritier de la couronne ; sans qu'on puisse l'affirmer absolument, il n'est pas exclu que cette clause pour le moins étrange ait été suggérée par certains membres influents du clan orléanais, voire par le duc d'Orléans lui-même. Malgré son impassibilité affichée ou sa joie de commande, celui-ci ne désespérait sûrement pas de voir Charles VIII mourir avant lui et d'épouser sa veuve, celle qu'il devait toujours considérer au fond de son cœur comme sa petite « fiancée » d'autrefois.

A peine les signatures étaient-elles apposées au bas de l'acte que le roi, la nouvelle reine et toute l'assistance passèrent dans la grand'salle du château où furent dite la messe et célébrée l'union religieuse. Après le souper, le couple se retira et la toute jeune Anne fut « proprement dépucellée » au cours de la nuit, pour reprendre les termes exacts de la députation rennaise qui, dès le lendemain, communiquait la grande nouvelle à ses concitoyens dans une lettre officielle. Ce n'était assurément point curiosité malsaine, mais précaution élémentaire au cas où, soucieux de faire valoir ses droits de « mari » évincé, Maximilien aurait tenté de contester l'union ainsi célébrée.

A la différence de l'Autrichien qui fit écrire par quelques-uns de ses « pensionnaires » plusieurs libelles contre cette « trahison avérée », Louis d'Orléans semble s'être assez bien accommodé d'une consommation physique qui, avec l'indissolubilité du mariage chrétien, scellait en quelque sorte l'échec de ses ambitions armoricaines. Il retourna bien vite à Tours, y recommença sa joyeuse vie et retrouva quelque temps plus tard le couple royal. Devenu aussi bien le meilleur ami du mari que le respectueux dameret de la reine, il ne les quitta plus jusqu'au couronnement de celle-ci et aux diverses festivités qui allaient s'ensuivre.

En fait, le 8 février 1492, Anne de Bretagne devait être non seulement couronnée — ce qui arrivait assez communément aux reines de France —, mais véritablement sacrée, « oincte, chef et poitrine », comme les rois et les évêques, ce qui était un honneur tout à fait exceptionnel, honneur dont Charles VIII avait spécialement tenu à faire bénéficier sa femme, duchesse héréditaire de Bretagne.

Pour cette circonstance, en sa qualité de premier prince du

Sang, le duc d'Orléans allait tenir, après la reine, le rôle le plus important. C'est à son bras qu'Anne de Bretagne fit son entrée dans la basilique de Saint-Denis, la queue de sa longue traîne en satin blanc tenue par l'autre Anne, la duchesse de Bourbon, devenue sa belle-sœur, elle-même en grand apparat, avec manteau de drap tissé d'or. Dans tous les déplacements de la reine au cours de la cérémonie, Louis d'Orléans ne cessait de l'accompagner, lui tenant au-dessus de la tête la lourde couronne de France, « cette couronne royale que, sept ans plus tard, il lui offrira pour un second règne », comme l'a écrit si bien Mme Labande-Mailfert.

Quand, le 11 octobre 1492, onze mois après la cérémonie nuptiale, la reine Anne accoucha d'un garçon au château du Plessis-lez-Tours, le duc d'Orléans accueillit la nouvelle avec une joie chaleureuse, peut-être plus apparente que réelle, car l'événement le faisait reculer d'un rang dans l'ordre de succession au trône. Quand, trois jours plus tard, l'enfant reçut le baptême sous le nom tout à fait inhabituel de Charles-Orland, Louis eut naturellement l'honneur d'être le premier parrain, son ancien adversaire et nouvel allié Pierre de Bourbon étant le second.

Époque relativement prospère et joyeuse à la Cour de France, qui retrouve alors autour de ce couple si jeune et si rayonnant une ambiance, une ardeur au plaisir oubliées depuis longtemps : le roi, qui semble maintenant assuré d'une postérité mâle, croit pouvoir se consacrer pleinement à la réalisation de ses grandioses projets italiens, voire proche-orientaux ; malgré une fausse couche en août 1493 (c'était à nouveau un fils !), malgré aussi une jalousie féroce et... largement justifiée, la reine peut s'abandonner à la passion amoureuse qu'elle nourrit pour son mari, ainsi qu'à son goût des intrigues tortueuses, des rancunes tenaces, du faste le plus opulent et de la dévotion la plus affichée.

De son côté, Louis d'Orléans se montra beaucoup, surtout dans les premiers mois de 1492. Il reprenait avec un naturel

désarmant le cours habituel de ses débauches et de ses bonnes
fortunes, donnait continuellement des fêtes qui prétendaient
rivaliser avec celles du roi, payait grassement et sans compter
« ménestrels, joueurs de luc et de vièle d'archet », menait
d'interminables parties de paume contre son beau-frère, gagnait
le plus souvent, participait de nouveau à ces joutes et tournois
où, malgré sa constitution devenue plus fragile, il excellait
encore.

Il ne négligeait pas pour autant des occupations plus sérieuses, travaillait à remettre un peu d'ordre dans ses affaires personnelles tant dans le comté de Blois que dans celui d'Asti ou
dans son apanage ducal de l'Orléanais, mais surtout il prenait
très au sérieux ses nouvelles fonctions de gouverneur de Normandie, où il s'était rendu dès le début du mois de mars 1492,
où il résida le plus souvent à partir de juillet et où assez rapidement, par la sagesse de son administration et surtout sa politique
délibérée de ménagements à l'égard des divers imposables, il
essaya de se gagner l'opinion publique locale.

Mais les Normands sont des gens traditionnellement prudents, qui ne se donnent pas volontiers, et Louis ne parvint
réellement à ses fins que par un biais relativement inattendu,
lorsqu'au mois d'octobre 1492 la flotte anglaise sembla sur le
point de débarquer quelque part en Normandie. Alors Louis
d'Orléans retrouva tout à coup l'ardeur belliqueuse qu'il avait
manifestée naguère, quand il sillonnait le duché de Bretagne de
Nantes à Vannes, de Rennes à Saint-Malo ou encore de Dol à
Dinan. Cette fois, c'est d'abord entre l'estuaire de la Seine et
l'embouchure de la Bresle qu'il excite le zèle des divers officiers
royaux commis pour la circonstance à la défense des côtes ; puis
il se retourne vers la Basse-Normandie, pousse une pointe du
côté de Courseulles, de Port-en-Bessin et se tient informé de
tout ce qui se passe au-delà, jusqu'à l'extrémité de « sa » province en direction de l'ouest, à Saint-Vaast, à Barfleur, à Cher-
bourg, à Granville. Et c'est peut-être cette vigilance constante
qui, finalement, incitera les Anglais à débarquer en un autre
point, très éloigné du littoral normand, quelque part au sud de
Calais, où d'ailleurs leur entreprise tournera court assez vite.

La légitime reconnaissance du roi envers son beau-frère d'Orléans n'était guère ternie alors que par une seule ombre, mais de taille. Car, en raison de la promesse qui lui avait été arrachée au moment de sa libération, Louis restait uni par mariage à l'infortunée Jeanne de France. Il continuait même à l'abreuver de dédains malgré la reconnaissance qu'il aurait dû garder à son égard pour tout ce qu'elle avait fait en sa faveur durant sa captivité. Mais rien n'y faisait, il ne se montrait vraiment heureux qu'en l'absence de sa femme et trouvait la solution en s'arrangeant pour la rencontrer le moins souvent possible. C'est ainsi que Jeanne la Boiteuse pouvait, pendant des mois entiers, rester seule avec quelques domestiques dans le lointain et sinistre château de Lignières, fréquemment aussi dans la demeure un peu plus confortable et accueillante des Montils-lez-Blois.

A intervalles assez réguliers, Charles VIII pensait à s'émouvoir d'une si tenace dureté, envoyait alors à sa sœur une lettre pleine de compassion et rappelait le duc d'Orléans à un peu plus de charité chrétienne. Sujet obéissant, Louis s'exécutait juste assez pour ne pas encourir le courroux royal, il rappelait Jeanne auprès de lui par le premier courrier. Éperdue de reconnaissance, celle-ci accourait aussitôt et restait au château de Blois quelques jours d'affilée. Une fois, elle eut même droit à une entrée solennelle dans Orléans, dont elle était tout de même la duchesse. Dès que le délai de décence minimale le permettait, Louis la renvoyait dans le Berry, aux Montils ou ailleurs, mais toujours loin de son regard.

Dans ces années apparemment si plates, si répétitives qui s'étalent de 1491 à 1495, le duc se distrayait comme il le pouvait ; continuait sa vie de débauches sans se lasser ; surveillait de loin, de très loin, l'éducation du fils naturel qu'une femme du peuple lui avait donné en 1485 et qui, bien plus tard, sous le nom de Philippe de Bussy, deviendra homme d'Église, évêque et même cardinal ; surtout il épiait, sur le visage de Charles VIII et sur celui du dauphin Charles-Orland, tous les signes qui pouvaient annoncer l'affaiblissement, la maladie, la mort, événement qui lui permettrait peut-être d'accéder au trône. Malgré sa mauvaise santé, le roi déjouait les pronostics les plus sombres, et son fils était un bel enfant aux joues rouges, au teint frais, à l'apparence robuste. Si bien que Louis d'Orléans, impénétrable derrière son sourire bienveillant, attendait toujours...

Tristes perspectives que seule allait bouleverser l'aventure italienne.

CHAPITRE V

L'aventure italienne

Depuis le mariage lointain de Louis Ier avec une Visconti, l'Italie avait toujours beaucoup compté pour les ducs d'Orléans. C'est en particulier grâce à cette princesse qu'ils étaient devenus comtes d'Asti, c'est grâce à elle qu'ils pouvaient émettre des prétentions tout à fait justifiées sur le duché de Milan. Dès son enfance, Louis II avait été élevé par sa mère Marie de Clèves aussi bien dans le culte de sa grand-mère Valentine que dans l'espérance de récupérer un jour la plantureuse Lombardie.

Mais depuis que celle-ci était passée sous la coupe d'une dynastie d'« usurpateurs », l'avenir semblait très compromis pour les Orléans. Déjà, face au faible et candide Charles le prince-poète, Francesco Sforza s'était révélé un adversaire coriace, doublé d'un diplomate subtil et redoutable. Même si son fils Galeazzo-Maria lui avait été très inférieur pendant les dix années de son règne, un événement fort important s'était produit en 1479 : son petit-fils Gian-Galeazzo étant trop jeune pour exercer la réalité du pouvoir, celui-ci subit alors la tutelle de son oncle Ludovic Sforza dit le More, un individu complexe que les historiens ont très diversement jugé. Cet administrateur avisé, ce mécène généreux, cet ambitieux insatiable, fourbe et à l'occasion cruel, Louis d'Orléans va le trouver en travers de ses entreprises lombardes pendant près de vingt-cinq ans.

En fait, dans les années 1480 et même au début des années 1490, l'inévitable opposition entre les deux hommes mit un

certain temps à prendre forme. Bien qu'il se considérât évidemment comme le seul héritier légitime du Milanais, le duc
d'Orléans ne put rien entreprendre jusqu'à la mort de Louis XI :
il était surveillé trop étroitement par le roi, allié traditionnel des
Sforza, il était trop jeune, trop inexpérimenté, trop faible à tous
les points de vue : militaire, diplomatique, financier, politique.
Puis, aussitôt après le changement de règne en août 1483, il
avait été accaparé par les affaires proprement françaises, la
minorité de Charles VIII, les États généraux, les démêlés avec
les Beaujeu, les perspectives bretonnes et la guerre civile, à
laquelle avait succédé une longue captivité de trois ans. C'est
l'époque où Ludovic considérait les vieilles prétentions italiennes des Orléans comme définitivement abandonnées par son
adversaire ou, à l'extrême rigueur, réléguées au musée des
pieux souvenirs et des mythologies familiales.

Tout allait changer avec la sortie de prison en juillet 1491.
Lié par ses promesses et ses engagements envers Charles VIII
son libérateur, privé d'espérances et de possibilités d'action dans
le royaume même, qu'allait faire le duc Louis ? Comment ne
pas imaginer qu'il tournerait bientôt ses regards vers la plaine
du Pô ? Dès la fin de l'année, alerté peut-être à tort par le prince
de Salerne — lui-même un fieffé pêcheur en eaux troubles —,
Ludovic croyait fermement à une descente imminente du
« maudit Orléans » en Italie du Nord, à la tête de quelques
milliers d'hommes. Et, comme il ne brillait pas particulièrement par le courage, le Sforza faisait tout pour apaiser son rival,
entretenait les meilleurs rapports avec Asti, promettait même
d'évacuer deux villages du comté qu'il avait fait occuper par ses
troupes quelques années plus tôt.

C'est que l'inquiétant personnage connaissait la faiblesse de
sa position à Milan même et dans la Lombardie tout entière. Il
savait que des notables du duché ne cessaient d'envoyer des
émissaires à la Cour de France ou au château de Blois, insis-
taient sur sa déplorable réputation, sur ses vices réels ou supposés, le caractère tyrannique de son pouvoir, l'impopularité de
son administration, suppliaient les Français d'intervenir au plus
vite et, au cas où ces souhaits seraient exaucés, promettaient

leurs services. Ludovic avait aussi un autre sujet d'inquiétude : son neveu Gian-Galeazzo, duc de Milan en titre, qui allait maintenant sur ses vingt-cinq ans, avait épousé Isabelle d'Aragon, la fille du futur roi de Naples, et venait même d'avoir un fils, héritier présomptif de l'État lombard.

C'en était trop pour le More, prêt à tout tenter, à tout bouleverser sur l'échiquier italien, voire européen, pour mieux briser les lois de la succession par primogéniture. Le plus simple lui sembla être de s'attaquer indirectement à la dynastie napolitaine, la belle-famille de son neveu détesté. Une double occasion devait s'ouvrir à lui dans le courant de 1492.

D'abord mourut, en juillet, le pape Innocent VIII Cybo, qui s'était toujours méfié de Ludovic et passait, à tort ou à raison, pour l'un de ses plus tenaces adversaires italiens. Au conclave qui suivit, c'est le propre frère du More, le cardinal Ascanio Sforza, qui fit élire le nouveau pontife, l'Espagnol Rodrigo Borgia. Celui-ci prit le nom d'Alexandre VI et allait évidemment commencer son règne en servant les intérêts de Ludovic.

Mieux encore pour ce dernier, c'est vers la même époque que se précisent les ambitions de Charles VIII à l'égard de Naples et des « terres circonvoisines ». Dès 1491, le souverain avait commandé au maître des comptes Léonard Baronnat un traité sur les droits qu'il tenait de son père Louis XI et de ses cousins angevins sur ce lointain royaume italien, « usurpé » par les rois d'Aragon en 1442. Ceux-ci y avaient installé par la suite une branche bâtarde de leur dynastie, représentée depuis 1458 par Ferdinand Ier, dont le fils et héritier présomptif, Alphonse de Calabre, se trouvait être précisément le beau-père de Gian-Galeazzo Sforza, donc, à ce titre, la « bête noire » de Ludovic. C'est ainsi que, pour régler ses propres comptes, celui-ci va se présenter comme l'allié de la France. Au moins en apparence, car le More « avoit tousjours deux fers au feu » et une diplomatie particulièrement ambiguë, qui n'excluait ni le double jeu ni la trahison caractérisée.

Au début, absorbé par ses tâches militaires et administratives en Normandie, Louis d'Orléans se tint à l'écart de toutes ces manœuvres et négociations. Il se contentait d'appliquer les ordres royaux et de tenir « sa » province en alerte, soit pour résister à un éventuel débarquement anglais, soit pour recruter et organiser des unités locales, éventuellement prêtes à rejoindre une expédition au-delà des Alpes. Quand, finalement, les rois de France et d'Angleterre font la paix à Étaples au mois de novembre 1492, quand, au traité de Perpignan en janvier 1493, Charles VIII rend la Cerdagne et le Roussillon aux Rois Catholiques ou, un peu plus tard encore à Senlis, l'Artois et la Franche-Comté à Maximilien d'Autriche, le duc d'Orléans n'intervient pas davantage et garde le silence.

Mais, comme la plupart des observateurs, il comprend vite que la possibilité d'une aventure italienne se renforce singulièrement. De toute évidence — et certains de ses aveux le confirment —, il aurait aimé profiter de la descente royale sur Naples pour obtenir un crochet offensif par le Milanais et faire renverser Ludovic le More à son profit. Mais il le savait aussi : en appelant presque publiquement Charles VIII dans la péninsule italienne et en lui promettant son appui militaire, le rusé Sforza avait rendu une telle éventualité parfaitement impensable et renforcé au contraire sa propre domination.

Du coup, Louis d'Orléans n'hésite pas à se rapprocher des « gens saiges et de bon sens rassis », de tous ceux qui, pour telle ou telle raison, essaient d'empêcher le souverain de se lancer dans une entreprise aussi risquée et même tout à fait « folle », disent certains, évidemment à voix basse : le vieux maréchal d'Esquerdes, le prudent amiral Louis Malet de Graville, l'inévitable Georges d'Amboise et ceux qui sont devenus maintenant certains de ses alliés les plus sûrs, Pierre et Anne de Bourbon. Un couple qui pourtant l'a laissé croupir pendant plus de trois ans dans une prison humide !

Hélas ! très vite, tout ce beau monde dut renoncer à influencer sérieusement le roi, de plus en plus embrasé par sa délirante imagination. Il ne restait plus qu'à s'incliner devant tant d'entêtement, et Louis d'Orléans fut l'un des premiers à montrer l'exemple, se contentant de se préparer au commandement en chef de l'expédition, qui, en raison de son rang, semblait devoir lui revenir sans aucun problème. Il s'acheta de nouveaux équi-

pements militaires, une magnifique épée et une tenue de
parade, se fit lire des récits héroïques, de multiples traités de
stratégie, de tactique, de poliorcétique, reprit un entraînement
physique intensif, organisa des tournois, des joutes, des fêtes
chevaleresques splendides auxquelles il était le premier à prendre part, avec ses habituels compagnons de jeux et de plaisirs,
comme Louis de Hédouville, le sire de Sandricourt, ou encore
le sire de Lis-Saint-Georges.

Maintenant rassuré sur les intentions immédiates de Louis
d'Orléans mais alarmé par l'accession de son ennemi Alphonse
de Calabre au trône de Naples au mois de janvier 1494, Ludovic
Sforza se démasquait davantage, n'hésitait plus à se proclamer
ouvertement le plus fidèle allié italien de Charles VIII, lui
renouvelait ses appels et ses encouragements, lui proposait des
secours en vaisseaux sur la côte de Ligurie, lui offrait ses soldats,
son argent, ses munitions et s'entendait avec lui pour prendre le
port de Gênes comme base pouvant servir à la future expédition.

Tout semblait donc favorable à l'entrée des Français en Italie.
Au moment où, à Naples, Alphonse de Calabre devenait
Alphonse II, Charles VIII quitta les bords de la Loire en direction de Lyon, suivi de la reine Anne, du duc d'Orléans, du duc
et de la duchesse de Bourbon, de la plus grande partie de la cour
et d'une impressionnante escorte militaire. Voyage d'une majestueuse lenteur, retardé par les entrées solennelles dans toutes les
villes de quelque importance qui se trouvaient sur le trajet, avec
évidemment une cérémonie plus longue et plus magnifique
encore quand le couple royal parvint enfin à destination, le
6 mars 1494.

En principe, l'étape lyonnaise devait être de courte durée,
simple occasion de rassembler des troupes hétéroclites, sans
oublier les bagages, les munitions, les divers approvisionnements avant le passage des Alpes et l'incertaine traversée de la
botte. En réalité, le séjour au confluent de la Saône et du Rhône
allait durer plusieurs mois. Très vite, en effet, « on commença
de faire grande chère et à se divertir par de merveilleux passe-
temps ». L'accueil chaleureux et intéressé des habitants, les

agréments de cette ville, alors une des plus riches et des plus
vivantes de France, le ravitaillement facile et varié, la gastrono-
mie savante, les vins tout à la fois corsés et délicats, la liberté des
mœurs et la beauté des femmes n'incitaient guère les gentilshommes de passage à repartir très vite vers des horizons inconnus, où l'horreur des batailles risquait fort de succéder à l'exaltation de la volupté.

C'est surtout le roi qui subissait l'influence de l'atmosphère
locale. Apparemment oublieux de ses ambitions napolitaines,
indifférent à la douleur de la reine Anne qui, délaissée la plupart
du temps, ne faisait que pleurer, Charles VIII passait ses journées à table et ses nuits en débauches, jusqu'à ce qu'il roulât par
terre au petit matin, ivre mort, dans ses vomissures ou celles de
ses compagnons. Ses passades avec des bourgeoises locales et
surtout de multiples prostituées inspiraient la plupart des
conversations et, à en croire Commines (toujours sévère à
l'égard du futur Louis XII), le duc d'Orléans, « homme jeune,
beau personnage et aussy homme de plaisir », non seulement
participait à toutes ces folies amoureuses, mais incitait le trop
faible Charles VIII à s'enliser davantage encore dans toutes ces
turpitudes.

Qu'on ne s'étonne donc pas si les affaires sérieuses n'avançaient guère. Les impôts ne rentraient point, les emprunts se
contractaient difficilement, le recrutement militaire s'essouf-
flait, les troupes rassemblées à grand-peine croupissaient dans
l'inaction. Au niveau du commandement, la situation ne valait
guère mieux, on ne savait même pas si l'on se rendrait à Naples
par la voie terrestre ou par la voie maritime, car le pape avait fait
avertir le roi qu'il n'autoriserait pas les Français à traverser les
États de l'Église. A tout hasard, on regroupait donc quelques
bâtiments de transport dans divers ports provençaux avant de les
diriger sur Gênes, mais sans savoir encore si l'on aurait assez
d'artillerie pour affronter les navires napolitains.

Dans l'entourage royal, les esprits les plus lucides manifes-
taient donc une inquiétude bien compréhensible, au moins
jusqu'à la fin du printemps, quand fit son entrée dans Lyon le
cardinal Giuliano Della Rovere, le futur Jules II, un homme que

nous retrouverons assez souvent par la suite. Il s'agissait d'un ambitieux de grande envergure qui, par haine du pape Alexandre VI et des Borgia, poussait de toutes ses forces à l'intervention française : il portait beau, parlait bien et, en moins de deux semaines, sut rallier au « parti de la guerre » tous les « pacifiques », y compris Louis d'Orléans. Maintenant celui-ci montrait même un grand enthousiasme, pensant qu'une fois en Italie, aux portes de la Lombardie, il trouverait sûrement un moyen pour détourner l'entreprise royale à son profit.

A son profit, c'est-à-dire contre Ludovic Sforza, malheureusement plus influent que jamais auprès de Charles VIII. Une fois réalisé le passage des Français en Italie, Louis d'Orléans avait envisagé de rester dans le comté d'Asti avec sa cavalerie afin d'inquiéter tout à loisir son irréconciliable ennemi de Milan, tandis que l'armée royale continuerait sa marche en direction de Naples. Mais le More avait tout de suite deviné cette intention et obtenu du roi de France une concession capitale : dès la fin du mois de mars, celui-ci décidait en effet d'éloigner le plus possible son beau-frère de la Lombardie en lui confiant le commandement de la flotte concentrée à Gênes et dans d'autres ports ligures, avec le titre de lieutenant général.

Malgré les apparences, cette nomination n'était qu'une demi-faveur. Louis d'Orléans n'était pas vraiment un homme de mer et, malgré quelques inspections hâtives à Saint-Malo ou à Cancale, malgré sa traversée mouvementée de Vannes à Nantes en juin 1487, son expérience maritime se réduisait à bien peu de chose. En outre, son titre de lieutenant général indiquait clairement qu'il n'aurait pas la haute main sur l'expédition. Par un choix au demeurant fort judicieux, celle-ci revenait à Pierre de Rohan-Guéménée, plus connu sous le nom de maréchal de Gié, un militaire éprouvé, prudent et habile, assurément très supérieur au beau-frère du roi sur le plan militaire.

Sur tout ce qui concernait la flotte qu'il allait avoir à diriger, on semblait le tenir systématiquement à l'écart, on ne lui disait rien des préparatifs et on lui cachait même les informations les plus élémentaires. Il savait seulement que l'escadre de Normandie arrivait à petite allure depuis Rouen et Honfleur en passant

par Gibraltar, avec la *Loyse,* le fameux et prestigieux navire
amiral, mais il ne connaissait même pas avec exactitude le nombre de ses bateaux : sans aucune garantie de vérité, on parlait
d'une cinquantaine de galères, avec vingt ou trente grosses nefs
et une douzaine de galions, plus un petit corps expéditionnaire
de quelque dix mille quatre cents hommes de pied.

Pour recueillir quelques précisions indispensables, peut-être
aussi pour obtenir une affectation plus conforme à ses goûts ou à
ses compétences, il s'incrustait à Lyon, s'éloignait le moins possible du souverain, mais, circonvenu par Ludovic Sforza, Charles VIII, intraitable, se montrait irrité de voir son beau-frère tant
tarder à rejoindre son poste et faire fi de multiples injonc-
tions.

Mais, le 28 juin à l'aube, une escadre napolitaine de neuf
galères et quatre brigantines se montrait en vue du port de
Gênes. Si les ennemis ne poussèrent pas plus loin leur audace,
cette démonstration suffit à déclencher une certaine panique
dans toute la ville. Dans une lettre à Charles VIII, un de ses
agents lui décrivait aussitôt la situation en termes apocalypti-
ques, à tel point que l'arrivée du duc d'Orléans apparaissait
comme plus urgente que jamais.

Louis prit juste le temps de rassembler tout son argent disponible, d'adresser à ses chers Normands quelques recommandations et ordres urgents, de renvoyer à Blois ses enfants d'honneur et les gens de sa vénerie, puis s'en alla, le 1er juillet, en
Italie, soit bien avant Charles VIII lui-même et le gros de
l'armée française, évaluée à trente et un mille cinq cents hommes de pied. Ludovic Sforza apprit quatre jours plus tard l'arrivée imminente de son ennemi à proximité de ses terres ; sachant
merveilleusement masquer son dépit, il envoyait deux hommes
de confiance à sa rencontre pour lui souhaiter cordialement la
bienvenue, l'assurer de son soutien militaire en accord avec le
roi de France et lui faire part, comme à un allié sincère, de ses
inquiétudes sur ce qui se passait à Gênes, car certaines troupes
concentrées dans la ville n'avaient pas été payées depuis longtemps.

Le duc d'Orléans entra dans Asti le 9 juillet 1494 en même

temps que trois mille quatre cents fantassins qui, eux, venaient des cantons suisses. La municipalité au grand complet voulut accueillir son comte avec les honneurs qui lui étaient dus, mais celui-ci, fatigué par son voyage et d'assez mauvaise humeur, abrégea les effusions. Nous ignorons tout à fait ce qu'il put éprouver en découvrant l'antique fief de sa famille, la fidèle cité sur son promontoire ou, d'une façon plus générale, les paysages nouveaux de la plaine padane.

Dès le lendemain 10 juillet, il repartait en toute hâte pour Gênes, y inspectait la flotte ainsi que les équipages, payait les arriérés de soldes et écrivait aussitôt à Ludovic pour le rassurer. Trois jours plus tard, les deux hommes se rencontraient enfin à Alexandrie, avec une cordialité apparente qui peut évidemment surprendre. Mais, de toute évidence, le duc d'Orléans devait ménager l'allié de son royal beau-frère et espérait même pouvoir lui emprunter 60 000 ducats, tandis que l'autre, sur le plan militaire, avait suffisamment besoin des Français et de *tous* les Français pour faire taire ses réticences pendant au moins quelque temps... Il poussa même l'amabilité jusqu'à réserver au duc d'Orléans une réception mémorable, avec acrobates, trompettes, « tabourins », arcs de triomphe, banderoles, girandoles et rues tapissées de brocart. Toute la splendeur de la civilisation italienne s'étalait devant les yeux éblouis de l'Orléanais. Comme l'a si bien écrit Maulde La Clavière, « élevé sous le ciel brumeux du nord, à l'école de l'économie, du travail, de la pauvreté même, Louis entrait brusquement dans un monde nouveau, dans un monde de richesse et de jouissance, où les raffinements de l'art le plus merveilleux se joignaient aux raffinements du confort ».

Sans trop de difficultés, le lieutenant général du roi de France put extorquer à Ludovic Sforza une partie importante de la somme dont il avait besoin, et le Milanais se sentait maintenant tout à fait convaincu de ce que les Français allaient très bientôt s'engager dans la botte italienne. Chacun ayant tiré de l'entretien tout ce qu'il pouvait en attendre, les deux adversaires potentiels se séparèrent sans avoir abordé ce qui, entre eux, restait l'essentiel : les affaires milanaises et, accessoirement, astésanes.

A peine de retour à Gênes, Orléans retrouvait cette réalité maritime qui lui était si étrangère. Les Français avaient maintenant à leur disposition une belle flotte, enfin rassemblée, d'environ soixante-dix navires, ainsi que des « soudoyers » qui, avec ceux de Ludovic, atteignaient presque la quinzaine de milliers. Que faire d'un si bel instrument stratégique ? Le grand écuyer, Pierre d'Urfé, qui venait de rejoindre le corps expéditionnaire, voulait appareiller au plus vite, rejoindre les navires napolitains massés au sud de La Spezia et rechercher systématiquement l'affrontement. Au contraire, appuyé par son adjoint le plus proche, François de Luxembourg, le duc Louis d'Orléans estimait qu'il était indispensable d'attendre.

Autant l'avouer, il préférait encore se livrer à la joie de découvrir les avantages de sa nouvelle fonction. Oubliant les rudes et enrichissantes expériences de ses campagnes bretonnes, séduit par l'opulence génoise, par le luxe, par la virtuosité artistique italienne, il ne pensait plus qu'à faire orner magnifiquement sa nef amirale, recherchait les plus beaux modèles de sculptures de proue, commandait de somptueuses bannières frangées de soie et d'or, des caparaçons pour sa suite, des étendards, des pavillons, des hoquetons surchargés d'orfèvrerie, des armes finement ciselées, ainsi que seize couvertures brodées à l'écusson écartelé d'Orléans et de Milan !

Le 16 juillet, une nouvelle initiative napolitaine allait le ramener à des préoccupations plus immédiates. La flotte ennemie venait de fondre sur Porto-Venere, à l'extrémité occidentale de la rade de La Spezia, où elle avait sommé de se rendre sans conditions les quatre cents Génois de la garnison. Malgré leur infériorité numérique, ceux-ci choisissent de se défendre avec vigueur ; quand la nouvelle de cette belle résistance arrive quelques heures plus tard jusqu'à Gênes, la détermination de Pierre d'Urfé finit par l'emporter sur les hésitations de Louis d'Orléans : malgré l'état général d'improvisation, malgré l'insuffisance des canons et des équipages, le grand écuyer part avec douze galères, vingt galions et onze grosses nefs. Quand il parvint enfin au but, il était trop tard pour faire merveilles ; de rudes montagnards des environs avaient eu le temps de venir au secours du fortin et de mettre en fuite les Napolitains, bien vite repartis en direction de leur base, le port de Livourne.

Mais si les Français ne furent pour rien dans cette « victoire », ils en recueillirent en quelque sorte les fruits et leur prestige s'en accrut considérablement. Trois ou quatre jours plus tard, arrivées de Provence avec de l'artillerie, douze galères se joignaient à la flotte royale, sous les acclamations des Génois. Au début d'août, expédiées de Lyon, de nouvelles directives précisaient la tactique à suivre, pour mener à bien l'expédition. Tandis que le corps d'armée aux ordres du maréchal de Gié s'avancerait dans la plaine du Pô jusqu'aux environs de Pavie — première grande étape —, les troupes de mer, sous la haute direction du duc d'Orléans, se diviseraient en deux masses sensiblement égales : avec François de Luxembourg, l'une se concentrerait dans le port de Savone et, l'autre partirait de Gênes avec Pierre d'Urfé, toutes deux pour faire leur jonction devant Naples.

Perspectives grandioses qui n'empêchaient pas Louis d'Orléans de se livrer à d'amères constatations : de très nombreux navires n'étaient toujours pas en état de prendre la mer, on manquait de fourrage pour les chevaux, de provisions pour les équipages, de poudre pour les couleuvrines ; dans Gênes même, où le ravitaillement se faisait de plus en plus difficile, où les affaires commençaient à péricliter, où une épidémie de dysenterie tardait à s'apaiser, le mécontentement perçait sous l'hospitalité apparente et il avait fallu recommander aux soldats de l'armée royale de ne pas s'aventurer seuls dans les rues à la nuit tombante. Pis encore, la flotte napolitaine revint à la charge et, sortant inopinément de Livourne, s'empara cette fois de Porto-Venere sans aucune difficulté et occupa toute la rade de La Spezia. Coup très dur pour les Génois qui, aussitôt, demandèrent au duc d'Orléans d'intervenir avec plus de détermination.

Pendant ce temps, toujours englué à Lyon, Charles VIII ne cessait de retarder sa venue de ce côté des Alpes, ce qui n'était pas sans inquiéter ses adjoints, ses alliés, tous ses amis en Italie et ailleurs.

Finalement, à l'extrême fin du mois d'août, l'improbable se réalise. On apprend simultanément que le roi vient de quitter la grande cité rhodanienne et de faire avec Anne de Bretagne son entrée solennelle à Grenoble. Les festivités vont même y durer six jours de suite, et certains commencent à se demander si les folies lyonnaises ne vont pas recommencer sur les bords de l'Isère pour une durée indéterminée. Mais non. Le 28 août, Charles VIII envoie des ambassadeurs à Maximilien, à Ludovic Sforza, au pape Alexandre VI et à la Sérénissime République de Venise, tant pour leur annoncer son départ imminent que pour les rassurer sur ses intentions pacifiques au moins à leur égard. Le lendemain, après avoir entendu la messe et pris courtoisement congé de la reine, il montait à cheval et prenait enfin la route de l'Italie. Le 2 septembre, il passa le Mont-Genèvre et, le lendemain, parvint en Piémont.

L'itinéraire du roi le fit passer par Asti, mais le maître des lieux, Louis d'Orléans, n'était point là pour l'accueillir lorsqu'il y arriva le 8 septembre. Le duc estimait en effet ne pouvoir quitter Gênes, car la flotte napolitaine s'était dangereusement rapprochée. On redoutait une nouvelle attaque ou, au moins, des incursions tout aussi préjudiciables au commerce maritime.

Répartis autour de Livourne et reliés en permanence à Gênes par une véritable noria de chevaucheurs, des espions informaient les Français sur les moindres mouvements de l'ennemi. Sur toute la côte ligure, depuis Borghetto Santo Spiritu jusqu'aux abords de La Spezia, des sentinelles scrutaient l'horizon avec la consigne de donner l'alarme au premier indice suspect, en recourant à des signaux convenus : de nuit, un grand feu, relayé de promontoire en promontoire ; de jour, une épaisse colonne de fumée noire obtenue en faisant brûler de la paille mouillée. Comme il l'avait fait naguère de Nantes à Dol-de-Bretagne, Louis d'Orléans se dépensait sans compter, excitait la vigilance de tous, faisait réparer le moindre fortin de la côte, accélérait l'équipement des navires encore impropres à la bataille, vérifiait le fonctionnement des bouches à feu et les approvisionnements en munitions.

Dans la nuit du 6 au 7 septembre 1494, les Napolitains débarquent quatre mille hommes à moins de vingt milles de Gênes et prennent Rapallo, au fond d'un excellent mouillage, bien à l'abri des vents du nord et de l'ouest, protégé au sud par la pointe de Portofino. Grâce aux feux allumés de proche en proche, la nouvelle arrive à Gênes dès 4 heures du matin. Malgré l'heure nocturne, tout le monde sort dans les rues, la ville commence à s'émouvoir, mais déjà le clairon sonne : Louis d'Orléans fait monter mille Suisses sur tous les vaisseaux disponibles, trente-quatre au total, soit dix-huit galères, dix nefs et six galéasses. Accompagné de Pierre d'Urfé dont les conseils lui seront bien utiles, il donne l'ordre de lever l'ancre et, à la faveur d'un petit vent favorable, fonce droit sur Rapallo.

Y aura-t-il ce combat naval que, malgré son manque d'expérience, le duc d'Orléans souhaite de toute son âme ? Pourtant, avec deux fustes, vingt-sept galères, quatre nefs, quatre galions, douze ou treize galéasses et un nombre assez important de grosses barques, l'escadre des Napolitains représente presque le double de la flotte française. Il est vrai que l'artillerie de Louis était de loin très supérieure, l'ennemi en avait vraisemblablement conscience, et c'est peut-être la raison qui, à la vue des Français, le fit repartir au plus vite, brise arrière et toutes voiles déployées, en direction de Livourne. Avec ses bâtiments trop lourds, trop massifs et qui, en majorité, n'étaient pas faits pour la Méditerranée, le duc ne pouvait espérer les rattraper. Pis encore, la nuit qui tombait le força bientôt à jeter l'ancre. Excessif, rageur, impatient comme il pouvait l'être parfois, il « s'en prenoit au calme de la mer et des vents, à la foiblesse de l'air » et maudissait la trop brève durée du jour et les éléments qui le privaient de sa « victoire ». De sa victoire navale, car il allait essayer de trouver une consolation avec au moins une sorte de victoire terrestre.

En s'enfuyant, les marins napolitains avaient en effet laissé derrière eux une grosse garnison de quelque deux mille hommes chargés de tenir coûte que coûte la position privilégiée de Rapallo. Dès le lendemain 8 septembre, non sans peine en raison de leurs qualités manœuvrières limitées, les vaisseaux français pénètrent dans le golfe. Grâce à la profondeur des eaux, ils

peuvent s'arrêter très près du rivage, même le plus gros de tous,
la *Nostre Dame,* que Louis d'Orléans utilisait alors comme
navire amiral. Celui-ci, d'après ce qu'écrit Commines, « appro-
cha si près de terre que l'artillerie desconfit presque les ennemis
qui jamais n'en avoient vu de semblable ». On put en effet
débarquer les Suisses et les chevaliers français grâce à la protection des batteries navales, d'autant plus efficaces que les Napolitains ne possédaient pas un seul canon.

Ceux-ci pourtant résistaient avec grand courage et une mêlée
confuse s'ensuivit : « Il y eut grand choc de tuerie, nous dit
encore Commines. ... Il faisoit là beau voir Monseigneur
d'Orléans combattre et donner cœur à ses gens et faire tout ce
qui appartient à prince courageux et généreux de faire. » Finalement, le chef napolitain s'affole et disparaît au triple galop. Sa
fuite entraîne un sauve-qui-peut général, et l'on voit ses hommes s'enfuir à travers les rochers dans le plus complet désordre,
laissant derrière eux une centaine de corps, chiffre d'une importance exceptionnelle sur un champ de bataille italien et, par
surcroît, très supérieur à celui des vingt-cinq morts franco-
gênois.

Bien petite victoire, au total, mais qui devait avoir d'autant
plus de retentissement que, depuis Asti, Charles VIII avait suivi
le déroulement de l'affaire avec beaucoup d'attention : « Le Roi,
écrivait Guillaume Briçonnet le jour même où se déroula la
bataille, attend avec grande impatience des nouvelles du duc
d'Orléans qui chasse l'armée de mer du roi Alphonse... » Tandis
que Louis acquérait dans l'affaire une facile réputation de grand
amiral, le succès de Rapallo semblait être le cadeau que la destinée octroyait au souverain français pour son entrée en Italie.
Du coup, dans le camp de Charles VIII, on avait l'impression
que tout allait se passer « le plus merveilleusement du monde »,
l'expédition d'Italie devenant en quelque sorte un voyage
d'agrément. Dangereuses illusions, qu'un avenir proche se fera
comme un plaisir malin de contredire...

Déjà les deux héros de la fête ne peuvent recueillir pleinement les lauriers qui leur sont dus : quelques jours plus tard,
Pierre d'Urfé subit une crise de goutte particulièrement péni-

ble ; quant à Louis d'Orléans, très éprouvé par le climat ligure, il souffrait de « fièvre quarte », vraisemblablement une malaria des plus classiques. Mais, comme on lui avait annoncé l'arrivée prochaine de Charles VIII à Gênes, il s'efforçait de dominer son mal pour préparer à son souverain une réception digne de son rang. Là-dessus, il apprend, le 14 septembre, que son royal beau-frère vient, lui aussi, de contracter à Asti une maladie indéterminée, mais apparemment très grave. Passablement inquiet, Charles VIII lui demande de venir auprès de lui au plus vite, car la situation lui paraît préoccupante, et le premier prince du Sang a évidemment son mot à dire en pareille circonstance.

Malgré la fièvre qui continuait de le tenailler, Louis s'exécuta sans hésiter, mais ce fut pour découvrir une situation politique encore plus délicate que tout ce qu'il aurait pu imaginer. La plupart des conseillers et des chefs de guerre pensaient que le roi allait mourir dans les jours prochains, ce qui risquait de remettre à un avenir incertain toute l'expédition italienne. Beaucoup se permettaient d'exprimer à haute voix ce qu'ils pensaient dès le début, se plaignaient de ce pays décevant, de ses habitants trop obséquieux, mais peu sûrs et peut-être hostiles, de son vin aigrelet, de sa chaleur torride et de sa sécheresse excessive qui ne cessait que pour laisser la place à des pluies diluviennes, des inondations brutales, des nappes pestilentielles, des maladies inquiétantes. Ils parlaient de reprendre au plus vite le chemin de la « doulce France », et les critiques les plus acerbes n'épargnaient point les deux hommes qui passaient pour avoir été les grands inspirateurs de toute l'affaire : Étienne de Vesc, qu'on appelait encore le sénéchal de Beaucaire, et l'évêque Briçonnet.

Pour mieux se défendre, pour continuer l'entreprise coûte que coûte, pour mettre éventuellement au point de nouveaux plans de campagne, ceux-ci recherchaient l'alliance du prestigieux maréchal Pierre de Gié, celle aussi de Ludovic Sforza, qu'ils croyaient toujours aussi fidèle à la cause française, mais qui commençait déjà à s'entremettre avec Maximilien d'Autriche, au cas où le « roi des Romains » (c'est-à-dire le futur empereur)

voudrait attaquer les « barbares d'Outremont ». Pour sa part,
Louis se sentait très partagé entre sa grande lassitude physique,
la soif de grandioses actions militaires, ses ambitions milanaises
et la nostalgie de ses possessions ligériennes. En désespoir de
cause, il se répandait en bonnes paroles, prêchait à tout hasard la
persévérance, le courage, la fidélité au souverain, l'union entre
les diverses factions.

Tout allait se dénouer avec la guérison du roi, aussi brusque
que l'avait été l'irruption de la maladie. Le 17 septembre, une
forte éruption indique qu'il s'agit tout simplement de la variole,
mais heureusement sous une forme bénigne. Dès le 21, il peut
se lever, fait quelques pas, remonte à cheval, réunit son Conseil
et presque aussitôt travaille ardemment à la poursuite de son
entreprise. Curieuse coïncidence : le même jour, payant tout à
la fois son sens du devoir et son imprudence, Louis d'Orléans
connaît une rechute particulièrement grave. Les médecins dia-
gnostiquent cette fois une « double quartaine » ; le duc doit garder le lit pendant plus de trois semaines et, par la suite, il restera
affaibli très longtemps encore.

Mais à quelque chose malheur est bon et, de sa chambre,
Louis fait valoir à son beau-frère que, dans l'état où il se trouve,
l'on ne peut compter sur lui ni pour continuer à commander la
flotte franco-génoise ni même pour suivre l'armée jusqu'à
Naples par la voie terrestre. Le roi n'était point un méchant
homme et, « bien marry de cette malladie, luy ordonna de
demourer là, pour avoir tout le temps de bien se guarir ». Le
souverain n'avait-il pas trouvé entre-temps un autre amiral pour
son escadre, le belliqueux cardinal Giuliano Della Rovere lui-
même, qui prit effectivement possession de son commandement
dès le 26 octobre ?

Louis d'Orléans accueillit ces nouvelles avec d'autant plus de
placidité qu'il obtenait ainsi ce qu'il avait toujours souhaité et
qu'une première intervention de Ludovic Sforza avait empêché
jusque-là : pouvoir rester indéfiniment dans Asti, y affirmer son
pouvoir par sa présence et surtout ne pas relâcher sa pression (au
moins morale) sur le duché de Milan. Certes il ne s'agissait
encore que de surveiller, sans beaucoup chercher à gêner son

adversaire, puisqu'il ne gardait avec lui que les vingt-quatre archers de sa garde personnelle. Quant à sa compagnie de cent lances, il la laissa suivre Charles VIII sous les ordres d'un capitaine éprouvé, l'intrépide Robinet de Framezelles. Il n'est pas interdit de penser que le duc d'Orléans ne pouvait guère faire autrement, mis en demeure de s'exécuter par le roi de France en personne, lui-même agissant en ce sens sous la pression du More.

Toujours aussi prudent et soupçonneux, celui-ci allait bientôt donner toute la mesure de son inquiétante personnalité. Le 21 octobre, alors que le roi de France se trouvait dans la ville de Plaisance en sa compagnie, on apprit que le neveu, Gian-Galeazzo Sforza, toujours duc de Milan en titre, se trouvait au plus mal ; quelques heures plus tard, d'autres nouvelles confirmaient sa mort, issue étonnante chez un jeune homme jusque-là en excellente santé ; pour la plupart des contemporains, il n'y eut jamais aucun doute : c'est le poison qui avait fait son œuvre, sur les ordres et au profit de l'oncle.

Indifférent aux soupçons ou même aux accusations à peine déguisées, Ludovic ne perd pas de temps à démentir l'évidence. Il chevauche d'un trait jusqu'à Milan et, dès le lendemain 22 octobre, réunit deux cents notables bien choisis, auxquels, d'un ton paterne, il propose de nommer duc le fils du défunt, un enfant de cinq ans prénommé Francesco. L'assistance se récrie ; Ludovic se laisse alors faire violence et, sans trop protester, accepte le titre ducal.

Même si cette décision ne faisait qu'entériner un état de fait (qui durait depuis 1479 !), le coup était évidemment rude pour Louis d'Orléans qui, depuis Asti, émit une protestation solennelle, mais... platonique. Comment aurait-il pu se permettre davantage, alors que Charles VIII lui-même avait été l'un des premiers à féliciter le More de son « avènement » ? Résigné en apparence, le duc d'Orléans n'insista pas et ne fit plus guère parler de lui pendant quelques mois : il dirigeait de loin ses affaires blésoises ou orléanaises et distrayait son ennui avec quelques belles Astésanes, ce qui ne l'empêchait pas d'écrire parfois des lettres bien impersonnelles à sa femme Jeanne la

Boiteuse, toujours isolée aux Montils-lez-Blois ou quelque part
au fond du Berry.

Selon toute vraisemblance, il devait aussi suivre avec attention la lente progression de son beau-frère en direction du sud,
avec la réception fastueuse de Florence le 22 novembre 1494,
l'entrée dans Rome au soir du 31 décembre, enfin l'arrivée à
Naples le 20 février 1495, suivie du renversement de la dynastie
aragonaise et de la main mise sur la plus grande partie du pays.
En même temps, Louis d'Orléans armait certains de ses sujets
italiens les plus fidèles, retenait des mercenaires suisses de passage, faisait même venir de France quelques hommes d'armes,
surtout à la fin du mois de mars et dans les tout premiers jours
d'avril 1495, où des rumeurs incontrôlables commençaient à lui
parvenir et à le troubler.

Ses funestes pressentiments ne le trompaient point. Depuis
que, par des moyens divers, il avait réussi à éliminer son neveu,
puis son petit-neveu, depuis qu'il avait été officiellement
reconnu duc légitime de Milan et surtout depuis que Charles
VIII avait entériné toute l'affaire sans aucune difficulté, Ludovic le More n'avait plus autant besoin de la présence française en
Italie. Cela faisait donc quelque temps qu'il tissait, contre les
« envahisseurs du Nord », sans vergogne, une vaste coalition qui
aboutit le 31 mars à un pacte d'alliance entre lui-même, le roi
des Romains Maximilien, les Rois Catholiques de Castille et
d'Aragon, la Sérénissime République de Venise et le pape
Alexandre VI Borgia.

Sous de belles paroles et déclarations de principe, le but à
peine caché visait à chasser les Français de Naples, mais ces
perspectives ne suffisaient pas à Ludovic le More. Comme son
père Francesco, il n'avait jamais admis la domination orléanaise
sur Asti et convoitait le comté depuis toujours. Il fit valoir à ses
nouveaux alliés que, pour des raisons militaires, il fallait absolument éliminer ce relais, cet unique relais entre l'armée de
Charles VIII et le royaume de France. Il obtint indirectement
satisfaction quand, le 2 avril, Maximilien, en tant que suzerain
de l'Italie septentrionale, envoya solennellement à Louis
d'Orléans une lettre où il lui interdisait de continuer à se

dire « duc de Milan », sous peine de perdre immédiatement le fief impérial d'Asti, qui serait alors remis à Ludovic le More. Comme l'on pouvait s'y attendre, Louis d'Orléans refusa par retour du courrier.

Il ne restait plus qu'à appliquer la sentence du roi des Romains, dont le Sforza était désigné comme l'exécuteur. Il s'était entendu avec certains Astésans de la faction traditionnellement anti-orléanaise (très minoritaire), qui promettait de lui ouvrir les portes de la ville par surprise. Le 6 avril, il confia à son gendre Galeazzo de San Severino une troupe impressionnante, forte de trois mille lances et de quatre mille fantassins : face aux cent ou cent cinquante hommes dont le duc d'Orléans disposait maintenant, enlever Asti semblait un jeu d'enfant et, « par souci d'épargner des vies humaines », le Milanais proposa à son adversaire de quitter librement la ville avec ses fidèles, moyennant l'abandon de toutes ses prétentions.

Sforza devait aller de surprise en surprise. Non seulement les quelques traîtres avaient été vite démasqués par les fidèles du parti français et chassés aussitôt de la cité, mais Orléans refusa tout accommodement. Il lui fallait un certain courage, et il est sûr que sa compagnie d'ordonnance, ses cent lances, son intrépide lieutenant Robinet de Framezelles devaient lui manquer cruellement. Mais nous le savons, dans les situations militaires les plus désespérées, le duc Louis savait retrouver l'ardeur et la détermination dont il avait su faire preuve aux heures les plus sombres de la guerre bretonne.

Profitant de ce que, malgré son énorme supériorité numérique, San Severino hésite visiblement à affronter les médiocres fortifications de la ville, Orléans adresse un appel pressant à Pierre de Bourbon-Beaujeu qui, depuis Grenoble, lui envoie aussitôt deux mille hommes et lui promet de nouveaux renforts. Et, quelques jours plus tard, un espion milanais voit entrer dans Asti soixante lances, suivies de quatre-vingts archers et entend dire qu'on attend même cinq cents lances supplémentaires.

Pourtant tout n'était pas perdu pour le sombre Ludovic. Selon la plupart des chroniqueurs qui nous ont relaté ces événements, si, à la fin d'avril encore, il avait choisi de renvoyer San Severino et eu l'énergie de se mettre lui-même à la tête de toutes ses troupes disponibles, il aurait pu s'emparer de la place sans trop de difficultés. Mais, à la différence de son adversaire, le duc de Milan ne brillait guère par le courage et le fait de savoir Louis d'Orléans résolu à se défendre jusqu'au bout le décontenançait à un point à peine imaginable. Il se consola en faisant investir complètement la petite cité, dans l'intention évidente de la réduire par la faim.

La situation d'Asti devenait en effet sévère, et les panégyristes du futur Louis XII se sont toujours complus à rappeler que leur « héros » tint à partager alors les privations de ses hommes et la rudesse de leur vie quotidienne. Il ne faisait plus qu'un repas par jour, vendit d'un seul coup à des usuriers juifs ses vêtements les plus somptueux et toute sa garde-robe, entièrement contenue dans deux coffres ferrés. Il se limitait désormais à six chemises, seize mouchoirs, une paire de bottes, une paire de souliers bas, une paire de pantoufles, soit le comble du dénuement pour un premier prince du Sang !

Situation sévère mais non désespérée. Déjà, le 7 mai, les Franco-Astésans ont repoussé sans trop de mal un semblant d'attaque milanaise. Quelques jours plus tard, on apprend que Charles VIII a pris à son service un Milanais d'origine, mais le pire ennemi du More, Gian-Giacomo Trivulzio, que les Français appelleront Jean-Jacques Trivulce : un chef de premier plan, d'une énergie farouche et qui a su garder dans sa province natale une clientèle personnelle, évidemment disponible en cas de nécessité.

Puis arrive une autre nouvelle, tout aussi importante : se sentant de plus en plus menacé par l'alliance dirigée contre lui, le roi de France vient de quitter Naples le 15 mai et remonte assez vite vers le nord avec le gros de son armée ; si Asti peut résister encore quelques jours, à la rigueur quelques semaines, tout est sauvé pour les Franco-Orléanais. Ludovic le sait fort bien et ordonne deux autres tentatives, mais celles-ci sont menées avec tant de mollesse qu'elles échouent totalement elles aussi. Dès avant la fin du mois, le siège est levé et la « victoire » d'Asti ira rejoindre la « victoire » de Rapallo pour tisser la légende militaire (bien surfaite) du valeureux Louis d'Orléans.

Soyons justes : le premier prince du Sang va savoir exploiter, au moins partiellement, son demi-succès. Située un peu à l'écart du chemin direct qui allait d'Asti à Milan, l'opulente cité de Novare dépendait du duché ; mais, traditionnellement guelfe et aristocratique, la municipalité n'avait jamais admis la domination d'un parvenu, d'un « vulgaire démagogue » comme Ludovic le More et attendait la première occasion venue pour se « libérer ». Louis d'Orléans connaissait la situation : le 10 juin à l'aube, il se présentait devant la ville avec les troupes qui l'avaient aidé à défendre Asti. En moins d'une heure, il était maître de Novare, sans effusion de sang, sans violences, sans effractions.

La nouvelle de ce coup d'audace allait éclater à Milan comme la foudre. On croyait déjà les Franco-Orléanais aux portes de la ville et, dans toutes les classes de la société, assez nombreux étaient ceux qui se montraient prêts à les accueillir avec faveur, sinon même avec chaleur. Le petit peuple se répandait dans les rues, lançant des cris hostiles au Sforza maudit. Épouvanté, celui-ci quitte secrètement sa résidence avec quelques fidèles et se réfugie chez l'ambassadeur de Venise. En quelques heures, il semblait avoir vieilli de dix ans et, dit-on, ses doigts avaient tellement maigri qu'il perdit toutes ses bagues pendant son sommeil ! Il ne cessait de pleurer comme un enfant, envisageait de se réfugier sur le territoire de la Sérénissime République, voire en Espagne ou ailleurs, partout où l'on voudrait bien l'accueillir.

Pendant quelques jours et même après le 14 ou le 15 juin, considéré presque partout comme le duc légitime de Milan, Louis pouvait incontestablement tout se permettre en Lombardie : dans leur immense majorité, les habitants ne parlaient plus que de se donner à lui. Il était évident que les portes des villes s'ouvriraient dès qu'il paraîtrait et pratiquement tout le monde considérait le temps des Sforza comme définitivement révolu.

Mais, si Louis d'Orléans pouvait à l'occasion réagir remarquablement face à une situation désespérée, il ne savait guère mettre à profit les données favorables, surtout s'il fallait prendre un léger risque : nous l'avons déjà remarqué au moment des guerres bretonnes, quand, dégarnie de troupes, la ville de Paris se trouvait pratiquement à sa merci. Dans un cas comme dans l'autre, on lui a reproché son irrésolution et il est sûr que, plus particulièrement en Italie du Nord, il perdit alors un temps précieux. Dès avant le 20 juin, Ludovic le More se reprenait, rassemblait quelques troupes fidèles et rétablissait son autorité dans la capitale. Bref, il était trop tard pour que Louis pût espérer récupérer dans un délai proche « son » cher Milanais.

En fait, il y avait aussi quelques excuses à ses hésitations, car, dans toute cette affaire, il n'avait jamais été totalement libre de ses mouvements. Ni Pierre de Bourbon, qui l'avait soutenu avec tant d'efficacité au moment du siège d'Asti, ni Charles VIII n'auraient beaucoup apprécié un pareil geste d'indépendance. Surtout, ni l'un ni l'autre ne souhaitaient vraiment le voir mettre la main sur la Lombardie : certes, depuis sa libération de 1491, Louis d'Orléans se comportait en sujet d'une exemplaire fidélité, mais l'acquisition d'un domaine vaste, peuplé, riche et puissant aux portes du royaume risquait de lui donner un poids politique excessif, peut-être même dangereux pour la couronne de France. Autant il avait été capital, pour des raisons militaires, de l'aider à garder Asti, autant la stabilité dans le Milanais semblait, à tort ou à raison, un dogme absolument intangible au gouvernement royal.

Charles VIII ne se trouvant encore qu'au niveau de Sienne, Ludovic Sforza estimait avoir largement le temps de tirer vengeance de Louis d'Orléans avant l'arrivée de l'armée française en Italie du Nord. La meilleure façon d'y parvenir était évidemment de le chasser de Novare où, à défaut d'autres succès, le prince était au contraire bien décidé à se cramponner coûte que coûte. Dans les derniers jours de juin, grâce à des emprunts massifs, le More réussit à enrôler et à concentrer autour de la ville dix mille fantassins, huit cents lances, quatre cents Suisses et trois cents estradiots albanais, dont les charges de cavalerie légère jetaient la terreur chez tous leurs adversaires. En face, Louis d'Orléans avait à sa disposition des forces légèrement inférieures : huit cent cinquante lances, mille archers à cheval, mille chevau-légers, huit mille fantassins.

Quand, le 8 juillet, on apprit la victoire de Fornoue où la *furia francese* avait bousculé l'armée coalisée, Ludovic, qui ne voulait pas perdre de temps, commença à investir Novare, et la situation du duc d'Orléans devint rapidement fort inquiétante. Pour se ménager la faveur des habitants, il avait cru judicieux d'interdire les réquisitions, continuait à faire venir les vivres du plat pays et s'acharnait à les payer rubis sur l'ongle, mais l'argent commençait à lui manquer, et le blocus qui s'étendait gênait maintenant les approvisionnements. Bien renseigné sur la situation de la ville, Ludovic Sforza et son allié le marquis de Mantoue envisageaient tout simplement de la réduire en l'affamant. L'investissement de Novare fut achevé le 20 juillet.

Les assiégés perdaient tout espoir de ravitaillement ; si la citadelle possédait des provisions pour plus de trois mois, dans la ville la famine commençait à se faire sentir sérieusement. Des pluies diluviennes s'étaient abattues sur toute la région, les eaux usées ne s'évacuaient plus, la malaria refit son apparition, et, une fois encore, le duc d'Orléans fut retenu au lit par une poussée de fièvre. En même temps, une autre maladie bien plus étrange faisait son apparition, caractérisée par des chancres, des plaques rosâtres, des scrofules, des maux de tête, un affaiblissement général : la « grande gorre » ou « grosse vérole », qu'on appellera plus tard la syphilis, peut-être contractée dans les ports de Gênes, de Naples, de Livourne, de Marseille.

Aux pluies torrentielles succéda brusquement une chaleur sèche qui suscita d'autres fièvres. La misère, la détresse physique et surtout une faim atroce faisaient souffrir aussi bien les défenseurs que les habitants : il n'y avait plus ni vin ni viande et il fallut même se résigner à manger du cheval, comble de la déchéance ! Un œuf se vendait pour la somme considérable de 30 sous, un rat bien gras en atteignait 40, un chat plus de 50. Avec un peu de grain récupéré dans les greniers poussiéreux, on fabriquait un prétendu pain, très noir et de goût exécrable.

Comme on peut l'imaginer à la lumière de ce qui s'était passé durant les années précédentes, Louis d'Orléans sut se montrer à

la hauteur de ces circonstances tragiques. A peine remis de sa
dernière crise de paludisme, on le voyait à tous les secteurs
sensibles. Il soutenait, relevait le moral des plus faibles, déten-
dait l'atmosphère avec une de ces bonnes histoires grivoises
dont il avait le secret. Plein d'une infinie sollicitude qui était
peut-être aussi de l'habileté tactique, il ne cherchait pas à retenir les découragés ou les bouches inutiles, laissa partir d'un
coup cent cinquante personnes — femmes, enfants, vieillards,
mendiants — et trouva même, à la fin du mois, encore assez
d'argent sur sa cassette personnelle pour gratifier d'une aumône
quelques Suisses blessés ou malades qui avaient émis le souhait
de retourner dans leurs lointains cantons. En traversant les
lignes du camp adverse, ceux-ci affirmèrent n'avoir presque
rien mangé depuis quinze jours...

Pour les chefs des assiégés, l'important était de tenir, de tenir
jusqu'à l'arrivée du roi, auquel le duc d'Orléans et les Novarais
ne cessaient d'écrire « par chiffres assez souvent de leur nécessité, qui ne povoit prendre fin que par une bataille ou prompte
paix, à laquelle tous également affectionnez, aulcuns touteffois
ne vouloit, par crainte d'amoindrir sa réputation, donner la première ouverture ».

Or, détail non négligeable, le souverain se trouvait alors assez
près de Novare, étant entré le 27 juillet dans Asti, qui avait
remarquablement joué son rôle de relais militaire. Mais, en
même temps, la conduite de Charles VIII était tout à fait
étrange : apparemment indifférent à l'atroce désespoir des
Novarais, ignorant superbement l'inaction de son armée qui
piaffait d'impatience, il passa tout le mois d'août et les premiers
jours de septembre — soit cinq interminables semaines — en
fêtes splendides et en galanteries mignardes, tant à Asti que dans
la ville voisine de Chieri. Quand il lui arrivait de recevoir Georges d'Amboise — qui, à chaque fois, le suppliait de secourir au
plus vite le duc d'Orléans —, il détournait la tête avec un fin
sourire, comme s'il était heureux de pouvoir infliger une leçon à
son trop remuant beau-frère.

Pourtant, le 8 septembre, alors que le roi donne un bal en sa
résidence de Chieri, Georges d'Amboise accourt une fois de

plus, tout essoufflé, encore ému par la nouvelle qu'il apporte : c'est inouï, c'est effroyable, les troupes du More viennent de prendre les faubourgs de Novare, elles se trouvent aux portes mêmes de la ville ; si personne n'intervient, monseigneur d'Orléans est un homme perdu ! Cette fois, Charles VIII réagit et rejoint dès le lendemain ses troupes au camp de Verceil. Enfin, l'armée royale s'ébranle.

S'ébranle avec une lenteur notable et peut-être calculée, puisque les avant-gardes n'apparaissent en vue de Novare qu'au bout d'une bonne semaine. On pourrait croire que les deux armées, la royale et la ducale, la française et la milanaise vont se précipiter sauvagement l'une contre l'autre. Ce serait mal connaître certaines mœurs et surtout la diplomatie du temps. Ludovic Sforza ne tient pas à resserrer trop, par des initiatives militaires intempestives, la solidarité qui est censée unir Louis d'Orléans et son royal beau-frère. Quant à ce dernier, il sait que le More est de nouveau prêt à trahir ses alliés, cette fois ceux du pacte signé le 31 mars dernier, et que le seul obstacle à une réconciliation est précisément le fâcheux prétendant au Milanais qui s'agite fébrilement dans Novare.

On va donc négocier et, comme on peut l'imaginer, au détriment de Louis qui, en tout état de cause, risquera fort de perdre Novare, accordée au roi de France ou restituée à Ludovic Sforza. Mais la détresse du duc d'Orléans est telle qu'il ne demande guère de précisions sur les termes de l'accord provisoire, se contentant de demander la clémence du More pour les braves Novarais qui ont tant souffert et l'ont si courageusement soutenu pendant plus de deux mois.

Enfin, le 22 septembre vers 10 heures du soir, Louis d'Orléans traversait presque clandestinement les fortifications de la ville, escorté par un petit détachement milanais qui le mena jusqu'à quelques milles de là, pour le remettre aux autorités françaises. Cette triste sortie s'était faite par une nuit sans lune, extrêmement obscure, à tel point que le duc dut demander l'assistance d'un paysan muni d'une lanterne pour traverser sans trop de dangers le pont de Verceil. Quand il arriva au camp royal, la première personne qu'il allait rencontrer fut François de Guierlay, un de ses anciens compagnons de jeunesse ; au comble de l'émotion, les deux hommes tombèrent dans les bras l'un de l'autre.

Trois jours plus tard, la garnison « orléanaise » commença à quitter elle aussi la place de Novare. Or, à la stupeur générale, y compris celle des assiégeants, l'on ne vit sortir au total que cinq mille hommes : les quelque six mille autres étaient tout simplement morts, morts de faim, de vérole, d'épuisement. Et encore, précisons que, sur ces cinq milliers de rescapés, il n'y en avait guère plus de cinq ou six cents qui restaient en état de porter les armes, voire de marcher sans bâton ou sans béquilles. Pendant près d'une semaine, ce devait être un affreux spectacle que de voir, sur les dix lieues séparant Novare de Verceil, se traîner ainsi des spectres chancelants qui, souvent, se laissaient tomber sur le bord de la route pour ne plus se relever. Pris de pitié, les soldats milanais eux-mêmes essayaient de leur porter secours et réussirent ainsi à en sauver plusieurs.

L'« horrible siège de Novare », comme on a dit, a beaucoup impressionné certains contemporains, mais les thuriféraires patentés de Charles VIII s'empressèrent de louer le geste chevaleresque qui lui avait fait secourir son beau-frère. Celui-ci, au contraire, ne lui en garda qu'un minimum de reconnaissance ; en fait, il ne décolérait pas ; il savait bien que toutes ces morts, toutes ces souffrances auraient pu être évitées si le roi avait agi plus rapidement ; il savait qu'un traité définitif se négociait entre le gouvernement français et Ludovic, ce qui était une façon indirecte de reconnaître la légitimité de son pouvoir ; il savait que la couronne ne tenterait pas le plus petit effort pour soutenir ses propres prétentions sur la Lombardie ; il savait qu'il n'avait pratiquement aucune chance de se faire rendre Novare par les voies de la diplomatie. De fait, le 1er octobre, Ludovic s'en faisait ouvrir les portes et y installait ses troupes, en toute illégalité, mais le roi de France ne protesta point, ce qui revenait à accepter le fait accompli : le grand rêve orléanais de l'été 1495 s'écroulait d'un coup.

Pour rappeler ses positions de principe, Louis fit une ultime tentative à la séance plénière du Conseil royal qui, le 9 octobre, vit s'ouvrir la discussion sur le texte définitif du traité avec Ludovic. Encore mal remis de ses fatigues et de ses privations, il intervint avec la violence maladroite qu'il manifestait généralement quand il était préférable de parler posément, essaya d'obtenir un ajournement, laissa échapper quelques remarques désagréables sur le More et s'engagea même dans une altercation grossière avec son ancien allié le prince d'Orange. Tout ce qu'il put obtenir, c'est que Ludovic Sforza promît de lui verser une indemnité de 50 000 ducats, consolation hautement symbolique que Louis d'Orléans affectait de considérer comme une « misérable aumosne ». En outre, il était facile de savoir ce que valaient les promesses du More.

De toute cette affaire, Louis d'Orléans devait ressentir par la suite une profonde amertume. Il est sûr que, dans son for intérieur, il ne put jamais pardonner cette « trahison » à Charles VIII. Si totale, si sincère, si dénuée de toute réticence depuis la libération de 1491, sa fidélité à l'égard du souverain allait s'en trouver gravement altérée jusqu'à la fin du règne.

Peut-être honteux de ses compromissions avec un « allié » aussi peu recommandable que le More, Charles VIII hâtait visiblement la liquidation de ses affaires italiennes. Le 11 octobre, moyennant le versement de 500 000 livres comme cadeau d'adieu, il licenciait ses mercenaires suisses. Dix jours plus tard, il reprenait le chemin de la France, mettant discrètement un terme à une aventure commencée de façon si spectaculaire. Juste avant de passer le Mont-Cenis, encore praticable à cette époque de l'année, il avait été rejoint à Suse par Louis d'Orléans, et les deux hommes banquetèrent avec quelques autres, fort joyeusement, comme si aucune dissension grave ne s'était élevée récemment entre eux. A Lyon, ils retrouvèrent toute la Cour, la reine, Pierre de Bourbon et sa femme Anne de France, ainsi que Jeanne la Boiteuse, venue spécialement pour accueillir son mari, bien que celui-ci affectât de l'ignorer pendant tout son séjour sur les bords du Rhône.

Cette année-là, l'hiver allait être extraordinairement précoce, la misère régnait un peu partout dans le royaume, et les mauvaises nouvelles se succédaient : à Naples, la garnison française

qu'on avait laissée au Castel Nuovo parlait de se rendre aux
forces aragonaises ; surtout, dans le courant de décembre, alors
que toute la Cour se trouvait à Amboise, on apprit successivement que le petit dauphin Charles-Orland (alors âgé de quatre
ans) avait contracté la rougeole, qu'il semblait dans un état
grave, qu'il n'y avait plus aucun espoir, qu'il venait de mourir.
Nouvelle d'autant plus brutale que la santé de l'enfant n'avait
jamais inspiré jusque-là d'inquiétudes particulières.

D'après Commines, Charles VIII eut assez d'empire sur lui-
même pour ne pas laisser trop paraître ses sentiments mais la
douleur d'Anne de Bretagne fut extrême ; on crut même qu'elle
allait en perdre la raison. Afin de la réconforter, son mari eut
recours à des moyens qui peuvent surprendre nos sensibilités
modernes. Mais laissons parler Brantôme qui, notons-le au passage, contredit quelque peu le témoignage du chroniqueur précédent :

« La mort de Monseigneur le Dauphin son fils estant survenue, le Roy Charles son mary et elle en furent si désolés, que les
médecins, craignant la débilité et faible habitude du Roy, eurent
peur que telle douleur pût porter préjudice à sa santé : dont ils
conseillèrent au Roy de se réjouir, et aux Princes de la Cour
d'inventer quelques nouveaux passe-temps, jeux, dances et
momeries, pour donner du plaisir au Roy et à la Royne : ce
qu'ayant entrepris Monseigneur d'Orléans, il fit, au chasteau
d'Amboyse, une mascarade avec dances, où il fit tant du fou et
dansa si gayement, ainsy qu'il se dit et se lit, que la Royne,
cuydant qu'il démenast telle allégresse pour se veoir plus près
d'estre Roy de France, voyant Monsieur le Dauphin mort, luy
en voulut un mal extresme, et luy en fit une telle mine, qu'il
fallut qu'il sautast ou sortist d'Amboyse, où estoit la Cour, et s'en
allast à son chasteau de Bloys... »

Même si Brantôme, qui écrit plus d'un siècle après les événements, n'est pas digne d'une confiance absolue, son récit ne
manque pas de vraisemblance. Avec la mort de Charles-Orland,
le duc d'Orléans redevenait héritier présomptif de la couronne
et, vu l'état physique de Charles VIII (encore pire que le sien !),
ses chances augmentaient d'accéder un jour au trône de France.

Sut-il, en des circonstances aussi favorables, garder son masque habituel d'impassibilité ? Ce n'est pas sûr du tout : « Il... sembloit bien, raconte un témoin, qu'il avoit joye de ladicte mort, à cause qu'il estoit le plus prochain de la Couronne après le Roy », ce qui expliquerait en effet l'hostilité sourde que lui gardera toujours Anne de Bretagne, même une fois qu'elle se sera remariée avec lui. En tout état de cause, la situation de Louis allait devenir désormais beaucoup plus délicate. Être héritier présomptif de la couronne sans être le fils du roi régnant, c'était risquer d'être considéré comme un danger permanent par le pouvoir en place. Le duc d'Orléans n'allait plus se lancer dans la moindre entreprise, donner son avis ou prononcer la parole la plus anodine sans susciter la méfiance, sans déclencher les soupçons les plus variés.

Dans de telles conditions, le mieux était de se faire le plus discret possible, et c'est ce que le duc commençait à comprendre. A la Cour, il se contentait désormais d'accompagner le roi dans ses plaisirs (amoureux ou bachiques), mais tout en gardant le silence. En fait, la plus grande partie de son temps, il la passait chez lui, à Orléans et surtout à Blois, d'où il continuait à surveiller la sécurité d'Asti (tenu maintenant par le fidèle Trivulce), les affaires milanaises et les manigances de Ludovic le More, sans oublier de réclamer les 50 000 ducats que celui-ci avait promis de lui verser.

Il était revenu d'Italie assez changé, affaibli physiquement, mûri aussi du point de vue du caractère. S'il est encore au début de 1496 « bon compagnon [et] aimant fort les dames », il se livre à une piété plus exacte et en vient parfois à traiter sa femme plus correctement, acceptant même de la laisser passer près d'une semaine à ses côtés ! Tout en lui donnant l'envie d'étendre sa culture littéraire, la vie transalpine lui a peut-être permis de raffiner ses goûts intellectuels et artistiques. Mais, plus encore, tout ce qu'il a pu y apprendre sur la cruelle tyrannie d'un Ludovic Sforza ou les exactions d'un Alexandre VI Borgia lui a fait découvrir, *a contrario*, les vertus d'un gouvernement modéré et d'une administration sage, sachant ménager les sujets, pour l'honneur du trône et la prospérité de tous.

C'est dans cette perspective qu'il faut considérer un texte fort important rédigé alors sous son inspiration. Destiné à réprimer ou à prévenir les insuffisances, les négligences, les abus, voire les malversations caractérisées des officiers astésans, il annonce déjà les grandes mesures de réforme administrative qu'il décidera pour la France quand il aura accédé au trône. Il s'agissait d'exiger des qualités morales et un niveau technique minimal dans les domaines juridique et financier pour tout candidat à un poste de quelque importance ; d'imposer un ordre absolu dans tous les actes de comptabilité ; de combattre la corruption des magistrats ; de veiller au juste déroulement des procès et d'assurer des garanties égales à tous les justiciables quels qu'ils fussent — nobles, clercs, bourgeois ou simples paysans.

En faisant publier cette ordonnance, le comte d'Asti avait annoncé à ses sujets italiens qu'il reviendrait bientôt les voir, pour juger du bon effet de semblables mesures. Il devait savoir qu'au même moment (soit dans le courant du printemps 1496) Charles VIII avait la ferme intention de repartir pour l'Italie avec une nouvelle armée. Celui-ci voulait en effet rétablir son autorité sur le royaume de Naples, où les quelques garnisons et troupes qu'il y avait laissées continuaient une lutte difficile et quasi désespérée contre les partisans de la dynastie aragonaise, revenue sur place dès le départ du roi de France : le vice-roi Gilbert de Montpensier résistait ainsi en Campanie, le sire de Précy en Basilicate, Stuart d'Aubigny en Calabre, Georges de Sully à Tarente et dans les Pouilles.

Charles VIII passa ainsi les mois d'avril et de mai à Lyon, où il commença à rassembler des troupes. Louis d'Orléans, qui venait de le rejoindre sur un ordre formel, semblait cette fois tout désigné pour le commandement en chef ; ou, du moins, celui-ci le croyait-il... Car, était-ce un effet de la rancune que lui vouait la reine ? Il apprit quelques jours plus tard qu'il n'aurait qu'un rôle beaucoup plus modeste, celui d'un simple capitaine de compagnie. Mais y aurait-il seulement une nouvelle campagne ? A Lyon, le roi retrouvait la voie trop facile de ses plaisirs habituels et surtout sa santé s'altérait à vue d'œil. Fin mai, alors que tous ses conseillers le croyaient prêt à passer les Alpes une fois de plus, on apprenait qu'il allait quitter la ville, mais pour se rendre à Moulins, à Paris, à Tours où l'attendait Anne de Bretagne. Puis il devait faire, disait-il, un pèlerinage à Notre-Dame-de-Cléry, sur la tombe de son père.

C'était l'abandon provisoire d'un grand projet, abandon que la suite des événements sembla justifier, car il était bien trop tard pour espérer venir en aide aux derniers défenseurs de la présence française en Italie du Sud. Le nouveau roi « aragonais » de Naples, Ferdinand II, était rentré dans sa capitale le 7 juillet. A la fin du mois, Gilbert de Montpensier capitulait devant les forces militaires très supérieures que lui opposait son adversaire. Il obtint au moins de retourner en France avec toute son artillerie, « vies et bagues sauves », sans avoir mis bas les armes. Malheureusement pour lui, au début d'octobre, la peste se déclara dans le camp où il attendait avec ses soldats un rapatriement par mer ; il devait en être une des premières victimes. Quant à Gaète et Tarente, dernières places encore tenues par les Français, elles finirent par se rendre elles aussi.

Un peu plus tôt, le 8 septembre, la reine avait accouché d'un second fils, prénommé Charles comme son père et son frère aîné ; Louis d'Orléans rétrogradait à nouveau d'un rang dans l'ordre de succession au trône ; mais, moins d'un mois plus tard, le 2 octobre, le dauphin mourait et le duc, qui sut cette fois garder une joie plus discrète, redevint héritier présomptif. Selon son habitude, Anne de Bretagne s'abandonna aux manifestations spectaculaires d'une douleur « toute espagnole » (mais sa mère n'était-elle point une princesse navarraise ?), tandis que le roi parvenait à garder l'œil sec, un visage de marbre et des manières aimables.

Pourtant, quand l'année suivante un troisième ou un quatrième fils (peut-être prénommé François) disparaissait à son tour après seulement quelques heures d'existence, on vit cette fois Charles VIII changer radicalement d'attitude. Très frappé, très éprouvé en fait par cette série de décès, il voyait là comme un signe du ciel, un avertissement pour lui faire expier ses péchés de luxure, considérés souvent comme les pires de tous. Il devint peu à peu fidèle à sa femme, pieux et chaste. Et, comme

le font souvent les chastes, il supportait de plus en plus difficilement ceux qui ne l'étaient pas ou, plus exactement peut-être,
il prétendait leur faire retrouver les chemins de la vertu.

C'est ainsi qu'il chercha très vite à faire bénéficier de sa sollicitude son beau-frère Louis d'Orléans, qui passait alors la plus
grande partie de son temps au château de Blois. Avec, il est vrai,
moins de frénésie qu'autrefois, celui-ci continuait en effet à
mener joyeuse vie, agrémentée par la présence de belles dames
ou de jolies filles qu'il payait avec générosité pour lui avoir joué
un air de manicordion, parfois aussi pour lui avoir rendu un
service de nature plus intime. Ce qu'on lui reprochait le plus,
c'était qu'après une courte velléité de rapprochement, il vivait
maintenant tout à fait séparé de Jeanne la Boiteuse.

Jusqu'à la mort de l'hypothétique dauphin François, le roi
n'avait pas paru s'en émouvoir beaucoup. Puis, sous l'influence
de sa dévotion nouvelle, il entreprit de réconcilier solennellement Louis et sa femme. Nous avons sur ces tentatives et les
difficultés qui en résultèrent un témoignage de première main,
fort curieux ; il s'agit de la déposition — en style indirect — que
Louis, devenu entre-temps Louis XII, dut faire quelques années
plus tard, pendant le procès en annulation de son mariage avec
Jeanne :

« Et depuis son retour [d'Italie]..., il [Louis d'Orléans] fut voir
ladite défenderesse [Jeanne]... La plupart des fois susdites, aux
lieux dessusdits où elle était, sur les instances et à l'instigation
dudit feu roi son frère [Charles VIII]... qui lui disait ces paroles
ou de semblables : MON FRÈRE, ALLEZ VOIR MA SŒUR, ce qui était
assez commander. Ce à quoi il n'osait désobéir, attendu le mauvais traitement qu'on lui avait fait subir par le temps passé, au
commencement du règne dudit feu roi Charles [VIII], frère
d'icelle défenderesse, et aussitôt après le décès dudit feu roi
Louis [XI], et la longue détention de prison où il avait été,
redoutant de souffrir autant à l'avenir et d'encourir l'indignation dudit roi. Étant considéré aussi que plusieurs, étant dans
l'entourage dudit seigneur roi, donnaient à entendre audit seigneur et lui faisaient plusieurs sinistres rapports, pour toujours
le mettre en soupçon et défiance sur celui dont on lui parlait, et

tellement que, à la fin des jours dudit feu roi [Charles VIII], et audit temps qu'il arriva audit lieu de Montilz sous Blois, mentionné audit article, il [Louis d'Orléans]... était en voie d'être contraint de déguerpir et de s'absenter du royaume à l'occasion de la défiance que ledit feu Roi avait prise sur lui à tort et sans cause, au moyen desdits rapports. »

De ce texte pâteux, directement traduit du latin, il ressort pêle-mêle que, face aux conciliantes exhortations de son beau-frère, le duc ne s'est jamais permis un refus d'obéissance ; mais il n'est pas sûr non plus qu'il se soit exécuté véritablement, comme semblent l'indiquer les fameux rapports, mentionnés à la fin, dressés contre lui par des gens qui n'étaient pas précisément de ses amis. Par ailleurs, la défaveur dont il souffre dans les premiers mois de 1498, et qu'il mentionne dans la dernière phrase de sa déposition, s'expliquait peut-être par des griefs qui dépassaient de beaucoup les difficultés conjugales d'un premier prince du Sang et de son épouse infirme.

En effet, depuis la mort du dauphin Charles-Orland et surtout depuis celle du dauphin François, Louis avait changé lui aussi d'attitude. Même si, malgré son délabrement physique, le roi n'en finissait pas de mourir, même si, presque miraculeusement, la reine se trouvait enceinte une fois encore — avec un accouchement prévu pour avril 1498 —, Louis agit désormais comme s'il était persuadé que la couronne ne pouvait plus lui échapper. Grande nouveauté chez lui, il devint plus laconique, plus réservé, plus distant et aussi plus indépendant.

Dès le 1er janvier 1496, son cousin germain Charles d'Angoulême était mort assez brusquement, laissant une femme encore très jeune, Louise de Savoie, avec deux enfants en bas âge, Marguerite, qui avait trois ans, et François, qui venait d'atteindre seize mois — il s'agit du futur François Ier, qui sera tout à la fois le gendre et le successeur de Louis XII. Le testament du défunt confiait la tutelle à sa veuve. En tant que chef de la Maison d'Orléans — dont dépendaient les Angoulêmes —, Louis contesta hautement cette décision, sous le prétexte que Louise n'avait pas l'âge requis de vingt-cinq ans. Il exigeait donc l'administration des deux orphelins pour lui-même et, malgré

les sourdes réticences du roi, obtint largement satisfaction
devant le Grand Conseil. Dès lors, il prit la Maison d'Angoulême sous sa coupe et la gouverna comme la sienne propre, ce
qui augmenta évidemment son poids politique. Il sut agir en
cette circonstance avec une douceur et une honnêteté parfaites,
tout à la fois en ménageant les susceptibilités de l'ombrageuse
Louise de Savoie et en surveillant scrupuleusement l'éducation
chevaleresque du jeune François d'Angoulême, en qui il voyait
un peu son fils adoptif.

Comme pour se préparer à son futur métier, Louis se plongeait désormais dans de gros ouvrages de droit, dans des recueils
d'édits, dans l'histoire de la France, dans les manuels de cérémonial, dans des récits de voyageurs et cherchait même des
modèles dans Plutarque, dont quelques scribes lui faisaient des
versions latines partielles. Il continuait à pratiquer l'équitation,
la lance, l'épée à deux mains. Mais, quand des émissaires royaux
vinrent dans les premiers jours de janvier 1498 lui demander un
avis technique sur les chances d'une nouvelle expédition italienne, il invoqua sa mauvaise santé pour annoncer qu'en tout
état de cause il ne repartirait pas au-delà des monts et qu'il
préférait rester à Blois.

Cette mauvaise excuse ne trompa personne, surtout pas Charles VIII : si Louis d'Orléans refusait cette fois sa participation,
c'est qu'il pensait à la fragilité du roi et qu'il tenait absolument à
se trouver en France même quand se ferait le changement de
règne. L'effet produit fut si mauvais à la Cour que, sur les
conseils de Georges d'Amboise, Louis crut plus habile de se
faire oublier quelque temps, en se retirant dans son gouvernement de Normandie, où il ne s'était pas montré une seule fois
depuis son retour d'Italie.

Or il allait retrouver *sa* province en proie à un profond
malaise. Tantôt trop chaudes et sèches, tantôt trop froides et
pluvieuses, les dernières années s'étaient révélées catastrophiques, l'agriculture avait beaucoup souffert, l'activité portuaire
de Rouen et de Honfleur périclitait de façon inquiétante, bref la
crise économique sévissait presque partout... et, en prévision de
la prochaine expédition italienne, les impôts restaient toujours

aussi lourds ! Bien informé et sensible à la situation, Georges d'Amboise, qui était en même temps archevêque de Rouen, cherchait à alléger les malheurs du pays ; soucieux de sa popularité locale, Louis transmit au gouvernement royal les protestations de ses administrés et soutint leurs demandes touchant au moins une diminution des tailles.

A la Cour, on ne voulut voir là qu'une nouvelle manifestation de la détestable influence orléanaise. Soutenus par la reine Anne, les ennemis du duc faisaient valoir que, malgré la soumission apparente des dernières années, l'ancien rebelle restait un danger toujours aussi menaçant pour la Couronne. Certains acharnés souhaitaient même lui voir retirer son gouvernement de Normandie, comme on l'avait fait autrefois pour l'Ile-de-France. A mots à peine couverts, d'autres évoquaient les heureux effets de la Grosse-Tour de Bourges sur les princes outrecuidants. Seul ou presque, retenu par la sincère affection qu'il avait toujours nourrie pour son imprévisible beau-frère, Charles VIII semblait hésiter encore sur la conduite à suivre.

Orléans comprit qu'il lui fallait quitter Rouen au plus vite et rejoindre le roi pour le retourner en sa faveur. Mais il se trouvait de nouveau malade, et sa santé était même si mauvaise que la litière ducale ne put se déplacer qu'à petites journées, et en prenant d'extrêmes précautions ; si bien que, parti le 3 février à l'aube, il ne passait la porte Saint-Honoré que le 6 à la tombée de la nuit. La consultation de quelques sommités médicales du Quartier latin le rétablit assez pour lui permettre de repartir au bout de quarante-huit heures pour Moulins où se trouvait alors Charles VIII.

Au départ, il est sûr que l'un et l'autre s'apprêtaient à aborder la rencontre avec l'intention de s'expliquer, certes, mais avec des intentions conciliantes. Pourtant l'ambiance n'allait pas tarder à s'aigrir entre les deux beaux-frères. Il y avait d'abord le problème constant que posaient les relations conjugales de Louis et de Jeanne la Boiteuse. Deux ou trois jours après leurs retrouvailles et alors qu'ils traversaient le Nivernais en direction de Lyon, le cortège royal s'arrêta en la belle demeure du conseiller Claude Legroin. Comme chaque soir, en présence de quelques intimes, le roi s'était assis un peu à l'écart, pour y méditer sur un manuel de confession. Arrivé au chapitre consacré à la lubricité, il arrêta sa lecture, releva le visage, chercha des yeux le duc d'Orléans et lui montra le titre, en lui lançant d'une façon quelque peu sarcastique : « Voyez, mon frère, comme ce livre parle bien à vous ! »

Mais Louis pouvait avoir des réactions violentes ; il n'apprécia pas le conseil (ou la plaisanterie) et répondit qu'il n'agirait pas comme il le faisait s'il avait pu épouser une femme un peu moins répugnante. Devant l'insulte adressée à sa sœur, le roi devint tout rouge, il amorça un geste de colère, puis sembla se contenir et, sans rien répondre, reprit sa lecture.

Ni l'un ni l'autre n'étaient des hommes très rancuniers, et ils auraient sûrement fini par se réconcilier s'il n'y avait eu entre eux un autre motif de désaccord, bien autrement important et symbolisé par la personne de Ludovic Sforza. Tout à ses idées de reconquête italienne, Charles VIII voulait accorder de multiples satisfactions à son vieil « allié », qui lui demandait, entre autres, de rappeler d'Asti Jean-Jacques Trivulce, sa bête noire. Louis d'Orléans ne l'entendait évidemment pas de cette oreille et, sur la route étroite qui serpentait de Roanne à Tarare, les deux beaux-frères s'opposaient encore sur ce point, quand (raison valable ? prétexte ?) un brusque affaiblissement contraignit Charles VIII à faire aussitôt demi-tour en direction d'Amboise. Le duc d'Orléans, lui non plus, ne se portait pas à merveille et profita de la circonstance pour rentrer de son côté aux Montils-lez-Blois.

Il devait y passer quelques semaines bien sombres, sachant que la colère du roi envers lui allait renforcer les manœuvres de ses adversaires. Certains parlaient maintenant de lui faire retirer sa compagnie d'archers, d'autres souhaitaient le voir chassé hors de France, relégué dans son comté d'Asti, peut-être même plus loin encore ; quant à ses plus fidèles amis, ils ne pesaient guère, pratiquement tous en disgrâce, et Georges était menacé d'exil à Rome. A la fin de mars, le duc fut même contraint, sur injonction royale, de faire quitter Asti à son fidèle Trivulce, pour la plus grande satisfaction de Ludovic le More.

Parmi les gens influents de la Cour, seuls lui restaient assez attachés Pierre de Bourbon et l'amiral de Graville qui, voyant l'état du roi, ménageaient déjà celui qui risquait fort de monter sur le trône à plus ou moins brève échéance : le 20 mars, la reine Anne n'avait-elle pas accouché d'un cinquième ou sixième enfant, mais d'une fille mort-née, ce qui garantissait à Louis d'Orléans son rang et son état d'héritier présomptif ? Combien de temps encore allait durer cette interminable attente ?

CHAPITRE VI

Le second miracle

Depuis le dernier et malencontreux accouchement de la reine, donc autour du 20 mars 1498, la santé de Charles VIII semblait s'être encore altérée. Se souvenant de ce que son père était mort à la suite de plusieurs attaques d'apoplexie et constatant chez lui des tendances récentes à la congestion cérébrale, ses médecins voulaient l'inciter à prendre un minimum de précautions hygiéniques, souhaitaient le purger, le saigner, mais il se moquait d'eux, prétendant n'avoir comme seul souci que la santé de son âme. Comme Pâques approchait et qu'il voulait toucher « ceulx qui viendroient vers luy pour le mal des écrouelles », il se confessa deux fois en moins d'une semaine.

Le matin du samedi 7 avril 1498, veille des Rameaux, alors qu'il se trouve avec toute la Cour au château d'Amboise, le roi va comme chaque jour à la chasse, revient tard, se fait laver la tête, dîne et va voir la reine, dont les relevailles ont été assez courtes (à la mode de Bretagne), mais qui reste encore bien faible et « dolente ». Pour la distraire, il l'emmène dans une vieille galerie, où l'on vient d'installer un jeu de paume. En entrant, il fallait passer par une porte que le roi se proposait de faire abattre depuis longtemps et qui était si basse qu'en passant il se heurta le front contre le linteau.

Il resta un instant comme abasourdi par la violence du coup, mais sembla se reprendre assez vite, resta à regarder les joueurs, commentant la partie, « devisoit à tout le monde », mais, comme malgré lui, ses paroles revenaient bien vite au sujet qui, alors, l'absorbait principalement : « J'espère, aurait-il précisé, de n'offenser plus jamais Dieu mortellement ni véniellement, moyennent Sa Sainte Grâce. »

Curieuse coïncidence : il a à peine prononcé ces derniers mots qu'il tombe à la renverse et perd connaissance. Il est alors environ 2 heures de l'après-midi. Les joueurs s'émeuvent, se précipitent, le transportent dans une « chambrette » voisine, « la plus sale qui fust alors au chasteau et où il n'y avoit pas seullement un lict garny de cousche et de draps blancs », mais une simple paillasse, douteuse, sur laquelle il fallut bien l'étendre. Appelé en toute hâte, son confesseur profita de ce qu'il avait repris conscience pour lui administrer l'extrême-onction. Accourus à leur tour, les médecins déclarent la situation sans remède et prennent la sage précaution de faire éloigner la reine qui, comme à chacun de ses deuils, brame de douleur avec une énergie peu commune. Charles VIII la voit s'éloigner sans réagir, mais, à deux ou trois reprises, recouvre la parole ; à chaque fois, c'est pour balbutier la même prière : « Mon Dieu et la glorieuse Vierge Marie, Monseigneur saint Charles et Monseigneur saint Blaise me soient en aide ! » Visiblement, il ne pensait plus qu'à son salut, montrait par signes qu'il s'unissait d'intentions aux prières des prêtres qui l'entouraient et, jusqu'au bout, donna « des marques d'un bon chrétien et vrai catholique ». Enfin, vers 9 heures du soir, après sept heures d'agonie, il expira.

Généralement, on ne meurt pas pour s'être simplement heurté le front contre un linteau de porte. Même si les médecins de l'époque n'avaient encore qu'une thérapeutique fruste, leurs diagnostics pouvaient être parfois exacts. Or ils considérèrent que le roi avait été en cette circonstance « tout à coup atteint d'un catarrhe qui lui tomba dans la gorge », interprétation reprise par une grande majorité de chroniqueurs et de témoins contemporains, qu'il s'agisse d'Alessandro Salvago, de Jean Bouchet, Burchard, Michel Ricci dit Michel Ris ou Riz, Jean et Octovien de Saint-Gelais, Du Bouchage, Guichardin, surtout Commines qui, en cette circonstance, semble particulièrement digne de foi. Si l'on admet que le terme de « catarrhe » désigne souvent alors ce que nous appelons « apoplexie » (affection céré-brale consistant en une hémorragie interstitielle et caractérisée par l'abolition subite et plus ou moins complète du mouve-ment), si l'on rappelle aussi que, chez certains sujets prédisposés par l'altération du système vasculaire cérébral, l'apoplexie peut être exceptionnellement entraînée par un choc violent, l'expli-cation née presque spontanément chez les contemporains appa-raît comme hautement vraisemblable.

Ce qui n'empêcha pas, évidemment, de voir surgir l'hypo-thèse du poison, comme à chaque fois que meurt brusquement un homme de premier plan. Mais, alors, qui est le coupable ? Celui à qui profite le crime, dit un peu vite la sagesse populaire. Héritier présomptif et premier prince du Sang en disgrâce, le duc d'Orléans ne pourrait-il être soupçonné ? D'abord il se trou-vait lui-même fort surveillé et tout ce qu'on sait de son caractère n'incite guère à orienter les soupçons sur lui. Détail supplémen-taire : bien qu'il n'ait point eu alors que des amis, personne parmi les contemporains n'a eu la velléité de laisser planer des doutes sur sa parfaite loyauté. Restaient d'autres responsables possibles. On savait la Sérénissime République très hostile aux projets royaux de seconde expédition italienne ; de fait, quand ils apprirent la mort du souverain, les Vénitiens affectèrent une joie si vive que certains se rappelèrent un fait précis : quelques heures avant sa mort, on avait vu Charles VIII flairer une orange, un de ces fruits italiens que d'habiles praticiens savaient truffer d'un produit vénéneux, tout à la fois nocif au goût, au toucher et à l'odorat. Au moins de quoi entretenir en France de solides préventions à l'égard de tout ce qui pouvait se dire péninsulaire...

Face à une telle « provocation » étrangère, les Français eurent l'occasion de vivre leur unanimité. Rarement la mort d'un roi fut ressentie avec autant d'intense émotion : il est vrai qu'il mourait à la fleur de l'âge (vingt-sept ans tout juste !), circons-tance idéale pour faire oublier les défauts et les erreurs, la pro-digalité, les entreprises risquées, l'échec napolitain et ne plus laisser émerger au contraire que les qualités indiscutables :

l'esprit chevaleresque, la générosité, la loyauté et, plus encore peut-être, une exquise courtoisie, une bonté réelle, un flegme imperturbable qui avait fini par passer pour de la douceur. On peut dire que, directement ou indirectement, toute la France prit le deuil de Charles VIII, ce qui ne fut pas le cas pour tous les Capétiens.

En même temps, des questions se posaient ; aux difficultés courantes lors des successions s'en ajoutaient cette fois d'autres : pour la seconde fois depuis Hugues Capet, on n'a plus affaire à une succession directe, de père à fils, mais indirecte, de cousin à cousin. En effet, sortant tout juste de relevailles et souffrant, d'après ses médecins, de pertes sanguines continues, la reine, manifestement, n'attendait pas de nouvel enfant : le cas déjà vu en 1316 à la mort de Louis X le Hutin laissant sa veuve enceinte n'allait pas se reproduire cette fois-ci. Devenait normalement nouveau roi de France le duc Louis II d'Orléans, qui s'appellerait désormais Louis XII.

Celui-ci se trouvait alors en son château des Montils-lez-Blois avec Georges d'Amboise et Jeanne la Boiteuse, dont il fuyait la présence en chassant le plus souvent et le plus longuement possible. C'est au retour d'une de ces longues battues qu'il tombe sur quelques seigneurs venus apporter les premières nouvelles du malaise. Impatients de se concilier les bonnes grâces du possible successeur, ceux-ci n'avaient même pas attendu que l'actuel souverain eût rendu l'âme et se trouvaient même dans l'impossibilité d'apporter une réponse nette à la question de savoir si, oui ou non, Charles vivait encore.

Aussitôt, fort ému, Louis fonce jusqu'à Blois, distant d'à peine plus de deux lieues. Pendant plusieurs heures, il attend, recevant coup sur coup divers chevaucheurs, jusqu'à ce qu'enfin, au milieu de la nuit, il apprenne que le roi y est passé de vie à trépas. Malgré l'importance de cette nouvelle qui allait transformer son existence, qui allait le faire devenir, lui prince à demi disgracié, roi du « plus beau païs qui oncques fut », sa première réaction n'est pas de joie, encore moins d'orgueil, mais de tristesse et d'affliction. En homme qui, comme ceux de son époque, ne sait pas toujours très bien dominer ses nerfs, il commence par

déplorer à haute voix le triste sort de son « frère le Roy » et fond
en larmes, des larmes tout à fait sincères, n'en doutons pas :
n'a-t-il pas lui-même armé chevalier le défunt en 1484 ? Ne lui
doit-il pas sa libération de 1491 ? Et, malgré les rancunes de
l'affaire novaraise, n'a-t-il pas subi, lui aussi, le charme inexpli-
cable de l'avorton couronné ?

Puis, à la douleur, succéda la crainte ou, du moins, l'inquiétude. Il devrait, c'est évident, partir immédiatement pour
Amboise où, en pareille circonstance, son absence risquait
d'être remarquée et pouvait devenir funeste à ses intérêts. Mais,
en même temps, il redoutait un piège, sachant qu'autour du
royal cadavre des gens croyaient avoir tout à craindre de lui s'il
parvenait jusqu'au trône : tous ceux qui, sous Louis XI puis sous
la « régence » des Bourbon-Beaujeu, avaient été, contre lui, les
trop dociles instruments de la méfiance royale. Il le savait ou le
devinait : ceux-ci, ou d'autres, s'en allaient répétant que sa naissance était suspecte et son origine capétienne douteuse ; que,
selon les lois du royaume, on devait le considérer comme déchu
de ses droits à la succession depuis qu'il avait osé porter les
armes contre son roi dans la guerre civile de Bretagne ; qu'on
devrait davantage faire confiance à une Maison princière
comme celle des Bourbons, attendu que, durant leur
« régence », « Monsieur Pierre » et « Madame Anne » avaient
sagement gouverné le royaume. Et, si Louis d'Orléans pensait
pouvoir compter sur la loyauté de son beau-frère l'ancien sire de
Beaujeu, il ne pouvait s'empêcher de continuer à redouter sa
femme, en laquelle il voyait toujours comme le double de
Louis XI. Ne pouvant se résoudre à quitter Blois, garantie d'une
certaine sécurité, Louis passa une nuit affreuse, en proie à ses
perplexités.

Il comprit que le vent tournait en sa faveur quand, à l'aube, il
vit les portes de son château littéralement assiégées par une
foule de « beaux seigneurs », tous ceux qui, comprenant que le
nouveau pouvoir était là, il fallait en quelque sorte le confisquer
à leur profit, les uns pour conserver les charges et pensions
qu'ils avaient déjà, les autres pour obtenir celles qu'ils n'avaient
pas encore. En fin de matinée, se montra même un homme dont

la venue avait en fait valeur de symbole : c'était Imbert de Bas-tarnay, baron du Bouchage et d'Autan, conseiller et chambellan du roi, ancien serviteur de Louis XI, d'Anne de Beaujeu, de Charles VIII et qui, à ce titre, n'avait jamais été particulière-ment de « ceux de Monseigneur d'Orléans ». Homme circons-pect, il était en même temps l'incarnation du dévouement à la dynastie ; son ralliement à celui qu'il qualifia aussitôt de roi allait entraîner tout ce qui pouvait rester d'hésitants. A ce moment-là, Louis d'Orléans dut comprendre qu'il était bien devenu Louis XII. Toute appréhension dépouillée, il partit aus-sitôt pour Amboise, suivi avec empressement par la meute des solliciteurs subjugués.

C'était là son premier acte de roi. Ayant huit ans de plus que son prédécesseur, Louis allait atteindre ses trente-six ans, il lui restait encore seize ans à vivre, il avait donc accompli plus des deux tiers de son existence et à peu près la moitié de sa vie adulte. Est-il possible de faire le point sur le personnage à un moment aussi décisif de son existence ? Que savait-on exacte-ment de lui ? Réussirait-il seulement à faire oublier son trop populaire prédécesseur ?

En effet, contrairement à ce que l'on pourrait peut-être pen-ser, prendre la suite de Charles VIII s'avérait de prime abord assez délicat. Certes le défunt avait été un débile de première grandeur, aussi bien du point de vue physique que de l'intelli-gence ou du caractère, certes il s'était laissé aller à des rêves de puissance exagérée, avait entraîné la France dans l'aventure italienne avec une légèreté coupable, avait été un diplomate souvent berné, un administrateur médiocre, un financier lamentable, mais son charme avait joué et il restait d'autant plus regretté qu'il semblait avoir été ravi par l'injuste destin à une maturité peut-être prometteuse. Pour faire oublier un tel « héros », que pouvait bien présenter son successeur comme qualités indiscutables ? Mis à part quelques-uns de ses amis inti-mes, comme Georges d'Amboise, rares assurément étaient ceux qui auraient pu répondre à la question, car on le connaissait finalement assez mal.

Tout ce qu'on pouvait déjà dire, c'est qu'avec le vieillissement précoce, sensible bien avant la quarantaine, il faisait largement oublier le beau jeune homme qu'il avait été autrefois. Tel que le décrit un contemporain à peu près au moment de son avènement, il est sûr que, déjà, son aspect extérieur ne devait pas beaucoup plaider en sa faveur : « La tête est petite, pointue, le front étroit, les yeux gros et saillants, la figure maigre, les narines larges et relevées, les lèvres épaisses, le menton aigu, le cou mince et court, les épaules étroites, les bras menus et longs, la glotte ressortie, la poitrine sans développement... Le roi est plutôt petit que grand... »

Les gens bien informés savaient aussi qu'il tombait souvent malade. Mais, comme le Phénix qui ne cesse de renaître de ses cendres, après chaque nouvelle maladie, chaque convalescence, chaque guérison, il recommençait sa vie ardente de chasses, de chevauchées, d'exercices physiques au-dessus de ses forces. De fait, la carcasse devait être assez solide, et, jusqu'au bout, il allait garder un peu de l'exceptionnelle résistance de ses jeunes années. Finalement il est mort à un assez bel âge pour l'époque : cinquante-deux ans, soit vingt-quatre ans de plus que Charles VIII, presque autant que Saint Louis, Charles VII ou Louis XI, exactement autant que son successeur François Ier, qui passe souvent pour un cas typique d'excellente santé.

Sur ses capacités on aurait pu, quelques années plus tôt, se montrer particulièrement sévère. On le savait trop honnête, trop franc, trop primesautier, trop naïf pour voir en lui un grand « politique » ; jamais les intrigues de Cour ne lui avaient beaucoup réussi ; dans les affaires italiennes, tout en subtilités, face à de redoutables manœuvriers comme Ludovic Sforza, il était presque toujours apparu comme le dindon de la farce ; aux États généraux de 1484, il avait échoué dans toutes ses prétentions et, durant les complexes affaires de Bretagne, s'il s'était beaucoup agité, il avait fini par tout perdre... y compris la liberté. Mais depuis quelques années, était apparu un nouveau duc d'Orléans, celui qui savait administrer sagement le duché de Normandie, faire rentrer l'argent tout en ménageant la matière imposable, doter le comté d'Asti d'institutions enviées dans toute la botte italienne. S'agissait-il là d'une évolution mûrie, d'une volonté délibérée ou d'une sorte de hasard qui lui ferait subir d'heureuses influences ?

Pour répondre de façon satisfaisante, il faudrait pouvoir se prononcer sur son caractère et sa personnalité intime. A ce point de vue, que penser de lui à la date de 1498, sinon constater des traits fondamentalement contradictoires ? On l'a vu prodigue et dépensier, soucieux de commandes somptueuses et futiles dans les heures graves de son proconsulat génois, puis économiser beaucoup ses deniers et ceux de ses administrés depuis son retour d'Italie. Pieux, il l'a toujours été, et sincèrement, mais selon l'usage des princes de l'époque, qui autorisait de larges et nombreuses libertés avec le sixième commandement. On le dit mesuré, patient, longanime, ce qui n'exclut pas des coups de tête, des moments de pure folie, comme ceux qui lui font quitter la Cour en avril 1484, puis l'année suivante en février. A ses manières raffinées, tout à fait dignes d'un authentique prince du Sang, s'opposent parfois une vulgarité, une grossièreté de ton, un « oubly de soy » qui évoqueraient plutôt le fils naturel d'un palefrenier ou d'un valet d'écurie. Les uns vantent son humanité, sa générosité, sa bonté, mises en valeur par des paroles aimables, une voix douce, une éloquence naturelle ; les autres insistent sur une cruauté bestiale quand, au plus fort des engagements guerriers, la vue du sang qui coule tout alentour suscite en lui de nouvelles ardeurs sauvages.

En même temps, on relève des constantes, rares, mais peut-être fondamentales. D'abord l'extrême fermeté face aux situations militaires les plus graves, sinon les plus désespérées. Plus encore, peut-être, un entêtement, une ténacité à peine croyables sur certains points très précis : par exemple, le fait qu'il n'a jamais accepté, qu'il n'acceptera jamais son mariage forcé avec Jeanne la Boiteuse ; ou encore le fait qu'il ne renoncera jamais au fond de son cœur à ses prétentions milanaises.

En fait, jusque-là, jusqu'à son avènement, ses initiatives, ses abstentions, ses paroles, ses silences, ses actes et surtout la perception qu'on en pouvait avoir, en un mot tout ou presque se trouvait faussé par sa situation même de premier prince du Sang doublé d'un héritier de la couronne, « trop haut placé, dit

Maulde La Clavière, pour rester étranger à la politique, et, en même temps, pour ne pas s'en trouver systématiquement exclu ». L'essentiel était de savoir comment il allait se comporter, maintenant qu'il détenait des pouvoirs de souverain. Le savait-il seulement lui-même, alors que, ce 8 avril 1498, il se dirigeait, au pas lent de son cheval, suivi par la meute de ses nouveaux courtisans, depuis sa résidence ducale de Blois jusqu'à sa demeure royale d'Amboise ?

Il devait y être « reçu en grand honneur, reconnu et honoré comme roi », enfin ! Loin de s'attarder à l'ivresse de ces nouveaux égards, il tient à se faire conduire immédiatement à la chambre de parade où était exposé le corps de son beau-frère. Il s'arrêta sur le seuil, fit une profonde révérence, s'avança de quelques pas, mais dut se retirer assez vite, car il ne pouvait retenir ses larmes.

Il alla ensuite « se déshabiller » pour prendre le deuil couleur de pourpre que les rois portaient jusqu'à l'enterrement de leur prédécesseur. Après avoir beaucoup hésité, il s'abstint finalement de se présenter alors chez la reine, dont il connaissait les sentiments fort tièdes à son égard. Dans un état de prostration complète, celle-ci n'avait pu dormir ni prendre aucune nourriture depuis vingt-quatre heures et, à ceux qui la suppliaient de ménager sa vie, elle ne savait que répondre : « Je dois suivre le chemin de mon mari. »

Réaction excessive pour une jeune femme qui, ne l'oublions pas, avait alors à peine plus de vingt ans. En partie par sincère compassion, en partie aussi par intérêt personnel (aux termes du traité de Langeais, la main d'Anne ne lui avait-elle point été indirectement promise, au cas où celle-ci deviendrait veuve ?), Louis XII tenait à voir la Bretonne reprendre rapidement goût à la vie. Pour la réconforter, il lui envoya deux prélats, connus pour leur sainteté et... leurs talents de persuasion : Guillaume Briçonnet, dit le « cardinal de Saint-Malo », et l'évêque de Condom, Jean de La Mare. Ils pleurèrent eux aussi beaucoup et finirent par convaincre la reine d'accepter quelque nourriture. Ce qui était l'essentiel.

A peine ce beau résultat obtenu, Louis XII passait à d'autres préoccupations, en prenant les mesures générales les plus urgentes, comme il se doit au moment d'un changement de règne. Fort de sa lointaine expérience bretonne et grâce à l'aide technique de Du Bouchage — fort actif durant ces heures décisives —, il adresse d'un coup plusieurs dizaines de lettres aux quatre coins de la France, pour informer ses bonnes villes de son avènement et recommander un renforcement des garnisons dans les places les plus importantes du royaume.

Le soir même, il rentrait à Blois, comme s'il considérait qu'il ne pouvait rester dans les mêmes lieux que son prédécesseur jusqu'au départ du convoi funèbre, dix jours plus tard. C'est donc en son château ducal que, dès le 9 avril, la garde royale et une assemblée composite de seigneurs, de clercs, de courtisans et de bourgeois vinrent le saluer, en quelque sorte officiellement, comme le nouveau roi de France.

Ces quelques jours allaient voir Louis XII déployer une activité intense. Au premier rang de ses préoccupations, il y avait évidemment le souci de ménager Anne de Bretagne, la veuve, qu'il alla visiter à Amboise, entre deux chevauchées, dès que le délai lui sembla décent. Nous sommes assez mal renseignés sur le déroulement de l'entrevue. Nous savons au moins que, comme l'on pouvait s'y attendre, le nouveau monarque se montra respectueux, compatissant, discret et qu'à sa vue la veuve, plus calme depuis quelques jours, redoubla de sanglots. Quels pouvaient être exactement ses sentiments à l'égard de cet homme qu'elle avait peut-être considéré comme son « fiancé » dans son enfance, qui avait été le fidèle allié de son père jusqu'à Saint-Aubin-du-Cormier, qui avait tenu auprès d'elle le rôle d'assistant durant la cérémonie du couronnement, qui avait trop manifesté ses sentiments à la mort du dauphin Charles-Orland et qu'elle allait devoir épouser dans un délai proche, aux termes du traité de Langeais ?

Au moins autant, Louis XII cherchait, sinon à se gagner le plus grand nombre possible d'appuis, du moins à neutraliser les hostilités qui pouvaient se maintenir contre lui. En faisant savoir qu'il « vouloit tenir [maintenir] tout homme en son entier et estat » et en promettant qu'il ne changerait rien à la feuille des pensions jusqu'à la fin de l'année, il renonçait en quelque sorte à tout système de « dépouilles », ce qui était méritoire si l'on songe que la plupart des conseillers royaux importants ne s'étaient guère montrés favorables envers lui quand il n'était que duc d'Orléans. Mais « c'estoit honnir, aurait précisé le nouveau roi, et maculer le cœur d'un prince généreux que d'y laisser entrer et prendre pied ce monstre infernal de vengeance qui le pourroit détourner ou reculer de tous autres desseins vertueux ».

Là où le souverain allait pouvoir donner toute la mesure de sa sincérité, c'était en ce qui concernait la Maison de Bourbon. Certes il s'était spectaculairement réconcilié avec Pierre, mais l'histoire peut toujours réserver d'autres retournements et, au cours de ces dernières années, « Madame Anne » avait gardé un silence obstiné qui était peut-être réticence, sinon même hostilité sourde et tenace. Dans les deux jours qui virent la mort de Charles et l'avènement de son successeur, Monsieur et Madame de Bourbon-Beaujeu se trouvaient à Moulins. Ils connaissaient, ils acceptaient les règles de succession au trône, et, fidèles à leur réputation, se montrèrent assez prudents pour ne pas écouter les quelques aventureux qui les pressaient d'intervenir pour écarter le duc d'Orléans. Mais ils attendirent aussi quelques jours avant de se manifester : c'est seulement quand ils apprirent le ralliement partiel de la Cour au nouveau roi qu'ils lui adressèrent leurs félicitations et leurs promesses de dévouement. Louis XII les invite aussitôt à Blois, ils y font un saut, et, si l'entrevue est d'une exceptionnelle brièveté, elle garde assez de valeur symbolique pour entraîner le dernier quarteron de ceux qui, par calcul, par rancune ou par honte, hésitaient encore à aller faire leur soumission.

Coup de pouce décisif, donc, et Louis XII, qui un moment avait pu craindre le pire, en comprit l'importance. Quelques semaines plus tard, il sut montrer sa satisfaction, ce qui était un moyen de lier davantage à sa personne le couple de ses anciens adversaires. En mariant sa fille Anne avec le sire de Beaujeu, en novembre 1473, Louis XI avait eu soin d'apporter dans le contrat des précisions importantes : au cas où les biens des Bourbons reviendraient à son gendre et où les deux époux iraient « de vie à trespas sans hoirs masles descendans de [leurs] corps en droite lignée et loyal mariage », ces biens feraient retour à la couronne au décès des conjoints. Or Pierre et Anne n'avaient eu qu'une fille, Suzanne, qu'ils envisageaient alors de marier à son cousin Charles de Montpensier (le futur connétable de Bourbon, de sinistre mémoire), en souhaitant évidemment la voir garder plus tard tous les biens qui leur appartenaient. Dès le 12 mai 1498, sacrifiant l'intérêt immédiat de la couronne, mais pour mieux effacer les dernières traces du passé, Louis XII autorisait cette union et surtout renonçait expressément aux restrictions de Louis XI, en précisant même qu'il « tenoit et réputoit à grande gloire que, par son moyen et sa libéralité, la Maison de Bourbon fust et demourast plus grande et plus puissante que jamais ne fut en aulcun temps ». Ce qui était une façon élégante de contraindre aussi « Madame Anne » à la reconnaissance, au cas où elle aurait gardé quelque mauvais vouloir contre l'ancien duc d'Orléans.

D'une façon plus générale, Louis XII s'appliqua à rallier tous les dévouements, y compris parmi ceux qui auraient pu avoir tout à craindre de lui. L'un des plus menacés semblait être Louis de La Trémoïlle, qui l'avait vaincu à Saint-Aubin-du-Cormier et l'avait traité avec rudesse (en fait, une très relative rudesse !) dans les heures qui avaient suivi la bataille. Mais laissons parler, avec son style savoureux, le chroniqueur Jean Bouchet, dans le *Panégyrique* qu'il devait consacrer au grand général :

« ... Le Seigneur de La Trémoïlle fit grant deuil du trespas du Roy Charles, son seigneur et maistre, non contre la raison, car avec le corps perdit l'espoir de la récompense de ses labeurs, parce qu'il estoit sans hoirs décédé et que Madame Anne de Bretagne, sa vefve, avoit tousjours quelque soupçonneux regard sur luy à l'occasion de la Guerre de Bretagne, aussy que Monsieurs Loys, Duc d'Orléans, qu'il avoit à ladicte guerre pris prisonnier, et qui succédoit à la Couronne de France comme le plus proche en ligne masculine collatérale, par faulte de la directe. Mais tout vint au contraire de son imagination, car ledict Duc d'Orléans, nommé Loys douziesme, incontinent après le décès dudict roy Charles et avant son couronnement, manda ledict Seigneur de La Trémoïlle et, de son propre mouvement, sans aulcune requeste, le confirma dans tous ses estats, offices, pensions et bienfaicts, le priant luy estre aussy loyal qu'à son prédécesseur, avec promesse de meilleure récompense. Ledict Seigneur de La Trémoïlle le remercia, et mist si bonne peine de luy estre obéissant que son bon service fit depuis sortir une envie ès cœurs d'aulcuns gentilshommes qui plus servoient le Roy de faulx rapports que de bons conseils ; combien que la prudence du Roy fust si grande durant son règne et fust si jaloux de sa renommée qu'il expérimentoit les gens avant de les croire ; et avoit gens pour son passe-temps, sans lesquels toutes les pesantes affaires du royaume estoient conduictes et faictes. Et combien qu'il n'eust les oreilles serrées aux parolles, toutes fois ne leur donnoit lieu à l'honnorable siège de sa mémoire... »

Ces dernières réflexions et précisions d'un contemporain (et d'un contemporain relativement indépendant) permettent de se demander si, dans ce délicat exercice du pardon, le roi n'agissait vraiment que par pure magnanimité. Quand, quelques jours plus tard, les délégués de la ville d'Orléans vinrent excuser leurs concitoyens d'avoir trop peu soutenu leur ancien duc par le passé (ce qui était tout à fait vrai, surtout sous le règne de Louis XI), ils supplièrent le nouveau roi de ne pas « égaler le chastiment à la faulte ». C'est alors que, du haut du trône, il leur aurait été répondu d'un ton paterne qu'il « ne seroit pas décent et à honneur à un roy de France de venger les querelles d'un duc d'Orléans ». Même si la phrase n'est pas d'une exactitude garantie, même si ces mots précis n'ont pas été véritablement prononcés, l'attitude générale du roi en ces circonstances semblait indiquer un sens très sûr du geste qui impressionne les imaginations et de la formule qui frappe l'opinion publique, cette opinion publique qu'il saura si bien ménager et mettre de son côté pendant toute la durée du règne.

Il le savait par sa récente expérience de gouvernement normand, cette opinion restait fâcheusement sensible au désordre financier qui avait marqué les derniers mois du règne précédent. On avait fini par apprendre que les comptes de la Maison royale pour 1495 et 1496 n'étaient toujours pas réglés, que les dettes les plus urgentes de l'administration intérieure restaient en souffrance et que les paysans, éprouvés par un hiver assez rigoureux, renâclaient à payer la taille, avec même plus de détermination encore que d'ordinaire. En fait, la situation était pire que tout ce que l'on pouvait imaginer ; à tous les niveaux, depuis près de deux ans, se faisait sentir un relâchement de la comptabilité ; au moment de partir une nouvelle fois pour l'Italie, Charles VIII n'obtenait plus d'argent qu'au jour le jour, ou presque, grâce à une série d'expédients, de taxes ponctuelles, d'emprunts libres ou forcés ; il ne restait, au total, pratiquement plus rien dans les caisses et, du coup, il devenait impossible de faire face aux dépenses nécessitées par les obsèques royales, ces obsèques que pourtant le nouveau roi voulait particulièrement solennelles, au moins pour échapper au reproche de ne pas avoir suffisamment honoré la mémoire de son beau-frère et ancien rival.

C'est alors qu'une fois de plus il va montrer son art de l'initiative spectaculaire, en faisant savoir bien haut qu'il va payer les funérailles sur ses revenus personnels, revenus de ses domaines blésois et orléanais. D'après Maulde La Clavière, qui reprend Commines, il lui en aurait coûté la somme énorme de 45 000 livres, versement comptant rendu possible par une gestion judicieuse. En fait, il semble bien que c'est le grand écuyer Pierre d'Urfé qui en aurait payé la plus grosse part, et certains parlent alors de 200 000 livres ! Quoi qu'il en soit, on comprend que les cérémonies funèbres aient été considérées par les contemporains comme une réussite exceptionnelle, sinon même comme un modèle du genre.

C'est le 18 avril que le convoi funèbre de Charles VIII partit enfin d'Amboise en direction de son « ultime demoure », à plus de cinquante lieues de là, deuil solennel et magnifique qui, sous la conduite du premier chambellan Louis de La Trémoïlle, allait mener de ville en ville la mortelle dépouille, « escortée par les larmes de tout un peuple ». Peut-être pour mieux manifester son affliction, peut-être (et plus vraisemblablement) pour pren-

dre ses distances dans tous les sens du terme, Louis XII resta
claquemuré dans Orléans pendant les douze jours que dura le
trajet. C'est seulement à la nouvelle que le tombeau de son
prédécesseur venait d'être refermé qu'il déposa solennellement
le grand collier de l'Ordre ducal du Camail (qui, désormais, ne
sera plus jamais attribué) pour prendre celui de grand maître de
Saint-Michel, l'ordre royal.

Le 1er mai avait, en effet, eu lieu l'inhumation proprement
dite, dans l'antique basilique de Saint-Denis. Tandis que le cercueil descendait lentement, très lentement, dans la fosse, l'étendard du défunt roi était incliné et le grand écuyer Pierre d'Urfé
abaissait la pointe de l'épée royale : dans l'immense édifice
gothique, la tension était à son comble, des gémissements écla-
taient de toutes parts ; à en croire des témoins dignes de foi, c'est
alors que deux anciens serviteurs du défunt, un archer et un
sommelier, seraient morts de saisissement.

Mais déjà l'étendard se redresse, l'épée se relève et le grand
écuyer lance le cri tant attendu de « Vive le roi ! », à la fois
hommage à celui qui vient de disparaître, pour qu'il s'épa-
nouisse aussi bien dans la mémoire des hommes que dans l'éternité de Dieu, et à celui qui succède. D'après Jean de Saint-
Gelais, aurait éclaté une autre formule, plus explicite et plus
complète : « Mort est le Roy Charles, vive le Roy Loys ! », avant-
goût de la fameuse phrase : « Le Roi est mort, vive le Roi ! »
Mais, comme le font remarquer très justement quelques historiens, si l'expression est peut-être alors apparue sur quelques
lèvres, au hasard de conversations particulières, elle n'a sûrement pas été proclamée d'une façon aussi officielle, ce que
n'aurait pas manqué de souligner le chroniqueur Robert
Gaguin, qui nous a laissé une si précise relation des obsèques.
Vraie ou fausse, l'indication de Saint-Gelais montre au moins
que, très tôt, certains se soucient de traquer les moindres indices
de continuité, donc de légitimité, dans la succession indirecte de
ces deux rois, comme s'il s'agissait de supprimer tout interrègne
et ainsi d'ôter au sacre toute valeur proprement constitutive.

Pourtant il s'agissait là d'une étape indispensable. Le lendemain même de l'inhumation, Louis quitte Orléans ; arrivé à

Vincennes, il trouve La Trémoïlle, d'Urfé, tous les autres grands officiers de la couronne qui l'attendent depuis la veille ; il prend le temps d'y recevoir le Parlement de Paris venu au grand complet pour le complimenter et, selon l'usage, lui recommander de « faire bonne justice à ses subjects ». Suivi d'une escorte imposante, par petites étapes, il se dirige ensuite vers Reims, où il arrive enfin le 26 mai.

« Le lendemain, raconte Saint-Gelais, on procéda au sacre et y avoit partout en l'Église si très grande presse que, non obstant qu'elle soit bien grande, si y en eut-il de merveilleusement pressez. Le bon prince, lequel s'estoit paravant très dévotement confessé, receut... son sacre en bonne et fervente dévotion, en remerciant Dieu des grands biens et honneurs qu'Il luy avoit faictz et faisoit. Et, à veoir sa contenance, on le pouvoit bien juger un prince tout plein de bonne foy, de bon zèle et droicte affection. Je ne réciteroi point les mystère qui se font en telles affaires. Car ce ne seroit qu'allonger le parchemin, mais si faut-il entendre qu'il s'y en fait autant et en aussy grande solemnité qu'autre qui ait esté il y a longtemps. Et aussy n'y en a eu aucun à qui il appartint mieulx que on fist de l'honneur largement, pour la grande abundance de vertus dont il est remply. Messeigneurs les ducs d'Alençon et de Bourbon y estoient... »

Au risque d'« allonger le parchemin », précisons toutefois que le premier tenait le rôle du duc de Bourgogne, chargé de ceindre l'épée et porter la couronne ; à la place du duc de Normandie, le duc René II de Lorraine tenait la première bannière ; et, figurant le duc de Guyenne, Pierre de Bourbon avait reçu la charge de la seconde. Quant à ceux qui « faisoient le devoir » pour les trois comtes laïcs (le comte de Flandre, le comte de Champagne et le comte de Toulouse), Louis les avait pris dans sa proche parenté : son beau-frère Jean, comte de Foix, portait les éperons dorés, son cousin maternel Ravenstein l'épée et son autre cousin Engilbert de Clèves l'enseigne.

Saint-Gelais se contente de mentionner « tout plein d'autres grands seigneurs et des gentilshommes sans nombre ». Puis il continue, toujours aussi placide : « Car on peut présumer que telles choses ne se font point qu'il n'y ait grande compaignie de gens de tous Estats. Et mesmement les plus apparens de France y estoient, mais je me passerai d'en dire guères, pour ce que chascun sçait comme cela se fait. Et n'est pas ce qui est le plus nécessaire d'estre mis en cette histoire. Touteffois c'est grant triumphe de le veoir et une chose très dévote et pleine d'admiration de veoir prendre à un Prince laïc cette saincte onction... »

« ... Et, ajoute un autre temoin, resté anonyme, après son sacre incontinent ledict seigneur [roi] a fait chevalliers de son ordre de Monseigneur saint Michel... Monseigneur de Taillebourg, Monseigneur des Pierres seigneur de La Gruthuse, le Seigneur de Clairieu. Et oultre a fait chevalliers plusieurs [autres] au nombre de quatre-vingts ou plus, comme le Seigneur de Myolans [ou]... Messire Claude de Montloz seigneur de Chasteauneuf... » « A partir de Rheims, précise encore un autre, le Roy alla à Sainct-Marcoul [de Corbeny] faire ses dévotions, ainsi qu'il est de coutume, et touscher les écrouelles... »

On lui présenta, paraît-il, une vingtaine de scrofuleux, dont « plus de quinze » auraient été guéris. Le narrateur n'insiste pas sur ce point, bien que, pour le nouveau roi, ce détail ait revêtu une importance capitale : d'un certain point de vue, ces « miracles » n'établissaient-ils pas aux yeux de la plupart des gens son indiscutable filiation capétienne ? En tout cas, il y avait là de quoi faire taire pour un certain temps tous ceux qui s'acharnaient à laisser planer le doute sur la légitimité de sa naissance.

Les rites de l'avènement n'étaient pas encore terminés. De Reims, le roi gagne le château de Saint-Germain-en-Laye, où il reste près d'un mois à se reposer, à chasser, à travailler un peu aussi : il adresse de nouvelles instructions à ses ambassadeurs, envoie des fidèles surveiller de près les officiers de finances et, avec les juristes que lui a choisis Georges d'Amboise, prépare ses premiers édits de « réformation » générale. Il n'oublie pas non plus sa popularité, fait savoir que, « sur tous ses désirs, il vouloit soulager le pauvre peuple » et, malgré la détresse du Trésor, décide une diminution de la taille par un rabais de 200 000 livres sur l'année.

Le dimanche 1er juillet, il se rendit à Saint-Denis, où il alla prendre la couronne des rois de France, qui était traditionnellement conservée dans le trésor de l'abbaye. Le lendemain, il faisait son entrée solennelle dans Paris, accueilli par un cortège dont l'ordre et la succession avaient été minutieusement réglés à l'avance, pour prendre en compte les rivalités et susceptibilités des divers corps, communautés et compagnies. Le reste de cette mémorable journée devait se dérouler au milieu des festivités inouïes dont il prit la dépense à ses propres frais en s'abstenant de demander à la ville le don de joyeux avènement, comme c'était l'usage.

Il ne restait plus qu'à prendre le contact officiel avec le Parlement de Paris. Le samedi 7 juillet, toutes chambres confondues, les présidents et conseillers s'assemblèrent au Palais de Justice, où Louis XII vint siéger solennellement en compagnie des pairs ecclésiastiques et des membres de son Conseil. Comme d'ordinaire, c'est le chancelier de France, tête de toute l'administration judiciaire, qui parla le premier au nom du roi et à l'adresse des officiers présents. Paroles conventionnelles et un peu creuses, où il fit connaître les intentions du souverain : celui-ci, toujours prêt à se rendre aux avis de la Cour « pour le bien et l'utilisation du Royaume [souhaitait] à cette heure plus que jamais le soulagement de ses sujets et les garder de toute oppression ». Il rappelait aussi aux magistrats leur devoir élémentaire de se conformer aux intentions du roi en « s'appliquant le plus diligemment qu'il sera possible [à] administrer bonne et briefve justice à ses sujets ».

Le premier président Pierre de Couthardi répondit par un de ces interminables discours ampoulés dont il avait le secret, mais d'où se dégageaient toutefois quelques idées : rappel de la grandeur et de l'antiquité du Parlement, institué à l'instar du Sénat de Rome ; rappel de ses devoirs au roi, qui doit défendre « ses moutons des loups et des larrons, les panser en leurs malladies », se soucier des intérêts primordiaux de l'Église, se méfier des mauvais conseillers et s'en remettre au zèle dévoué de sa Cour ; rappel enfin des récriminations habituelles des parlementaires, croulant sous « la multiplication des procès affluant au Palais par la malice des parties et des praticiens ».

Malgré leur ton trop souvent plaintif, de telles tirades ne portaient guère à conséquence et n'empêchaient pas, au sein de ce corps prestigieux, des dispositions plutôt favorables envers le nouveau souverain. Dispositions qui n'allaient pas continuer très longtemps, car, en parvenant au pouvoir, Louis XII avait à récompenser beaucoup de gens parmi ceux qui, durant les tristes années d'attente, n'avaient pas failli dans leur fidélité. Il arrivait à Paris avec à sa suite toute une série de familles blésoises ou orléanaises, également ambitieuses et avides, les Villebresme, les Gaillard, les De Thou, les Brachet, les Viole, dont il allait nommer certains membres à des postes divers à la Cour des Aides, à la Chambre des Comptes, au Collège des notaires et secrétaires du roi, à la Cour des Monnaies, à l'élection de Paris.

Les créations ou les trop nombreuses nominations d'officiers excitaient toujours l'hostilité du Parlement, qui protesta. Mais le bon Louis XII montra vite qu'il n'était pas d'humeur à se laisser dicter sa conduite par de vulgaires robins. De retour devant la Cour, le chancelier lui fit hautement savoir que le roi, « voulant recognoistre plusieurs serviteurs, lesquels dès longtemps l'ont loyaulment servy et enduré griefves pertes de bien, il les a récompensés de ce qui est sien, comme d'offices, plutost que d'argent, pour soulager le peuple ». Ce qui était savoir parler à des subordonnés et, comme l'on dirait aujourd'hui, soigner son « image de marque ». Toutefois, s'il ne souffrait pas le moindre empiètement sur les privilèges de la royauté, Louis XII allait souvent se laisser diriger par les conseils d'un petit nombre d'hommes, moins d'une dizaine au total, dont il nous faut maintenant faire la connaissance.

Tout d'abord, Georges d'Amboise, l'ami de longue date, sans aller jusqu'à être, comme certains l'ont dit ou cru, le double ou l'*alter ego* du souverain. Sans jamais avoir eu non plus le titre, alors inexistant, de « ministre » et encore moins de « Premier ministre » (expressions employées par quelques historiens), il fut pratiquement, dès le début du règne, le membre le plus important du Conseil et devait le rester plus ou moins jusqu'à sa mort en 1510.

Né en 1460 au château de Chaumont-sur-Loire, il avait donc

deux ans de plus que le roi. Fils de Pierre d'Amboise, chambellan de Charles VII et de Louis XI, il avait eu une enfance assez difficile, surtout quand son père, brusquement tombé en disgrâce, avait vu ses biens confisqués. Puis, d'une façon tout aussi surprenante, la faveur royale était revenue. Destiné très tôt à entrer dans les ordres, il fut introduit à la Cour vers sa douzième année, devint peu après aumônier du roi et apprit dans l'entourage d'un souverain méfiant cette discrétion et cette réserve dans les paroles qui permettent de naviguer à vue en eaux dangereuses. A l'âge de quinze ans, il obtient du pape Sixte IV l'abbaye de Saint-Paul de Narbonne, qu'il résigne deux ans plus tard pour celle de Grandselve au diocèse de Toulouse. En 1484, donc à vingt-quatre ans, il devient évêque de Montauban.

Début d'une belle carrière pour un homme d'origine relativement modeste (petite noblesse blésoise, sans plus), mais qui ne met pas en valeur l'un des principaux événements de ses tendres années : à une date qu'il est difficile de préciser, mais vraisemblablement avant 1480, il rencontre le duc Louis d'Orléans et tout se passe comme si, dès ce moment-là, le jeune prélat avait prévu qu'un jour la couronne reviendrait au premier prince du Sang ; il s'attache à sa personne, à sa fortune, lui voue une fidélité sans faille et prend sur le fils de Marie de Clèves une influence déterminante ; selon certains, ce serait Georges d'Amboise qui aurait inspiré la conduite de Louis aux États généraux de 1484, qui, par deux fois, lui aurait suggéré de fuir en Bretagne, qui, enfin, l'aurait poussé à prendre les armes contre un pouvoir incarné par Pierre et Anne de Beaujeu.

Si cette interprétation est vraie et si, dès lors, cette influence politique peut sembler discutable, il est sûr qu'Amboise va payer très cher son amitié orléanaise. En janvier 1487, alors que Louis vient de s'enfuir pour la seconde fois vers l'ouest, Anne de Beaujeu fait arrêter le prélat à Loches. Bientôt emprisonné à Corbeil, dans la grosse tour du château, il finit par y tomber gravement malade au bout de dix mois et doit être transféré dans une geôle un peu plus confortable, au château de Meung-sur-Yèvre. Mais il lui faut attendre février 1489, soit encore deux ans de captivité, pour être enfin libéré, avec obligation de se retirer dans son diocèse — exil déguisé dont le prélat, très mondain, va passablement souffrir.

Quinze mois plus tard, au milieu de l'année 1490, il peut enfin reparaître à la Cour. Il se met aussitôt en campagne pour obtenir la délivrance de son maître et ami, endort la méfiance de Madame Anne de Bourbon, persuade Jeanne la Boiteuse de seconder plus efficacement ses efforts et se gagne même d'autres appuis, en particulier celui de l'amiral Louis Malet de Graville, pourtant ennemi de Louis d'Orléans, mais appâté par la perspective de faire épouser sa fille au propre neveu et héritier de Georges. Il ne reste plus qu'à circonvenir le jeune Charles VIII qui, comme nous l'avons vu, libérera lui-même le prisonnier au mois de juillet 1491.

En s'entremettant ainsi, Amboise avait su s'attirer une estime quasi universelle et même l'indulgence d'Anne de Bourbon, qui ne semble pas lui avoir tenu trop rigueur de sa fidélité orléanaise. L'heure était venue pour ce clerc infatigable d'engranger le bénéfice de ses labeurs. Quand, en décembre 1491, François de Dunois meurt brusquement, il reste non seulement le plus influent, mais peut-être le seul véritable confident du duc d'Orléans, qui, comme on peut l'imaginer, va l'aider de toutes ses forces dans son irrésistible ascension.

Au début de 1492, Georges peut ainsi devenir archevêque de Narbonne, siège qu'il abandonne en août 1493 quand il obtient celui de Rouen, un des plus beaux et des plus riches de France, dont le revenu annuel était passé de 3 000 livres tournois vers 1450 à plus de 12 000 en 1492. La ténacité qu'il avait manifestée pour obtenir ses bulles de confirmation pontificale n'est pas due au hasard : à Rouen, il retrouvait en quelque sorte son cher Louis d'Orléans, gouverneur de Normandie depuis la fin de 1491, et put ainsi l'aider de ses conseils dans l'administration de cette province.

Quand, à la fin d'août 1494, s'ébranla enfin l'expédition royale en direction de l'Italie, Georges d'Amboise resta en France, avec, entre autres, une tâche bien précise : celle de surveiller attentivement les affaires normandes, orléanaises, blésoises du duc d'Orléans, éventuellement d'aider celui-ci de loin, dans la mesure de ses moyens. Ainsi, au printemps de 1495, quand un peu partout dans la péninsule les difficultés commencèrent à accabler les Français et que les menaces milanaises se précisèrent contre Asti, Louis lui adressa des demandes pressantes en argent, l'autorisant même à engager, s'il le fallait, le revenu de ses divers domaines. L'archevêque fit de son mieux, négocia avec le comte d'Angoulême un emprunt de 40 000 livres tournois et réussit à lui faire envoyer des munitions, de l'artillerie, des canonniers.

Mais la situation s'aggrave encore et, quand Louis d'Orléans est bloqué dans Novare, Georges d'Amboise n'hésite pas. Il désigne pour le suppléer à Rouen le doyen du chapitre, l'énergique Jean Masselin, prend à son tour la route d'Italie et se rend directement auprès de Charles VIII pour le supplier d'intervenir. On sait que le fils de Louis XI ne se montra guère pressé d'agir ; on sait moins que, s'il sauva finalement son beau-frère, le roi semble avoir gardé une certaine rancune envers Amboise pour son insistance intempestive : c'est ainsi qu'il faudrait interpréter l'accession de Guillaume Briçonnet, évêque de Saint-Malo, à la pourpre cardinalice, alors que Georges comptait bien obtenir le premier chapeau disponible à la nomination du roi.

Tout comme le duc d'Orléans dans les mornes années qui s'étendent de 1495 à 1498, l'archevêque de Rouen va connaître alors une période d'éclipse. Replié sur son diocèse, il y témoigne d'une grande activité, réprime le brigandage, essaie de faire redémarrer l'activité économique, parvient au moins à faire voter par les États locaux de nouvelles taxes et à les faire accepter sans trop de mal par une opinion au début très réticente.

Il ne se désintéresse pas pour autant de la politique générale. Quand une nouvelle expédition italienne semble à l'ordre du jour et que le gouvernement royal tente de faire miroiter quelques séduisantes perspectives militaires aux yeux de Louis d'Orléans (comme si l'on voulait se débarrasser de lui), c'est Amboise qui, dit-on, aurait persuadé le premier prince du Sang de s'abstenir et de rester en France : le prélat envisageait la mort du roi comme une éventualité tout à fait sérieuse et, pour l'héritier présomptif, il importait donc de ne pas quitter le royaume.

Prudence d'autant plus nécessaire qu'au même moment le duc et l'archevêque étaient dénoncés auprès du souverain pour leurs agissements en Normandie. On accusait le second d'aider le premier à s'attribuer dans cette province une autorité à peu près royale, et tous les deux de pousser les habitants à résister aux exigences fiscales de la couronne. Le gouvernement ne restait pas sourd à ces racontars et envisageait sérieusement, dans les premiers jours d'avril 1498, d'exiler le duc d'Orléans. Quant au prélat, l'avenir pour lui ne se montrait guère sous un jour beaucoup plus favorable. Seul le brusque décès royal du 7 avril allait tout sauver, en permettant à Louis de devenir roi et, comme par hasard, à Georges de recevoir bientôt sa barrette de cardinal.

Il est sûr qu'à partir de ce moment-là son influence va devenir considérable et parfois déterminante, sans qu'on puisse dire beaucoup plus que ce témoin anonyme : « Le roy, qui le connoissoit estre homme très excellent et accompli de sens, d'expérience, de loyauté et de bonne vie, le tenoit fort proche de sa personne, soit qu'il traictast d'affaires sérieuses, ou qu'il vaquast à récréer son esprit, toujours seul avec luy en sa chambre, et compaignon perpétuel de ses voyages. » On ne sait même pas en quoi son rôle consistait exactement. Fut-il l'inspirateur principal et quasi exclusif de la politique suivie entre 1498 et 1510 ? Ou seulement un conseiller de premier plan, souvent consulté, certes, mais pas toujours suivi ? De même sur sa personne, sur ses capacités, voire sur ses traits de caractère, les jugements sont en général assez délicats à porter.

Restait au moins son aspect physique qui, selon les critères du temps, plaidait en sa faveur. C'était un homme gros et gras dont l'ample bedaine, le cou épais, les lèvres charnues, le nez violacé, les joues pendantes et le triple menton passaient pour exprimer calme, prudence et droiture. Seuls de grands yeux noirs, vifs et expressifs animaient cette face lourde d'un éclair où se reflétaient, à en croire les flatteurs stipendiés, l'intelligence, l'énergie, la sagacité, l'ambition supérieure.

Supérieure ou non, l'ambition semble bien avoir été, avec la droiture, l'un des traits dominants du personnage. Ambition pour son pays, pour son souverain plutôt, qu'il rêvait de voir cumuler, outre les insignes royaux de France, le sceptre ducal de Milan et la couronne royale de Naples, en attendant peut-être celles de Byzance et de Jérusalem, écho des morbides divagations nourries naguère par Charles VIII, le roi gringalet. Ambition pour lui-même aussi, puisqu'il ne lui suffisait pas d'être devenu abbé, évêque, archevêque, cardinal ; il voulut aussi la tiare et, à la mort d'Alexandre VI Borgia en août 1503 comme à celle de Pie III Todeschini un mois et demi plus tard, il crut son heure arrivée.

Lors de ces deux conclaves successifs, on a pu reprocher au cardinal d'Amboise de n'avoir pas montré plus de clairvoyance ou d'habileté. Il n'en manquait pourtant pas, mais, plongé alors dans des intrigues dont la complexité tout italienne le déroutait, il se trouvait singulièrement désavantagé par sa foi sincère, son cœur loyal, sa parfaite droiture. Profondément honnête comme il l'était et le resta toujours, il avait le grand tort de croire à l'honnêteté des autres ; en de multiples circonstances, on le verra se faire tromper par des fourbes et des parjures comme le roi Ferdinand d'Aragon, le cardinal Ascanio Sforza ou encore ce Julien Della Rovere qui allait s'immortaliser sous le nom pontifical de Jules II : quelle idée aussi d'attribuer à de pareils fripons cette religion du serment et de la parole donnée, dont lui-même se montra toujours l'esclave !

Assurément, et pour le plus grand malheur de Louis XII, Georges d'Amboise ne fut ni l'équivalent d'un Richelieu, ni celui d'un Mazarin, ni même cet auxiliaire irremplaçable que sera pour François Ier le cardinal-chancelier Duprat. Ses principales qualités, au fond, restent son expérience (le génie des médiocres), sa permanente disponibilité, plus encore sa fidélité un peu canine, qu'il sut faire partager, le loyalisme monarchique aidant, à des gens qui, au départ, n'avaient peut-être pas les mêmes raisons que lui de soutenir inconditionnellement la personne et la politique du roi.

Il y avait en particulier tous ces anciens serviteurs du trône qui, pour mieux faire leur cour auprès des rois précédents, les

Louis XI, les Charles VIII, avaient toujours plus ou moins com-
battu les ducs d'Orléans et se sentaient un peu ébranlés par
l'arrivée au pouvoir de Louis XII, malgré l'apparente bonhommie de celui-ci. Mais Imbert de Bastarnay, sieur du Bouchage,
avait montré l'exemple en se ralliant dès le matin du 8 avril
1498 ; La Trémoïlle était déjà pardonné ; Pierre de Rohan-
Guéménée, maréchal de Gié, savait par expérience militaire ce
que pouvait être l'obéissance ; et, depuis peu, l'amiral Malet de
Graville se trouvait indirectement agrégé au système matrimonial de la famille d'Amboise ; quant au vieux chancelier Guy de
Rochefort, d'origine bourguignonne, il avait été fidèle à Charles
le Téméraire tant que celui-ci avait vécu, puis, sans état d'âme
apparent, était passé au service du vainqueur, Louis XI, avait
suivi tout aussi passivement son fils Charles VIII et s'apprêtait à
faire de même avec le nouveau roi. Comment imaginer que ces
gens aient pu avoir assez de personnalité ou d'indépendance
pour ne pas suivre le cours ordinaire de l'histoire et de la politique ?

Avec les « hommes nouveaux », ceux qui arrivaient en quelque sorte dans les bagages de l'ancien héritier présomptif, de tels
problèmes se posaient moins encore. D'abord simple chanoine
de Tours, Étienne Poncher avait été l'« orateur » (en fait, l'avocat) des ducs d'Orléans. Bon juriste, excellent latiniste, membre
du Parlement depuis 1484, il fera bientôt partie des intimes
conseillers du prince et deviendra évêque de Paris en 1503.

Florimond Robertet, lui, était né dans une obscure famille de
Montbrison et avait fait ses classes comme clerc dans divers
services administratifs princiers ou royaux. D'abord au service
de Pierre de Bourbon (qui avait apprécié en particulier sa
connaissance des langues étrangères, l'italien, l'espagnol et
même l'allemand, fort peu connu en France à l'époque), il était
devenu notaire et secrétaire du roi sous Charles VIII, mais son
mariage vers 1495 avec la fille du trésorier Michel Gaillard le fit
entrer dans l'orbite des fidélités orléanaises. Confirmé comme
conseiller et maître des comptes dès l'avènement du roi, puis
comme secrétaire des finances, devenu par surcroît trésorier de
France pour la Normandie en 1501, il allait surtout devenir

en fait le secrétaire particulier du roi, fonction informelle qui fit
de lui « l'homme le plus rapproché de son Maistre, ...lui attira la
totale charge des affaires de France » et lui donna peut-être une
influence plus grande encore que celle de Georges
d'Amboise.

Dans tous les noms que nous avons cités depuis la mort de
Charles VIII, un seul, pratiquement, n'est pas apparu parmi
ceux qu'on aurait pu attendre : celui de Madame Jeanne de
France, dite Jeanne la Boiteuse, pourtant épouse légitime du
nouveau roi. Toujours retirée au château des Montils, elle avait
appris le sacre de Reims par ouï-dire. Mais le fait qu'elle n'en ait
point été informée officiellement, le fait surtout que Louis XII
se soit bien gardé de lui rendre la moindre visite depuis son
avènement lui montraient avec assez d'évidence qu'elle n'était
point devenue pour autant reine de France. Il devenait probable
que son mari allait profiter de la situation nouvelle pour essayer
de faire annuler un mariage qu'il n'avait jamais accepté au fond
de son cœur.

CHAPITRE VII

La liquidation du passé

Devenu roi, Louis XII allait donc tout mettre en œuvre pour se débarrasser de Jeanne la Boiteuse, ce qui, conformément à certaine clause du traité de Langeais, lui permettrait d'épouser la veuve de son prédécesseur, c'est-à-dire d'éviter surtout la perte de la Bretagne. Pourtant le nouveau souverain était très chrétien, anormalement scrupuleux et, au moment d'aborder enfin ce problème matrimonial, se sentait assez embarrassé. Il aurait voulu surtout éviter tout bruit excessif autour de cette affaire, ainsi que les débats d'un procès qui risquait d'être fort long et d'émouvoir dangereusement l'opinion publique.

C'est pourquoi, avec celle qui jusqu'à nouvel ordre restait sa femme, il souhaitait autant que possible tout régler à l'amiable et, dans cette intention, lui envoya rapidement un intermédiaire bien choisi, ce Louis de La Trémoïlle qu'il venait de s'attacher par sa générosité et qui brûlait de justifier par quelque service éclatant la clémence dont il était l'objet ; en outre, ancien fidèle de Charles VIII, il avait l'estime et la confiance de Madame Jeanne, ce qui n'était pas un mince avantage. Dans son *Panégyrique du Chevalier sans reproche*, le chroniqueur Jean Bouchet nous fournit des renseignements précieux sur la façon dont fut menée cette mission délicate :

« Le roy, après son sacre et couronnement, se déclara audict Seigneur de La Trémoïlle pour en avoir son conseil et aussy en porter la parolle à ladicte dame [Jeanne de France]... Par le

commandement du roy, ung jour [il] alla vers elle et luy dist :
" Madame, le roy se recommande très fort à vous, et m'a chargé
de vous dire que la Dame de ce monde qu'il ame [le] plus est
vous, sa proche parente,... pour les graaces et vertuz qui en vous
resplendent, et est fort... courroussé que voz n'estes disposée à
avoir lignée, car il se sentiroit curieux de finir ses jours en si
saincte compaignie que la vostre. Mais vous sçavez que le sang
royal de France se commance à perdre et diminuer, et si ainsy
advient du roy qui à présent est, le royaume changera de lignée
et par succession pourra tomber en mains extranges [c'est-à-dire
étrangères] "... »

Argument fallacieux, en tout cas fort exagéré : au cas où
Louis XII mourrait sans enfants légitimes, la couronne passerait
à son petit-cousin François de Valois-Angoulême ou, à défaut, à
la branche multiple et foisonnante des Bourbons, qui descendaient, comme chacun sait, de Robert de Clermont, sixième fils
de Saint Louis. Mais, c'est bien connu, tout négociateur a droit à
une certaine marge de manœuvres vis-à-vis de la vérité, et La
Trémoïlle continuait imperturbablement son plaidoyer :

« Pour laquelle considération, ...a esté conseillé au Roy...
prendre aultre espouse, s'il vous plaist y donner consentement,
jaçoit [bien que]... ce que de droict n'y ayt vray mariage entre
vous deux, parce qu'il dict n'y avoir donné aulcun consentement, mais l'avoir faict par force et pour la crainte qu'il avoit
que feu Monseigneur vostre père, par furieux courroux,
actemptast en sa personne... »

La boiteuse devait s'attendre depuis longtemps à semblables
propositions : « ... Monseigneur de La Trémoïlle [lui répondit-
elle], quand je penserois que mariage légitime ne seroit entre le
roy et moy, je le prierois de toute mon affection me laisser vivre
en perpétuelle chasteté ; car la chose que plus je désire est, les
mondains honneurs contemnez et délices charnelles oubliées,
vivre spirituellement avec l'éternel roy et éternel Empereur,
duquel, en ce faisant et suyvant la vie contemplative, je pourrois
estre espouse et avoir sa graace. Et, d'aultre part, je serois heureuse, pour l'amour que j'ay au Roy et à la couronne de France
dont je suis yssue, qu'il eust espouse à luy semblable, pour luy

rendre le vray fruict de loyal et honneste mariage, la fin duquel
est d'avoir lignée, le priant s'en conseiller avec les saiges personnes et ne se marier par amour impudicque et moins [encore]
par ambition et avarice ».

Paroles évasives, prudentes, ambiguës, bien dans la manière
de la princesse, qui, sans rien refuser expressément, se gardait
bien d'accepter quoi que ce fût. Louis XII ne s'y trompa
point :

« ... Le seigneur de La Trémoïlle récita le dire de
Madame Jehanne de France au roy, qui, en gectant un gros
soupir, pour son cueur descharger de douleur, dist : " Je suis en
grant peine et perplécité, mon cousin, de cestuy affaire et non
sans cause. Je congnois la bonté, douceur et bégnivolence de
ceste dame... Et, d'autre part, je sçais que d'elle [je] ne pourrois
lignée avoir et, par ce deffault, le Royaulme de France tumber
en querelle et finalement en ruyne. Et, combien que je n'aye
vray mariaige avec elle contracté ne eu d'elle charnelle compaignie, néantmoins, à la raison de ce que longtemps a esté tenue
pour mon espouse par la commune renommée... [cela] me
ennuye [de] me séparer d'elle, doubtant offenser Dieu, et que les
extranges nations, ignorans la vérité du faict, en détractent... "
Par toutes ces considéracions et aultres, le Roy différa pour
quelque temps à faire déclairer nul ce mariaige ; mais, pressé
par les princes de France, [il] obtinst un brief du Pape Alexandre VI et [des] juges déléguez pour congnoistre s'il y avoit vray
mariage ou non... »

En effet, toute annulation de mariage relevait du pouvoir
spirituel ; en ce qui concernait le roi aussi bien que les princes,
de telles affaires échappaient à la juridiction de l'ordinaire dio-
césain pour être évoquées directement à Rome. En France, les
précédents (ceux de Philippe Auguste, de Charles IV) n'avaient
pas échappé à la règle et, par suite, le juge de la cause introduite
par le roi se trouvait être le souverain pontife. De son côté, en
bon chrétien, Louis XII n'a jamais songé à se passer de la sanction papale, et celle-ci semblait d'autant plus facile à obtenir
que, visiblement, Alexandre VI cherchait à montrer ses bonnes
dispositions envers la couronne de France. Comme la plupart

des autres princes italiens, il n'avait guère admis que Charles VIII s'apprêtât à repasser dans la péninsule, si bien qu'il avait appris la nouvelle de sa mort avec une évidente satisfaction. Comme il connaissait parfaitement la répugnance de l'ancien duc d'Orléans à l'égard de Jeanne la Boiteuse et ses ambitions matrimoniales du côté d'Anne la Bretonne, il s'apprêtait à s'entendre avec le nouveau roi sur les bases d'un marchandage plus général.

Le pape avait en effet un fils naturel, le trop fameux César Borgia, qu'il chérissait d'un amour passionné. Il en avait déjà fait un cardinal, mais sans prendre la peine de lui conférer préalablement la prêtrise : celui-ci n'avait aucune vocation ecclésiastique, et, comme il venait de dépasser tout juste la quarantaine, souhaitait abandonner la soutane rouge pour faire souche légitime, se marier, épouser une fille de prince ou de roi, se tailler une série de beaux fiefs quelque part en Europe, des fiefs qu'il aurait agrandis au besoin les armes à la main, car il avait toujours eu des goûts belliqueux et des aptitudes militaires. Les projets de César étaient même plus précis encore ; il avait jeté son dévolu sur une jeune princesse d'origine napolitaine qui, cousine de Charles VIII, appartenait présentement, comme demoiselle d'honneur, à la suite d'Anne de Bretagne.

On comprend que, pour toutes ces raisons, César Borgia lorgnait depuis quelque temps en direction de la France et que les envoyés de son père (le nonce Francisco d'Almeida, l'archevêque de Raguse, ainsi que leur secrétaire commun, l'habile Centiglia) avaient reçu comme double mission de féliciter le nouveau souverain à l'occasion de son avènement et surtout de tâter le terrain pour le compte d'un cardinal quadragénaire en mal de reconversion.

Très peu de temps après, le 3 des calendes d'août (soit le 29 juillet 1498), le pape signe le fameux bref auquel fait allusion Jean Bouchet ; il s'agit en fait d'une longue bulle dans laquelle sont énumérés les divers motifs de nullité, au nombre de huit, allégués contre le mariage de Louis et de Jeanne.

Primo, ce qu'on appelait l'« affinité » ; Louis XII était le filleul de Louis XI, père de Jeanne, ce qui entraînait une parenté

spirituelle entre les futurs conjoints, donc un cas prohibitif pour
l'union, « dont il ne pouvait y avoir aucune dispense » ; secundo,
une parenté naturelle au quatrième degré, qui existait entre les
époux et créait donc un nouvel empêchement ; tertio, la minorité du duc d'Orléans à l'époque des fiançailles ; quarto, le fait
que Louis XI avait employé contre le duc aussi bien que contre
sa mère l'intimidation, la force, les menaces et qu'il avait extor-
qué leur consentement en leur inspirant une « crainte
sérieuse », capable, comme le disait le droit canon, de « troubler
un homme fait et des plus résolus » ; quinto, la continuation des
mêmes dangers à s'en dédire, sous le règne de Charles VIII,
frère de Jeanne ; sexto, le défaut de consentement à cette union
avec une femme « tellement viciée et maleficiée de son corps
qu'elle est incapable des actions du mariage et sans espoir possible de maternité » ; septimo, la fuite du duc d'Orléans au
duché de Bretagne, son emprisonnement pendant trois années
et les divers obstacles qui ne lui avaient pas permis d'œuvrer en
vue de l'annulation de son mariage avant la mort de Charles
VIII ; octavo et *in fine,* la réclamation faite aussitôt qu'il avait pu
l'introduire sans péril, après « vingt-cinq ou vingt-six ans de
cohabitation », à laquelle il n'avait jamais « consenti d'esprit ni
de volonté ».

Dès réception de la bulle pontificale, Louis XII comprit
l'appel indirect et répondit presque aussitôt par l'envoi de lettres
patentes, enregistrées à la Chambre des comptes du Dauphiné.
Il y cédait « perpétuellement et à tousjours, ... de certaine
science, graace spéciale, pleine puissance et auctorité royale et
delphinale », les comtés et seigneuries de Valentinois et de
Diois, à son « très chier et très amé cousin Damp César Borgia,
en faveur de Nostre Sainct Père, duquel il est prochain parent,
par considération des bons services que le Seigneur Damp César
Borgia luy a faicts et fera, pour cause de certain mariage que le
Roy entend faire de la personne dudict Borgia », qui voyait ainsi
se réaliser la plupart de ses ambitions.

Le pape sut apprécier à son tour de telles prévenances et il
envoya coup sur coup plusieurs autres bulles pour préciser la
procédure. Certes il aurait pu soumettre l'affaire à une simple

commission de cardinaux dociles qui, depuis Rome, auraient tranché sans publicité excessive ni débats contradictoires, pour la plus grande tranquillité du monarque français. Néanmoins, afin de donner une apparence de justice à tout ce qui serait dit et décidé, peut-être aussi pour ne point sembler soumettre la toute-puissance pontificale aux seuls intérêts royaux, il préféra créer de toutes pièces un tribunal spécial, appelé à fonctionner en France même, ce qui, malgré le caractère généralement secret des délibérations ecclésiastiques et l'usage ordinaire de la langue latine, allait avoir davantage de retentissement dans tout le royaume et rendre évidemment plus délicate la situation de Louis XII.

Conformément à une vieille tradition romaine, le pape savait mêler des gestes modérément bienveillants à des initiatives plus favorables, car les trois juges nommés à cette juridiction furent visiblement choisis pour leur sens de l'opportunité politique : le nonce d'origine portugaise Francisco d'Almeida, évêque de Ceuta (sur les côtes marocaines), avait fait l'essentiel de sa carrière à Rome, carrière marquée par l'ambition la plus effrénée et l'absence de tout scrupule proprement religieux ; Louis d'Amboise, évêque d'Albi, n'était autre que le frère très obéissant du tout-puissant Georges, devenu lui-même l'un des plus chauds partisans de l'annulation ; quant au président de la commission désigné un peu plus tard, Philippe de Luxembourg, évêque du Mans, cardinal du titre de Saint-Pierre et Saint-Marcellin, il s'agissait d'une de ces marionnettes solennelles et vides qui savent remplir à la perfection un rôle purement décoratif.

See below pr. 226

Les trois hommes avaient reçu pouvoir de désigner des personnes sages et éclairées, « constituées en dignité », pour procéder en leur nom, dans tous les lieux où ils ne pourraient se transporter eux-mêmes ; un dernier bref les autorisait à contraindre, par « censures ecclésiastiques », tous ceux qu'il serait nécessaire d'interpeller. Tout était donc prêt pour un procès en bonne et due forme, et établi d'une façon d'autant plus minutieuse que, comme on l'espérait, ces précautions se révélaient inutiles.

En effet, autour de Louis XII de même qu'autour d'Alexan-

dre VI, on pensait généralement que Jeanne de France n'aurait
pas l'idée ou le courage d'affronter de tels débats. On la connaissait timide, et douce, et pacifique ; on savait qu'elle venait
d'avoir plusieurs visions, qui l'incitaient au détachement ; une
fois, à l'église, la Vierge Marie lui était apparue en lui disant :
« Ma fille Jeanne, avant de mourir, tu fonderas une religion en
mon honneur, qui sera le plus grand honneur qu'on puisse faire
à mon Fils et à moi » ; plus récemment encore, pendant la
messe, elle avait entendu une voix chaude et céleste lui souffler
à l'oreille : « Ma chère épouse, si tu veux être aimée de la Mère,
cherche les plaies du Fils. » Comment imaginer qu'une fille
aussi sainte et qui en quelque sorte appartenait déjà au Ciel allait
se risquer dans les dédales d'une affaire où, d'après son propre
aveu, elle avait bien du mal à se retrouver ? Or, à l'étonnement
général mais comme pouvait le laisser pressentir sa réponse
évasive à Louis de La Trémoïlle, elle se montra la digne fille de
Louis XI ; ferme et énergique comme celui-ci, elle décida de se
battre et d'affronter le procès, qu'on ne pouvait donc plus éviter
désormais.

Le 10 août 1498, le tribunal se réunit pour la première fois,
dans l'église Saint-Gatien de Tours. En l'absence de la « défenderesse », il fut procédé à la lecture des lettres établissant les
pouvoirs des juges, puis à l'examen du mandat confié au procureur du roi (un certain Antoine de L'Estang, simple créature de
Georges d'Amboise), enfin au choix de trois assesseurs : Guillaume Feydeau, doyen de Gassicourt, ainsi que Maître Pierre de
Bellessor et Maître Robert La Longue, officiaux de Paris. On en
profita aussi pour désigner d'office les « conseils » de Madame
Jeanne, auxiliaires indispensables pour l'aider de leur science
juridique et lui permettre de suivre les débats dans la langue
latine, qu'elle ignorait parfaitement. Il s'agissait cette fois de
trois jurisconsultes tourangeaux : Marc Travers, official ; Robert
Salomon, docteur en théologie, provincial des Carmes ; et Maître Pierre Borel, avocat en cour ecclésiastique.

Le procès devait en fait commencer assez mal pour l'« accu-
sée ». Dans toute la région, on ne rencontra personne qui se
portât volontaire pour l'assister de son ministère. Quant aux

trois « désignés d'office », ils déclinèrent immédiatement et avec la dernière énergie la décision des juges : aucun d'eux ne se résignait à encourir la rancune du souverain, pour avoir trop secouru la malheureuse. Le tribunal dut en appeler à toute son autorité apostolique et brandir des menaces de sanctions graves pour les contraindre à se soumettre enfin. Il fallut recourir, un peu plus tard, aux mêmes procédés pour donner à Madame Jeanne un notaire chargé de libeller les minutes et des clercs capables de les grossoyer.

La fille de Louis XI avait été assignée à comparaître après l'heure des vêpres le pénultième jour du mois, lendemain de la Décollation de saint Jean le Baptiste : « *Quia dies assignacionis citacionis hujusmodi erat feriata propter festum decolacionis Beati Johannis Baptistae, illam continuavimus ad diem Jovis crastinam et inde sequentem, videlicet penultimam ejusdem mensis augusti.* » Peut-être par un semblant d'égard pour la défenderesse, il fut décidé que, pour la circonstance, le tribunal viendrait siéger dans la maison du doyen du chapitre (« *apud domum claustralem decani ejusdem ecclesiae* »), où elle avait établi sa résidence.

En fait, lors de cette deuxième séance et pour des raisons que nous ne connaissons pas, Jeanne ne parut point encore ; c'est donc en son absence que le procureur du roi présenta ses conclusions. Il commença, bien évidemment, par protester qu'il « n'entendait en aucune sorte attenter à l'honneur et à l'honnêteté » d'une « fille » de la Maison royale. Ce qui ne l'empêcha nullement de produire ensuite toutes les pièces sur lesquelles s'appuyait la demande en séparation, et il fit un exposé sommaire des faits tendant à prouver qu'il était « nécessaire, pour le bien du royaume et pour avoir un successeur » que le roi pût obtenir la dissolution de son premier mariage, avec une personne « imparfaite, viciée et maleficiée de corps, inapte à un commerce avec l'homme » (« *imperfecta, corpore viciata et maleficiata, non apta viro* »), et la permission de se remarier à « qui il voudrait ».

Le jeudi 6 septembre, Jeanne de France se présenta enfin et fit demander aussitôt par ses conseils le double de tous les actes.

On lui fit connaître les conclusions établies par le procureur du
roi. Elle y répondit en reconnaissant sa parenté avec le roi Louis
XII, mais en ajoutant qu'elle ne savait plus très bien à quel degré
celle-ci se situait, ce qui était assurément un moyen de relativi-
ser l'empêchement. Puis, avec une force, une netteté assez inattendues et que le texte latin rend plus brutales encore, elle nia
l'affinité spirituelle, prétendit que les craintes de son mari
étaient vaines et mal fondées, affirma que le mariage avait été
consommé (« *Dixit ... quod ... fuit carnaliter cognita a prefato
Domino nostro Rege, matrimonium consummando* ») et se défen-
dit d'avoir aucun défaut corporel qui aurait pu l'en empêcher
(« *nec fuit aliquo vicio impedita quominus potuerit matrimoniali-
ter coppulari...* »).

Le lundi suivant, « à trois heures de relevée », on introduisit la
défenderesse, invitée à répondre aux conclusions écrites du procureur royal par « simple aveu ou désaveu ». Tout allait être
retardé par un incident, grotesque ou pénible, au choix, mais
révélateur d'un certain état d'esprit. Le principal défenseur,
Maître Marc Travers, se lève d'un bond, demande la parole,
s'excuse de devoir aider sa cliente contre le roi, déclare que les
« conseils » de celle-ci ne sont pas en nombre suffisant et veut se
récuser. En effet, précise-t-il, elle a choisi des avocats supplémentaires : l'archidiacre Jean de Blois, l'official Jean Chevalier,
Jean Bouju, chanoine de Bourges, et l'avocat Jean Vesse. Or,
bien que les commissaires leur aient commandé, sous peine
d'excommunication, de venir au plus vite en la cour, aucun
d'eux ne s'est encore montré, « craignant de la servir contre le
roi, qu'ils redoutaient beaucoup ». Le second avocat,
Pierre Borel, vint à la rescousse en annonçant qu'il craignait lui
aussi le souverain, mais qu'il ferait de son mieux pour obéir aux
commissaires et accomplir son devoir.

Belle âme, le procureur du roi répond que le demandeur
entend que la défenderesse ait pour conseils tous les gens qu'elle
choisira et offre de contraindre par force publique ceux qui font
défaut. Finalement, on amène l'avocat Jean Vesse ; parfaitement terrorisé, celui-ci déplore à plusieurs reprises de devoir
« servir » Madame Jeanne ; il jure même sur son âme que les

propositions du procureur Antoine de L'Estang lui semblent tout à fait excellentes et qu'il croit « bon le droit du roi ».

Au sens propre du terme, il fallut faire taire ce bavard sans courage pour laisser répondre enfin la défenderesse. Au contraire du piteux Jean Vesse, celle-ci précisa qu'à son sens les propositions royales étaient nulles, impertinentes, sans fondements et qu'elles ne méritaient même aucune réfutation ; mais que, par respect pour le Saint-Père et pour « le roy nostre sire », elle y répondrait néanmoins par la simple formule : « je crois » ou « je ne crois pas » (« *credo, vel non credo* ») ; et qu'en tout état de cause elle se sentait sûre de la justesse de sa cause.

Le jeudi 13 septembre (journée capitale pour la princesse, pour sa sensibilité, pour sa pudeur), Jeanne devait répondre point par point sur les propositions de la séance précédente. Elle ne fit aucune difficulté pour prêter une sorte de serment, en reconnaissant qu'elle serait parjure si elle ne répondait pas par la vérité et « qu'il vaudrait mieux tout perdre que de nier la réalité connue » ; toutefois, redoutant les pièges qu'on ne manquerait peut-être pas de lui tendre, elle tint à remettre aux juges une déclaration qu'elle avait rédigée de sa propre main, où l'on retrouve tout à la fois une simplicité touchante et l'inébranlable volonté de se défendre jusqu'au bout :

« Messeigneurs, je suis femme, [je] ne me congnois en procès et, sur tous les aultres mes affaires, me déplaist l'affaire du présent. [Je] vous prie donc [de] me supporter si je dis ou respons chose qui ne soit convenable. Et [je] proteste que, si, par mes responses, je respons à chose à laquelle [je] ne sois tenue respondre, ou que Mon Seigneur le Roy n'ayt escript à sa demande, que ma responce ne me pourra préjudicier ne prouffiter à Mon Seigneur le Roy : en adhérant à mes autres protestations faicts par devant vous à la dernière expédicion. Et [je] n'eusse jamais pensé que, de ceste manière, [il] eust pu venir aucun procès entre Mon Seigneur le Roy et moi. Et [je] vous prie, Messeigneurs, ceste présente prostestation estre insérée en ce présent procès. »

Aussitôt après, commença l'interrogatoire où, malgré les respectueuses précautions des juges, les questions indiscrètes, indé-

licates ou choquantes n'allaient pas manquer. Elle y répondit
avec une gêne visible qui n'excluait ni la douceur d'une future
religieuse ni la dignité d'une fille de France. Non, elle ne
connaissait pas l'âge de son mari quand elle l'avait épousé et elle
ignorait s'il était alors pubère ou impubère (« *nescit si tunc erat
pubes vel impubes* »). Non, elle ne savait pas si le duc Charles
d'Orléans était mort ou vivait encore à cette époque, en tout cas
elle ne se souvenait pas de l'avoir vu (et pour cause !). Elle nia
sans hésiter les violences que le roi prétextait pour expliquer son
consentement à une union qu'il avait acceptée si longtemps sans
trop se plaindre ; elle ajouta même qu'en refusant de l'épouser,
le duc Louis d'Orléans n'aurait encouru ni supplices ni dommages d'aucune sorte, car elle savait bien que Louis XI, son
père, n'avait jamais traité mal un seul de ses sujets (ce qui, tout
de même, était pousser un peu loin la piété filiale !).

Les juges passèrent alors à l'évocation des affaires bretonnes,
de la Guerre folle, de tous les malheurs qui en étaient résultés,
et ils se permirent de demander à la défenderesse si, en un
certain sens, son mariage n'avait pas été la cause indirecte de
toutes ces catastrophes. Mais elle savait simplement que son
mari était parti « *ad partes Britaniae* », et sans pouvoir dire exactement pour quelles raisons. Quand les membres du tribunal
cherchèrent visiblement à la rendre responsable des souffrances
endurées par son mari et surtout de sa longue détention à la
Grosse-Tour de Bourges, elle se contenta de répondre avec une
certaine placidité que, de toute façon, « ung homme prisonnier
n'est pas bien aise » (en français dans le texte).

Restaient les questions les plus délicates. N'était-elle pas
imparfaite de corps ? Tout ce qu'elle put dire, c'est qu'elle savait
bien ne pas être aussi belle et aussi jolie que la plupart des autres
femmes (« *scit quod non est ita pulchra seu formosa sicut sunt
pluries aliae mulieres* »). Ne pouvait-elle pas recevoir la semence
virile conformément à la nature ? Ne pouvait-elle pas être péné-
trée par l'homme dans ses parties intimes ? Elle pensait au
contraire qu'elle le pouvait.

Face à des réponses aussi fermes, le tribunal se sentait per-
plexe et, pour lui permettre d'être vraiment éclairé sur ce point,

il apparaissait souhaitable de s'en remettre à l'examen de femmes honnêtes et expertes (« *se... referre examini et visitacioni honestarum mulierum et in talibus expertarum* »). Avec l'extrême prudence qu'elle manifeste toujours dans les moments les plus difficiles, Jeanne demande alors le temps de réfléchir, tout en ajoutant qu'elle accepte ce qu'elle est tenue de faire par les lois de l'Église.

Le surlendemain, le procureur du roi reprend la proposition, en insistant à son tour sur la nécessité d'un examen, pratiqué par des femmes « prudes et sages », nommées par les commissaires. De son côté, Jeanne ne se présenta pas, mais fit dire par ses conseils qu'étant pudique et de sang royal, « simple et honteuse », elle réclamait, si elle devait absolument subir une visite, d'être remise aux soins de personnes « graves », choisies avec le consentement des *deux* parties. Cette exigence fut acceptée, ce qui laissait à la défenderesse quelques possibilités de manœuvres. Elle ne s'en tint pas là et fit observer que, si la nécessité de l'examen pouvait se justifier à certains points de vue, elle ne comprenait pas cette exigence de la part de son mari. Après tout, sur ce sujet, celui-ci ne savait-il pas à quoi s'en tenir ? Et, s'il en venait à confesser la vérité, toutes ces investigations déplaisantes ne deviendraient-elles pas inutiles ? En conséquence de quoi, elle demandait un mois de délai (ce qui lui fut accordé), pendant que la cour procéderait à l'audition de divers témoins.

Toutes les séances de ce procès ne présentent pas le même intérêt ; dans les jours qui suivirent, on se contenta de reprendre sempiternellement les arguments déjà échangés de part et d'autre, de faire prêter serment aux assesseurs ou encore de vérifier les pouvoirs du troisième juge, Philippe de Luxembourg. Seule nouveauté ou presque : le 22 septembre, le tribunal décida de transférer son siège de Tours (où la peste menaçait) jusqu'à Amboise, où il était plus facile d'organiser un cordon sanitaire.

Louis XII aurait pu s'impatienter de toutes ces lenteurs, mais, au même moment, il se préparait à recevoir Damp César Borgia avec toute la bienveillance qu'il pouvait manifester envers le fils d'un pape aussi accommodant qu'Alexandre VI ! L'affaire pourtant n'était pas aussi simple qu'il pouvait paraître. Malgré la joie qu'il avait de devoir découvrir le « tant beau pays de France », le cardinal-fils ne quittait toujours pas l'Italie : redoutant plus que tout au monde une amitié trop étroite entre le souverain pontife et le Capétien, les souverains espagnols avaient envoyé à Rome deux ambassadeurs extraordinaires, chargés d'empêcher coûte que coûte le départ de César. Ils lui avaient apporté à tout hasard des présents magnifiques, cherchaient à l'endormir avec de belles paroles et surtout faisaient miroiter à ses yeux d'autres perspectives matrimoniales, mais, cette fois, en Castille ou en Aragon.

De son côté, l'ambassadeur français ne restait pas inactif. Dès que les galères de Louis XII eurent abordé à Ostie, il réussit à convaincre le fils Borgia de quitter Rome secrètement et de s'embarquer au plus vite. Quand les Espagnols apprirent la nouvelle, il était trop tard pour réagir et César arrivait déjà à Marseille. Le 18 octobre, il faisait son entrée à Lyon, particulièrement flatté de l'accueil qu'il avait trouvé sur sa route ; dans une lettre enthousiaste, il racontait bientôt à son père qu'on lui avait accordé une escorte si nombreuse et que tant de gens étaient accourus sur son passage qu'il n'avait vu en France « ni arbres, ni murailles, ni villages », mais « seulement des hommes, des femmes et les rayons du soleil » !

Lui-même ne se déplaçait qu'avec un train somptueux, tout à fait digne d'un prince, dans l'intention évidente de surpasser en magnificence le roi lui-même et d'étaler aux yeux des populations l'opulence infinie du pontificat romain : « C'estoit, écrit le chroniqueur Fleuranges, la plus grande pompe et richesse du monde, tant en mulletz qu'en aultres choses, car il avoit ses housseaux tout couverts de perles et ses mulets tous accoustrés de velours cramoisy en la plus grande richesse que jamais vit homme. »

Louis XII attendait son hôte à Chinon, et avec d'autant plus d'impatience que celui-ci arrivait avec des cadeaux non négligeables, en particulier le chapeau de cardinal pour Georges d'Amboise et, paraît-il, des dispenses qui devaient permettre au roi de se remarier au plus vite avec Anne de Bretagne. On comptait donc sur l'arrivée du Borgia à la Cour dès la fin d'octobre. Mais, suivant peut-être en cela les recommandations de son père, le cardinal-fils s'arrangea pour attendre en route la fin du procès et n'arriver à Chinon, avec les fameuses bulles dont il était porteur, qu'après le jugement.

Du 25 septembre au 15 octobre 1498, le tribunal s'était essentiellement consacré à l'audition des témoins, témoins du roi, le demandeur, et témoins de Jeanne, la défenderesse. Au début, celle-ci avait cru pouvoir faire déposer en sa faveur un assez grand nombre de gens ; elle pensait à ses proches, à ses amis, à ses anciens serviteurs, mais, tout comme les défenseurs désignés d'office, la plupart des pressentis tinrent visiblement à ne pas s'attirer la malveillance royale et la malheureuse femme dut être cruellement déçue. Malgré les efforts de son fidèle secrétaire Charles de Preux (qui sillonna pendant près de trois semaines l'Ile-de-France et les pays de la Loire), elle ne put faire citer que quatre personnes, elles-mêmes bien circonspectes dans leur engagement, c'est le moins qu'on puisse dire !

Le vieux Gilles des Ormes, ancien serviteur du duc Charles d'Orléans, simule la débilité mentale ; en tout cas, il a tout oublié et ne peut donc rien dire. Quant aux trois autres (Pierre du Puy, sire de Vatan, sa sœur Élisabeth et son beau-frère Gilbert Bertrand, seigneur de Lis-Saint-Georges), ils acceptèrent bien de parler, mais pour accabler celle qui avait fait appel à eux, accumulant les précisions désagréables sur ses difformités physiques, dressant un tableau impressionnant des « violences » exercées sur le duc d'Orléans et insistant tout particulièrement sur la répugnance que celui-ci avait toujours manifestée à l'égard de sa femme.

Compte tenu de quarante noms récusés par la défenderesse, qui en même temps affirmait « ne pas vouloir leur faire injure », il resta vingt-sept témoins qui, directement ou non, firent déposition pour le compte du roi. Gens des deux sexes, de tous âges, de toutes origines, de toutes conditions, depuis les plus humbles (ainsi la portière du château de Blois, le gardien de nuit de la ville, un archer du guet) jusqu'aux plus enviables : ainsi le sire du Bouchage, le général des Finances Michel Gaillard ou le trésorier Jean Hurault, sans oublier les dépositions écrites de Georges d'Amboise, du baron de Montmorency, de Claude de Rabodanges (maintenant veuf de Marie de Clèves), des notaire et secrétaire du roi Jehan Cottereau et Jehan Amy. Une place de choix avait été accordée aux anciennes victimes de Louis XI, qui eurent ainsi l'occasion de se venger sur sa fille : pêle-mêle le sire de Polignac, François Brézille de La Jallaye ou des individus plus obscurs encore, tirés pour la circonstance de leurs provinces respectives, tels que le praticien angevin Gabriel Chapelain ou l'écuyer poitevin Jean Ast.

De toutes ces dépositions, il résultait évidemment que Louis d'Orléans avait été marié malgré lui, sous la contrainte, qu'il n'avait jamais voulu consommer son mariage et que « ceste funeste union » avait entraîné toutes les erreurs commises naguère par celui qui n'était encore que premier prince du Sang. Témoignages suspects et sans grande portée, non seulement aux yeux de l'opinion publique locale (qui, au moins à Amboise, commençait à pencher nettement en faveur de la « paouvre délaissée »), mais à ceux d'un tribunal gagné d'avance aux intérêts du pouvoir.

Plus que jamais, l'examen corporel apparaissait comme un indispensable supplément d'information et, à l'audience du 12 octobre, le procureur du roi le réclame à nouveau. Au nom de Madame Jeanne, son nouvel avocat François Béthoulas s'oppose à une telle prétention, polémique un moment sur le terme de « *maleficiata* » (appliqué incorrectement à sa cliente), demande un interrogatoire du roi, rappelle enfin que, la défenderesse étant de sang royal, elle a droit à un minimum de déférence, ce qui exclut en tout état de cause la fameuse visite par des femmes « graves et expérimentées ». De son côté, le procureur du roi réfute de tels arguments et repousse ces demandes, mais il a affaire à forte partie ; sur les conseils de son avocat François Béthoulas (le seul à avoir vraiment pris en main ses intérêts), Jeanne de France émet alors une « requeste », façon comme une autre de rester ferme sur ses positions et de renvoyer la balle dans le camp de son adversaire, sommé de venir s'expliquer :

« La Royne [admirons au passage ce titre quelque peu usurpé !], laquelle, de tout son povoir, a tousjours désiré... faire le plaisir du Roy,... offre que, si c'est le plaisir dudit Seigneur [de] prandre quatre personnaiges de son Royaulme... et, de sa part, en prendre autres quatre, esquelx vous, Mes Seigneurs les Juges,... [vous] mectrez entre leurs mains... ledict procès faict jusque cy, ensemble les deffenses de ladicte dame. S'il est dit par eux ou la plus part d'eulx que ladite dame... se peut bonnement et justement descharger de faire preuve par tesmoings... des faiz contenuz en ses dites deffenses... et pour toute preuve de ses dits faiz se remectre au serment dudit Seigneur, [elle]... le fera voluntiers... Et si estoit dit et trouvé que... elle ne doye despartir de prouver ses dits faiz ainsi qu'elle le pourra, ny pour la preuve d'iceulx se remectre au serment dudit Seigneur, [elle]... luy supplie très humblement, comme à son Seigneur, qu'il ne soit mal content d'elle, ny permectre aucune chose luy estre pour ce diminuée de son estat, qui est bien petit en regard à la Maison dont elle est yssue ; mais [elle]... le prie de mieulx luy faire. Et aux cas dessus-dits, ladite Dame vous prie aussy, Mesdits Seigneurs les Juges, de remonstrer audit Seigneur le bon vouloir et désir qu'elle a de luy complaire, et le grant devoir auquel elle s'est mise envers luy... »

Quinze jours plus tard, le 26 octobre 1498, dans ce qui était déjà un plaidoyer en faveur de sa cliente, maître François Béthoulas énuméra les différents points sur lesquels Madame Jeanne demandait le serment du roi, en assurant celui-ci de toute son « humilité et révérence conjugales ». Il s'agissait de rappeler avec précision les rapports réitérés qui avaient existé entre les deux conjoints depuis leur mariage. L'exposé indiquait tous les endroits où ils avaient vécu ensemble comme mari et femme ; aucune de ces rencontres fortuites ou concertées n'était omise. Béthoulas rappela en particulier que le duc d'Orléans venait trois ou quatre fois par an au château de Lignières, où résidait son épouse, et qu'à chacune de ses visites il restait en général dix à douze jours, passant la nuit avec Jeanne, « seul à seule, nus tous les deux, afin de rendre le devoir conjugal par union charnelle,... avec rires, baisers, étreintes et autres signes de désir » *(« solus cum sola, nudus cum nuda, debitum conjugale per carnalem copulam reddendo, risus, oscula, amplexus ac alia signa appetitiva... aperte manifestando »)* ; et quand il sortait de la chambre conjugale, le duc avait coutume de dire : « J'ay bien gaigné à boire parce que j'ay chevauché ma femme ceste nuyt trois ou quatre fois » (en français dans le texte).

Ainsi le reproche de défaut corporel apparaissait sans fondement, l'union ayant été bien souvent consommée, ce qui permettait à François Béthoulas d'ajouter avec un humour involontaire que, si la défenderesse n'était pas aussi belle que plusieurs autres, du moins n'était-elle ni frigide, ni maléficiée ou impuissante *(« frigidam, maleficiatam aut impotentem »)*, beaucoup de femmes devenant mères, tout en étant, sans vanité, moins bien faites qu'elle. Enfin, *the last but not the least,* l'avocat se fit un plaisir de brandir devant ses juges la dispense pontificale de Sixte IV aux empêchements de parenté et d'affinité, dispense qui avait permis de faire prendre Jeanne comme épouse par le duc d'Orléans.

Malgré une réplique ampoulée du procureur royal Antoine de L'Estang, qui occupa toute l'audience du lendemain, satisfaction fut donnée à Jeanne de France sur un point essentiel : le roi allait être interrogé à son tour, ce qui, en fait, revenait à abandonner le principe de l'examen corporel. L'opération eut lieu en deux temps.

Comme il n'était pas question de faire venir le demandeur en la salle même du tribunal, à la barre commune des témoins (majesté royale oblige !), ce furent Louis d'Amboise et Philippe de Luxembourg qui, le 29 octobre, se rendirent très discrètement jusqu'au petit hameau de Maydon, près des Montils-lez-Blois, où le roi les attendait, en la seule compagnie de Charles des Preux, l'un des procureurs de Madame Jeanne. Cette première fois, même aux questions les plus précises, Louis ne répondit souvent que d'une façon évasive, hésitante, embarrassée. C'est ainsi qu'il ne se rappelait plus guère les circonstances de son mariage, sinon qu'il s'était rendu à l'église en pleurant, forcé par la malignité de Louis XI. Il avait alors douze ans, mais ignorait à quel âge se situait la nubilité masculine. Contrairement à ce que tout le monde savait, il se permit d'affirmer que sa femme n'avait nullement contribué à le libérer de prison en 1491. Quant à ce qui était de ses relations conjugales, il reconnut qu'il allait en effet voir sa femme plusieurs fois par an, mais qu'il ne le faisait jamais que sous la contrainte, pour dissimuler, et qu'il croyait bien (curieuse formule !) ne l'avoir jamais pratiquée de façon charnelle, « aultrement il eust esté afollé » (en français dans le texte).

Ces réponses ne devaient évidemment satisfaire personne, ni le procureur de la défenderesse, ni même les juges, malgré leurs dispositions plus que favorables à l'égard du souverain. Il fallait donc reprendre les interrogatoires, cette fois sous serment, ce qui n'avait rien de très flatteur pour le roi, mais restait désormais le seul moyen de voir aboutir rapidement cet interminable procès.

Une nouvelle fois, le 4 décembre 1498, la Cour se transporta auprès de Louis XII qui se trouvait alors au château du Fau, près des rives de la Loire, à proximité immédiate de Tours. Pendant la nuit, une crue subite du fleuve inonda tout le pays et les juges ne rencontrèrent le souverain que le lendemain, au village de Ligueil. Curieuse précaution, le royal demandeur arrivait accompagné de deux hauts magistrats : Charles du Hault-Bois, président des requêtes au Parlement de Paris, et Philippe Baudot, conseiller au Parlement et au Grand Conseil.

Avant de recevoir son serment, le cardinal de Luxembourg rappelle à Louis XII que « la vraye gloire d'un roy est de craindre Dieu et de dire la vérité, à l'exemple de Nostre Seigneur Jésus-Christ, nostre créateur à tous, qui est la vérité mesme » ; que, s'il dit la vérité, il prospérera en Dieu et obtiendra le paradis, qui est le plus inestimable des trésors ; mais que, s'il prononce des paroles fausses, il bâtira sur le sable et se vouera aux peines éternelles de l'enfer. Tête nue, le demandeur jure sur l'Évangile et devant le crucifix.

Il jure — en français — que « jamais [il]... ne fut... avecques elle [Jeanne]... comme avecques sa femme, ni ne s'efforça icelle congnoistre par affection maritale ; et si [et pourtant] ne la congnut réalement et que, plus est, ne coucha jamais avecques elle nu à nu ». Il jure que « ladicte défenderesse le vint veoir [en prison]... sans ce que par luy [elle]... feust demandée [et] qu'il a esté délivré du propre mouvement du Roy son frère, et non d'autre ». Et quand l'un des juges s'étonne qu'il n'ait pas sollicité plus tôt la nullité d'une union aussi mal assortie, il justifie sa conduite par ces paroles : « Qu'il vous plaise, Messeigneurs les juges, avoir regart et considérer s'il y a vassal ni autre personnage en France qui osast entreprandre, sinon sur peine de sa vie et totale perdicion de son estat, de répudier la fille ou seur d'un roy de France bien obéy, et de la qualité que estoient les père et frère de ladite deffenderesse, et mesmement aux cas et temps susdits. »

S'il était évident que, même sur l'Évangile, même face au crucifix, Louis XII avait dissimulé parfois la vérité et était allé jusqu'à la déguiser quelque peu sur certains points, la parole d'un roi sous serment ne pouvait être mise en doute. En outre, quelques jours plus tôt, le 20 novembre, le procureur du roi avait remis au tribunal la fameuse et sinistre lettre que, bien des années plus tôt, Louis XI avait adressée à Antoine de Chabannes, comte de Dammartin, dans laquelle il se félicitait de ce que le mariage projeté entre sa fille Jeanne et le « petit duc » n'aurait guère de fruits. On appela à la rescousse des personnages considérables, par surcroît anciens serviteurs du feu roi : le maréchal de Gié ; le sire du Bouchage, Imbert de Bastarnay ; Pierre de Sacierges, évêque du Luçon ; le secrétaire du roi Étienne Petit ; son collègue Jean Amy. Et quand tous, d'une même voix, eurent authentifié le document, l'affaire déjà semblait entendue.

Jeanne, pourtant, ne se tenait pas pour battue. Le 12 décembre encore, au château d'Amboise, elle protestait contre ces deux derniers témoignages. Il était trop tard. Quand le tribunal se réunit à nouveau le 15, son siège était fait et le cardinal de Luxembourg fut chargé d'annoncer officieusement à la défenderesse la décision, en attendant le prononcé du jugement deux jours plus tard.

En ce lundi 17 décembre 1498, autour de l'église Saint-Denis d'Amboise, tout un peuple s'était massé dans les rues, comme pour manifester son émotion, tant Jeanne de France avait su, par sa ferme dignité, se gagner les cœurs des plus indifférents. Lorsque les juges et leur suite passèrent pour se rendre à l'assemblée, les habitants de la ville murmurèrent des insultes à peine déguisées, tout en les montrant du doigt : « Voilà Caïphe, disaient-ils, voilà Anne son beau-père, voilà Hérode, voilà Pilate, voilà ceux qui ont déjà jugé la sainte dame qui n'est plus reine de France ! »

La foule était encore plus dense dans l'église où, entourant les commissaires du pape et le procureur du roi, Antoine de L'Estang (lui-même assisté de Charles du Hault-Bois et de Philippe Baudot), ainsi que la défense de Madame Jeanne (Charles de Preux, François Béthoulas, Marc Travers, Pierre Borel et Jean Vesse, exceptionnellement présents ce jour-là), siégeaient pour la circonstance certains « des plus notables et des plus suffisants personnages en théologie et en droit qui lors estoient en France » et qui se trouvaient ainsi associés à la sentence : Guillaume Briçonnet, cardinal du titre de Sainte-Pudentienne et archevêque de Reims ; Tristan de Salazar, archevêque de Sens ; Geoffroy de Pompadour, évêque d'Angers ; Charles de Martigny, évêque de Castres ; Geoffroy Herbert, évêque de Coutances ; René d'Illiers, évêque de Chartres ; Étienne Poncher et Jean Raoulin, tous deux présidents des enquêtes au Parlement de Paris ; Pierre Le Scourable, archidiacre de Rouen ; Hugues de Bausa et Claude Deseaux, docteurs en droit ; Jean Charnières, Jean Haro et Geoffroy Boussart, professeurs de théologie ; Mondot de La Marthonie, licencié *in utroque* (en l'un et l'autre droits) ; et Thomas Pascal, official d'Orléans.

Au moment où le vieux Philippe de Luxembourg s'avançait pour proclamer le verdict, un orage effroyable éclata, dit-on, malgré la saison, ce qui passa pour un véritable prodige. Une épaisse nuée enveloppa Amboise, « comme un tourbillon de tempête [et] changea la clarté d'un plein midi en l'obscurité triste et affreuse d'une sombre nuit ». Il fallut allumer des torches pour permettre la lecture de l'arrêt qui, comme c'était attendu, fit savoir qu'il n'y avait et n'y avait jamais eu de mariage

valable entre Louis XII et Jeanne de France. Pendant ce temps,
le vent continuait de mugir, la foudre de zébrer l'atmosphère
noircie et le tonnerre de clamer par ses grondements répétés la
fureur du ciel.

Si la plupart des chroniqueurs ont insisté sur ces circonstances spectaculaires — réelles, exagérées ou inventées —, c'est
qu'ils ont été sensibles aux réactions d'une certaine « opinion
publique », non seulement dans les pays de la Loire, mais
jusqu'en région parisienne. « Les Français, écrit à cet égard
Claude de Seyssel, ont toujours eu licence et liberté de parler à
volunté de toutes gens et mesmes de leurs princes, non pas après
leur mort tant seulement, mais encores en leur vivant et en leur
présence. » Au moins en cette circonstance, ils ne s'en privèrent
pas, à commencer par les prédicateurs.

A Paris, l'austère principal du collège de Montaigu, un « Flamand » nommé Jean Standonck, osa soutenir publiquement
devant ses étudiants qu'il n'était jamais permis à un époux, fût-il
le plus « grand roy de la terre », de répudier une épouse non
adultère. Ancien fleuron de l'église Saint-Jean-en-Grève et
maintenant retiré à Meung-sur-Loire (d'où il avait suivi d'assez
près toute l'affaire), le bouillant cordelier Olivier Maillard se
montra plus audacieux encore ; il blâma les juges pontificaux en
proclamant que, selon lui, Madame Jeanne était toujours « la
vraye et légitime royne de France ». Se croyant vraisemblablement encore sous le règne du triste Louis XI, quelques courtisans, soucieux de le faire taire, l'avertirent qu'avec un pareil
discours il risquait fort d'être cousu dans un sac et noyé sans
autre forme de procès ; ce à quoi le moine répondit en criant
encore plus violemment qu'il « aimoit autant, preschant la
vérité, d'aller au Paradis par eau, si l'on l'y faisoit jecter, que par
terre et par son chemin ordinaire ».

Se trouvant alors à Loudun, où il se faisait tenir au courant de
toutes ces manifestations désagréables, Louis XII avait la
sagesse de ne pas trop prêter l'oreille aux conseils de répression
ou seulement d'« élémentaire fermeté » qui lui étaient prodigués. Au contraire, il préférait faire confiance au temps, qui
cicatrise les plaies et apaise les plus véhémentes indignations.

Par sa générosité et aussi par l'éclat qu'il sut lui donner, il parvint à effacer à peu près le fâcheux effet de la sentence prononcée le 17 décembre. Dès le 26, par lettres patentes, il assurait à Jeanne de France et pour le reste de son existence le « beau et honneste train » qui convenait à la fille, à la sœur et à l'ancienne femme de trois rois successifs :

« Comme dès le temps de Nostre bas aage eust esté traicté et accordé entre feu Nostre chier Seigneur et cousin le Roy Louys XIesme de ce nom, d'une part, et feue Nostre chière Dame et mère, la Duchesse d'Orléans... d'autre part, le mariage de Nous et de Nostre très chière et très amée cousine Jehanne de France, fille... légitime de Nostre dict cousin le roy Louis, et sœur de feu... le roy Charles VIIIesme de ce nom... ; lequel mariaige, dès le commencement dudict traicté, ne Nous ayt esté agréable, ny à iceluy ayons eu volunté ny donné consentement en Nos cœur et pensée... ; mais l'ayons dissimulé en Nostre dicte pensée... durant... la vie des dicts Roys, pour plusieurs causes et raisons, mesmement pour crainte de danger de Nostre personne ; et tousjours avons eu [et] avons... désir de... contracter mariage ailleurs... A l'occasion de quoy,... ayt esté [de]puis naguères procédé sur le faict de la nullité dudict mariaige,... tellement que, par sentence des Juges desputez et déléguez de Nostre... Sainct Père, ait esté... dict, déclairé, prononcé et sentencié ledict mariaige avoir esté et estre de nul effect et valleur, et Nous et Nostre personne estre... en faculté de pouvoir contracter et procéder à aultres... mariaiges... Par quoy soit chose décente et convenable que Nous... ayons regard à [l']... entretènement d'elle [Jeanne de France]... et de son estat, telle que à fille et sœur de Roys de France convient et doit appartenir... Sçavoir faisons que Nous, ce considéré, désirans de tout Nostre cœur pourvoir à l'entretènement honnorable de Nostredicte cousine à l'eslever en tittre et dignité de princesse... et en faveur de la proximité de lignaige dont elle Nous attient, à icelle Nostre cousine [Nous] avons... donné, cédé, transporté... en titre de Duché et principauté la Duché de Berry... »

Louis XII se montrait peut-être d'autant plus généreux envers son ancienne femme qu'il la savait stérile : tous ces biens reviendraient donc un jour à la couronne de France. Même diminué de Mehun-sur-Yèvre, Issoudun et Vierzon, mais agrandi de Châtillon-sur-Indre et de Châteauneuf-sur-Loire, le Berry était assurément une belle terre, enrichie de divers reve- nus et avantages non négligeables : le produit des greniers à sel de Bourges, de Buzançais, de Pontoise, celui des aides et autres impositions du duché, sans oublier un douaire tout à fait subs- tantiel, une pension de 30 000 livres tournois et même le droit de nommer à la plupart des offices royaux.

Malgré tout, de telles mesures ne firent pas trop illusion à l'opinion et les critiques, les railleries, les quolibets conti- nuèrent pendant quelque temps à éclabousser l'image de Louis XII, qu'on ne connaissait pas encore assez pour l'estimer comme il le méritait. Parmi ceux ou celles qui refusaient d'acca- bler le roi, il y avait évidemment Jeanne de France, que sa foi, sa piété, ses vertus incitaient au pardon. Après ce qu'il faut peut- être appeler sa « défaite » et les premiers moments de déception, elle reprit courage d'autant plus rapidement qu'elle allait enfin pouvoir se consacrer totalement à ce qui avait toujours été sa vocation profonde : la vie religieuse.

Elle subissait depuis longtemps l'influence de Francesco Martolilla, dit François de Paule, le fondateur des Minimes, un « homme de Dieu, par la bouche duquel le Saint Esprit avait accoutumé de parler comme un saint oracle et organe ». Elle lui fit bientôt connaître son projet d'établir une nouvelle congréga- tion de religieuses destinée à honorer, par des œuvres de cha- rité, de dévotion et de pénitence, l'Annonciation faite à la Vierge Marie et le mystère de l'Incarnation. Le pape Alexan- dre VI devait approuver le nouvel ordre des « Annonciades » et en confirmer la règle au début de 1501. Presque immédiate- ment, Jeanne de France fait entreprendre à Bourges la construction d'un monastère, donne un an plus tard le voile à cinq filles de la plus haute vertu et, pour leur montrer l'exemple du sacrifice, prononce elle-même ses vœux le jour de la Pente- côte 1503.

Elle suscitait l'admiration générale par la rudesse de ses mor- tifications. Chaque soir, agenouillée sur son lit, elle se meurtrissait le corps (son corps si méprisable !) à coups de discipline, jusqu'à faire jaillir le sang. A sa mort, quand il fallut procéder à la dernière toilette, on découvrit qu'elle se ceignait les reins avec une chaîne en fer dont les anneaux lui avaient provoqué plusieurs ulcères. Mieux encore, elle portait en permanence sur sa peau (outre l'inévitable cilice, très en vogue à l'époque) un éclat de bois taillé en forme de croix, par surcroît hérissé de cinq petits clous d'argent qui la piquaient sans cesse.

A ce régime et avec sa complexion fragile, elle devait tomber malade assez vite. Future « bienheureuse », puis sainte de l'Église catholique, elle mourut le 4 février 1505, à l'âge de quarante ans. Il y avait alors cinq ans que son ex-mari s'était remarié avec Anne de Bretagne.

CHAPITRE VIII

La préparation de l'avenir

Aux termes du traité de Langeais et grâce à un article ajouté peut-être à l'instigation du duc d'Orléans, il avait été prévu que la reine Anne, en cas de veuvage, ne pourrait jamais épouser que le successeur de son mari au trône de France. On le sait aussi, dès qu'il avait jugé opportun de pouvoir le faire — soit en attendant quelques jours après la disparition de Charles VIII —, Louis XII avait tenu à se présenter devant Anne. C'est qu'il s'agissait pour lui d'une partie capitale à jouer et à gagner.

La Bretonne n'avait encore que vingt et un ans, elle savait mettre en valeur son physique relativement ingrat, et, grâce à cinq ou six grossesses successives, elle avait déjà prouvé sa fécondité ; de son côté, ayant au moins un fils naturel — et peut-être même bien d'autres bâtards non retenus par la chronique —, le nouveau roi se savait capable de procréer. Comment ne pas entrevoir la possibilité d'épouser une personne qui, à tort ou à raison, passait pour ne pas lui être indifférente ; une personne qui pourrait lui donner une descendance abondante et surtout lui permettre de garder, d'une façon ou d'une autre, le beau duché de Bretagne ?

On comprend aussi l'impatience du roi, impatience d'autant plus fébrile que les circonstances semblaient se liguer pour retarder le moment de sa nouvelle union : nous pensons non seulement au procès en dissolution, à ses lenteurs, à la résistance inattendue de Jeanne la Boiteuse, mais aussi aux réactions plutôt tièdes de l'imprévisible Anne de Bretagne aux premières avances de Louis et aux obligations d'un veuvage royal.

Le cérémonial observé alors à la Cour voulait qu'une reine-douairière passât les premiers temps de son deuil dans une relative solitude ; Anne resta donc plus d'un long mois encore à Amboise et, comme le précise un contemporain (« traduit » en langage moderne), « entièrement abandonnée à sa douleur ». En fait, après les premiers jours d'incontestable désarroi et de sincère affliction, elle reprit assez vite ses esprits, bien évidemment, pour se préoccuper par priorité de sa chère Bretagne.

Dès le 10 avril, elle envoyait Philippe de Chantonnay, l'un de ses pages, prévenir l'homme en lequel elle avait sûrement le plus confiance, un de ceux aussi qui s'étaient montrés particulièrement fidèles à son père lors de la Guerre folle, un de ceux enfin qui s'étaient illustrés à Saint-Aubin-du-Cormier : Jean de Châlons, prince d'Orange. A peine fut-il arrivé à Amboise au terme d'une chevauchée qui frappa tous les contemporains par son exceptionnelle rapidité, qu'elle lui confia le gouvernement du duché, avec la recommandation de prendre garde aux prétentions royales et aux velléités d'empiétements divers que pourraient manifester les détachements militaires ou les officiers du roi.

Le 9 mai, « un autre de ses Bretons », François Quilliet, chevaucheur d'écurie, quitta Amboise pour Saint-Brieuc, Tréguier, Vannes, Saint-Pol-de-Léon. Il portait avec lui des lettres en français, signées de la duchesse, destinées aux « prélats, gens d'Église, barons, nobles et bourgeois » de ces divers diocèses et leur enjoignant de se choisir des délégués qui pussent se rendre vers elle au château d'Amboise et l'accompagner à Paris où elle allait retrouver le nouveau roi. Pour le même motif et avec des missives identiques, deux autres chevaucheurs furent envoyés dans les autres parties du duché, à Dol, à Saint-Malo, à Nantes, à Quimper.

Vers le 15 mai, Anne de Bretagne quitta en effet les rives de la Loire pour venir à petites étapes dans la capitale. Elle devait s'y installer dans ce qu'on appelait alors l'« hôtel d'Estampes », ou d'Étampes, une vaste et belle demeure située sur le quai Saint-

Paul — notre actuel quai des Célestins —, tout près du palais
que, quelques années plus tôt, avaient fait achever les archevêques de Sens et qui existe toujours aujourd'hui. Cette bâtisse de
style gothique faisait partie — avec, entre autres, le duché
d'Étampes — de l'apanage traditionnellement attribué aux reines de France. Pour y accueillir plus dignement la veuve de son
prédécesseur et par une délicatesse peut-être intéressée,
Louis XII prit à sa charge les divers travaux d'aménagement
évalués à la somme assez modique de 1 000 livres tournois.

Arrivée enfin dans le courant du mois de juin, Anne déploie
aussitôt une activité débordante. Pendant les quelque deux mois
qu'elle va passer à Paris, elle écrit chaque jour un nombre
considérable de lettres à ses amis, à ses parents, à ses clients, à ses
officiers personnels, ordres, demandes, rappels aussitôt portés
par ses pages ou ses chevaucheurs dans toutes les directions,
mais surtout à destination de son duché. Elle exige ainsi des
rapports précis sur l'état des secteurs les plus reculés de la
presqu'île armoricaine ; elle demande à des gens réputés pour
leur intégrité, au prince d'Orange, au maréchal de Gié, voire à
son beau-frère le duc de Bourbon, de veiller à la défense de ses
intérêts ; elle confie la garde des cités bretonnes les plus importantes aux plus éprouvés de ses fidèles, au sire d'Aigremont, aux
sires de Rohan, aux sires de Rieux, au baron d'Avaugour, qui
était son frère naturel et se montrait toujours envers elle d'un
dévouement total.

Plus que jamais, toute son attention, tous ses soins se portaient
vers sa province d'origine ; plus que jamais, elle affectait en
toutes ses démarches des allures de veuve sans entraves et de
duchesse parfaitement indépendante. Elle demandait à ses gardes des chartes de lui communiquer copie des documents les
plus variés pouvant établir ses droits ou ses privilèges, à son
maître de la monnaie de lui envoyer des pièces d'or et d'argent
frappées à l'effigie de son père ou à la sienne, symboles et preuves de sa souveraineté sur la Bretagne.

En fait, Anne pensait surtout au retour dans sa ville de Nantes
et il apparaissait maintenant très clairement que son passage par
Paris n'avait jamais obéi qu'à quelques nécessités passagères. Il

lui avait fallu d'abord respecter les convenances et répondre aux
obligations protocolaires d'une reine-douairière. Elle se souciait
aussi de rassembler tout ce qui lui restait de ses joyaux, de ses
pièces d'orfèvrerie, de ses meubles précieux auxquels elle tenait
par-dessus tout. Les ressources de la capitale lui permettaient
enfin de recruter des musiciens supplémentaires pour sa chapelle, de passer nouvelles commandes aux artistes les plus
variés, de se faire frapper d'impeccables jetons personnels de
reine veuve et de duchesse régnante.

Mais il apparut rapidement que l'étape parisienne aurait un
terme, et un terme beaucoup plus rapproché qu'on n'avait pu le
penser au début. Avec une insistance hautement claironnée,
Anne demandait à retourner dans son duché, et l'on n'avait
aucun motif légitime pour la retenir contre son gré. Or, une fois
la duchesse repartie dans ses terres lointaines, Louis aurait évidemment beaucoup plus de mal à faire aboutir ses projets. On
comprend donc qu'il ait voulu profiter des circonstances pour
aborder assez vite le thème qui lui tenait particulièrement à
cœur. Un point est sûr : pendant son séjour sur les bords de la
Seine, Anne de Bretagne devait souvent rencontrer le roi et
avoir avec lui d'assez nombreuses conversations sans témoins ou
en la seule présence de l'inévitable Georges d'Amboise.

Bien que le procès intenté à Jeanne de France n'eût pas
encore commencé, bien qu'il n'eût même pas été envisagé officiellement, la royale veuve savait parfaitement que le nouveau
souverain nourrissait un double projet : faire annuler son premier mariage et contracter une nouvelle union avec elle-même.
Parmi ses talents, Anne possédait au moins celui de savoir négocier, de faire monter les enchères. Devant les premières propositions matrimoniales que formula expressément Louis XII, elle
commença par se montrer hésitante, sinon même franchement
hostile. Avec plus ou moins de sincérité, elle mettait en avant ses
scrupules religieux, osait évoquer ses lointaines « épousailles »
avec Maximilien d'Autriche, rappelait que Louis XII était lui-
même marié, refusait de croire à la possibilité et moins encore à
la validité réelle d'une dissolution. A l'en croire, toutes les décisions d'un tribunal — fût-il ecclésiastique, fût-il pontifical —,

toutes les dispenses imaginables ne feraient jamais d'elle, à ses propres yeux, que la concubine, et non la légitime épouse du roi.

En fait, il semble bien qu'elle ne se soit jamais fait beaucoup d'illusions sur sa capacité de refuser ou même seulement de retarder longtemps une seconde union que le traité de Langeais rendait pratiquement inéluctable. Mais depuis le règne de son premier mari, des garnisons françaises tenaient plusieurs villes notables de son duché, et les Bretons ainsi qu'elle-même désiraient voir les archers du roi quitter définitivement la province.

C'est ainsi que la duchesse-reine obtint une première satisfaction non négligeable au cours de ses entretiens parisiens avec le nouveau souverain : moyennant ce qui fut vraisemblablement une acceptation de principe sur le point précis de son remariage, elle réussit à faire accepter à Louis XII que les capitaines et soldats français établis dans les places encore sous leur contrôle devraient les rendre — sauf Nantes et Fougères qui restaient au roi — aux capitaines bretons et à leurs hommes.

Louis, évidemment, s'empressa d'accepter, mais, point trop dupe, il découvrait en même temps que sa future femme profitait des moindres éléments pour défendre les intérêts proprement bretons. Se sentant de moins en moins sûr d'elle et agissant comme s'il avait choisi de la surveiller en permanence, il ne la quittait plus guère. Au début du mois d'août, alors que s'ouvrait à Tours le procès intenté à Jeanne de France, il suivait Anne de Bretagne jusqu'à Étampes, où, d'après ce dont on était convenu, devaient être arrêtés les arrangements du double remariage.

Tout commença plutôt mal, la Bretonne venant d'apprendre une nouvelle qui lui déplaisait particulièrement : en violation de l'accord passé entre elle-même et Louis XII, un certain nombre de garnisons françaises du duché, plus spécialement à Brest, à Conches, à Saint-Malo, ne voulaient pas croire à l'authenticité des lettres royales reçues et refusaient en conséquence de rendre ces places aux forces militaires locales. Il fallut plusieurs protestations écrites d'Anne, plusieurs interventions et protestations orales du prince d'Orange auprès du souverain pour arracher à ce dernier de nouvelles promesses, plus précises que les précédentes.

C'est peut-être alors que, dans la précipitation de sa reconnaissance, la reine veuve lui avait adressé ce petit billet amical, écrit à la hâte, sur une mauvaise feuille de papier, sans date ni sceau : « Monsieur mon bon frère, j'ay reçu, par Monsieur de La Pommeraye, vos lettres et, avec sa charge, entendu la singulière bénévolence et amitié que vous me portez, dont je suis très consolée, et vous en remercie de tout mon cœur, vous priant de toujours ainsi continuer, comme c'est la ferme confiance de celle qui est et à toujours sera votre bonne sœur, cousine et alliée, Anne. »

Des dispositions aussi favorables méritaient d'être exploitées au plus vite. Dès le 19 août, alors que la Cour séjournait toujours à Étampes, deux actes furent signés par les deux parties. Dans le premier, il était « arresté, promis et juré » sur les Saints Évangiles et le canon de la messe que le roi remettrait dans les plus brefs délais aux représentants de la duchesse les villes de Brest, Conches, Saint-Malo et qu'il garderait seulement les châteaux « tant de Nantes que de Fougères, pour seureté et accomplissement du mariage qu'il déclare vouloir faire », à charge néanmoins de les restituer également « au cas que, dedans le temps et terme d'un an, il n'épouse Madame la Duchesse », ou bien encore au cas où il viendrait à mourir avant « ledit mariage », par un document adjoint scellé de cire jaune où, en annexe, Louis de La Trémoïlle, gouverneur des deux places, s'engageait sur « sa foy et honneur » à rendre chacun des deux « châteaux », si le mariage n'avait pu être célébré dans le délai d'un an.

Le second acte contenait les engagements pris par la partie bretonne. En vertu de la clause figurant en son contrat de mariage avec le feu roi Charles VIII et l'obligeant à épouser le roi successeur de son premier mari, en reconnaissant par ailleurs « les biens, utilité et profit qui, au moyen de cette union, peuvent advenir tant au royaume de France » qu'au duché de Bretagne, Anne promettait d'épouser « son seigneur le roy incontinent que faire se pourra », c'est-à-dire dès que le procès en annulation actuellement pendant sera jugé.

On a beaucoup commenté ce traité d'Étampes. Il est sûr que
la duchesse-reine et ses conseillers ont alors obtenu du roi des
concessions fort importantes, tant sur les cités encore occupées
par les forces royales qu'à propos du délai imposé à la conclusion du mariage, ce qui aurait pu procurer au camp breton des
possibilités non négligeables de manœuvres dilatoires. En
même temps, celui-ci se trouvait singulièrement favorisé par les
circonstances puisque, Louis XII étant encore marié à Jeanne
de France, une clause capitale prévue à Langeais ne pouvait
être immédiatement exécutée. Détail qui permettait à Anne de
se considérer comme libérée de tout engagement vis-à-vis de la
France et d'agir pratiquement en souveraine du duché de Bretagne.

Deux faits réduisent toutefois la portée de cette « victoire ».
En effet, malgré un attachement profond à sa Bretagne origi-
nelle, malgré aussi son peu d'attirance pour Louis XII, Anne ne
restait pas assez indifférente à la perspective de devenir, comme
dit Brantôme, une seconde fois *reine de France*. On finissait par
le savoir : à ceux qui croyaient judicieux de plaindre son sort elle
répondait invariablement qu'après avoir été la femme d'un souverain aussi grand qu'un successeur de Saint Louis, elle préférait rester veuve toute sa vie plutôt que de se remarier à un
prince de rang inférieur. Aurait-elle osé manifester ses sentiments de façon aussi nette si elle avait su que, dans les heures
qui suivirent le traité d'Étampes et malgré son serment solennel
sur les Saints Évangiles, Louis XII faisait parvenir à ses capitaines encore stationnés en Bretagne l'ordre formel de n'abandonner aucune des places-fortes détenues ?

Tandis que, porteurs de leurs messages secrets, les chevaucheurs du roi galopaient vers l'ouest sur leurs montures hors
d'haleine, le cortège de la duchesse-reine s'ébranlait dans la
même direction, mais avec beaucoup de majestueuse lenteur.
Toutes les précautions avaient été prises pour faire de son retour
en Bretagne le voyage triomphal d'une princesse souveraine.
Dès le 13 août, elle avait écrit au trésorier Coupcoul, membre de
son conseil privé, de lui envoyer cent des meilleurs archers du
pays pour constituer une escorte digne de son rang, ce rang sur
lequel Anne de Bretagne ne transigera jamais !

Partie vraisemblablement le 22 août d'Étampes, elle passa,
deux jours plus tard, par Chartres, d'où elle ordonna à ses fidèles
sujets de Saint-Malo, de Saint-Brieuc et de Tréguier de se rendre à Rennes pour l'y attendre et prendre part aux États de la
province qu'elle avait l'intention de convoquer. Le 30, elle
arriva à Laval, où la reine-douairière de Sicile — Jeanne, veuve
du fameux roi René — lui réserva un accueil chaleureux,
d'éclat, hélas ! plutôt médiocre. Pour laisser aux habitants de
Nantes le temps de lui préparer la réception qu'elle attendait,
elle ne fit son entrée solennelle dans la capitale que le 3 octobre,
par la porte Sauvetout, décorée des plus belles tapisseries qu'on
avait pu trouver « à plus de vingt lieues à la ronde ». Acclamée
par une foule enthousiaste, s'avançant à pied sous un dais de
velours noir à larmes d'argent, précédée par des étendards en
satin blanc — également couleur de deuil —, suivie de bannières noires, elle se rendit à la cathédrale où, au nom de toute la
Bretagne, l'évêque lui adressa un long sermon de condoléances
avant de célébrer la messe de requiem, l'une des plus grandioses
« qu'on ait vues en ce siècle ».

Tenus une dizaine de jours après, les États de Rennes
devaient se réduire à une séance tout à fait majestueuse mais
passablement conventionnelle, moins destinée à recueillir ou à
transmettre les doléances des sujets qu'à mettre en évidence une
fois de plus la quasi-souveraineté de la duchesse. N'est-ce point
à cette occasion qu'elle fit frapper des écus d'or, les premiers du
pays à porter un millésime, sans oublier une légende dénuée
d'humilité : *Anna Dei Gratia Francorum Regina et Britonum
ducissa ?* Ces pièces de monnaie la représentaient couronnée,
assise sur son trône, tenant l'épée de justice ainsi que le sceptre
et revêtue d'un étrange manteau ducalo-royal, où les mouche-
tures d'hermine brodées se mêlaient aux fleurs de lis ; de même,
sur le revers, la couronne ducale voisinait avec l'ancienne devise
des monnaies royales françaises : *Sit nomem Domini benedic-
tum.*

Fort au courant de ces gestes symboliques et peut-être inquiet
des arrière-pensées que semblaient révéler de telles initiatives,
Louis XII se voyait par surcroît contraint de régler définitivement la situation juridique et financière d'Anne, conformément

au traité de Langeais et aux engagements jadis pris par Charles VIII. Peut-être parce qu'il connaissait l'avidité de la veuve et
qu'il cherchait à l'amadouer, il sut se montrer généreux, lui
laissant non seulement tout ce que la reine Charlotte de Savoie
avait déjà reçu en douaire après la mort de Louis XI — La
Rochelle, Saint-Jean-d'Angély, Rochefort, l'Aunis, une grande
partie de la Saintonge, Loudun et ses dépendances —, mais
aussi des revenus supplémentaires fort importants dans le Languedoc, en particulier à Beaucaire et à Narbonne. Neuf jours
plus tard, il enjoignait de faire exécuter des décisions par les
gens des comptes qui, effrayés par ces dons excessifs, s'étaient
permis de formuler quelques timides observations, au nom des
intérêts supérieurs de la couronne.

Il fallut attendre encore deux mois et demi avant de voir enfin
annulé le mariage avec Jeanne de France, par l'arrêt du 17
décembre 1498. Tout obstacle à une nouvelle union n'avait pas
disparu pour autant : Louis et Anne étant cousins, il fallait
encore des dispenses pontificales, que le roi fit aussitôt réclamer
à la chancellerie apostolique. Il n'ignorait qu'un détail : c'est
que César Borgia était arrivé en France avec ces pièces indispensables au fond de ses bagages. Mais celui-ci s'était bien gardé
de le faire savoir, dans l'intention de monnayer de telles auto-
risations contre un appui décisif lui permettant d'épouser cette
princesse d'origine napolitaine sur laquelle il avait porté ses
vues, mais qui n'éprouvait envers lui que la plus invincible
répulsion.

Fort heureusement, le nonce Fernand d'Almeida, évêque de
Ceuta, savait fort bien à quoi s'en tenir et crut bon de révéler au
roi la ruse du cardinal Borgia — qui, dit-on, se serait vengé deux
ans plus tard en le faisant empoisonner. En tout cas, voyant que
Louis XII allait désormais passer outre, sans réclamer davantage
de dispenses dont l'existence lui était garantie, César, furieux et
honteux, s'empressa de lui remettre les lettres signées de son
père, datées de septembre et donc vieilles de bientôt quatre
mois ! Alexandre VI y faisait savoir que « désirant entretenir et
accroître les douceurs de la paix parmi les fidèles du Christ et
éviter la naissance de scandales et de discordes, avec l'aide de

Dieu, [il]... accordait au roi des chrétiens et à la reine Anne, par un don de sa grâce spéciale et au cas où le mariage du roi et de sa première femme serait annulé, la permission de convoler librement en secondes noces et de vivre désormais dans cette union licite qui leur promettait des fruits légitimes ».

Louis XII n'avait plus qu'à réclamer d'Anne l'accomplissement des promesses contractées le 17 août précédent au traité d'Étampes. Quels que pussent être les véritables sentiments de la Bretonne à l'égard du roi, il faut reconnaître qu'elle ne fit aucune difficulté, cette fois, à sa demande. Tout au plus, avant sa réponse définitive, se permit-elle de lui arracher une ultime concession sur un point qui lui tenait particulièrement à cœur : à cette date, en effet, obéissant aux vœux réels du souverain et redoutant quelque « finesse » ou « malignité » de la part des Bretons, les capitaines royaux de Brest et Saint-Malo n'avaient toujours rendu aucune des deux places aux autorités ducales. Ils s'exécutèrent enfin, sur ordres itératifs de Louis, non contredits cette fois par des directives secrètes.

Au début de janvier 1499, veuve depuis près de neuf mois, la reine se rendit à Nantes, où le roi de France se trouvait déjà. Le 7, en présence de nombreux témoins, fut signé le contrat de mariage dont les divers articles avaient été longuement discutés durant les semaines précédentes entre représentants des deux parties. Ainsi, dans le cas où il y aurait une descendance, le « second enfant masle issus d'eulx — ou femelle à défaut de masle » — serait de droit héritier de la Bretagne, afin que le peuple de ce duché « fust secouru et soulagé de ses nécessités et affaires » ; s'ils n'avaient vraiment qu'un fils, ce serait le second enfant de ce fils unique qui hériterait des droits cités dans l'article précédent. En tout état de cause, Anne conservait le gouvernement de son duché et en toucherait seule les revenus ; bien plus, elle bénéficierait sa vie durant du douaire que lui avait assigné le feu roi Charles et aussi d'un autre égal en valeur, que lui constituait son second mari, pour le cas où « il irait de vie à trépas » avant elle. En revanche, si elle décédait la première, le roi garderait à titre viager l'administration de la Bretagne qui, à sa mort, reviendrait « aux prochains et vrais héritiers de ladite dame, sans que les autres rois et successeurs de rois en pussent quereller, ni demander aucune chose ».

A l'instigation d'Anne, les députés des trois États bretons étaient venus présenter au roi une requête tendant à obtenir le maintien de leurs libertés provinciales. Soucieux de ne « faire injustice à aucun » et d'accorder ce cadeau de noces à sa nouvelle femme, Louis leur accordait dès le 19 janvier des lettres patentes par lesquelles il s'engageait à garder les « pays et subjects de Bretagne » en tous leurs droits et privilèges, « tant au fait de l'Église que de la justice, comme chancellerie, conseil, parlement, chambre des comptes, trésorerie générale, aussy de la noblesse et commun peuple, » en la manière accoutumée de leurs anciens ducs.

Quand on avait commencé à parler d'un remariage, tout heureux d'avoir retrouvé *leur* duchesse et craignant d'être « asservis aux lois françaises », les Bretons n'avaient pas pris « trop de plaisir » à cette nouvelle union, mais ils semblent avoir reçu avec reconnaissance la décision royale qui leur continuait l'administration et maintenait la province comme une sorte d'État séparé du royaume bien que les deux couronnes fussent réunies sur les têtes d'un seul couple.

Il est sûr que, par les actes de janvier 1499, Anne avait évité de sacrifier les intérêts de sa province qui gardait ainsi l'indépendance retrouvée à la mort de Charles VIII. On peut s'étonner de ce que Louis XII ait lâché semblables concessions, si du moins l'on oublie de prendre en considération les circonstances très différentes qui ont présidé aux deux mariages successifs de la reine Anne. Lorsque celle-ci avait dû consentir au premier, son duché était envahi par les troupes françaises, les paysans fuyaient leurs villages dévastés, Rennes assiégée se trouvait en proie à la famine ; pour arrêter l'effusion de sang, pour sauver son pays du désastre, il lui avait fallu se donner au vainqueur. Cette fois, elle pouvait se dire la veuve du souverain précédent, elle exerçait son pouvoir de duchesse régnante, personne ne contestait plus ses droits sur la Bretagne et elle posait d'autant plus ses conditions que c'était surtout le roi de France qui tenait à ce mariage.

Le jour qui suivit la signature du contrat, soit le 8 janvier, le mariage fut célébré religieusement dans la chapelle du château de Nantes. Malgré la magnificence des fêtes et banquets qui s'ensuivirent, on s'arrangea pour ne pas augmenter d'un denier les charges du peuple. Moyen pour le roi de cultiver sa popularité, celui-ci alla plus loin encore dans la générosité et fit hautement savoir à ses sujets qu'il leur accordait à cette occasion un dégrèvement d'un dixième sur leurs impôts. Cette faveur rarissime de la part d'un gouvernement fit, comme par hasard, bénir le nom de Louis XII aux quatre coins du royaume. En même temps, le souverain n'oubliait pas de sanctionner — avec douceur ! — toutes les menues extorsions habituellement prétextées lors d'un mariage royal par des officiers trop zélés. Ainsi, certains d'entre eux avaient contraint les bourgeois d'Orléans de verser 6 000 livres tournois pour la « ceinture de la reine ». Louis renvoya aussitôt l'argent, en déclarant qu'il n'avait rien demandé et qu'il ne savait même pas ce que pouvait signifier cette obscure histoire de ceinture.

En revanche, il entendait bien profiter des circonstances pour justifier une fois de plus sa conduite depuis son avènement et galvaniser ainsi la fidélité encore hésitante de ses nouveaux sujets. Sous prétexte d'une lettre adressée aux gens de la Chambre des comptes de Paris, mais largement diffusée, il fit publier en fait une véritable proclamation à la population, commençant par lui rappeler la sentence donnée à Amboise en décembre 1498, sentence... « par laquelle a esté dict ledit prétendu mariage [avec Jeanne la Boiteuse]..., pour plusieurs causes et moyens contenus au procez, avoir esté nul, et à Nous octroyé faculté et liberté de pouvoir traicter mariage au cas où nous adviserons si bon nous sembleroit. Laquelle sentence prononcée, voulant pour le bien, seureté et repos de Notre royaume avoir lignée et postérité venant de Nous pour succéder à iceluy, avons par l'avis et conseil des princes et seigneurs de Notre sang et lignaige et moyennant dispence sur ce obtenue par le Sainct Siège apostolique, traicté mariage et iceluy consommé selon l'ordre et institution de Notre Sainte Mère Église, avec Nostre très chère et très amée cousine la reine vefve du roy Charles

dessus dict, à présent Nostre compagne et épouse ; et pour ce
que les choses dites concernent non seulement l'estat et honneur de Nous, mais aussy la seureté, conservation, bien et tranquillité de Nostre dict Royaume et de tous Nos subjets, terres et
seigneuries qui ne doivent estre ignorées, mais à chacun et en
tous lieux connues et manifestées, Nous avons bien voulu vous
en advertir, sçachant certainement que, comme Nos bons et
loyaux subjets et qui aimez et désirez Nostre prospérité, les
choses dessus dites vous viendront à consolation et plaisir.
Donné à Nantes, le Xᵉ jour de janvier (1499). Signé : Loys,
contresigné : Robertet. »

Façon comme une autre de rappeler qu'il serait désormais
impossible de remettre en question ce second mariage comme
l'avait été le premier. En effet, en épousant Anne, Louis atteignait un but ardemment poursuivi depuis longtemps. Il semblait ne plus avoir qu'à oublier un passé difficile, qu'à connaître
un règne qui s'annonçait prospère, qu'à savourer la plénitude de
son bonheur et d'abord de son bonheur conjugal, à en croire du
moins les chroniqueurs contemporains. Selon Claude de Seyssel, Louis XII avait mis en sa femme « et déposé tous ses plaisirs
et toutes ses délices », tellement qu'il n'y eut « jamais dame
mieux traictée ni plus aimée de son mari » et qu'il « n'est autres
gens qui sceussent faire si bonne chière l'un à l'autre qu'ils
s'entrefont et font toujours quand ils sont ensemble ». Quoi qu'il
en soit de l'exagération légèrement dithyrambique de notre
auteur, il est sûr que Louis et Anne vécurent le plus souvent
dans une intimité assez confiante et qu'ils donnèrent jusqu'au
bout l'image d'un couple relativement uni. Pourtant, les plus
bienveillants eux-mêmes se trouvaient bien forcés de reconnaître qu'il y eut parfois des brouilles, tout particulièrement en
1505 quand la reine entreprit en Bretagne un voyage que Louis
l'accusa bientôt de prolonger exagérément. Il nous reste de cette
affaire des lettres au ton aigre-doux et seule l'intervention apai-
sante du cardinal Georges d'Amboise permit au couple de se
réconcilier.

Malgré tout, Louis semble avoir été assez épris de sa femme
et lui qui avait manifesté jusque-là des mœurs si dépravées, il

devint sans effort apparent un mari attentif et, dit-on, d'une
irréprochable fidélité. Après 1499 et à l'exception d'une idylle
très platonique avec la Génoise Thomassine Spinola — épisode
mal connu et passablement énigmatique dont nous reparlerons
plus tard —, aucune femme ne put, dit-on, se vanter d'une
quelconque victoire sur son cœur, « combien qu'il en ayt souventes fois trouvé », note Seyssel au passage, « de bien belles et
plaisantes ».

Une fidélité aussi brusque, aussi inattendue, aussi totale peut
laisser un peu sceptique. Mais il est vrai que le roi avait beaucoup et prématurément vieilli dès avant son avènement, qu'il
« estoit pour lors tout décrépit » et que la possession d'un objet si
longtemps désiré devait largement suffire à la satisfaction de ses
appétits charnels. En outre, il n'est pas invraisemblable que,
dotée d'une jalousie féroce, Anne ait retrouvé d'elle-même ce
moyen fort simple qui évite de laisser les maris naturellement
volages sombrer dans l'adultère : il suffisait de ne jamais relâcher l'insistance avec laquelle une femme déterminée sait solliciter, susciter et réveiller les ardeurs assoupies de son
conjoint.

Quels que fussent en effet ses sentiments réels, Anne sut se
comporter envers le roi avec une habileté consommée. Pour
mieux imposer ou maintenir son influence, elle faisait se succéder à un rythme rapide les larmes, les paroles acerbes, les
récriminations, les menaces, les coquetteries irrésistibles, les
concessions minimales aux inévitables célébrations de la sen-
sualité, les apaisements complices, les heures de tendresse simu-
lée et les moments de réserve imprévisible.

Cœur sec et tête froide, la personnalité d'Anne de Bretagne,
qui a toujours impressionné contemporains et historiens, a été
en même temps beaucoup discutée. Née au château de Nantes
le 25 janvier 1477, elle avait maintenant vingt-deux ans. Malgré
les grossesses et fausses couches antérieures, malgré des traits
plutôt épais qu'on retrouve dans les miniatures de Jean Bourdichon ou tel vitrail de la cathédrale de Nantes — traits dont le
reflet s'est maintenu jusqu'à nos jours chez certaines paysannes
dans les secteurs les plus reculés du plateau de Rohan —, elle

était de ces femmes qui ont assez de présence, de grâce, d'aisance, et peut-être de charme pour faire oublier la totale neutralité de leur visage. Avec sa poitrine appauvrie mais mise en valeur par des corsets imitant ou suggérant l'opulence à la perfection, avec son ventre flasque qu'une *cordelière* impitoyable resserrait jusqu'aux dimensions d'une taille restée fine et élancée, elle parvenait en quelque sorte à incarner l'élégance française. A tel point qu'en 1492 ou 1493 Ludovic Sforza demandait à son ambassadeur Agostino Calco de lui envoyer un dessin représentant la fameuse « cape » (il s'agissait en fait d'une toque) de velours noir brodé que, selon l'usage breton, la reine portait quasi en permanence et que le Milanais voulait mettre à la mode parmi les dames de son pays.

La duchesse-reine passait donc pour belle. « Belle et bien conditionnée », nous dit Jean de Saint-Gelais. « Belle et agréable », écrit Brantôme qui, il est vrai, ne l'a point connue personnellement et parle par ouï-dire. Cette tradition louangeuse est reprise très tard, par un historien du XIXe siècle et avec un style qui, par ses excès dans la mignardise admirative, n'est pas sans nous faire sourire : « Sa tournure élégante lui donnait beaucoup de noblesse et de distinction ; sa démarche était [...] vive, presque impérieuse... Son teint, d'une blancheur admirable, s'animait des plus brillantes couleurs ; un front élevé donnait à son regard beaucoup de majesté, et la sévérité de ses manières tempérait l'éclat de ses yeux grands et vifs ; elle avait le nez [...] bien pris, la bouche [...] fraîche et rosée. C'était dans toute l'acceptation du mot une princesse : tout en elle respirait l'ampleur et la grandeur, et cependant on oubliait son duché quand on voyait ses yeux. »

Tout à son extase, notre auteur oublie les règles de la mesure. Il en oublie même qu'Anne de Bretagne se trouvait être, ni plus ni moins, ce qu'on appellera plus tard une « fin de race ». Son père était mort assez jeune, depuis longtemps atteint d'une sorte de ramollissement cérébral ; sa mère Marguerite de Foix, sa sœur cadette Isabelle avaient succombé à des âges plus tendres encore. Assez petite, noiraude, d'apparence fragile, Anne avait surtout une jambe plus courte que l'autre. Certes, à commencer par l'ambassadeur vénitien Zacharia Contarini, ses divers admirateurs s'empressent de souligner que sa « beauté » n'était nullement gâtée par une légère défectuosité qu'on remarquait à peine. Celle-ci se dissimulait en effet sous des robes volontairement très longues par un talon à patin spécial, haut de plusieurs pouces, et qui garantissait tout son caractère majestueux à la démarche royale. Bref, il s'agissait là d'une infirmité rappelant un peu celle de Jeanne, la première femme de Louis XII, ce roi qui semblait décidément voué aux boiteuses et aux bancales !

Détail plus grave : cette claudication congénitale ajoutée à d'autres faiblesses du côté de la poitrine ou de l'appareil urinaire, Anne les transmettra plus tard aux deux filles qui, parmi ses nombreux enfants, atteindront seules l'âge adulte : Renée, future duchesse de Ferrare, que l'art des médecins italiens pourra, contre toute attente, faire durer jusqu'à l'âge de soixante-cinq ans ; et surtout Claude de France, l'aînée, qui, malgré sa laideur et les disgrâces de son corps, mettra au monde sept enfants en dix ans de mariage, mais à quel prix ! Pratiquement couchée en permanence et profitant à peine de ses multiples relevailles, elle allait mourir de misère physiologique à l'âge de vingt-cinq ans tout juste.

En fait, ce qui chez Anne de Bretagne mérite de retenir surtout l'attention, c'est tout ce qui touche au domaine intellectuel et moral. Sans être exceptionnellement intelligente, la reine montrait un esprit vif, fort avisé, et savait à l'occasion faire preuve d'une grande finesse. Très tôt, dès l'enfance, ses heureuses dispositions avaient été cultivées par sa gouvernante, Françoise de Laval. La jeune fille avait reçu une éducation assez exceptionnelle pour son temps, qui l'avait initiée à un peu de latin, à un peu d'histoire, à un peu de musique et avait développé en elle le goût des belles choses. Toute sa vie, elle aima le luxe et les objets précieux, les tapisseries, les bijoux, les livres rares, la vaisselle d'or et d'argent. Elle eut très tôt sa livrée personnelle, en velours jaune et rouge garni d'hermine et resta longtemps fidèle à ses deux parfums préférés, la rose de Provins et la violette musquée. Elle se constitua une garde privée de cent

archers bretons et garda toujours le souci de faire entretenir sur
un grand pied ses écuries, ses chevaux, ses mules, ses chiens, ses
oiseaux de vénerie et de volière.

Devenue reine, elle apparut comme une généreuse protec-
trice des lettres et des arts. Elle protégea, aida de ses deniers,
pensionna les poètes Jehan Meschinot et Jehan Marot (le père
de Clément), les historiens Antonin Dufour et Pierre Lebaud, le
sculpteur Michel Colombe, le peintre Jehan Perréal — dit
encore Jehan de Paris —, l'enlumineur Jehan Bourdichon.
C'est ce dernier, qui en particulier, a illustré les *Grandes Heures*
de la reine, conservées aujourd'hui parmi les manuscrits latins
de la Bibliothèque nationale. Pour cet ouvrage, il exécuta une
cinquantaine de miniatures en pleine page, œuvres remarquables par le fini de leur exécution et l'éclat de leurs couleurs ;
dans les marges, autour des lettres initiales de chapitres et à
l'emplacement des culs-de-lampe, des compositions plus
modestes par leurs dimensions évoquent avec une précision
quasi scientifique les multiples aspects de la nature, en particulier les fleurs, les fruits, les plantes, toute une végétation foisonnante, ce qui fait de ce livre de piété un herbier incomparable.
Fait exceptionnel : alors qu'il ne quittait pratiquement jamais sa
ville natale de Tours, Bourdichon se rendit auprès de la reine
pour lui remettre en mains propres son chef-d'œuvre, en la
grand'salle du château de Blois.

Pour la Bretonne, la vieille demeure des Orléans était en effet
devenue sa résidence habituelle, haut lieu culturel de l'époque
et aussi incomparable nid d'intrigues multiples. Du moins à en
croire Michelet qui, avec son génie des simplifications partiales,
nous montre Anne « tout entourée de dames graves, de demoiselles austères, filant et brodant tout le jour ». D'après lui, la
reine ne se fiait guère qu'à sa petite cour personnelle, cour qu'il
nous décrit comme « malcontente, envieuse et serrée, qui ne se
mêlait nullement à celle du roi » ; quant à ses gardes bretons, ils
« restaient sournoisement en groupe sur un coin isolé de la terrasse..., comme un nuage noir, ou comme un bataillon de sauvages oiseaux de mer ».

Quoi qu'il en soit de ces interprétations malveillantes, il est sûr que, dans ce qui était devenu « une fort belle escolle pour les dames », la reine prenait grand soin de la vertu de ses demoiselles d'honneur et qu'elle avait l'habitude d'« établir » celles qui ne l'avaient pas déçue. C'est ainsi que, sous sa direction, la Cour de France passait pour être devenue comme une pépinière de reines ou, à tout le moins, de princesses souveraines : la jeune Anne de Candale fut mariée en 1502 au roi de Hongrie, le faible Ladislas Jagellon ; un peu plus tard, à Ferdinand d'Aragon, veuf d'Isabelle la Catholique, la Bretonne donna une nièce de Louis XII, Germaine de Foix, qu'elle avait fait élever sous ses yeux. Elle chérissait aussi Charlotte de Naples, cette princesse italienne qui vivait à Blois depuis quelques années et sur laquelle, soucieux de se marier, César Borgia avait jeté les yeux. Or la jeune fille n'éprouvait pour le pontifical rejeton qu'une invincible répulsion. Grande lectrice des romans chevaleresques et sentimentaux, sensible aux sentiments de la belle Charlotte, Anne de Bretagne soutint celle-ci dans sa résistance acharnée et lui permit finalement d'échapper à la couche d'un aussi inquiétant personnage.

Mais la reine ne se montrait pas toujours aussi secourable. Quand, désirant plus que jamais se marier, César porta son choix sur une autre Charlotte, Charlotte d'Albret, tout aussi charmante que son homonyme napolitaine et tout aussi réticente qu'elle, Anne sut comprendre les raisons de son royal époux, qui ne voulait surtout pas voir le Borgia déçu une nouvelle fois. Comme, par surcroît, elle n'éprouvait qu'un attachement très tiède envers la princesse d'Albret, la reine n'hésita nullement à la sacrifier aux intérêts supérieurs de la diplomatie française.

A l'occasion, Anne de Bretagne pouvait aller plus loin encore dans la rudesse et même la brutalité. Sous des noms déguisés mais identifiés depuis longtemps, l'*Heptaméron* de Marguerite de Navarre nous a conservé à ce sujet une très curieuse histoire. Bien que proche parente de la reine et l'une de ses demoiselles d'honneur les plus fidèles, Anne de Rohan n'était guère en faveur auprès de sa maîtresse et pour cette raison personne ne se souciait de la demander en mariage. Elle approchait de la trentaine quand elle s'éprit d'un pauvre gentilhomme, un simple bâtard de Bourbon. Leurs malheurs communs les rapprochèrent et, malgré la surveillance de la Cour, ils parvinrent à se voir souvent et à échanger, dit-on, « les plus tendres sentiments ».

On les surprit un jour ; outrée de ce qu'elle venait d'apprendre, la reine fit garder la malheureuse dans une chambre à l'écart, où elle ne pouvait plus parler à personne. La prisonnière protesta, tempêta, supplia sa maîtresse de la laisser contracter une union qu'elle souhaitait de tout cœur. Non seulement Anne de Bretagne ne se laissa point fléchir, mais elle se retourna vers Louis XII, un moment attendri par tant de constance, et persuada son mari de sévir avec fermeté contre des initiatives aussi indépendantes. Le bâtard dut quitter le royaume et la fille d'honneur alla passer quelques années en Bretagne, enfermée dans l'un des châteaux de sa famille. Elle ne devait recouvrer la liberté qu'à la mort de celui qu'elle avait tant aimé. A près de quarante ans, elle fut alors demandée en mariage par son cousin Pierre de Gié, le fils du maréchal, mais les noces ne furent célébrées qu'en 1515 : Anne de Bretagne venait de quitter ce bas monde et l'on n'avait plus à redouter la ténacité de sa rancune.

Vindicative, celle-ci l'était et avait bien d'autres défauts encore. Sans trop d'injustice cette fois, Michelet en fait une « femme âpre, hautaine, solitaire au milieu du monde qui,... était tout orgueil [et]... n'aimait rien ni personne... » Égoïste et altière, c'est sûr, elle se complut, au risque de le faire souffrir, à dominer son second mari et à lui imposer trop souvent sa volonté, aussi bien sur des points importants que sur des sujets futiles. De toute façon, ce qu'elle s'est mis en tête, nous apprend Contarini, elle s'arrangera pour l'obtenir par n'importe quel moyen, soit les sourires, soit les larmes, soit les cris ou la bouderie tenace.

En revanche, les chroniqueurs ou historiens du XVIᵉ siècle semblent s'être montrés plutôt sensibles à ses quelques qualités. Pour Brantôme, décidément bien indulgent comme cela lui arrive rarement avec les autres dames, Anne aurait été la « plus digne et honnorable royne qui ait esté... sage, honneste,

bien disante et de fort gentil... esprit ». Elle était pieuse,
c'est vrai, étroitement pieuse et il lui serait même arrivé de
pardonner à certains de ses ennemis ; d'après Seyssel et quelques autres, elle priait alors son confesseur de ne lui accorder
l'absolution que si elle réparait auparavant les « injures » (c'est-
à-dire des injustices) et les dommages dont la colère avait été
coupable.

D'une façon générale, on s'accorde à célébrer sa *vertu*, vertu
que, de son côté, elle n'hésitait pas à étaler de façon quelque peu
pharisaïque. N'avait-elle pas créé l'Ordre de la Cordelière, allusion au fameux cordon de saint François d'Assise et symbole de
continence, dont elle s'était réservé la grande maîtrise pour en
confier l'insigne aux femmes nobles de réputation intacte ? Ne
portait-elle pas en permanence à son cou, suspendue à une
chaînette d'or, l'image de l'hermine, cet animal qui, d'après la
légende, ne peut survivre qu'en gardant sa pureté ?

Si la « vertu » consiste à ne pas avoir d'amants et à se réserver
exclusivement pour son mari, Anne de Bretagne fut incontestablement vertueuse, et il est au moins consolant de savoir qu'elle
a évité à Louis XII de porter les encombrants trophées du cor-
nard. Elle fit même mieux, en essayant de lui donner cette
descendance qu'il avait toujours désiré avec tant de force. Exactement neuf mois après son remariage, en octobre 1499, elle
avait donné le jour à une fille, Claude de France ; le 21 janvier
1503, lui naissait un fils, mais celui-ci mourait au bout de quelques heures ; le 25 octobre 1510, venait au monde une seconde
fille, Renée ; enfin, le 25 janvier 1513, elle accouchait d'un
second fils, mort-né. Elle ne se remit jamais vraiment de cette
dernière déception et mourut un an plus tard à trente-sept ans.
Avec les cinq ou six enfants qu'elle avait eus de Charles VIII,
c'est donc une dizaine de grossesses qu'il faut compter, très
éprouvantes pour une constitution aussi fragile. En un certain
sens, on pourrait dire qu'Anne de Bretagne a au moins voué son
corps, son pauvre corps, au royaume capétien.

Elle le fit avec un sens du devoir d'autant plus remarquable
qu'on peut s'interroger sur ses sentiments réels à l'égard de la
France. Dès le début de ce siècle, dans l'*Histoire de France* diri-

gée par Ernest Lavisse, Henry Lemonnier a tranché sur ce point
avec une sévérité qui n'est pas sans nous rappeler Michelet :
« Cette excellente Bretonne et mauvaise Française ne mérite
pas les éloges qu'on a répétés sur son compte. » Mauvaise Française, vraiment ? Joseph Calmette, un historien légèrement pos-
térieur, réfute l'interprétation de son collègue et estime que la
duchesse-reine a eu au moins la fierté de son rang royal et le
sens de l'association entre les deux peuples. Excellente Bretonne ? Là-dessus, tout le monde ou presque est d'accord, sauf
quelques érudits très nationalistes qui lui reprochent
aujourd'hui de ne ne pas avoir assez défendu les intérêts ou
même l'indépendance du duché ; laissons-les discuter à en perdre haleine avec d'autres Bretons qui, eux, auraient plutôt tendance à verser dans l'hagiographie.

En mourant, Anne pouvait estimer avoir sauvegardé pour
l'essentiel les privilèges de sa province : comment aurait-elle pu
prévoir les événements postérieurs, et en particulier ceux de
1532, qui virent s'accomplir une fusion beaucoup plus grande
entre le royaume et le duché ? De toute façon, on ne peut,
semble-t-il, lui refuser d'avoir été profondément, intensément,
viscéralement bretonne. Certes, comme tous ceux de sa famille,
elle ignorait la langue celtique parlée dans l'ouest du duché,
mais cela ne l'empêchait point d'entretenir le culte des vieilles
légendes locales, d'écouter avec attention la traduction française
des poèmes héroïques du cycle arthurien, d'aimer les airs populaires que lui chantaient à Blois des bergers venus exprès de la
montagne d'Arrée. Se considérant à tort ou à raison comme la
descendante directe du lointain Conan Meriadec, fière de l'antiquité de sa race, Anne témoigne encore de son patriotisme breton quand, remariée depuis quelques années avec Louis XII,
elle commande à son « conseiller et aumônier » Pierre Lebaud,
trésorier de la collégiale de Vitré, une monumentale et glorieuse histoire de son « beau duché ».

Jusqu'au bout, elle le défendra bec et ongles, allant jusqu'à
des projets matrimoniaux hasardeux, mais qui présenteraient au
moins l'avantage de le faire échapper une fois encore à l'orbite
royale. Malgré son influence politique, elle ne parviendra pas à

ses fins. Il en sera de même en d'autres domaines : car, s'il est vrai que la reine considéra toujours d'un mauvais œil la reprise des guerres italiennes, elle ne pourra empêcher son second mari de suivre sur ce point l'exemple du premier, non seulement à Naples, mais aussi sur un nouveau terrain d'opérations, dans le Milanais.

CHAPITRE IX

Duc de Milan

Son accession au trône de France ne pouvait évidemment faire oublier à Louis XII qu'il était le petit-fils de Valentine Visconti. Trois jours seulement après la mort de son prédécesseur, il prenait le titre de duc de Milan. Tout à sa haine envers Ludovic Sforza, il affectait de considérer celui-ci comme un usurpateur et entendait bien utiliser sa nouvelle puissance pour régler ses comptes avec son éternel rival. Mais, lors de la pénible affaire de Novare en 1495, celui-ci l'avait finalement emporté ; il entretenait des liens privilégiés avec plusieurs États d'Europe et, Milan étant un fief impérial, c'est lui qui en avait obtenu l'investiture. Avant de repasser en Italie, le roi de France devait donc prendre un minimum de précautions, non seulement militaires mais aussi diplomatiques.

Comme cela se faisait communément alors, Louis fit exposer ses droits sur « la plus belle duché du monde » en plusieurs mémoires aussitôt envoyés à toutes les Cours d'Europe. Surtout, il s'efforça de négocier un certain nombre d'accords, soit pour retrouver des alliés, soit pour désarmer les adversaires traditionnels du royaume. Dès juillet 1498, il renouvelle les engagements pris naguère à Étaples avec les Anglais, tout en réaffirmant son amitié avec leurs ennemis les Écossais. Le même mois, il conclut un nouveau traité de paix et d'alliance avec les souverains espagnols, au couvent des Célestins de Marcoussis ; le texte invoque l'amitié qui existe depuis les temps les plus anciens entre la Cas-

tille, l'Aragon et la France, amitié telle « qu'on n'en voit pas une
autre... plus grande dans l'univers » ; il garantit la « sincère fra-
ternité » des trois souverains à perpétuité et le roi Ferdinand
s'engage même à traiter en ennemis tous ceux qui attaqueraient les
terres du Très-Chrétien, « sans exception de personne au monde,
... quels que fussent...' les liens du sang et les devoirs de parenté ».
Enfin, c'est pour mieux s'assurer l'appui d'Alexandre VI Borgia
que, dix mois plus tard, Louis XII abandonnera la belle Charlotte
d'Albret aux ambitions matrimoniales de César et accordera en
grande pompe à celui-ci le collier de Saint-Michel. Distinction si
flatteuse qu'en apprenant la nouvelle par un courrier spécial, le
Saint-Père ordonna des feux de joie et des prières publiques
d'actions de grâces « par toute la ville de Rome ».

Restait Maximilien, toujours imprévisible. Remarié depuis
1494 avec Bianca-Maria Sforza, nièce de Ludovic, et assez lié avec
ce dernier, l'Autrichien ne pouvait être neutralisé avec de simples
bonnes paroles ou de vagues promesses. Peu de temps après la
mort de Charles VIII, il avait rappelé sa détermination antifrançaise en essayant d'envahir la Bourgogne, mais il avait été piteusement lâché par ses mercenaires avant même que les Français
eussent eu le temps de s'émouvoir. A défaut de lui faire accepter la
plus élémentaire neutralité dans les affaires milanaises, il fallait l'y
contraindre par des moyens indirects.

Au nord de l'Europe, sous l'autorité du roi Jean de Danemark,
les trois États scandinaves se trouvaient en contact direct avec
l'empire, toujours plus ou moins tenté d'intervenir dans leurs
affaires. En octobre 1498, le Danois accepta de renouveler solennellement la vieille alliance que son père Christian avait conclue
quelques années plus tôt avec Charles VIII : les deux souverains s'y
promettaient aide et assistance perpétuelles et réciproques en cas
de nécessité. L'Autrichien comprit-il l'avertissement ? Il consentait peu après à une trêve avec le roi de France, mais sans trop
s'engager, restant visiblement prêt à reprendre la lutte.

Il allait bientôt avoir d'autres soucis. Depuis quelques années, il
avait remis à son fils Philippe le Beau le gouvernement des Pays-
Bas et de plusieurs autres terres. Du point de vue féodal, certaines
d'entre elles — la Flandre, le Charolais, l'Artois — relevaient de la

couronne de France. Or, en juillet 1499, circonvenu par les envoyés de Louis XII et de toute façon soucieux d'affirmer son indépendance vis-à-vis de son père, Philippe reconnut solennellement que les appels de ses tribunaux flamands dépendaient bien du Parlement de Paris. Puis il se rendit à Arras pour y accueillir le chancelier de France Guy de Rochefort. Il se présenta « tête nue et inclinée » devant le représentant de Louis XII afin de faire hommage entre ses mains pour les comtés de Flandre, Artois et Charolais. Il promettait en même temps de « servir [le roi de France] jusques à la mort inclusivement » et de se « conduire et acquitter envers luy comme envers [son]... souverain seigneur ». Bel exemple de trahison filiale, mais pour le plus grand bien des intérêts français : réduit à plus de circonspection, Maximilien se déclara alors prêt à prolonger la trêve qu'il avait acceptée naguère.

Il ne restait plus qu'à rechercher d'autres alliances, mais, cette fois, plus directement offensives. Depuis longtemps, Venise cherchait à mettre la main sur la partie orientale du Milanais. Amorcées à la fin de 1498, les négociations — passablement délicates — entre la France et la Sérénissime République allaient aboutir au traité de Blois, signé le 9 février 1499. Nos partenaires s'engageaient à soutenir le roi de France en faisant intervenir mille cinquante hommes d'armes et quatre mille fantassins, entretenus à leurs frais, jusqu'à l'entière conquête des domaines lombards. En récompense de quoi, les Vénitiens recevraient Crémone et tout le pays d'alentour. Grave échec pour Ludovic, qui avait toujours espéré en leur neutralité ; choix risqué pour Venise, qui allait se donner avec Louis XII un voisin finalement bien plus dangereux que le Sforza.

Surtout, le roi de France voulait s'entendre avec la Confédération helvétique, la plus importante réserve de mercenaires que l'Europe comptait alors ; de plus, ces soldats passaient pour les meilleurs de toute la chrétienté. En signant avec les représentants des cantons le traité de Lucerne — 16 mars 1499 —, la diplomatie française remporta un beau succès : Louis XII promettait aux Suisses une pension perpétuelle de 20 000 livres tournois, plus un « secours » de 20 000 florins, payables à Lyon chaque année, à la fête de la Purification. En échange, les montagnards s'engageaient à lui envoyer autant de soldats qu'ils pourraient trouver, chaque fois qu'on leur en demanderait. En outre, aucun sujet de la Confédération ne serait autorisé à porter les armes contre la France, sous peine d'être considéré comme rebelle.

Dans le courant de mai, un troisième accord fut conclu à Genève avec le duc Philibert de Savoie qui accordait aux « royaux » le passage sur ses terres et le libre accès aux cols des Alpes. Moyennant 22 000 livres tournois de pension annuelle — à recevoir après la conquête de la Lombardie — et 3 000 écus d'or soleil par mois pendant toute la durée des futures opérations, le Savoyard acceptait en outre de fournir six cents combattants à cheval qui serviraient à la défense de son duché au cas où celui-ci serait attaqué par les forces ou les alliés de Ludovic. Mais des alliés, celui-ci en aurait-il beaucoup ?

Le 29 juillet, évidemment dirigée contre le Sforza, une ligue quasi générale se constituait sous l'égide de la France, rassemblement hétéroclite de signatures plus ou moins sincères, en tout cas impressionnantes : la Sérénissime, le roi d'Aragon, la reine de Castille, le roi d'Angleterre, le roi de Hongrie, les cantons suisses, le roi d'Écosse, le roi du Portugal, le roi de Bohême et même l'Empereur, les électeurs et un certain nombre de princes allemands, petits ou grands. Un moment réticent en raison des ambitions françaises, le pape adhéra à l'alliance peu après, quand Louis se fut engagé à aider César Borgia du côté d'Imola et de Pesaro, où celui-ci cherchait à se tailler une espèce de principauté. Seuls restaient exclus Ludovic et aussi le roi de Naples, contre qui, en raison des revendications françaises, cette belle machine diplomatique était aussi dirigée.

Évidemment, le Sforza n'était point dupe. Pratiquement abandonné par son beau-père Hercule d'Este, sachant le roi de Naples trop faible pour le secourir efficacement, il ne pouvait trop compter sur Maximilien, toujours hésitant, toujours désargenté et en principe lié par son dernier engagement international. Bien que disposant de troupes locales assez nombreuses, mais connaissant leur relative médiocrité, gagné par l'affolement, Ludovic recrutait ses mercenaires un peu au hasard et à des conditions souvent désavantageuses ; derrière des chefs au passé trouble et à la fidélité douteuse — un Marco Martinengo, un Ugolino d'Ancona —, des transfuges de l'armée vénitienne vinrent ainsi se ranger sous sa bannière, plus tard rejoints par des reîtres allemands, des Suisses en rupture de ban, des Valaisans prêts à toutes les trahisons.

Car ses adversaires se préparaient eux aussi. Venise procédait à des enrôlements hâtifs d'Italiens, d'Albanais, d'Allemands qui allaient gonfler son armée jusqu'à atteindre une quinzaine de milliers d'hommes. Louis XII, lui, profitait de son récent traité avec la Confédération helvétique pour recruter surtout des Suisses et, se croyant revenu au bon temps de la guerre bretonne, assigner leurs positions aux nouvelles unités royales qui commençaient à se diriger vers Grenoble, puis vers Asti. D'après Guichardin, Louis aura bientôt en Italie seize cents lances — soit plus de six mille cavaliers —, cinq mille hommes des cantons, quatre mille Gascons, quatre mille Picards et Normands ; le Vénitien Mario Sanuto fournit des indications légèrement différentes avec mille sept cent cinquante lances, cinq cents archers ou arbalétriers montés, neuf mille sept cents fantassins suisses, picards, gascons, normands, et une artillerie assez faible. De toute façon, des effectifs dont la relative modestie nous est plus sensible qu'aux témoins du temps.

Au lieu d'être confié à un seul chef, le commandement de cette armée allait être partagé entre trois lieutenants généraux. Cousin germain de Charles VIII, encore jeune, très irritable, Louis de Ligny avait participé à la première expédition d'Italie, où il avait montré tout à la fois un très grand courage et de très moyennes qualités de stratège. D'origine écossaise, Béraud Stuart d'Aubigny tombera vite malade et devra céder sa place au neveu de Georges d'Amboise, Charles de Chaumont, lui aussi un général médiocre, mais au moins prudent et avisé.

En fait, le plus remarquable et aussi le plus illustre de ces chefs, celui dont le nom résume un peu toute cette expédition milanaise, c'est le dernier : Jean-Jacques Trivulce ou plutôt Giovanni-Giacomo Trivulzio, car il était milanais d'origine. Étant né vers 1448, chassé très jeune de sa patrie par la haine des Sforza, il avait servi Louis XI, puis Charles VIII et s'était couvert de gloire à la journée de Fornoue. Ayant atteint maintenant la cinquantaine et portant

dans sa chair les cicatrices de ses innombrables blessures, ce petit
homme à la corpulence épaisse et à la trogne rubiconde avait gardé
une incroyable vigueur. Dur pour lui-même, dur pour les autres,
sobre, insensible au froid autant qu'aux plus effroyables chaleurs,
il pouvait rester à cheval pendant des jours entiers, ne redoutait
personne en combat singulier et, sans négliger la guerre d'embus-
cade, savait à peu près manœuvrer sur un champ de bataille
classique. Nous le verrons à l'œuvre avec ses qualités et ses défauts,
ses initiatives personnelles et son obéissance à certaines directives
du lointain Louis XII.

En effet, à la différence de son prédécesseur Charles VIII et
contrairement à ce qui était une sorte de tradition chez la plupart
des souverains, le roi de France ne donne pas l'impression d'avoir
envisagé de diriger lui-même cette nouvelle expédition, au moins
dans un premier temps. Certes, le 10 juillet 1499, il arrive à Lyon,
accompagné de César Borgia, du cardinal Della Rovere, de Georges d'Amboise et d'une suite nombreuse. Soucieux de « voir
l'ordre et police de son ost », ainsi que « la montre et nombre de ses
soudards », il passe en revue les unités qui se trouvent encore dans
la ville, punit des négligences, se fait préciser quelques détails et...
repart très vite, à destination de Romorantin, où l'attend Anne de
Bretagne, alors enceinte de sept mois. A en croire les témoins à la
solde de la reine, c'est l'impatience que Louis éprouvait à retrouver sa femme, c'est la grossesse de celle-ci, c'est l'inquiétude
relative à sa future délivrance qui expliqueraient le comportement
du monarque. En fait, il semble bien que celui-ci avait la ferme
intention de rejoindre à plus ou moins brève échéance ses troupes
en Italie, mais il ne pouvait prévoir l'extrême rapidité avec laquelle
toute l'affaire serait menée à bien.

Le 18 juillet, Trivulce avec l'avant-garde royale — six cents
lances et quinze cents hommes de pied — avait pénétré dans le
Milanais. Le même jour, l'artillerie et le reste de la cavalerie
quittaient Lyon en « moult triomphant arroy » et, selon le brave
chroniqueur Jean d'Auton : « Qui, au raiz du souleil, heust veuz
les armes reluyre, les estandards au vent bransler, les groz chevaulx
aux champs bondir et faire carrière à toutes mains, tant de lances,
picques, hallebardes et autres enseignes de guerre par chemin,

tant de gens d'armes, piétons, artillerye et charroys en avant marcher, bien eust peu dire seurement que assez de force y avoit pour tout le monde conquérir. »

Quinze jours plus tard, l'armée française est regroupée dans la plaine du Pô, particulièrement autour d'Asti et de Felizzano. Bien qu'il dispose de troupes supérieures en nombre, le Sforza, épouvanté, cherche à gagner du temps. Il demande à son beau-père Hercule de Ferrare de travailler à le réconcilier avec les Vénitiens, sollicite l'appui des Florentins et fait transmettre à Trivulce quelques propositions nouvelles, voire inattendues. Il s'agissait d'offrir à Louis XII la succession du Milanais ; évidemment, Ludovic aurait conservé le duché sa vie durant, mais ses enfants seraient tenus de le restituer après sa mort à la couronne de France. Le More n'eut pas de chance : Venise, Florence et le Roi Très Chrétien repoussèrent successivement ses avances. Il n'y avait plus désormais place que pour les armes.

Au début d'août, quittant sa base principale d'Asti, l'armée française reprenait sa marche. Toujours prudent et même timoré, Ludovic avait cantonné toutes ses troupes dans des places-fortes, sans « mettre sur les champs » la moindre armée pour arrêter les Français. La première forteresse rencontrée devait être celle de la Rocca d'Arezzo, défendue par quelque huit cents hommes. Investie dès le 5 août, la place tombe le 9 et, « eulx ainsi entrés », les royaux « prindrent le chasteau... et tuhèrent tous les souldartz de Ludovic et grant partie de ceulx de la ville ; et, après ce, pillèrent tout, puys firent courir le feu par les maisons, et s'en retournèrent au camp avecques leur butin ». Une semaine plus tard, on attaquait la ville d'Annona, sur le Tanaro, qu'on prenait d'assaut au bout de quelques heures : les neuf cents hommes de la garnison devaient « être découpés et tranchés, sans qu'un seul tout vif en réchappast ».

Ces deux horribles massacres, le traitement infligé à ces deux villes — « l'une et l'autre rasées à fleur de terre » — frappèrent de terreur le pays tout entier. Malgré ce qu'ont pu en écrire certains historiens, il est difficile d'en rendre directement responsable le cruel Trivulce, tout de même trop milanais pour traiter ainsi et de façon délibérée des compatriotes et des civils innocents. Il semble, au contraire, que le vieux soldat ait simplement appliqué en ces circonstances des directives précises du roi qui jugeait indispensable le recours à la terreur, au moins en début de campagne, pour couper court à toute velléité de résistance. Tactique délibérée, donc, qui n'excluait pas d'autres pratiques plus subtiles, comme vont le montrer les opérations autour d'Alexandrie.

Place de premier ordre, cette ville était la clef du système de défense milanais. En avant de celle-ci, la cité de Tortona commandait la route de Plaisance, et Valenza, tout l'aval du Pô. Cette dernière forteresse est attaquée le 25 août. Dans l'euphorie de la victoire, on massacre encore quelques défenseurs, mais grâce est accordée à trois capitaines italiens, renvoyés sans rançon et, bien exploitée par la propagande royale, cette générosité calculée eut autant d'effet que les atrocités des jours précédents : dans les heures suivantes, on vit se rendre sans coup férir Bassignano, Piopera, Voguera, Castel-Nuovo, Sala et surtout Tortona, où, le 27 août, « se rendirent les souldartz à la volunté des lieutenans du Roy, lesquelz, ung baston blanc au poing, les envoyèrent, et ceulx de la ville baillèrent les clefz et, leurs bagues sauves, se soubmirent sans nulle autre deffense faire ». Dans une lettre lue publiquement, Trivulce loua les habitants pour « la bonne affection et servitude qu'ils portoient au Roy Très Chrétien », leur nouveau duc, présenté comme « ung seigneur juste, courtois et puissant... sans avoir affaire de leurs biens ni richesses ». D'autres villes, Incisa, Solero, Monte-Castello, Novi, ouvraient leurs portes peu après.

Dans la région padane, ne restait plus qu'Alexandrie qui, elle, refusa de se rendre. Après trois jours de siège et d'intense canonnade, les assaillants parvinrent à s'infiltrer par de multiples brèches, et les mercenaires suisses se livrèrent pendant vingt-quatre heures aux joies du meurtre, du pillage et de l'incendie. Piètre consolation pour les survivants, Trivulce fit pendre quelques « coupables », souvent pris au hasard.

L'effroi gagna si rapidement le pays d'alentour que le seigneur de Saint-Vallier, avec vingt-cinq lances, se rendit maître de Vigevano ; avec seulement dix lances, Regnaud d'Aubigny prit deux autres petites villes. En même temps, s'écroulaient les derniers pans de la puissance sforzesque. Gênes se ralliait à Louis XII, l'armée royale fonçait sur Pavie, les Vénitiens passaient l'Adda, se rapprochaient de Lodi, les villes lombardes se soulevaient les unes après les autres, et, à Milan même, des murmures commençaient à s'élever contre le More, rendu responsable de tous ces malheurs.

Toujours prudent, sinon même un peu lâche, celui-ci quitta secrètement la ville le 2 septembre, avec quelques fidèles. Suivi de près par les Français, il remonta vers le nord, en direction de Côme. Après avoir traversé le lac en barque jusqu'à Bellagio et avoir dû se cacher la nuit dans une grotte pour échapper à ses poursuivants, il atteignit enfin les terres de Maximilien, qui vint l'accueillir à Innsbruck. Ce fut pour y apprendre du Sforza la conquête de son duché par les maudits Français.

Les Milanais semblaient n'avoir attendu que le départ de leur ancien maître pour négocier une reddition avantageuse ; c'est que les « marchands, banquiers et autres riches » voulaient éviter un pillage comparable à celui d'Alexandrie ; pour faire son entrée dans la ville, Trivulce dut promettre de laisser hors des murs la plus grande partie de son armée. Peu après, le 14 septembre, malgré sa garnison de trois mille hommes, ses douze cents pièces d'artillerie et des vivres pour deux ans, la citadelle capitulait à son tour sans qu'eût été tiré un seul boulet de canon.

D'après le chroniqueur Gianmarco Burigozzo, qui n'avait alors que six ou sept ans mais fut témoin direct de ces événements, les habitants de la cité avaient tellement redouté un sac en bonne et due forme qu'ils se sentirent d'un seul coup soulagés. La foule se répand aussitôt dans les rues, la joie éclate et les symboles de l'ancienne puissance ducale sont abattus pour être remplacés par les armoiries de Louis XII : « Par toutes les rues et places, nous dit Jean d'Auton, chascun cryoit : FRANCE, FRANCE !, et de l'enseigne de la croys blanche [l'étendard royal] grands et petitz estoyent parés, et des armes du Roy la plus part des maisons ornées et décorées ; et n'y avoit ne Guelphe ne Vibelin qui, pour l'heure, ne fussent bons François ; mais si, par crainte qu'ilz avoyent de perdre leur robe, ou par amour que de nouveau vouloyent avoir aux Françoiz, ou bien par haine qu'ilz avoyent à Ludovic, le faisoyent, j'en lesse le déterminer à ceulx qui la fin en verront. »

Ainsi, le Milanais avait été conquis en un mois à peine. Dès la fin d'août, Louis XII avait appris à Romorantin l'imminence d'une victoire complète et était aussitôt reparti. Voyageant très vite selon son habitude, il arriva à Novare le 20 septembre, se reposa quelques jours dans cette ville où il avait tant souffert quelques années plus tôt et, après avoir traversé Vigevano, n'oublia pas un de ces gestes peu coûteux mais significatifs qui lui permettaient d'en imposer à une opinion publique encore dans l'expectative : « Pour vouloir commancer à seigneurie possessive de ses pays conquis prendre, dedans la cyté de Pavye où l'exercice studieux de toutes les Italles florist, ung mardy, premier jour du mois d'octobre, fist son entrée tant triumphalle et sollempnelle que à tousjours est digne de commémoracion. Les docteurs régens et escolliers de l'université, gouverneurs et potestatz, avecques toute la comune de la ville, à telle festivité et recueil honorable le receurent que la marge de mon papier, pour au long la chose descripre, ne seroit suffisante. » Comme nous aurons l'occasion de le constater assez souvent par la suite, le roi, bien que moyennement cultivé lui-même, saura toujours mettre de son côté les forces intellectuelles et morales.

Le dimanche suivant, « entour les troys heures après mydy », Louis XII faisait son entrée solennelle dans *sa* ville de Milan, qu'il n'avait jamais vue jusque-là. Revêtu du costume ducal — manteau blanc fourré de vair gris —, coiffé de la toque royale et montant un genet d'Espagne, il s'avançait au milieu d'une suite innombrable où l'on reconnaissait pêle-mêle le cardinal Julien Della Rovere, le duc de Ferrare, César Borgia, La Trémoïlle, le jeune Gaston de Foix, le comte de Ligny, le duc de Savoie, Philippe de Ravenstein, le marquis de Mantoue, le cardinal d'Amboise, huit ou dix évê-ques, les « magnats et principaux gubernateurs de la cité ». Sans oublier, autour, toute la noblesse locale, le clergé, le « peuple gras » et le « peuple menu ».

Devant la porte de la ville, l'arc triomphal sous lequel passa le roi était fleurdelisé d'or ; l'image de saint Ambroise, patron et pro-tecteur du pays, occupait le milieu de l'architrave ; au sommet, des « hommes sauvages et monstrueux » soutenaient l'écusson mi-parti de France et de Bretagne, autour duquel avait été peinte cette inscription ô combien éloquente dans sa simplicité : « Loys, roy des Francs, duc de Milan. » Belle revanche pour le petit-fils de Valentine Visconti !

Cette journée mémorable devait être suivie de fêtes, de banquets splendides où s'étalait la beauté des Milanaises, prêtes pour la plupart à se montrer très compréhensives envers leur nouveau maître. Mais celui-ci, dit-on, ne voulut point « prêter l'oreille, comme Sardanapalus, à [ces]... féminines blandices », et il passe pour s'être conduit avec une si chaste réserve qu'on ne put jamais le soupçonner d'« avoir viollé son mariage ». Il est vrai qu'il avait quelques raisons de porter ses pensées ailleurs : à Romorantin, le 13 octobre dans la matinée, Anne commençait à ressentir les douleurs de l'enfantement ; certes, elle n'accoucha point d'un garçon, mais (à quelques imperfections près) la petite fille était viable ; en apprenant la nouvelle quelques jours plus tard, Louis XII n'en demanda pas davantage, témoignant même une grande joie, parce que, disait-il, « c'est un bon espoir d'avoir des fils, depuis qu'on a eu des filles ».

En général, les rois heureux ne manquent pas d'alliés. Impressionnés par les victoires faciles de leur nouveau voisin, les représentants des princes et des divers États italiens s'empressèrent de venir le congratuler. Trahissant son gendre sans vergogne, Hercule d'Este, duc de Ferrare, se rallie avec éclat au nouveau maître du Milanais. Le marquis de Mantoue se met sous sa protection et reçoit en récompense, outre le collier de Saint-Michel, une belle compagnie de cent lances.

Les littérateurs, folliculaires et autres tâcherons de la plume ne sont pas les derniers à proposer leurs services ou à se laisser embrigader par le nouveau pouvoir. C'est l'époque où Claude de Seyssel, Savoyard de naissance et Piémontais de circonstance, s'attache au roi de France, qui le fait bientôt entrer au Conseil en qualité de maître des requêtes. Jurisconsulte, humaniste, latiniste, helléniste, en même temps cœur fidèle et reconnaissant, Seyssel sera l'historiographe, l'apologiste, le panégyriste de Louis XII, avant de devenir évêque de Marseille, puis, après la mort de son maître, archevêque de Turin. Évêque de Novare, poète néo-latin, émule de Virgile et de Stace, Geronimo Pallavicino préféra, lui, rester en Italie, mais ce fut pour y exalter, dans des hexamètres vibrants, l'excellente administration du nouveau duc.

Celui-ci méritait-il tant d'éloges ? Lors de cette première occupation, Louis XII devrait rester à peine deux mois dans le Milanais, mais en mettant passablement à profit ce bref séjour. D'instinct, il savait prendre les décisions qui touchaient le cœur des populations, ces populations qui, disait-il, « se gagnent plus par la douceur et raison de loi, que par la rigueur et l'effet des armes ». Il prit donc des mesures extrêmement sévères pour réprimer les excès de ses propres soldats, surtout dans les campagnes, et quelques « gendarmes », convaincus de viol, furent pendus sans autre forme de procès.

Surtout, il s'efforça de séduire les nobles locaux, abolissant les anciennes ordonnances qui leur interdisaient de chasser à courre et supprimant « certaines grandes sommes de deniers », exigées jusque-là pour pouvoir chasser à l'épervier. Il rétablissait aussi dans leurs rang et privilèges les grandes familles lombardes que la haine des Sforza n'avait cessé de poursuivre, restituait leurs biens confisqués, rappelait les exilés. En même temps, il n'oubliait pas non plus les partisans du More, cherchant à se les gagner par de multiples bienfaits.

En revanche, il semble avoir beaucoup moins pris en considération les intérêts du « peuple menu ». Certes, ses thuriféraires ne manquent pas de souligner qu'il a singulièrement diminué le montant total de l'impôt roturier, le ramenant de plus de 1 600 000 livres à 622 050 livres, ce qui déclencha évidemment l'enthousiasme des petites gens ; mais ils oublient en général de préciser que pour les finances ducales, le manque à gagner allait être largement compensé par un alourdissement des taxes indirectes. Ce qui ne tarde à faire gronder tout un chacun contre le sans-gêne des Français.

Pratiquement, le terme d'« exploitation » n'appartient pas au vocabulaire de l'époque. Peut-on l'utiliser pour caractériser la façon dont les « royaux » se sont comportés vis-à-vis du duché en cette fin de 1499 ? En fait, même s'ils étaient animés d'intentions discutables, ceux-ci n'ont guère eu alors le temps de donner toute leur mesure et seuls quelques cas permettent de déceler déjà une amorce de ce qui sera repris par la suite à une plus grande échelle.

Très tôt, Louis XII se soucia de récompenser les plus efficaces de ses capitaines en leur distribuant pensions, terres et seigneuries ; c'est ainsi que Trivulce reçut, entre autres, la ville de Vigevano et Yves d'Alègre le château de Pozzoli. Militaires ou civiles, les charges n'étaient pas moins appréciées : Baptistin Fregoso devint gouverneur de Gênes et Philippe de Ravenstein vice-roi ; originaire du Queyras, le légiste Geoffroy Carles obtenait l'office de premier président du nouveau Parlement de Milan, constitué sur le modèle des cours royales ; et Pierre de Sacierges, président du Grand Conseil, devenait chancelier du duché.

Avec des hommes sûrs aux postes clés et des troupes relativement nombreuses bien réparties en garnisons dans les diverses villes, Louis XII pouvait considérer le pays comme suffisamment tenu. Impatient de retrouver la reine Anne et encore plus impatient de voir enfin sa fille nouveau-née, il quitte Milan à la fin de novembre et revient à Romorantin presque aussi vite qu'il en était parti. Il assiste au baptême de l'enfant, qui reçoit alors le nom de Claude, mais sa joie sera de courte durée.

D'Allemagne et d'Italie, il allait recevoir bientôt des nouvelles inquiétantes. En Lombardie, depuis le départ du roi, les Français recommençaient à se conduire d'une façon déplorable, vivaient cyniquement sur le dos de l'habitant, rural ou citadin, et — détail peut-être plus grave — manquaient trop souvent de respect à l'égard des femmes : des maris trompés ou jaloux parlaient à mots à peine couverts de « vêpres siciliennes ». Malgré quelques mauvais souvenirs, l'administration brutale de Trivulce faisait déjà regretter celle des Sforza et les partisans du More relevaient la tête, s'agitaient beaucoup et se tenaient en rapports étroits avec leur ancien maître, car, « par messaigiers segretz et lectres closes, avoit le seigneur Ludovic, envers le peuple de Lombardie et autres villes des Italles, si bien œuvré que de la faveur et ayde d'iceulx se tenoit pour asseuré ».

Toujours réfugié en Allemagne, celui-ci ne baissait pas les bras, et, avec l'aide assez parcimonieuse de Maximilien, mettait sur pied une nouvelle armée de huit mille Suisses, Albanais, Lombards,

auxquels se joignirent cinq cents hommes d'armes « bourguignons », c'est-à-dire, en fait, des Francs-Comtois. Dès qu'il est
informé, Louis XII réagit, se précipite à Paris, emprunte 200 000
livres à la municipalité, lève de nouvelles compagnies d'ordonnances, fait fondre des canons et peut envoyer un premier contingent de cinq cents cavaliers en direction de Lyon, sous les ordres
du fidèle La Trémoïlle.

Hâte insuffisante, car, en cette fin de janvier 1500, Ludovic
marchait sur les frontières du Milanais à la tête d'une armée
maintenant grossie jusqu'à atteindre une vingtaine de milliers
d'hommes. Partout — sauf à Novare, Plaisance et Lodi, trois villes
qui resteront indéfectiblement fidèles à Louis XII —, partout la
noblesse, les bourgeois, les paysans s'agitent, apparemment impatients de revoir leur « libérateur ». A Milan même, une conspiration antifrançaise échoue, mais dans la population la rancœur
reste forte ; le 25 janvier, une insurrection éclate, bientôt relayée
par d'autres soulèvements dans de nombreuses villes du pays.

Pour plus de sûreté, les Français décident d'abandonner la
capitale lombarde : « Le troisiesme jour de février, sur les cinc
heures du matin, sortirent de la place le conte de Ligny, le seigneur
Jehan-Jacques [Trivulce], le seigneur d'Auzon et le capitaine
Coursinge, avec troys cens hommes d'armes et deux cens Suyces.
Pour la garde du chasteau [la citadelle] demourèrent cinq cens
souldartz, soubz la charge du seigneur de l'Espy et de Messire
Code Beccarre, capitaine de la place, avecques grant force, artillerye et vivres pour bien long temps. » Malgré escarmouches et
barricades, ils parviennent à faire leur jonction avec les hommes de
Louis d'Ars — qui ont quitté la place de Bellinzona, trop peu sûre
— et à atteindre Novare, dont la fidélité ne les expose à aucune
fâcheuse surprise.

En même temps, Ludovic reprenait sans difficulté Milan, Pavie,
Parme et Vigevano. Comme l'armée de La Trémoïlle qui se
formait à Lyon n'était pas encore tout à fait prête, le Sforza put
même marcher tout à loisir contre Novare et, après quelques
négociations, obtenir à l'amiable le départ des Français, qui se
replièrent avec tout leur armement sur Mortara. Bien que limité, il
s'agissait d'un succès incontestable pour le More qui s'empressa de

crier à la « victoire incomparable » et fit procéder quelques jours
plus tard à son entrée dans la cité de saint Ambroise.

Sous l'impulsion de Louis XII qui venait d'arriver à Lyon, les
troupes de secours accéléraient leurs préparatifs et purent enfin
passer les monts au début de mars en dépit des chemins encore
enneigés. Georges d'Amboise les suivait de près, muni des pleins
pouvoirs pour régler les rivalités qui opposaient Trivulce au comte
de Ligny, imposer le commandement suprême confié à La Trémoïlle et obtenir éventuellement « la réconciliation des villes
rebelles ».

Après avoir rejoint Trivulce et Ligny à Mortara dans les derniers
jours de mars, La Trémoïlle se rapprocha lentement de Novare où
l'attendaient Ludovic et les siens. Lorsque la nouvelle d'un affrontement imminent parvint à Lyon, Louis XII, très ému, ordonna
des messes, des prières publiques, des processions ; il envoya des
offrandes aux églises locales et fit lui-même plusieurs pèlerinages
dans les environs pour implorer la faveur du Ciel. En même temps,
quelques gentilshommes de sa maison, entre autres Jacques de
Rohan, le bâtard de Vendôme, le bâtard de Bourbon, partaient
aussitôt afin de participer à cette chaude affaire et à l'« honneur du
triomphe » ; en trois jours et demi, ils parcoururent, dit-on, plus de
cent lieues et arrivèrent au camp de Mortara juste comme l'armée
française se mettait en route.

La rencontre tant attendue eut lieu le 8 avril 1500. Ludovic était
sorti de Novare pour affronter ses adversaires en rase campagne.
Malgré la supériorité numérique de ses troupes, il avait beaucoup
hésité, et à juste raison. Dès le début de l'engagement, vraisemblablement soudoyés par les agents français et leurs arguments en
belles pièces de monnaie, ses mercenaires suisses avaient adopté
une attitude pour le moins déconcertante : très passifs, ils s'abs-
tenaient de soutenir les autres contingents sforzesques, ce qui
devait entraîner rapidement une panique assez générale parmi les
Milanais. A la nuit tombante, les armes se turent, mais d'étranges
négociations commencèrent : les Suisses et les Bourguignons du
More ne demandaient qu'à se retirer sans continuer à se battre, les
Français ne demandaient qu'à les laisser partir, mais voulaient au
moins mettre la main sur Ludovic qui, mêlé à ses hommes et

habillé comme un simple fantassin allemand, restait introuvable.

Seule la trahison d'un des ses lansquenets permit de le découvrir. « Arriva le conte de Ligny parmy la presse et là le vint trouver, à tout, ses cheveux troussez soulz une coiffe, une gorgerete autour du coul, un pourpoint de satin cramoisi et unes chausses d'escarlate, la hallebarde au poing. » Certes, l'ancien duc de Milan se permit de faire bien des difficultés pour reconnaître son identité, mais la menace d'être conduit devant Trivulce, son mortel ennemi, devait l'amener aux aveux. Habitué depuis Saint-Aubin-du Cormier à de semblables scènes, La Trémoïlle reçut le prisonnier avec les égards dus à son ancien rang et à son infortune ; il l'invita évidemment à souper sous sa tente, le consola comme il put, lui fit espérer en la « débonnaireté » de son maître Louis XII « Ainsi, comme le dit Jean d'Auton, fut la duché de Milan, en sept moys et demy, par les Françoys deux foys conquestée ; et pour celle foys finye la guerre de Lombardye et les aucteurs d'icelle captifz et exillez. »

Presque au même moment, Georges d'Amboise recevait les délégués de la ville de Milan venus implorer sa clémence et celle du roi Très Chrétien : on n'ignorait pas que plusieurs capitaines français, et non des moindres, réclamaient la mise à sac de la cité et la mort de tous les habitants au-dessus de quinze ans. « Le quatorziesme jour d'apvril, les seigneurs et potestatz de Millan se rendirent à Vigève [Vigevano], au-devant du cardinal d'Amboise, pour le supplier très humblement que son plaisir fust aller prendre logis dedans la ville de Millan et regarder le peuple d'icelle en pitié, sans le vouloir du tout pugnir, scelon le démérite de son forfaict ; ausquels fist responce ledit cardinal que, pour l'heure, en la ville souillée de vices tant prodigieux n'entreroit, mais au chasteau, qui tousjours avoit tenu bon pour le Roy, s'en alloit loger : ce qu'il fist. »

Le Vendredi Saint 17 avril, Amboise recevait en grande pompe l'amende honorable de la cité rebelle, au milieu de la foule éplorée qui attendait son arrêt à genoux et en prières. A la supplique qui venait de lui être adressée et par laquelle les Milanais lui demandaient « humblement pardon de leur desloyauté et de leur rébel-

lion », le prélat fit répondre à ses auditeurs anxieux que le Très
Chrétien était leur « vrai et naturel seigneur », à qui ils devaient
« amour, foy et obéissance, selon que Dieu l'a ordonné ». L'essentiel, tant attendu, se trouvait dans la péroraison, grandiloquente
comme il se devait en pareil cas :

« O Milanais ! la grande fontaine de pitié du Roy Nostre Sire
n'est pas cessée pour vostre ingratitude, et la bonté de Monseigneur le cardinal vous est assez manifestée. En révérence du jour
auquel plust à Dieu endurer mort et passion sur l'arbre de la Croix,
Mondit Seigneur le Cardinal, de par le Roy, vous pardonne vos
vies, vostre honneur et vos biens, vous exhortant à vous garder de
jamais plus encourir soupçon de rébellion, soubz peine d'estre
chastiés si asprement que la mémoire en reste à toujours. »

Pour l'essentiel, l'indulgence et le pardon l'emportaient donc,
intimement mêlés, il est vrai, au minimum de fermeté indispensable : de tous les anciens conjurés gibelins qu'on avait jetés dans
les prisons, quatre seulement furent condamnés à mort et exécutés
publiquement sur la place du château ; quant à ceux qui avaient
assassiné quelques pèlerins français sans défense, ils périrent au
bout d'une corde ; on mit le feu aux hôtelleries où s'étaient commis ces crimes, non sans y avoir enfermé préalablement à l'intérieur les aubergistes avec leurs femmes et leurs enfants.

Dans son « infinie sagesse », et vraisemblablement avec l'accord
du roi, le cardinal estima ces quelques exemples suffisants pour
raffermir les Milanais dans leur fidélité ; il s'abstint même
d'inquiéter les partisans avoués et autres nostalgiques des Sforza ;
enfin, avec le souci de gagner à Louis XII la plus grande part de la
population, il convertit l'amende criminelle qu'il leur avait tout
d'abord infligée en une simple amende civile, ramenée de 300 000
à 170 000 écus.

Louis XII se trouvait encore à Lyon avec Anne de Bretagne et la
Cour quand Ludovic y fut amené. Escorté et surveillé depuis
Novare par deux cents archers de la garde royale, il avait été
jusque-là parfaitement traité et avait même eu la possibilité
d'emmener avec lui une partie de sa domesticité, ses joyaux et un
trousseau considérable. Quand il arriva en vue de la ville, le 2 mai
1500, le prévôt de l'hôtel vint au-devant de lui pour le faire

prisonnier de par le roi et l'emmener dans la sombre forteresse de Pierre-Encize. Monté sur un méchant mulet, vêtu d'une simple robe de camelot noir, brisé par la défaite, miné par l'inquiétude et paraissant beaucoup plus que ses cinquante ans, il dut passer à travers une foule malveillante et narquoise, dont les réactions n'annonçaient rien de bon.

S'il avait espéré pouvoir plaider sa cause directement auprès du roi, il dut être bien déçu, car il n'obtint jamais cette audience sur laquelle il comptait tant en se fiant à la clémence bien connue de Louis XII. Celui-ci refusa toujours de l'entendre et le fit interroger pendant quinze jours par des membres du Grand Conseil. Certes, le vainqueur ne permit point qu'il fût fait « aucun outrage en la personne de ce prince », mais il le fit envoyer bientôt dans un sombre château-fort du Berry, chez son fidèle serviteur le sieur de Lis-Saint-Georges, puis, au bout de cinq ans, transférer dans la grosse tour de Loches.

Sur ce que fut la captivité du More dans ce qui devait être sa dernière demeure, les avis sont partagés. Selon de nombreux chroniqueurs et historiens, l'ancien duc allait croupir là jusqu'à la mort dans une chambre voûtée, sous terre, enchaîné dans une cage de fer qui « contenoit à peine six pieds de large et huit de long, n'ayant place que pour mettre un petit pavillon pour coucher ». En revanche, certains panégyristes du roi prétendent que, peu de temps avant le décès de son vieil ennemi, il lui aurait fait quitter sa fameuse cage et permis de « respirer en liberté dans le vaste château de Loches », à condition d'être toujours suivi par un chevalier écossais qu'on lui laissait comme geôlier.

Un point est sûr, à peine plus rassurant : dès que Ludovic eut franchi le seuil de cette prison, il devint l'objet d'une indifférence si délibérée, il tomba dans un tel oubli qu'on ignore même quand il passa de ce monde en l'autre. On avance parfois la date de 1508, mais sans aucune certitude : sur une humble dalle de pierre scellée à quelque distance du mausolée construit pour Agnès Sorel dans la chapelle du château, les traces de son épitaphe se sont maintenues très tard, mais l'essentiel s'effaça si rapidement sous les pas des fidèles que, de mémoire d'homme, nul n'a jamais pu en retrouver les données, sûrement précieuses pour l'historien.

De la part de Louis XII, réputé si bon, si juste, si accessible au pardon, une telle rigueur peut surprendre. Les uns ont pensé que le roi voulait venger ainsi l'assassinat de pèlerins français, qui passaient pour avoir été mis à mort sur l'ordre de Ludovic ; d'autres ont vu là le juste châtiment infligé à l'allié à peine honteux du Turc et de l'Infidèle ; il ne faut pas oublier non plus des rancœurs anciennes, le souci de venger l'honneur des Visconti, les vexations infligées par les Sforza à son vieux père, le duc Charles d'Orléans, les horreurs du premier siège de Novare, dont le prisonnier avait été au moins le responsable indirect. D'une façon générale, avec tout ce qui touche le Milanais, Louis XII nous apparaît sous un jour très différent de ce qu'il est dans sa légende, comme si, dans cette principauté où il ne serait plus tenu par les grandes lois non écrites de la couronne de France, il pouvait au choix, et selon les circonstances, jouer au stratège novateur, adepte de la terre brûlée et des massacres préventifs, au souverain souriant et mesuré, à l'exploiteur sans vergogne, au tyran vindicatif tel que beaucoup pouvaient l'être alors, à la mode italienne.

Ce qui déconcerte plus encore, c'est que le roi peut toujours mener de front deux démarches parallèles et apparemment contradictoires comme le montre peu après le traitement qu'il réserve au propre frère de Ludovic, le cardinal Ascanio Sforza. Celui-ci avait été capturé par les Vénitiens, alliés de la France. « Rendu » à Louis XII après deux mois de difficiles négociations, il arriva à son tour dans la ville de Lyon le 17 juin. Lui, au moins, eut la chance d'obtenir une audience du roi qui, après l'avoir écouté avec attention, refusa de le livrer au pape Alexandre VI, son plus mortel ennemi. Envoyé d'abord à la prison de Pierre-Encize, puis à la Grosse-Tour de Bourges, le cardinal en sortira peu après, gracié, et deviendra une sorte de conseiller officieux du roi, tout heureux de pouvoir utiliser les compétences d'un homme réputé pour ses exceptionnelles qualités de diplomate.

En effet, après la seconde victoire milanaise de Louis XII, les affaires européennes ne devenaient pas plus simples pour autant. En apparence, les ambassadeurs de tous les États européens ou presque — Venise, l'Angleterre, la Hongrie, l'Écosse, l'Espagne, même le Saint-Empire — recherchaient avidement son amitié et

voulaient se rapprocher de lui par de nouveaux serments
d'alliance : à en croire Jean d'Auton, c'était très simple, « il n'y
avoit si grant prince sur la terre à qui son amytié ne fust bien chière
et désirée, et sa puissance espouvantable ».

Mais ces avances empressées cachaient trop souvent bien des
arrière-pensées. Ainsi, Florence cherchait surtout à entraîner le
roi contre Pise, sa vieille rivale, et obtint au moins de lui l'envoi
d'un petit corps auxiliaire... dont l'appoint ne permit d'ailleurs pas
à la grande cité toscane de régler ses comptes. De son côté, le pape
Alexandre VI n'avait pas été l'un des derniers à saluer les succès
français, espérant comme toujours que son cher fils César finirait
par en profiter, directement ou non. Pour rendre le roi plus
favorable à ses intérêts, il n'imagina pas de meilleur moyen que de
conférer au cardinal d'Amboise le titre de légat pontifical pour le
royaume de France, c'est-à-dire d'envoyé représentant la personne même du souverain pontife et, à ce titre, investi des pouvoirs
les plus étendus : honneur exceptionnel qui allait satisfaire partiellement l'insatiable ambition du prélat tout en flattant la vanité
de son maître.

Peut-être galvanisé par cette nouvelle distinction, Amboise
profita de son séjour à Milan pour y déployer une activité débordante et rétablir l'autorité du roi. Appliquant scrupuleusement la
Grande Ordonnance qui, promulguée dès la première conquête
du pays, le 11 novembre 1499, précisait l'organisation politique et
administrative du pays, il ne lui restait plus qu'à réinstaller un
gouverneur civil et un gouverneur militaire chargés de représenter le roi. Sorte de Parlement sans en porter le nom, mais véritable
cour supérieure de justice, composé à égalité de seize membres
italiens et français, le « Sénat » avait la charge de contrôler la
validité des édits royaux concernant le Milanais, de surveiller
l'ensemble des officiers de justice, de rendre des décrets, d'entériner les lettres ducales de dons, d'anoblissements, de rémissions,
de privilèges. Le cardinal-légat se soucia aussi d'enrôler quelques
espions et autres mouchards chargés de surveiller l'opinion publique, de distribuer plus efficacement les garnisons royales dans les
diverses citadelles, de faire lever sous ses yeux les premiers ver-
sements de l'amende civile et autres impôts extraordinaires que les

villes lombardes s'étaient engagées à payer au plus vite. Il n'oublia même pas l'université de Pavie, qu'il savait si chère au cœur de Louis XII, y attira de nouveaux professeurs par de belles promesses et montra qu'il était prêt à les tenir en augmentant la pension du recteur, le célèbre jurisconsulte Ambrosio Jason de Maino, l'« Apollon de toutes les sciences, la merveille la plus rare de son temps ».

Mais le cardinal-légat savait bien que se tenir trop longtemps éloigné de la Cour et du roi, cela pouvait nuire à sa carrière et surtout à son influence. Dès qu'il le put, à la fin du mois de mai 1500, il quitta Milan, remettant le gouvernement du duché à son propre neveu, Charles d'Amboise, seigneur de Chaumont, dit souvent « Chaumont d'Amboise », ce jeune homme que nous avons déjà entrevu, sérieux et terne, mais assez sévère et pointilleux sur la discipline pour être respecté de tous. Dans l'abondante suite du prélat qui serpentait au pas des chevaux sur les routes récemment élargies des Alpes et du Dauphiné, se pressaient plusieurs chefs militaires, certains des plus connus — La Trémoïlle, Trivulce, Ligny, Alègre —, d'autres plus obscurs, mais qui tous venaient en France pour y chercher la récompense de leurs faits d'armes, si héroïques et si récents.

Quand tout ce beau monde arriva enfin à Lyon, le 21 juin, le roi s'y trouvait encore. Il assistait à la messe lorsqu'on vint lui apprendre la nouvelle, et n'hésita pas le moins du monde à interrompre ses dévotions pour aller féliciter ses « fidèles guerriers », qu'il tint à « festoyer illec de toute familliarité puisée », tout en se déclarant très content de leurs bons et loyaux services. Il récompensa de « façon magnifique » La Trémoïlle, Ligny, Trivulce, quelques autres encore, sans oublier son cher Amboise auquel il donna, entre autres, le comté lombard de Sartinara et la seigneurie de Lomelline, près d'Alexandrie. En revanche, il semble bien qu'il ait oublié la plupart des capitaines de rang inférieur, ce qui déclencha des murmures ici et là. Certains mirent ce geste — ou cette absence de geste — sur le compte de l'ingratitude, d'autres sur celui de l'avarice, cette avarice qu'on lui reprochera souvent par la suite, à tort ou à raison. Il faut plutôt voir là, semble-t-il, la réaction d'un ancien féodal qui n'avait d'yeux que pour ceux de son milieu social et pouvait ainsi être amené à commettre d'incontestables maladresses.

Si blâme il y a eu dans une certaine opinion publique, cette désapprobation dut rester discrète et limitée. Toujours suivi par la reine et par Georges d'Amboise, le souverain quitta Lyon le 21 juillet ; sept jours plus tard (chiffre sacré !), une arche du grand pont s'écroula dans le Rhône ; et l'on ne manqua pas, dans le petit peuple, de trouver à ce fâcheux accident une explication inattendue qui montrait au moins l'attachement du plus grand nombre à la personne de Louis XII : celui-ci rencontrait partout un tel amour que les fleuves eux-mêmes se réjouissaient de sa présence ; mais, quand le mari d'Anne de Bretagne s'éloignait, le Rhône montrait sa fureur attristée en faisant choir un pont !

Après un long, un très long périple par la Bretagne, le Bas-Poitou et la Touraine, le couple royal ne rentra qu'au début de décembre au château de Blois, où il passa les trois mois d'hiver. Au cours de ses pérégrinations à travers les provinces, Louis XII n'oubliait certes pas son métier de roi, se faisant présenter partout les autorités locales, se tenant au courant des diverses nouvelles et recevant chaque jour son secrétaire Florimond Robertet, l'homme de tous les dossiers et de tous les secrets, celui qu'on a pu présenter comme une sorte de Premier ministre avant la lettre, peut-être plus influent, en tout cas beaucoup plus compétent que Georges d'Amboise. Mais il est sûr aussi que les séjours prolongés en un endroit fixe, comme Lyon, comme Amboise et surtout comme Blois, permettaient au roi et à ses plus intimes conseillers de faire le point sur les situations délicates, d'approfondir davantage les problèmes pendants, d'envisager des projets à plus lointaine échéance. Et, de fait, durant ces premiers mois de 1501, Louis XII profita des circonstances pour convoquer la plupart de ses généraux de finances, revoir les comptes de ses trésoriers, commander des rapports sur l'administration judiciaire tant dans le royaume de France que dans le duché de Milan. Malheureusement, il devait assez vite être repris par des préoccupations proprement diplomatiques.

L'Europe catholique connaissait alors un de ces rares et brefs moments où, sous l'égide d'un pays momentanément plus puissant ou plus chanceux — en l'occurrence, la France —, les divers États se sentaient tentés par la paix, la concorde, une sorte d'irénisme. Ce début de siècle s'annonçait radieux et la météorologie elle-même semblait vouloir se mettre à l'unisson de cette ambiance quelque peu édénique. Souvent cité et reprenant comme en écho certains textes contemporains venus d'Allemagne, d'Angleterre ou d'Italie, un procès-verbal de l'échevinage d'Amiens se fait l'interprète de cette euphorie assez générale : « Considéré que, Dieu Merchy, le royaulme de France estoit en bonne paix, et aussy que pain et vin estoient à bon marché et [qu'il]... y avoit habundance de tous biens, [ce]... qui est à louer Dieu... »

Hélas ! A cette époque-là, quand les États chrétiens s'entendent à peu près, c'est en général pour chercher querelle ailleurs. Déjà le trouble et versatile Maximilien, qui semble admettre depuis peu la prééminence de Louis XII, lui demande (ou lui enjoint ?) de « déclairer aux ambassadeurs du Saint Empire son bon courage, en attendant la venue de Monseigneur le duc de Saxe, pour freuctueusement conduire et mener à bonne fin les matières de la paix et aussy plusieurs grandes matières concernant le bien, honneur et prouffict de toute la chrestienté ».

Bien, honneur et profit de toute la chrétienté : le mot n'est pas encore lâché, mais tout le monde comprend, il s'agit de la Croisade, le vieux serpent de mer que l'Occident chrétien garde toujours en réserve pour les grandes occasions. Car c'est bien une expédition contre le Turc et l'Infidèle que, dans son unanimité ou presque, toute la chrétienté va réclamer du « plus grand roy d'Europe », par surcroît descendant direct de Saint Louis.

S'agit-il d'une initiative sincère ? Ou d'une manœuvre assez grossière visant à détourner le trop puissant Louis XII des belles terres italiques et à l'embourber dans les saumâtres complications balkaniques ou proche-orientales ? Si un piège lui est tendu, il faut bien reconnaître que le naïf Capétien ne s'en aperçoit pas. La bulle pontificale qui, traditionnellement, invite alors les chrétiens à se mobiliser, il ne l'attend même pas et s'empresse de jurer guerre éternelle aux ennemis du Christ. Est-ce bien de son propre mouvement ? Ou est-il poussé par Anne de Bretagne, dont le rôle, en ces circonstances comme en d'autres, n'est jamais d'une limpidité parfaite ?

Peu importe. L'essentiel est que Louis se soit engagé assez tôt dans ces projets grandioses. Dès le début de 1500, il avait repoussé avec humeur les avances du sultan Bajazet II, qui recherchait au contraire son amitié. En juillet de la même année, ses ambassadeurs avaient conclu à Bude un traité avec Ladislas, roi de Hongrie et de Bohême, ainsi qu'avec Jean-Albert, roi de Pologne. Dans cet acte, rédigé de façon très solennelle et en un latin tout à fait cicéronien, les trois contractants se juraient une alliance perpétuelle et offensive contre les Turcs ainsi que contre tous leurs autres ennemis éventuels, en exceptant, il est vrai, le pape, l'empereur et la Sérénissime République de Venise. On offrait même à ces derniers d'entrer dans la nouvelle combinaison diplomatique.

Comme s'il voulait profiter de cette clause et conformément à l'esprit de ses premières exhortations, Maximilien semblait bientôt prêt à réunir quelques fonds et quelques troupes avant de menacer les Ottomans. De son côté, l'Espagne craignait un retour offensif des Maures d'Afrique soupçonnés de vouloir reprendre pied en Andalousie. Menacés dans leurs positions d'Asie où ils rencontraient d'autres musulmans, les Portugais affirmaient vouloir entreprendre, eux aussi, quelque chose contre l'Infidèle. Quant aux Anglais, aux Écossais, aux Scandinaves, moins indirectement concernés par la menace de l'islam, ils n'hésitaient pas à prodiguer de bonnes paroles, voire des promesses prudemment évasives aux divers envoyés du Saint-Siège.

Dans toute l'Europe, les imaginations populaires s'exaltaient, enflammées par l'attente d'événements imminents et grandioses. On ne parlait plus que de prodiges. Comme à chaque fois que cela semble nécessaire, les apparitions se multipliaient, en Champagne, en Franche-Comté, en Savoie, en Calabre, en Carinthie. Ailleurs, des villages entiers avaient vu dans le ciel des signes qui ne pouvaient tromper, en particulier des alignements d'étoiles rappelant la croix du Christ, ses initiales ou même sa couronne d'épines. Dans le pays de Liège, en Campine, dans le Perche, d'autres croix, des langues de feu, des taches ensanglantées surgissaient un peu partout, se collant aux membres, aux vêtements, aux cheveux des femmes ou des jeunes filles. Depuis le Vendredi saint jusqu'à la Saint-Jean-Baptiste, des moines déchaînés prêchèrent la croisade aux quatre coins de l'Europe et déjà, comme à la lointaine époque des « Pauvres gens », des files de pèlerins prenaient à tout hasard la route de Jérusalem.

La plupart des souverains, eux, gardaient la tête froide. Seuls se montrèrent décidés à prendre en mains les intérêts de la chrétienté Anne de Bretagne et, bien évidemment, son royal époux. Toutefois, celui-ci n'alla pas jusqu'à se déclarer chef suprême de la sainte expédition ou à imiter l'exemple glorieux de son ancêtre Saint Louis en se croisant lui-même. C'est pourtant ce que lui avait fait demander le prestigieux François de Paule, l'ermite originaire de Calabre, l'ancien protégé de Louis XI, en lui envoyant deux de ses religieux « minimes » avec, comme présents propitiatoires, douze cierges et une chemise de crin. Le roi reçut avec son amabilité habituelle les messagers du saint homme, mais sut garder assez de bon sens pour les renvoyer au plus vite, en évitant de prendre tout engagement trop précis. Comme pour s'excuser, il s'était contenté de leur rappeler qu'en 1499 il avait déjà dirigé une flotte sur l'Orient. Ce qui était parfaitement vrai : de nombreux et violents combats avaient même été livrés aux Turcs au large du port péloponésien de Méthone. Mais cette première expédition avait finalement échoué en raison de la fâcheuse idée de vouloir se concerter.

En 1501, l'idée est reprise, mais de façon beaucoup plus sérieuse : il s'agissait d'attaquer la puissance du sultan dans l'archipel de la mer Égée et de débarquer sur la grande île de Mytilène (l'ancienne Lesbos), avec l'aide des chevaliers de Rhodes, peut-être celle de Ladislas le Hongrois, voire celle des Vénitiens, malgré leur décevante attitude de naguère. En mai, une nouvelle escadre était donc attendue à Toulon et à Gênes. « Madame Anne de Bretagne, comme très catholique, avoit desployé ses trésors et iceulx eslargi, pour souldoyer grand nombre de gens d'armes et équipper forces navires ; et, entre aultres, voulut que sa grosse carraque, nommée la *Cordelière*, et plusieurs aultres fissent le voyage. » Finalement, ce sont douze gros navires bretons et normands, ainsi que quatre galères, « moult vives et fort redoubtées en mer », qui, partant de Brest, parvinrent sur les côtes de Provence et de Ligurie.

Les déceptions n'allaient pas tarder. Seuls Français et Génois se retrouvèrent au rendez-vous. On partit néanmoins dans les premiers jours d'août, sous la conduite de l'intrépide Philippe de Ravenstein, l'oncle maternel de Louis XII. En traversant la mer Ionienne, la flotte subit les assauts d'une épouvantable tempête qui endommagea les bâtiments les plus lourds, en particulier l'ingouvernable et monstrueuse *Cordelière*, dont la reine Anne tirait tant de fierté. Il fut par la suite très difficile de s'approvisionner en eau douce sur les côtes du Péloponnèse, où les Turcs avaient incendié de nombreux villages et souillé toutes les citernes, tous les puits, toutes les sources. Devant l'île de Milo, il fallut attendre pendant près d'un mois l'arrivée de quelques galères vénitiennes, pourtant promises dans les plus brefs délais.

Finalement, l'on appareilla le 18 octobre, et, six jours plus tard, les croisés se trouvaient en vue de Mytilène et « approchèrent ladite isle... de tant que les tours et le château de la ville purent voir clèrement ». Après avoir entendu la messe et s'être confessés pour la plupart d'entre eux, ils se lancèrent à l'attaque dans un enthousiasme indescriptible. Mais, se défendant avec ardeur, les Turcs jetaient sur eux des tonneaux de poix enflammée et des sacs de cuir bourrés de poudre qui explosaient en touchant le sol. Après avoir enduré de lourdes pertes, les chrétiens durent se retirer, sans toutefois se décourager. Beaucoup d'autres assauts furent tentés dans les heures suivantes, tous aussi meurtriers, tous aussi infructueux.

Il est vrai que, pour leur part, les Vénitiens brillaient par leur passivité. Par ailleurs, une épidémie mal identifiée ajoutait bientôt les malades aux blessés, les vivres arrivaient mal, les réserves de munitions s'amenuisaient, la saison s'aigrissait rapidement, les vents devenaient moins favorables, et, malgré les courriers lénifiants de leur grand maître, les chevaliers de Rhodes n'arrivaient toujours pas. Au bout de vingt jours seulement, la mort dans l'âme, Philippe de Ravenstein décida de lever l'ancre pour rentrer en France.

Il n'était pas au bout de ses peines. Comme sa flotte s'apprêtait à
doubler le cap Matapan, elle fut surprise par une nouvelle tempête, qui dura plus de vingt-quatre heures. Plusieurs des grosses
nefs bretonnes et normandes sombrèrent corps et biens. Quant au
navire amiral, déjà sans voiles, sans gouvernail et démâté, il se brisa
sur un récif, à quelques encablures de l'île de Cythère, et l'eau
entra dans la coque avec une telle impétuosité que deux ou trois
cents hommes se noyèrent en quelques minutes. Philippe de
Ravenstein et plusieurs gentilshommes eurent un peu plus de
chance : ils se cramponnèrent à une épave et, « l'un en chemise,
l'autre deschaux et l'autre nu, au raiz de la lune, qui clère estoit,
approchèrent le rochier et là, ainsy comme ils purent, se grippè-
rent contre cestuy ci et gaignèrent terre ».

Repoussés par les indigènes, rudes pâtres grecs qui, peut-être
par peur des représailles turques, leur refusaient vivres et vêtements, certains se laissèrent mourir le long des âpres sentiers. Les
autres, parmi lesquels le duc d'Albany, Jacques de Foix infant de
Navare et Ravenstein lui-même, allaient errer lamentablement
pendant plus de trois semaines, « en quérant leur pain comme
pauvres mendiants » — précision du chroniqueur, qui s'indigne
visiblement du sort échu à d'aussi nobles personnages. Il est sûr
qu'ils auraient fini par succomber eux aussi à l'épuisement si,
d'extrême justesse, trois galères génoises ne les avaient finalement
recueillis et conduits à Corfou, puis à Gênes.

Ainsi devait finir la dernière croisade française de l'Histoire.
Expédition téméraire, inutile et d'autant plus regrettable que les
soldats, les navires, les canons perdus en mer Égée auraient pu, à
un moment ou à un autre, aider Louis XII dans ce qui était devenu
sa grande affaire depuis la victoire milanaise : le rétablissement de
la puissance française dans le royaume de Naples.

CHAPITRE X

Roi de Naples

Après avoir fait valoir rétrospectivement les droits de sa grand-mère Valentine Visconti sur le duché de Milan, le roi de France n'allait pas s'en tenir là : sur ce point, les diplomates européens se trouvaient à peu près tous d'accord. De fait, successeur de Charles VIII sur le trône de France et dans le lit de la reine Anne, Louis XII reprit aussi ses prétentions sur l'Italie méridionale. Comme son prédécesseur, il avait pris très tôt, dans la plupart de ses actes scellés en chancellerie, les titres de roi de Naples, de Sicile et de Jérusalem.

On a pu s'étonner par la suite de ce surcroît d'ambitions, de cette nouvelle soif d'aventures que certains considérèrent plus tard comme autant de folies. Outre l'ardeur conquérante du roi, qui semble intacte malgré son vieillissement précoce, il est vraisemblable qu'il a été poussé par certains de ses familiers ; depuis 1495, ceux-ci avaient gardé en Italie méridionale des intérêts qui leur tenaient à cœur : le souvenir de grasses prébendes, de charges flatteuses, de créances à recouvrer, de seigneuries, châteaux, domaines concédés autrefois par Charles VIII et perdus avec la défaite.

Malgré sa fougue et son aveuglement, Louis XII devinait au moins que cette fois, il ne pouvait agir seul. Instruit par l'expérience indirecte de la première expédition, il savait que les terres napolitaines étaient d'accès lent, difficile, et surtout qu'un autre souverain s'intéressait de plus en plus près aux mêmes possessions : le roi Ferdinand d'Aragon. Les droits que celui-ci prétendait posséder remontaient à son oncle et prédécesseur Alphonse V qui, selon lui, avait eu le tort de concéder Naples à son fils naturel Ferdinand Ier, grand-père de Ferdinand II — l'ancien rival de Charles VIII — et père de Frédéric III. C'était ce dernier qui, après avoir succédé à son neveu, régnait alors sur les terres tant convoitées et contre qui allait s'ourdir une machination franco-espagnole.

Tenace et retors, disposant par surcroît de bonnes troupes, Ferdinand d'Aragon pouvait en effet se révéler un adversaire redoutable pour le roi de France, qui ne tenait pas à l'affronter ouvertement. Celui-ci envisageait aussi le moment où il s'enfoncerait vers le sud, craignant que ses éternels partenaires, les Espagnols, le pape, Maximilien et peut-être aussi les Vénitiens ne fussent tentés de former une ligue pour le prendre à revers et lui ravir son cher duché de Milan. C'est pourquoi Louis XII prit le risque de laisser l'Aragonais prendre pied en Italie — où lui-même jusque-là « étoit le seul arbitre de toutes choses » — en cherchant plutôt à mettre au point un accommodement. L'autre estima y trouver son compte, puisqu'un traité secret fut signé dès le 11 novembre 1500 à Grenade, par lequel les deux souverains prévoyaient d'agir de concert pour attaquer le royaume de Naples, puis, après la victoire, de se le partager, autant que possible à parts égales. Le roi de France devait recevoir pour sa part Naples, la Campanie, Gaète, la terre de Labour, les Abruzzes et la province de Campobasso avec les titres de roi de Naples et de Jérusalem. Le roi et la reine d'Espagne, quant à eux, se réservaient l'extrême sud du pays, en particulier les Pouilles, sans oublier les titres de roi de Sicile, de duc de Calabre et d'Apulie. Hasard ? Ignorance de la géographie ? Tentative des uns pour tromper les autres ? Deux provinces, et non des moindres, la Basilicate et la Capitanate, avaient été oubliées dans ce curieux partage...

Mais Louis XII ne tenait pas à s'aventurer si loin sans prendre un maximum de précautions également du côté de Maximilien et profita de la détresse financière de ce dernier pour lui arracher une nouvelle trêve. Malgré son incontestable candeur, le roi savait aussi que, toujours prêt à trahir ses engagements, l'Autrichien persistait à entretenir des agitateurs en Bourgogne dans l'espoir de mettre tôt ou tard la main sur ce qui avait été possession de son premier beau-père, Charles le Téméraire. Georges d'Amboise venait même d'être averti que deux marchands de Beaune avaient promis de livrer cette ville à Maximilien. L'un des deux put s'échapper à temps, mais l'autre fut condamné pour haute trahison, exécuté, et ses membres débités à la hache furent exposés devant les portes des quatre principales villes de la Bourgogne française.

C'est pourquoi Louis XII crut bon, avant d'atteindre la vallée du Rhône, de rester deux mois dans la province. Il y épura les municipalités de leurs éléments troubles et installa des garnisons fidèles à Dijon, à Autun, à Auxonne, à Tournus, à Beaune, à Mâcon, autant de cités dont il fit, en cas de besoin, réparer et fortifier les remparts.

Assuré sur ses arrières, le roi, comme pendant les deux conquêtes du Milanais, ne dépassa pas Lyon, mais prit soin d'envoyer au-delà des monts son homme de confiance, le cardinal d'Amboise, toujours lui, qui, exploit remarqué, ne mit que douze jours, malgré l'importance du convoi et le poids des bagages, pour arriver jusqu'à Milan, où l'armée d'invasion était déjà sur pied. Parce qu'il avait possédé naguère en Campanie plusieurs belles terres en raison de son mariage avec une grande dame du pays — Eleonora de Guevarra de Baux —, le comte de Ligny avait longtemps espéré obtenir le commandement de l'expédition comme il l'avait eu — partiellement — lors de la première affaire milanaise ; finalement, le choix de Louis XII se porta sur son habituel rival, l'Écossais Stuart d'Aubigny, ce qui, dit-on, fit mourir Ligny de déception. Le roi, qui avait la larme facile, voulut bien s'apitoyer sur le sort de son « ami » et ancien serviteur.

Le 25 mai 1501, eut lieu la « montre » générale, qui permit de vérifier le nombre des hommes — à quelques passe-volants près — et de leur verser d'avance leur solde pour trois mois. Corps expéditionnaire qui, comme les précédents, nous semble sûrement d'une faible importance numérique et qui, même selon les

critères de l'époque, l'était en effet, car il n'y avait guère que
neuf cents « hommes d'armes » ou cavaliers français et sept
mille fantassins — Picards, Gascons, Allemands — ainsi qu'une
artillerie de vingt-quatre faucons et douze gros canons.

Le 1er juin, le seigneur d'Aubigny en tête avec trois cents
cavaliers et César Borgia en queue avec trois cents autres, « la
lance sur la cuysse et la teste en l'armet », l'armée s'ébranlait
enfin, prenait la direction de Parme — première grande ville
sur la route de Naples — et, durant toute la traversée de la
plaine du Pô, put avancer en gardant un ordre de bataille aussi
régulier qu'imposant. Après Montecchio commençait l'Apennin et la progression devint rapidement pénible à cause de
« l'empeschement des chemins », mais on ne devait rencontrer
ni ennemi ni obstacle insurmontables. A Pise, à Lucques, où les
autorités locales ne les laissèrent pas manquer de vivres, les
Français furent même assez bien accueillis. Après vingt-cinq
jours de marche, les troupes « passèrent par la ville de Romme,
sonnant trompettes et clairons, et gros tambours de Suyces ». De
Lyon, où il séjournait toujours, le roi suivait autant qu'il le
pouvait la progression de son armée et lui envoyait courrier sur
courrier avec l'ordre de marcher plus vite, « si possible estoit ».
Mais, en bon intendant qu'il était, il veillait aussi sur le bien-être
de ses guerriers et faisait partir, en sa présence, des convois
considérables de vivres, « grand nombre de lards et bœufs
salés », ainsi que de nouveaux contingents de fantassins normands ou picards.

Peu avant l'entrée des Français en campagne, le roi Frédéric
III avait été mis au courant de leurs intentions malveillantes. Il
s'était d'abord tourné vers son lointain parent Ferdinand d'Aragon qui, comble de duplicité, lui promit une aide... tout en
envoyant son général Gonzalve de Cordoue prendre pied en
Calabre et sur la côte des Pouilles. Passablement désemparé, le
Napolitain adopta alors une stratégie assez discutable, qui
consistait à abandonner tout le plat pays aux envahisseurs pour
ne défendre que les villes, en particulier Naples, dont il confia la
garde à son fils Ferdinand ; Capoue, que son fidèle Fabrizio
Colonna venait de mettre en état de résister avec plus de trois

mille trois cents défenseurs, et Aversa, pièce maîtresse de tout le dispositif, où il se flattait d'arrêter lui-même le flot des Français.

Dans les premiers jours de juillet, ceux-ci venaient en effet de pénétrer sur ses terres sans rencontrer de difficultés particulières. Continuant à appliquer le système de terreur que Louis XII avait déjà préconisé pour les deux précédentes campagnes du Milanais, Stuart d'Aubigny laissait ses soldats dévaster les campagnes abandonnées par leurs paysans et passer au fil de l'épée les quelques vieillards ou malades qui n'avaient pas pu s'enfuir : les envahisseurs passaient « sur ce malheureux pays comme une trombe dévastatrice ». La petite cité de Marino fut prise, pillée, brûlée ; abandonnée par Frédéric, revenu très vite de ses rodomontades, celle d'Aversa ne put échapper au pire qu'en ouvrant aux premières sommations, bientôt imitée par les responsables de Mattaloni ; à Marigliano, les défenseurs ayant fait quelques difficultés avant de se rendre, les deux cents « soudards » de la garnison furent pendus aux créneaux du donjon ; seul le commandant de la place put sauver sa tête, car il avait une femme « belle à merveilles », qui implora « si doulcement le Sire de Mauléon [chef du détachement français] et tant luy fist de son gré, qu'elle sauva son mary, lequel pouvait alors se vanter de ce que plusieurs taisent ».

La prise de Capoue allait poser davantage de problèmes. Cette fois, il fallut un siège en règle, qui dura cinq jours, cinq jours de canonnade intense. Par les brèches béantes qui trouaient les remparts, le sire de Mauléon put enfin réussir l'assaut. Parmi les soldats de la garnison, on ne trouva guère plus de deux cents survivants, qui furent tous mis à mort, les uns après les autres. Puis, comme si cela ne suffisait pas, s'ensuivit un épouvantable carnage qui dépassa en horreur tout ce qu'on avait vu jusque-là.

On estime traditionnellement à huit mille personnes — chiffre sûrement très exagéré — le nombre des Capouans qui périrent alors, soit la quasi-totalité de la population. Les vainqueurs se répandaient partout, défonçaient les portes à coups de hache et visitaient les maisons, les églises, les couvents, « tant que le long des rues à grands ruisseaux coulait le sang des morts ». Les hommes et les vieilles gens étaient d'abord massacrés, les femmes et les enfants ne l'étaient qu'après avoir été consciencieusement violés ; seules quarante des plus nobles et des plus belles dames de la ville échappèrent à ce triste sort, réservées à l'usage de César Borgia ; après en avoir « jouy tout son soûl » (on ne prête qu'aux riches !), celui-ci les envoya au Vatican pour le délassement de son pontifical géniteur.

Comme les nobles, les clercs et les riches marchands des environs s'étaient réfugiés derrière les murailles de la cité avec leurs bijoux, leur « grosse orfèvrerie » et leur numéraire, le pillage devait atteindre, lui aussi, une ampleur inouïe, à tel point que plusieurs Suisses et Français « furent alors enrichis à jamais, car tant de bien il y avoit que chascun put en avoir bonne part ». Louis XII fut-il mis au courant de ces savoureux détails ? Toujours est-il qu'en apprenant la prise de Capoue, il se montra « moult joyeux » du succès de ses armées et qu'il laissa s'embraser des feux de joie un peu partout dans Lyon. Puis, en bon chrétien, il fit célébrer une messe solennelle et ordonna dans tout son royaume des actions de grâces au « Dieu de victoire ».

De son côté, quand il vit les Français arriver devant Naples, Frédéric III restait tellement abasourdi par ces nouvelles qu'il préféra entamer immédiatement des négociations avec Stuart d'Aubigny. Il offrait à ses vainqueurs de leur livrer sa capitale avec le château de l'Œuf et le château Neuf, plus Gaète et de nombreuses forteresses qui tenaient encore pour lui dans les Abruzzes ; en échange de quoi il demandait de pouvoir se retirer dans l'île d'Ischia, avec sa femme, ses enfants, tous ses biens, et d'obtenir six mois de trêve pour envoyer des ambassadeurs auprès de Louis XII et négocier avec lui.

Finalement, pour des raisons complexes où semblent avoir joué des rivalités de personnes dans l'entourage de Stuart d'Aubigny, les Français refusèrent ces premières propositions. Mais, plutôt que de soutenir un siège aléatoire dans sa métropole surpeuplée, Frédéric accepta finalement un sauf-conduit pour se rendre en France « devers le Roy », préférant ainsi se fier à la « loyaulté et humanité » de son vainqueur plutôt que de se mettre « entre les mains » de son cousin Ferdinand d'Aragon.

Sans être considéré véritablement comme prisonnier, Frédéric fut autorisé à s'embarquer avec une pompe toute royale, suivi de cinq cents de ses gentilshommes, sur huit galères, une fuste et un brigantin, qui firent aussitôt voile vers la Provence. De Marseille, une députation officielle le conduisit jusqu'à Blois où Louis XII, jouant à merveille de sa bonhomie et de sa générosité, le reçut « très gracieusement », le serra sur son cœur avec beaucoup d'ostentation et, pour le retenir définitivement en France, le combla d'attentions, de présents, de promesses, en particulier celle d'une pension annuelle de 50 000 livres tournois ; mais même si celle-ci ne lui fut pas toujours versée avec toute la régularité souhaitable, l'attitude avenante du Capétien allait porter ses fruits : renonçant bientôt à la moitié de son royaume napolitain, bien évidemment en faveur de Louis XII, Frédéric reçut en échange le comté du Maine. Il devait y mener une vie douce jusqu'à sa mort, en 1504, ce qui ne l'empêcha pas, durant ces quelques années, de jouer un certain rôle dans la diplomatie française, en participant notamment aux multiples négociations qui furent alors menées entre Louis XII, l'Espagne et Philippe le Beau, fils de Maximilien.

A Naples et dans les environs immédiats, le départ de Frédéric avait accéléré les événements. Dans un premier temps, aucune difficulté particulière ne sembla s'élever quand on mit la main sur la portion du royaume attribuée à Louis par le traité de Grenade. Sans avoir besoin de montrer sa force plus qu'il ne l'avait fait jusque-là, Stuart d'Aubigny avait reçu dans son camp les clefs des principales villes campaniennes, ainsi que les hommages des seigneurs locaux. Il plaça des garnisons dans les principales cités, installa un embryon d'administration fiscale et envoya le sire de La Palice dans les Abruzzes, avec mille Picards et cinq cents lansquenets, pour prendre possession de cette contrée montagneuse, avant de s'installer plus au sud, en Capitanate et en Basilicate.

Ici, il faut s'arrêter un court instant, faire en quelque sorte le point. Les quelque dix mois qui vont d'août 1501 à juin 1502 et même un peu au-delà sont une période assez particulière,

celle qui voit la plus grande extension de la présence française
en Italie du Sud. Du même coup, on peut dire que, jamais dans
toute l'histoire des Capétiens, de 887 jusqu'en 1789, un roi de
France n'aura contrôlé sur le continent européen des territoires
aussi étendus. Après avoir conquis l'ensemble du royaume
napolitain, Charles VIII régnait — très théoriquement — sur
environ soixante-treize mille kilomètres carrés, en plus du territoire français proprement dit ; en dehors des mêmes limites,
Louis XV et Louis XVI n'en possédaient guère que soixante-
sept mille malgré toute une série de conquêtes ou d'acquisitions
(la Lorraine, la Corse, la Franche-Comté, la Flandre wallonne,
l'Artois, le Roussillon, l'Alsace, la Bresse et le Bugey) ; or, avec
la demi-portion napolitaine — prise alors au sens large —, mais
aussi avec le duché de Milan et le comté d'Asti, les domaines
italiens de Louis XII couvraient près de soixante-quinze mille
kilomètres carrés.

D'après les rapports minutieux qu'il se faisait adresser, le roi
de France savait combien de jours il fallait à ses troupes de pied
pour aller de Gaète à Naples ou de Naples à Foggia. Il avait
donc une certaine idée des distances existant dans son nouveau
royaume, et nous savons par certaines de ses lettres qu'il avait
parfaitement conscience d'être maintenant à la tête d'une très
vaste principauté. Il en connaissait aussi les ressources, en sup-
putait les possibilités fiscales et, très tôt, se soucia de son administration.

De Lyon, dès la fin d'août 1501, Louis XII envoyait un vice-
roi avec mission d'exercer le gouvernement civil de tout le pays,
d'« oyr toutes les manières d'ambassades », de contrôler les officiers, mais aussi de « régir, conduire et gouverner » l'armée,
ainsi que de recevoir la soumission des quelques places qui
auraient pu résister encore. L'heureux élu était Louis d'Armagnac, duc de Nemours, qu'un chroniqueur anonyme présente
comme un « jeune prince bien grand en savoir, très magnanime
en vouloir et plus excessif en vertus ». En fait, un violent, un
naïf et un médiocre sans plus, vite dépassé par l'ampleur de sa
tâche et bien incapable de faire front aux menées redoutables du
grand chef espagnol qu'il allait avoir devant lui : Gonzalve de
Cordoue.

En effet, la conquête avait peut-être été relativement facile, mais sa liquidation allait s'avérer bien autrement délicate. Si les Aragonais n'étaient guère apparus au premier plan jusque-là, c'est qu'ils s'étaient gardés de concerter contre Frédéric leurs opérations militaires avec celles des Français, et ce en contradiction absolue avec le traité de Grenade. Ils avaient préféré travailler pour eux-mêmes, ne cessant d'étendre leur influence dans le sud du pays. Certes, ils se contentèrent d'abord des régions qui devaient leur revenir en vertu des accords passés. Ils s'étaient emparés des deux Calabres à peu près sans résistance, « combien que presque tous ceux du pays désirassent les François pour seigneurs », à en croire notre chroniqueur anonyme qui prenait peut-être ses désirs pour des réalités. De même, dans les Pouilles, la capitulation de Frédéric ouvrit aux Aragonais les portes de presque toutes les places. Seule Tarente résistait encore grâce à la détermination du prince héritier, le jeune don Ferdinand. Mais les vivres venant à manquer, Gonzalve de Cordoue réussit à s'emparer de la ville en recourant à l'une de ces félonies dont il était coutumier : aux cours des négociations qui précédèrent la reddition, il avait juré sur l'hostie qu'il laisserait le prince partir en toute liberté ; et, dès que celui-ci quitta la place, il le fit arrêter.

Une fois la dynastie napolitaine évincée, les deux « alliés » vainqueurs, Français et Espagnols, n'allaient pas tarder à s'opposer sur les conditions pratiques du partage. De longs mois se passèrent en tractations d'autant plus délicates que les uns et les autres, en l'absence d'une ligne de démarcation nette, se trouvaient en quelque sorte installés côte à côte dans une bonne partie du pays.

La première cause du litige touchait le sort des deux provinces qui n'avaient pas été mentionnées dans le traité de Grenade. Il s'agissait de la Capitanate et de la Basilicate, que les Français occupaient depuis la récente expédition de La Palice. De son côté, Gonzalve ne tarda pas à réclamer ces territoires comme appartenant à la portion affectée à son maître le roi d'Aragon ; ce à quoi Nemours répondait que, de toute évidence, ceux-ci relevaient du roi de France. Dans le courant du printemps 1502, jugeant qu'il fallait en finir et jouant de l'effet de surprise comme lui seul savait le faire, l'Espagnol pénétra en Capitanate avec des troupes supérieures en nombre et prit quelques fortins isolés que tenaient les Français.

Bien qu'il se fût agi là d'actes plus symboliques que véritablement importants, Louis XII, revenu à Blois depuis longtemps, suivait avec attention les nouvelles venues non seulement de son royaume napolitain, mais de l'Italie tout entière. Les Borgia, en particulier, faisaient de plus en plus parler d'eux. La santé d'Alexandre VI s'altérait à vue d'œil, sa mort semblait imminente, mais certains impatients prétextaient le tort qu'il avait fait et faisait encore à l'Église universelle, parlaient de le déposer et d'élire le cardinal d'Amboise pour lui succéder. Quant à César, il savait qu'il avait tout à perdre avec la disparition de son père et voulait se donner auparavant le plus d'atouts possible afin de lui survivre honorablement ; ayant abandonné l'armée française, il était revenu dans les États pontificaux, intriguait contre Bologne, menaçait Florence, nouait des liens avec Pise et se montrait beaucoup en Romagne, où il rêvait de se constituer une belle principauté. Inquiets de ces menées brouillonnes, plusieurs princes, des États italiens et en particulier la Sérénissime République de Venise se tournaient vers le roi et le priaient de passer les monts, ce que, de toute façon, il voulait faire, afin d'être mieux à même de surveiller les négociations sur le partage des possessions napolitaines.

Suivi de sa Bretonne et du cardinal d'Amboise, Louis XII arriva dans Lyon le 8 juin 1502, où il ne resta qu'une dizaine de jours. Lors de cette brève étape, se serait déroulée une anecdote assez révélatrice sur l'époque, ainsi que sur la personnalité du roi. On lui présenta un Italien passablement étrange. Celui-ci se faisait appeler Mercurius ou Mercurio, à cause de la connaissance qu'il prétendait avoir de la science antique. Vêtu de lin blanc, portant en permanence une chaîne de fer au cou, il parcourait le monde en vivant d'aumônes, prétendait lire l'avenir dans les astres, lançait des prophéties énigmatiques, jetait des sorts, affirmait avoir réussi plusieurs fois la transmutation des métaux et se vantait de posséder tous les secrets de la magie naturelle.

Pour beaucoup moins, certains avaient des ennuis avec la justice royale. Au contraire, très intéressé par ces nouvelles, Louis XII tint à le faire examiner par une docte assemblée de clercs, de juristes et de médecins qui reconnurent qu'un tel savoir et une telle science leur semblaient dépasser de beaucoup les capacités ordinaires de l'homme. Comme pour l'intriguer davantage, ce miséreux se permit le luxe d'offrir au souverain des présents inestimables, en particulier une épée qui, lors de certaines conjonctions astrales, acquérait des pouvoirs quasi féeriques. Voyant là l'annonce de victoires grandioses, le roi manifesta sa reconnaissance à Mercurius en le comblant de joyaux, de tissus rares, d'écus d'or et d'argent ; mais le *philosophe* redistribua aussitôt le tout aux mendiants du quartier Saint-Jean, avant de disparaître par les chemins poudreux du grand vagabondage. Encore plus intrigué, Louis XII fut plusieurs jours à s'interroger sur cette ultime réaction et, après en avoir beaucoup discuté avec Georges d'Amboise, se demanda s'il ne fallait pas plutôt voir en ce geste une incitation irénique. Selon certains, ce serait même pour cette raison que, durant son futur voyage d'Italie, il n'aurait pas poussé jusqu'à Naples — ville qu'il ne connaissait pas et ne connaîtrait jamais —, pour y faire une de ces entrées solennelles dont il était si friand.

Ce qui, en revanche, ne l'empêcha pas, après avoir laissé sa femme à Lyon, de prendre une fois de plus le chemin du Dauphiné, puis de sa chère Lombardie. Quand il arriva le 3 juillet à Saluces, de l'autre côté des Alpes, les Français et les Espagnols du Napolitain étaient passés depuis quelques semaines à des hostilités ouvertes, surtout après la rupture brutale des pourparlers entre Nemours et Gonzalve, le 9 juin précédent. Sans crier gare, les Aragonais avaient pris le poste de Tripalda, en Capitanate, qui avait une petite garnison française. Forts de ce premier succès, ils tentent une attaque sur Troja, mais échouent. Furieux, ils essaient de se venger en s'emparant d'Avellino, mais les cinquante défenseurs forcent les assaillants à se retirer en laissant derrière eux plusieurs dizaines de morts et de blessés.

Commence alors, et pour des mois, pour des années, une

guerre confuse, de château à château, de ville à ville, de citadelle à citadelle, une guerre furieuse et continuelle, menée sans
suite ni plan d'ensemble aussi bien par Nemours que par Gonzalve de Cordoue, malgré le titre ronflant de « grand capitaine »
que lui accordera plus tard la postérité. Quel que fût le camp
auquel il appartenait et dès qu'il commandait à plus de cent
cinquante hommes, tout chef de bande se mettait à agir pratiquement pour son compte, en tous cas très isolé et largement
indépendant du commandement central. Nuit et jour, les garnisons de la plus modeste place se tenaient sur le qui-vive ; nuit
et jour, d'inlassables patrouilleurs parcouraient les vallées touf-
fues ou les longues échines du pays, à la recherche d'un ennemi
trop souvent introuvable.

Dans ce foisonnement d'événements dérisoires ou dispersés
émergent quelques hauts faits, quelques noms particulièrement
glorieux. Chez les Français : Jacques de Chabannes, seigneur de
La Palisse, à qui, bien plus tard, une mort héroïque à Pavie et
surtout une chanson naïve donneront une sorte d'immortalité
inattendue ; Yves d'Alègre, le cavalier intrépide qui combattait
sans casque ; Pierre de Poquières ; Pierre d'Urfé ; le Dauphinois
Pierre de Bayard ; ou encore Louis d'Ars qui, à Bisceglie, soutint pendant six heures, avec seulement une centaine d'hommes, les charges furieuses d'Aragonais cinq ou six fois plus
nombreux.

Par leur étrangeté ou par ce qu'ils pouvaient rappeler du vieil
esprit chevaleresque, certains engagements violents frappèrent
particulièrement les imaginations. Ainsi le fameux duel entre
Bayard et Alonzo de Sotomayor qui, la poitrine percée, la gorge
ouverte et le visage fendu, gisait mort alors que son vainqueur
lui criait encore de se rendre pour sauver sa vie. Ainsi, presque
en même temps, le « combat des treize », treize Français contre
treize « Italiens et Lombards ». Ainsi, un peu plus tard, le « combat des onze », engagé pour se désennuyer d'une de ces multiples trêves qui « faschoient merveilleusement » les plus ardents :
devant dix mille spectateurs massés sur les murs de Trani, onze
cavaliers français et onze cavaliers espagnols s'affrontèrent pendant tout un après-midi en une sorte de tournoi, tournoi heu-

reusement sans morts et officiellement déclaré sans « vaincus, ni vainqueurs ».

Sans vaincus ni vainqueurs, c'est ce que semblait encore être cette curieuse guerre napolitaine au cours du séjour que Louis XII fit dans la péninsule, de juillet à septembre 1502. Contrairement à ce qu'on pouvait croire, ce n'est pas la situation dans le sud qui le retint par priorité. Ce qu'il voulait d'abord, c'était reprendre en main ses deux *alliés* très incertains, César Borgia et son père le pape Alexandre VI. Toujours aussi soucieux de s'implanter en Italie moyenne, le premier menaçait Florence, pièce maîtresse du système diplomatique français ; au moins par une passivité des plus suspectes, le second soutenait indirectement les tentatives de son fils. De ce double point de vue, l'arrivée du roi de France eut un effet presque immédiat : César relâcha sa pression sur la grande cité toscane, vint faire sa soumission à Louis XII et lui offrit même le secours de ses bandes indisciplinées contre tout ennemi quel qu'il fût ; quant au Saint-Père, il promit — mais secrètement — de prendre le parti des Français dans l'affaire napolitaine.

Louis voulait aussi profiter de son passage au-delà des monts pour raviver la ferveur de ses fidèles dans toute la plaine du Pô et en Ligurie. Sa première visite, le 15 juillet, il la réserva à ses sujets d'Asti bien évidemment, puis à ceux de Valenza et de Vigevano. Le 29 enfin, il arrivait à Milan : le cortège solennel, le dais fleurdelisé, les rues tapissées de draperies, les volées de cloches, les fanfares de trompettes, la foule apparemment au comble de l'allégresse n'empêchèrent pas le roi de s'installer par précaution dans la citadelle, sous la garde vigilante de quatre cents archers, car il n'oubliait tout de même ni la versatilité ni la dernière rébellion antifrançaise de la ville.

Après onze jours de résidence dans sa capitale lombarde, puis un nouveau passage par Pavie — décidément, quelle sollicitude pour les universitaires, leurs étudiants, leurs bibliothèques et leurs harangues latines ! —, il était prévu qu'il terminerait son voyage par Gênes où, depuis un mois, les préparatifs de sa réception occupaient tous les esprits. Jadis indépendant — tout comme Venise, sa rivale —, le grand port ligure était rattaché au duché de Milan depuis 1487 et donc passé sous l'autorité de Louis XII en 1499. Celui-ci connaissait déjà la ville pour y avoir commandé l'escadre française pendant la première campagne d'Italie, au temps où il n'était encore que le duc d'Orléans et au service de Charles VIII. Il n'y était pas retourné depuis, et l'entrée solennelle, peut-être plus encore qu'en d'autres circonstances, apparaissait comme une véritable prise de pouvoir.

En raison de ce qu'on racontait sur l'esprit frondeur et particulariste de Gênes, cette fois encore, rien, du côté français, n'avait été laissé au hasard. Non seulement le roi de France arrivait à la tête d'une véritable armée — estimée à deux ou trois mille hommes — non seulement, en bon intendant militaire, il avait fait amasser à l'avance dans la ville d'énormes approvisionnements pour ses soldats et sa suite, vingt mille charges d'avoine et trente mille quintaux de foin pour les chevaux ; mais surtout, il fit « vuyder aux Gennevoys [Génois] les chambres haultes de leurs maisons, pour là loger les gens du Roy ; ce firent, affin que iceulx Gennevoys, qui autres foys avoient par leurs haultes fenestres, et du dessus de leurs maisons, à coups de pierres et de barres de fer, parmy les rues assommez tout plain des Françoys et d'autres qui là passoyent, ne peussent par là leur jouer de cas pareil ».

Le 26 août, eut lieu l'entrée royale — une de plus, passons, elles se ressemblent toutes. De même, à l'enthousiasme récent des Milanais semblait répondre maintenant celui des Génois qui, sans trop de réticences, accueillaient leur nouveau maître aux cris désormais classiques de « France ! » et de « Vive le roi ! ».

Gênes est une ville magnifique et Jean d'Auton, qui n'y est sûrement jamais allé, consacre à sa description un assez long passage de sa *Chronique*, tout à fait enthousiaste. Peut-être eut-il droit, avant de commencer sa rédaction, aux confidences directes du souverain qui, durant plusieurs jours, ne s'était pas lassé de revoir aux quatre coins de la ville ses magnifiques monuments, ses palais de marbre, ses couvents, ses statues. Sans oublier, en l'église Saint-Laurent, le « Sainct Grahal », ce merveilleux vase d'émeraude qui, selon les uns, aurait servi à célébrer la Cène du Jeudi saint, selon d'autres, à recueillir le sang du Christ au pied de la croix.

Outre les lieux d'incomparable architecture ou de haute spiritualité, Gênes possédait d'autres trésors : ses jeunes filles et ses femmes, célèbres dans toute l'Italie par leur beauté, « en allure un peu altières... en accueil gracieuses... en amour ardentes... en parler faconde ». Devenu chaste, époux fidèle à sa rude Bretonne, Louis XII avait su résister aux Milanaises. On pourrait penser que, tout en restant aimable, avenant, courtois, il réagit de même avec les Génoises... s'il n'y avait eu la bien curieuse histoire de Tommasina Spinola, devenue Thomassine Espinolle avec Jean d'Auton, qui s'exprime en ces termes :

« A la foys les dames de Gennes se trouvoyent aux banquetz, habillées à la mode milannoise et à la foys à leur mode. Et, entre autres, fut une dame genevoise, nommée Thomassine Espinolle, l'une des plus belles de toutes les Italles, laquelle gecta souvent ses yeulx sur le Roy... » Ici le bon Jean d'Auton se laisse quelque peu emporter par sa plume, quand il fait de Louis XII ...« ung beau prince à merveille » et ne redevient crédible que lorsqu'il précise que celui-ci était « très savant et moult bien enparlé ». Puis il continue avec sa placidité ordinaire : « Tant l'advisa cette dame, que, après plusieurs regards, Amour, qui rien ne doubte, l'enhairdya de parler à luy, et luy dire plusieurs doulces parolles ; ce que le Roy, comme prince très humain, prist en gré voluntiers ; souvent devisèrent ensemble de plusieurs choses par honneur, et tant, que cette dame soy voyant familière de luy, une fois entre autres, luy pria très humblement que, par une manière d'accoincte, il lui plust qu'elle fut son intendyo et luy le sien, qui est à dire accoinctance honnourable et amyable intelligence. »

L'*intendio* étant ce qu'on appellera plus tard, dans cette même ville de Gênes, un *sigisbée* (c'est-à-dire le cavalier servant d'une dame, mais dans les limites de la plus stricte décence), tous ceux qui, du XVIᵉ à la fin du XIXᵉ siècle, se sont penchés sur cet épisode — le P. Tiraboschi, Zuccolo, Neri, Kühnholtz, Maulde La Clavière, tant d'autres — se montrent unanimes pour pen-

ser que les relations du roi et de cette dame sont restées plato-
niques. Tant mieux, l'honneur est sauf.

L'affaire pose toutefois un certain nombre de problèmes.
Soixante ans plus tard, en 1562, dans ses *Rimedi d'amore*, le
Vénitien Lodovico Domenichi nous donne de ces mêmes événements une version toute différente : « Une dame Spinola nous
dit-il à peu près, était célèbre dans l'Italie tout entière par son
admirable beauté. Le roi Louis XII, qui ne se laissait pas prendre, comme tant d'autres, aux blandices féminines, voulut
savoir quelle part tenait l'artifice dans sa beauté, et imagina la
plaisanterie suivante. Un matin, comme il passait sous les fenêtres de cette dame à une heure où elle était encore couchée avec
son mari, il lui fit demander s'il ne pourrait pas la saluer à son
balcon. Tommasine Spinola sauta du lit et accourut en négligé.
Ce fut un triomphe, car elle parut encore plus belle en cette
tenue intime qu'en toilette de bal. » Ce qu'on sait du caractère
volontiers gaillard et facétieux de Louis XII pourrait nous amener à admettre tel quel le récit de Domenichi.

Jean d'Auton est en fait le seul contemporain à insister autant
sur cette affaire, puisqu'il y reviendra plusieurs fois, composant
même de nombreux vers bien mirlitonesques sur la mort tragi-
que de Thomassine trois ans plus tard, en 1505 (alors qu'aucune
femme de ce nom ne semble être décédée dans la ville à cette
date !). Consciemment ou non, notre chroniqueur a-t-il été
l'instrument d'une coterie hostile à la reine et désireuse d'exciter sa jalousie ? Hypothèse très discutable, si l'on sait que Jean
d'Auton était l'un des familiers, l'un des fidèles, l'un des « serviteurs » les plus dévoués d'Anne de Bretagne. S'agissait-il
d'accorder au souverain un prestige amoureux qui lui manquait
jusqu'alors, décevant une certaine opinion publique, parfois
plus sensible aux succès féminins de ses rois qu'à leur affli-
geante fidélité conjugale ? On peut aussi penser que, si cette
touchante idylle nous a été ainsi racontée, c'est tout simplement
qu'elle a frappé ou étonné ceux qui ont informé l'auteur et que,
dans son infinie simplicité, celui-ci a cru devoir nous en faire
part.

A un niveau plus pointilleux, la personnalité et même la

véritable identité de Thomassine nous échappent largement.
Nos érudits précités ont dénombré dans Gênes, autour des
années 1502 et 1503, pas moins de sept dames qui s'appelaient
Spinola et se prénommaient Thommasina. Mais l'une, née vers
1462, donc exacte contemporaine du roi, n'était plus de première jeunesse en 1502, surtout selon les critères de l'époque ;
une autre, veuve depuis 1486, avait atteint le temps de la plus
franche caducité ; une autre, au contraire, toute jeune, sortait à
peine de l'enfance et ne devait se marier qu'en 1510 ; une autre
encore était laide et contrefaite ; ainsi de suite, sauf une, la seule
à satisfaire en même temps aux conditions d'âge, de beauté et de
situation sociale.

Car la plus plausible de toutes ces prétendantes au titre de
royale *intendio* paraît bien avoir été une autre Tommasina dou-
blement Spinola, fille d'Antonio et femme de Gioachino, née
en 1479, morte en 1514 et donc âgée de vingt-trois ans lors du
séjour de Louis XII à Gênes. On a fait remarquer que, si jeune et
si jolie, elle n'avait aucune raison particulière de s'émouvoir à la
vue d'un quadragénaire sans grâce, édenté, flétri, encore que le
prestige d'une double couronne française et napolitaine puisse
excuser bien des faiblesses. Beaucoup pensent que la belle
enfant agissait, si l'on peut dire, en service commandé, chargée
par l'aristocratie et les notables de la ville de séduire le roi aux
moindres frais, juste assez pour obtenir de lui des concessions
jugées capitales. Et, de fait, Louis XII devait accorder aux autorités locales tout ce qu'elles lui demandèrent : un substantiel
allégement fiscal, le rétablissement de certains privilèges muni-
cipaux et, plus encore peut-être, la permission de conclure un
traité de commerce avec l'Espagne, malgré la guerre qui
s'aggravait dans le Napolitain.

Le séjour italien de Louis XII, qui se termina de façon assez
brusque en septembre 1502, avait commencé par avoir d'heureux effets sur le moral des troupes françaises. Peut-être encou-
ragées par cette nouvelle, celles-ci avaient envahi les Pouilles
dès le mois de juillet, puis, peu après, la Calabre. A la fin de l'été,
chassés de partout ou presque, les Espagnols ne tenaient plus
que quelques points sur les côtes de la mer Adriatique, de la mer

Ionienne ou dans l'immédiat arrière-pays : Tarente, Gallipoli, Cosenza, Andria et surtout le petit port de Barletta, autour duquel la situation allait en quelque sorte se cristalliser durant l'automne et la plus grande partie de l'hiver.

Gonzalve de Cordoue s'y était laissé enfermer avec treize cents cavaliers, quatre mille fantassins et une forte artillerie, mais sans poudre à canon, et sans davantage de vivres, d'argent ou beaucoup d'eau douce. Bien qu'il disposât d'une armée plus nombreuse grâce à des renforts récents, Nemours n'osa pousser le siège à fond et laissa son armée croupir dans l'inaction, les fièvres, les rapines, l'indiscipline. Au cours des mois, gagnant en quelque sorte du temps, les assiégés améliorèrent au contraire leur situation ; grâce à des irréguliers de la flotte vénitienne, ils recevaient de temps en temps du salpêtre de Dalmatie, de l'argent castillan et même quelques troupes supplémentaires venues de Sicile ou de Biscaye.

Une des principales faiblesses des Français venait de ce que leurs chefs s'entendaient de plus en plus mal. Brutal, indécis, versatile et piètre homme de guerre, Nemours, le vice-roi, ne parvenait pas à se faire obéir de ses capitaines. Incontestablement plus brillant et conscient de l'être, Yves d'Alègre figurait parmi les plus insubordonnés. Se posant comme le protecteur des Pouilles et de leurs habitants contre les exactions des percepteurs royaux, il accusait son supérieur hiérarchique de couvrir ces abus et laissait entendre que celui-ci agissait par avarice, par désir de s'en mettre plein les poches. Fort au courant de ces médisances qui étaient peut-être autant de calomnies, Nemours avait le bon goût de ne pas y prêter trop attention, dans le souci de préserver l'unité de son armée. Mais le mal était fait, et le moment approchait où, comme l'avait prédit un jour Gonzalve de Cordoue, les Français allaient « se perdre eux-mêmes ».

En effet, au début de l'année 1503, la situation changea carrément en faveur des Espagnols. La flotte française de Prégent de Bidoulx dut se saborder à Otrante pour ne pas tomber aux mains des marins de Ferdinand ; un petit contingent aragonais prit sans trop de difficultés la solide forteresse de Castellaneta ; chargé de blé, un vaisseau vénitien put approvisionner Barletta, juste au moment où la famine devenait alarmante ; dix mille Espagnols prenaient pied en Calabre et, venus de Trieste, deux mille cinq cents Allemands débarquèrent à Manfredonia, prêts à reconquérir la Capitanate ; toujours enfermé dans Barletta, Gonzalve attendait le moment le plus propice pour briser le blocus de ses adversaires.

C'est alors que les Suisses crurent l'occasion venue pour contraindre leur allié français à des concessions capitales sur les frontières septentrionales du Milanais. Sans oublier un arriéré de solde militaire, ils réclamaient en effet depuis longtemps le comté de Bellinzona, sur le haut Tessin : quatorze mille montagnards franchirent le Saint-Gothard, assiégèrent Locarno et parvinrent jusqu'à Varèse. La petite garnison française qui s'y trouvait put les arrêter jusqu'à l'arrivée de Chaumont d'Amboise et d'un gros contingent d'archers gascons. Ceux-ci réussirent à menacer gravement les envahisseurs en coulant les barques qui, par le lac Majeur, les approvisionnaient en vivres et en munitions.

Mais Louis XII ne tenait pas à pousser sa vengeance trop loin contre des voisins si belliqueux aux portes de Lombardie, contre des « alliés » qui, avec leurs inépuisables réserves de mercenaires, pouvaient toujours se révéler précieux. Et, de Lyon où il se trouvait alors, il envoya des consignes de modération à ses représentants qui, à Locarno, avaient déjà commencé de négocier avec ceux des cantons. Finalement, les Suisses obtinrent satisfaction sur toute la ligne, mais le roi tenait tant à leur amitié qu'il s'empressa de ratifier l'accord dès réception des pièces, le 22 avril 1503.

Remontant à une semaine tout juste, les dernières nouvelles du Napolitain semblaient l'inciter à l'optimisme. Le roi venait d'apprendre en effet que, pour rétablir la situation à l'avantage des Français, Stuart d'Aubigny avait entrepris de mettre le siège devant la place calabraise de Terranova, récemment reprise par les Espagnols.

Mais comment Louis XII aurait-il pu le savoir ? La veille de la signature du traité franco-suisse, donc le 21 avril, contrairement à leur habitude, les Espagnols avaient accepté le combat en rase campagne, au pied même de la forteresse, dans la plaine de Seminara. Bien qu'il eût pris la précaution de faire ses pâques avec tous ses soldats peu avant le début de l'engagement, le chef écossais se fit écraser de façon magistrale : l'action coûta si peu de gens aux vainqueurs qu'ils prétendirent plus tard n'avoir pas eu un seul tué ; les Français, en revanche, perdirent leurs bagages, leur artillerie et, dit-on, plus de deux mille combattants !

Quelques jours plus tard, Gonzalve de Cordoue réussissait enfin à sortir de Barletta et à accrocher en position de force les troupes affaiblies de Nemours ; la rencontre eut lieu à Cerignola le 28 avril ; la défaite de cette seconde armée française fut presque aussi grave que celle de Seminara, et le vice-roi lui même fut retrouvé parmi les morts. En moins d'une semaine, les Espagnols s'étaient emparés de la Capitanate et de la Basilicate, objets premiers du litige.

Ils n'allaient pas s'en tenir là, et d'autant moins qu'en face d'eux, ils ne trouvaient plus de force militaire véritablement digne de ce nom. Seuls de rares chefs français avaient gardé autour d'eux quelques bandes fidèles et, selon les vieilles habitudes de cette guerre incertaine, recommencèrent à tenter leur chance chacun de leur côté : Louis d'Ars était replié sur Venosa, pour essayer de surveiller les Pouilles ; avec quatre cents hommes d'armes, Yves d'Alègre se réfugiait à Melfi, puis à Tripalda ; quant aux plus nombreux, ils parvinrent à gagner Gaète, au-delà du Garigliano, à l'extrême nord du royaume napolitain, où ils commencèrent à se retrancher solidement.

Plutôt que de chercher à les déloger immédiatement, Gonzalve de Cordoue préféra marcher droit sur Naples, qui lui ouvrit ses portes le 6 mai et jura fidélité à Ferdinand d'Aragon avec autant de facilité que naguère à Louis XII. Les deux citadelles résistèrent davantage, mais le château Neuf finit par se rendre le 12 juin ; quant au château de l'Œuf, il fut emporté d'assaut un peu plus tard, alors que la garnison ne comptait plus que vingt-cinq survivants.

A ces peu réjouissantes nouvelles, le roi de France réagit en faisant front, comme il avait montré aux temps lointains de la Guerre folle. Il choisit de répliquer à la fois en direction de l'Espagne et en direction de l'Italie. Une armée et une flotte devaient agir de concert en attaquant le Roussillon et éventuellement la Catalogne : idée judicieuse, mais dont la réalisation, mal préparée, devait aboutir à un échec piteux dès le mois de septembre. Une autre escadre fut rassemblée à Gênes, dans l'intention de secourir Gaète. Mais le plus gros effort devait porter sur la constitution d'un nouveau corps expéditionnaire à destination du Napolitain ; il s'agissait d'une masse assez impressionnante qui regroupait au moins mille lances, une cavalerie légère non négligeable, quelque huit mille fantassins et une artillerie nettement supérieure à celles qui avaient été utilisées jusque-là. Le commandement fut confié à Louis de La Trémoïlle, une fois de plus.

Une fois de plus, dans le courant de juillet 1503, l'on passa donc dans les Alpes. Nos soldats approchaient de Rome, quand une nouvelle très importante vint tout bouleverser : peut-être victime du poison et, de toute façon, affaibli depuis longtemps, le pape Alexandre VI Borgia mourait aux premières heures du 12 août. Cet événement attendu avec impatience par certains ouvrit au cardinal Georges d'Amboise la voie à ses ambitions non encore satisfaites : personne n'ignorait en effet que son vœu le plus cher était de devenir pape. Il avait d'assez nombreux partisans, de solides appuis au sein du Sacré Collège, et rien ne semblait devoir s'opposer à son imminente victoire.

Perspectives également capitales pour le roi de France qui, avec son meilleur ami sur le trône de saint Pierre, verrait son influence considérablement renforcée dans la péninsule et même, dans une moindre mesure, dans l'Europe tout entière. Dès qu'il fut prévenu de la disparition d'Alexandre, Louis XII s'empressa d'envoyer à La Trémoïlle l'ordre d'abandonner provisoirement la marche sur Naples et d'arrêter son armée aux portes de Rome. Parti de Mâcon le 23 août, le cardinal arriva avec un cortège magnifique, déjà tout pontifical, et deux cents archers de la garde royale. Dans une lettre à son allié et obligé le marquis de Mantoue, le roi dévoilait le but de la manœuvre, avec une candeur désarmante qui n'appartenait qu'à lui : « Je vous requiers de faire entièrement tout ce que, par mon cousin le légat, vous sera dict, ou escript, ou commandé faire. Vous entendez assez quel bien pourroit advenir à moy et à mon royaume, s'il y avoit au Sainct Siège un bon et notable pape, mon amy, et gardant la rayson à chascun. »

Malgré la proximité des troupes françaises, l'élection pontificale put se dérouler en toute liberté. En principe, Amboise avait pour lui une majorité relative de cardinaux, et c'est avec la paisible certitude de ressortir pape qu'il entra au conclave. C'était compter sans l'acharnement de ses adversaires les plus résolus, les Espagnols, les représentants du Saint-Empire, la plupart des cardinaux romains ; c'était compter aussi sans la duplicité de ses deux plus chauds « partisans », Ascanio Sforza et Julien Della Rovere, qui semblaient se dévouer pour la cause française, mais la combattaient sournoisement.

Après sept jours de conclave, il apparut qu'Amboise ne pourrait jamais obtenir plus des treize voix qui, à chaque tour de scrutin, se portaient sur lui. De guerre lasse, après avoir obtenu deux promesses substantielles (le prolongement de la légation de France et de Bretagne pour lui-même, ainsi que le chapeau de cardinal pour l'un de ses neveux), il accepta de reporter ses voix sur le vieil Francisco Todeschini-Piccolomini, archevêque de Sienne, qu'une fistule à la jambe empêcherait probablement d'avoir un pontificat très long. Celui-ci fut élu pape le 21 septembre, sous le nom de Pie III.

L'armée française de La Trémoïlle avait repris depuis peu la route de Naples quand, le 19 octobre, après un des pontificats les plus brefs de l'histoire, Pie III Piccolomini mourut à son tour. Si Georges d'Amboise s'était fait quelques illusions pour cette nouvelle occasion, il devait une fois de plus être cruellement déçu. Une autre intrigue se machinait contre lui, au profit du cardinal titulaire de Saint-Pierre-aux-Liens : Julien Della Rovere. Parce qu'il était resté dix ans auprès des rois de France en qualité de légat, celui-ci passait pour leur homme, alors que, depuis longtemps déjà, il songeait à agir pour son propre compte. La nuit même qui suivit l'ouverture du nouveau conclave, il fut élu à une écrasante majorité et prit le nom de Jules II, sous lequel il est resté célèbre.

Énergique, vigoureux, bien que travaillé depuis quelques
années par le gonocoque et le tréponème pâle, ce pape surprenant avait dû, très jeune, sa brillante carrière ecclésiastique au
fait qu'il était le neveu d'un autre pontife, Sixte IV, champion
incontestable du népotisme le plus éhonté. N'étant point insensible au charme plutôt âpre des fortes personnalités, Michelet
nous a laissé de Jules II un portrait d'autant plus remarquable
qu'il est assez juste, ce qui n'est pas toujours le cas chez notre
grand historien national : « Dur et violent Génois, variable
comme le vent de Gênes, [il]... occupait toute l'attention par ses
brusques fureurs, ses prouesses militaires. On riait d'un père des
fidèles qui ne prêchait que mort, sang et ruine, dont les bénédictions étaient des canonnades. C'était un homme âgé et qui
semblait octogénaire, très ridé, très courbé, avare, mais pour les
besoins de la guerre. Il était très colérique, et surtout après boire
(sans s'enivrer toutefois). Il ne négligeait point le soin de sa
famille, mais n'aimait réellement que la grandeur du Saint-
Siège, sa grandeur temporelle, l'agrandissement du patrimoine
de saint Pierre. Pour cela, rien ne lui coûtait ; on le vit à La
Mirandole pousser lui-même les attaques ; un boulet traversa sa
tente et y tua deux hommes ; il n'en fit pas moins les approches,
logea sous le feu au milieu de ses cardinaux tremblants et voulut
entrer par la brèche. »

Le personnage qui nous est décrit ici n'avait pas encore donné
sa mesure, et il s'agit plutôt de celui qui allait se révéler dans les
années suivantes. Au moment de son accession au pontificat, on
lui connaissait des goûts violents et un caractère souvent difficile, certes, mais surout des manières de grand seigneur, une
amabilité apparente, une certaine souplesse de diplomate
consommé. Et, alors qu'il allait devenir rapidement le plus dangereux adversaire de Louis XII, il passait encore pour l'un de ses
fidèles soutiens. Les premiers gestes du nouveau pape semblè-
rent d'ailleurs confirmer ce que tout le monde croyait savoir : en
dépit d'une résistance acharnée de la chambre apostolique,
Jules II tint les promesses faites et, au consistoire du 4 décembre, il décida de prolonger indéfiniment la légation de Georges
d'Amboise, ainsi que d'accorder la pourpre cardinalice au neveu
de celui-ci, François de Castelnau.

Malgré ses affections vénériennes, la santé du nouveau pape semblait assez solide pour empêcher quiconque de prévoir un autre conclave à brève échéance. Amboise s'estimait désormais plus utile à Blois qu'en Italie, il avait obtenu, faute de mieux, ses lots de consolation et le climat de la campagne romaine lui convenait d'autant moins que, redoutant le poison ou quelque émeute antifrançaise de la populace, il s'était réfugié dans une maison fortifiée des faubourgs au milieu des marécages, sous la protection vigilante de César Borgia, venu avec l'élite de ses troupes. Quatre jours seulement après le consistoire, le cardinal-légat quitta donc la Ville éternelle, accompagné par la plupart de ses collègues jusqu'aux portes de la cité, malgré une pluie battante. Il ne pouvait pas savoir qu'il ne reviendrait jamais et qu'il mourrait sans être pape.

L'armée française était restée devant Rome pendant plus de trois mois, sans aucun profit pour la candidature de Georges d'Amboise, encore moins pour les affaires du roi ; l'inaction, les fièvres, l'indiscipline et surtout les désertions avaient diminué les forces du corps expéditionnaire pour une bonne moitié, en vivres, en armes et en hommes. Par surcroît de malchance, La Trémoïlle était tombé très gravement malade, à tel point que Louis XII dut le remplacer par François de Gonzague, marquis de Mantoue, puis par le marquis de Saluces, deux Italiens fidèles, mais de capacités militaires médiocres.

Les Français étaient arrivés vers la fin d'octobre au niveau de Gaète, où ils faisaient leur fusion avec tous ceux qui s'y étaient réfugiés. Puis ils atteignirent le Garigliano près de son embouchure, sur la rive nord. Ayant pu, de son côté, rassembler des troupes relativement nombreuses, Gonzalve de Cordoue vint camper en face, sur les hauteurs qui dominent la rive sud. Les deux armées se surveillèrent ainsi pendant huit à dix semaines. Les Français étaient de beaucoup les plus mal installés, dans une plaine basse que des pluies incessantes avaient transformée en un infect bourbier ; en outre, la famine menaçait gravement, puisque les vivres arrivaient par mer et que les tempêtes incessantes empêchaient les navires français d'accoster.

Ne pouvant plus rester sur place, les soldats de Louis XII

durent se replier sur Gaète le 29 décembre, suivis de près par les
Espagnols. Cette déplorable retraite est restée célèbre dans les
annales militaires de la France par les actes d'héroïsme que
déploya l'arrière-garde pour protéger des attaques ennemies
l'interminable convoi des blessés, des malades et des « gens
d'armes » qui avaient perdu leurs chevaux. « Pierre de Bayart,
qui ce jour soustint moult grant faix, estoit tousjours de la mêlée,
et tant que, à leur charge qui fut là faicte, luy fut tué son cheval
soubz luy, lequel se releiva l'espée au poing et ne se vouloit
rendre... Le cheval de Pierre de Tardes luy fut pareilment tué,
et luy, en se deffendant comme ung lion, fut environné d'ennemys et priz... Ung homme d'armes gascon, nommé Jehannot du
Gas, voyant que on donnoit sur l'artillerye, repassa le pont sur
les ennemys et, à la lance abattue, donna au travers... Bernard de
Scenon, très hardy homme d'armes, lefut priz, ung estoc au
poing, sanglant comme ung cousteau de boucher, et en cest
estat fut mené devant le capitaine Gonssalles [Gonzalve de
Coyrdoue], qui le voulut suader d'estre à son service », etc.,
etc.

Parvenus non sans mal dans Gaète, les Français se trouvèrent
dans une situation à peine plus confortable : quasiment imprenable, la place n'avait plus de vivres que pour huit jours. Gonzalve de Cordoue était parfaitement au courant et, plutôt que
d'entreprendre un blocus interminable, il fit savoir aux assiégés
que « si la ville [ils]... vouloyent rendre, ... tous les prisonniers
françoys et autres de leur party qu'il tenoit, [il les]... rendroict
sans aucune ranson. Les capitaines françoys... furent tous
d'oppinion de prendre ce party ». Gaète capitula donc le 1er
janvier 1504, et, pour une fois, le tortueux chef espagnol tint ses
promesses : il délivra tous ses prisonniers, respecta les biens et
les personnes des habitants de la ville, laissa sortir de celle-ci les
Français et leurs mercenaires, qui attendirent sur la côte
sableuse et désolée l'arrivée incertaine des galères royales.

Mais l'état de la mer allait contraindre la plupart d'entre eux à
prendre la route de terre, beaucoup plus longue et pénible. On
vit ainsi des fantassins épuisés par la fatigue et le froid, des
gentilshommes sans montures et sans valets se traîner le long

des chemins, mendier dans les villes qu'ils traversaient, peupler trop souvent les hôpitaux ou les charniers. Sur les côtes du Latium ou de la Maremme, en Basse-Toscane, dans les Alpes apuanes, les habitants, selon les cas, s'amusaient à les massacrer ou, au contraire, les aidaient de leur mieux. Plusieurs centaines de ces cadavres ambulants parvinrent jusqu'en Lombardie.

Dès avant la fin de janvier, Louis XII apprenait à Lyon l'ampleur du désastre. Avec son système nerveux devenu fragile, sa première réaction fut de colère. Il écrivit aussitôt à Chaumont d'Amboise, son vice-roi du Milanais, pour lui ordonner de retenir dans le duché tous ceux, capitaines, « gens d'armes », voire simples soldats, qui l'avaient « si mal servy en ceste affaire », comme s'il semblait craindre dans le royaume la contagion de ce qu'il dénonce — non sans un incontestable excès de langage — comme leur « lascheté ».

Mais il allait surtout s'en prendre à ceux qu'on appelait globalement les « trésoriers et clercs des finances », en fait tous ceux qui avaient été chargés de la solde et de l'approvisionnement des armées. Ceux-ci, selon lui et une bonne part de l'opinion publique, étaient coupables d'avoir plus ou moins prévariqué en engageant « grans fraiz, excessives mises, ... extresmes despenses » et d'avoir gardé « par devers eulx » pas moins de 1 200 000 livres. Un procès fut engagé contre une vingtaine de ces serviteurs indélicats, dont un certain Jean du Plessis, dit *Courcou*, contre qui pesaient les charges les plus lourdes ; François Doulcet, maître de la Chambre aux Deniers et contrôleur de l'extraordinaire des guerres ; Jean Hervoët, Nicolas Brizeau, Bertrant de Villebresmes et Jean Chédeville, clercs des finances.

Tous les biens de François Doulcet et de Nicolas Brizeau furent confisqués au profit du trésor royal. Trois autres des accusés furent « mytrés sur les eschaffaulx en la ville de Blois », c'est-à-dire condamnnés à porter une mitre burlesque et à être mis au pilori. Quant à Du Plessis, il devait être pendu et étranglé ; mais le roi, « tant humain qu'oncques homme ne fist mourir à qui il peust pardonner », commua la peine en un emprisonnement au château de Loches ; peu après, il poussa la clémence jusqu'à le faire libérer et le renvoya chez lui. Seuls deux trésoriers, finalement, auraient été exécutés et ce dernier point lui-même n'a pu être établi de façon indiscutable.

Entre-temps, l'irritation royale s'était en effet calmée. Punir des coupables réels ou supposés est une chose, redresser au loin une situation militaire compromise en est une autre. Peut-être, sous l'effet de divers conseils, Louis XII eut-il assez de jugement pour tirer assez vite les conclusions qui s'imposaient : dès le 31 mars 1504, ses représentants signaient avec le roi et la reine d'Espagne, en l'abbaye de Notre-Dame de la Mejorada, une trêve de trois ans qui acceptait en fait la domination des Espagnols sur tout le royaume de Naples.

Louis XII ignorait alors que Louis d'Ars tenait encore, avec quelques centaines d'hommes, une grande partie des Pouilles. Quand il l'apprit, il loua beaucoup l'« esprouvée vertu » de son capitaine, mais lui envoya aussitôt l'ordre de laisser des garnisons dans les différentes places qu'il occupait et de rentrer au plus vite en France. En bon soldat qu'il était, Ars obéit et, avec un demi-millier d'hommes, traversa l'Italie du sud au nord, cette fois en une espèce de marche triomphale qui, par Notre-Dame-de-Lorette, Rome et la Savoie, devait les mener jusqu'à Blois, où le roi les fêta grandement. Fête un peu ternie par une nouvelle qui arriva presque en même temps : comme Louis d'Ars avait laissé ses points d'appui sous la garde de garnisons trop faibles, ceux-ci venaient de tomber, tous les uns après les autres, aux mains des Espagnols. Décidément, le Napolitain était perdu, et bien perdu.

Comme cela devait lui arriver désormais de plus en plus souvent lors d'une grosse déception, le roi tomba malade en apprenant ce dernier coup du sort, pourtant bien prévisible. Avec les mois, doublé d'une belle dose d'inconscience, l'inaltérable optimisme de Louis XII reprit le dessus : « Le diable m'emporte ! aimait-il à dire, si à ceste foys le fléau de Fortune m'a persécuté à oultrance, à quelque heure le sort de Bonheur me fera ma perte recouvrer. Or, ai-je là, Dieu mercy, puissance pour l'affaire exploicter à proufct, et chevance pour y fournir. Donc mon mal n'est pas, comme la plaie abandonnée, sans quelque remède, ou malladie jugée à mort ! »

Paroles dénuées de tout fondement ? Forfanterie ? On peut
même se demander si le Napolitain l'intéressait vraiment. En
cette affaire, il n'avait fait que reprendre le flambeau de Charles
VIII, sans plus, mais il n'avait pas imité celui-ci en menant —
ou en suivant — son armée jusqu'à Naples. Au fond, l'essentiel
n'était-il pas pour lui de garder le Milanais, la perle de ses terres
et l'un des domaines auxquels il se sentait le plus attaché par les
traditions des Visconti et des Orléans ?

Ce domaine dont la possession lui semblait encore plus assurée depuis les accords complexes qu'il avait engagés avec Maximilien d'Autriche et sa famille.

CHAPITRE XI

Le « mariage » autrichien

Neuf mois après son remariage, donc au mois d'octobre 1499, Anne de Bretagne avait accouché d'une fille, Claude, appelée encore Claude de France. Même si les chroniqueurs ont pu relever trois autres grossesses par la suite — grossesses heureuses ou malheureuses —, très tôt, à en juger au moins d'après les apparences, les familiers de la Cour, les puissances étrangères et le couple royal lui-même ont réagi comme s'ils devinaient plus ou moins obscurément que la reine ne parviendrait jamais à mettre au monde un fils à peu près viable.

Dans ces conditions, des serviteurs dévoués du souverain pensèrent assez vite à une solution qui aurait au moins le mérite de sauvegarder les intérêts de la couronne et de la dynastie capétienne. Il s'agissait — dès que ce serait possible — d'unir la princesse à celui qui, en l'absence d'héritier direct mâle, se trouvait être le successeur présomptif de Louis XII au trône de France : le jeune François d'Angoulême, devenu duc de Valois en février 1499, petit-cousin du roi et âgé de six ans à la date de 1500. Orphelin de père, le futur François Ier était un bel enfant débordant de santé, élevé au château d'Amboise, sous la protection — et sous la surveillance — de divers officiers royaux, en particulier du « gouverneur », Pierre de Gié.

Breton d'origine, cadet de la famille de Rohan-Guéménée, maréchal de France à vingt-cinq ans, ancien héros de la bataille de Fornoue, grand homme de guerre et politique avisé — sûrement le plus remarquable collaborateur que Louis XII eut durant son règne, avec Florimond Robertet —, Gié était en même temps l'un des plus chauds partisans de l'union projetée. Acceptant fidèlement la fusion de sa province et du royaume de France, connaissant fort bien la reine, sa compatriote, il se méfiait beaucoup d'elle. Il estimait en particulier qu'en cas de nouveau veuvage Anne n'hésiterait pas à regagner la Bretagne pour toujours avec sa fille, qu'elle y agirait de façon à peu près indépendante et qu'elle réclamerait, outre son douaire, le comté de Blois et les autres domaines de la Maison d'Orléans ; il y avait en outre de fortes chances pour que, par la suite, elle mariât la jeune princesse à quelque prince étranger, un Espagnol ou un Autrichien, et qu'elle installât ainsi aux portes du royaume l'un de ses pires ennemis.

C'est pour toutes ces raisons que Pierre de Gié pensa très tôt à la solution angoumo-valoisienne et fit valoir au roi la justesse de ses vues. Comme le prouve un acte resté longtemps ignoré des historiens et retrouvé depuis dans le carton nᵒ 951 de la série J des Archives nationales, Louis XII signa à Lyon, le 30 avril 1501, une déclaration secrète, mais capitale, dûment scellée et paraphée, selon laquelle il déclarait à l'avance nul tout accord matrimonial de sa fille avec un autre que le duc de Valois.

Peu après, il autorisait même son fidèle maréchal à négocier non moins secrètement ce projet de mariage avec la mère du jeune prince, la prudente et méfiante Louise de Savoie, qui refusa de s'engager nettement : admiratrice passionnée de son fils — de son *César,* comme elle aimait à dire —, elle redoutait de voir celui-ci lier son destin à une princesse dont la laideur avait déjà quelque chose de rebutant et dont la chétive constitution pouvait laisser craindre une parfaite stérilité.

L'affaire en était là quand, au printemps de 1502, Louis XII emmena Pierre de Gié avec lui à l'occasion de sa descente en Italie. Avant de partir, le maréchal, toujours aussi secrètement, réunit ses fidèles pour leur donner des ordres précis : au cas où serait annoncée la mort du roi, ils devaient fermer aussitôt les portes d'Amboise, emmener de nuit le duc François — avec ou sans l'accord de sa mère —, contourner Tours sans se faire

remarquer, enfin gagner le château-fort d'Angers, qui passait
pour imprenable et dont Gié était le gouverneur.

Pourquoi tant de précautions ? Pourquoi tant de secrets ?
Parce que, furieuse de ne pas avoir encore de fils, Anne de
Bretagne détestait le duc de Valois-Angoulême, dont l'existence
même semblait la narguer. Parce que, c'était bien connu, elle
ferait tout en son pouvoir pour empêcher celui-ci de s'unir à sa
fille. Parce que, de toute façon, une autre combinaison matrimoniale était amorcée depuis l'année précédente, combinaison
à laquelle elle tenait par-dessus tout.

Le futur mari de Claude de France était Charles de Gand,
comme on l'appelait alors. Né le 24 février 1500, il avait alors à
peine plus d'un an, mais se trouvait déjà être l'héritier présomptif d'un des plus grands empires qu'on eût vus jusque-là. De son
grand-père paternel Maximilien, il hériterait un jour les terres
méridionales de Haute et Basse-Autriche, du Tyrol, de Styrie,
de Carinthie, de Carniole, avec peut-être, en plus, la dignité
impériale qui, bien qu'élective, semblait en quelque sorte
confisquée par leur dynastie, celle des Habsbourg ; par son père
Philippe le Beau, il recevrait les anciens domaines de Charles
le Téméraire : l'Artois, la Flandre, les Pays-Bas, la Franche-
Comté, et des prétentions encore fraîches sur Dijon et le duché
de Bourgogne ; quant à ses grands-parents maternels, Isabelle la
Catholique et Ferdinand d'Aragon, ils lui gardaient les Espa-
gnes, la Sicile, quelques têtes de pont en Afrique du Nord et tout
ce qu'on venait de découvrir au-delà des mers, dans ce qu'on
appelait déjà le « Nouveau Monde ». Fière et ambitieuse comme
elle l'était aussi bien pour elle-même que pour ceux de son sang,
Anne ne pouvait espérer voir sa fille Claude trouver un plus
beau parti que Charles de Gand, qui, aux yeux de la reine, avait
une qualité supplémentaire : n'était-il point le descendant
direct et le petit-fils chéri de Maximilien, ce pieux chevalier
auquel elle avait été promise en 1490 et auquel elle aurait gardé,
dit-on, une fidélité secrète, inaltérable, alors qu'elle ne l'avait
jamais vu et ne le rencontrerait jamais ? On pourrait donc penser que c'est la reine qui lança l'idée et qui, avec sa ténacité
légendaire, parvint à lui faire prendre corps.

L'affaire est en réalité un peu plus complexe. Au départ, un événement semble avoir été décisif : la conquête française du royaume de Naples en juillet 1501. Par sa rapidité, par son apparente facilité, elle impressionna passablement Maximilien qui, toujours versatile et imprévisible, soudain soucieux de se gagner les bonnes grâces du plus fort, amorça alors un rapprochement avec la France. De son côté, Louis XII cherchait à obtenir de l'Autrichien l'investiture formelle du duché de Milan, qui était fief impérial. En outre, certains conseillers du roi, en particulier Pierre de Gié, pensaient que la situation dans le Napolitain n'allait peut-être pas rester aussi simple et qu'il allait falloir compter sous peu avec la rivalité des Hispano-Aragonais.

C'est ainsi que chez les Français — peut-être à l'instigation d'Anne de Bretagne, elle-même soutenue par Georges d'Amboise, toujours aussi peu clairvoyant —, on eut l'idée de se concilier les deux puissants grands-pères, Maximilien et Ferdinand, en proposant le mariage de Charles de Gand et de Claude de France, qui apporterait en dot à leur petit-fils, outre le Milanais, l'Astesan et le Napolitain, le duché de Bretagne, le duché de Bourgogne et même le comté de Blois ! Sans *démembrer* totalement le royaume, comme on a pu le dire, ces clauses l'auraient ramené aux frontières du temps de Charles VIII, en ruinant d'un seul coup la continuité d'efforts militaires, matrimoniaux, diplomatiques, ceux de Louis XI, d'Anne de Bourbon-Beaujeu, dans une moindre mesure ceux de Charles VIII ou de Louis XII lui-même. Le tout en contradiction avec ce qui semblait inspirer la politique royale depuis plusieurs années.

Malgré ces considérations graves et des risques peut-être mortels pour le royaume de France, l'attitude de la reine Anne se comprend aisément. Parfaitement indifférente et peut-être même secrètement hostile aux intérêts français, elle voyait là un moyen de couper les liens encore fragiles qui unissaient la Bretagne au royaume. Son cher duché éviterait ainsi à l'avenir tout nouveau risque d'absorption et retrouverait cette espèce de quasi-indépendance qu'il avait connue dans les siècles précédents. En ce qui concernait sa non moins chère fille Claude, cette excellente mère trouvait dans cette combinaison une occasion de transformer la chétive pucelle en une des princesses les mieux nanties de ce siècle et, par un mariage glorieux, d'en faire véritablement l'impératrice d'Occident, d'abord en droit, puis en fait : ne pouvait-on rêver de voir Claude donner le jour à une belle descendance qui, de mâle en mâle, parviendrait peut-être à réduire l'îlot français, dernier obstacle à la domination des Habsbourg sur le monde ? Une heureuse fortune rendrait justice au vieil empereur Frédéric III — celui qui, en 1490, avait failli avoir Anne de Bretagne comme belle-fille — ; se réaliserait ainsi la devise de celui-ci, devise qui, en son temps, avait fait sourire toute l'Europe, par ses prétentions jugées tout à fait illusoires : A.E.I.O.U. ; en allemand : *Alles Erde Ist Oesterreichs Untertan ;* en latin : *Austriae Est Imperium Omnis Universi ;* ce qui revient au même dans les approximations de la traduction française : « A l'Autriche appartient le gouvernement du monde entier. »

Pourquoi Georges d'Amboise, jugé si « sage, avisé, prudent », prêta-t-il la main à un tel projet ? On discerne plus ou moins les raisons qui ont dû le pousser à faire servir, lui aussi, son influence en ce sens : son dévouement, sa soumission à la reine Anne, ses vues bornées, l'aveuglement qu'engendrait déjà chez lui la volonté de s'asseoir un jour sur le trône de Saint-Pierre, peut-être aussi la volonté de contrecarrer la puissance du maréchal de Gié dont les choix, bien que très discrets sinon secrets, ne devaient point échapper à la vigilante attention d'un rival. L'acceptation finale du roi, elle, étonne bien davantage.

Certes, il peut fort bien avoir envisagé ces engagements parce qu'ils étaient encore imprécis, informels, largement conditionnels, aussi parce qu'il se savait en quelque sorte assuré sur l'essentiel, couvert par sa déclaration secrète de Lyon, en date du 30 avril 1500 : au fond, pourquoi n'aurait-il pas simulé ces bonnes dispositions à l'égard de Charles de Gand dans la seule intention de gagner du temps, de désarmer provisoirement l'aigreur et les rancunes de sa femme, d'amener ses ennemis Ferdinand et Maximilien à se découvrir imprudemment, en un domaine aussi délicat que les héritages bourguignons et les inté-

rêts italiens ? Ce serait malheureusement attribuer à Louis XII
une trop belle dose de *machiavélisme* avant la lettre. Le plus
vraisemblable est qu'il ne cessait d'osciller entre les influences
des plus fortes personnalités de son entourage, surtout entre
Pierre de Gié et Anne de Bretagne, celle-ci d'autant plus écou-
tée en cette affaire que, même parvenu au trône, Louis XII
continuait souvent à réagir moins en roi responsable d'un peuple et de ses destinées, moins en scrupuleux dépositaire d'une
couronne à titre viager, moins en simple maillon, en simple
relais dans une lignée fondée sur la succession masculine qu'en
féodal traditionnel et en père de famille bien ordinaire, d'abord
préoccupé par l'avenir de sa fille, secondairement par celui de
son pays.

Devenu roi, sinon par hasard, du moins grâce à une série de
décès providentiels autant que prématurés, Louis XII, à certains
égards, restait fondamentalement duc d'Orléans et ne distin-
guait pas toujours ses possessions royales et publiques de ses
biens privés et princiers. L'Orléanais et le Blésois font partie de
ses « propres », comme les domaines bretons appartiennent à
ceux de sa femme. Il en va de même pour le Milanais — héritage de sa famille paternelle — et aussi pour le Napolitain, qui
lui vient de son cousin Charles VIII. Bien qu'il ait fait la
conquête de ces deux principautés italiennes avec le sang et
l'argent de ses sujets français, il considère ces belles acquisitions
comme des propriétés personnelles. Il les gère sans avoir à rendre compte à quiconque, surtout pas aux États de son royaume,
et il en fait par conséquent ce qu'il veut. L'essentiel est que sa
fille puisse en garder la jouissance, même si c'est au risque de
faire passer ces immenses domaines sous une domination étrangère.

Il est vrai qu'en négociant ce projet matrimonial avec la
famille du jeune Charles, le roi avait pris au moins une précaution : comme la reine semblait enceinte une fois de plus, il était
prévu qu'au cas où naîtrait un dauphin, l'union projetée serait
remplacée par une autre, celle de cet héritier avec une princesse
Habsbourg, vraisemblablement une sœur — née ou à naître —
de Charles de Gand. Cette combinaison permettrait cette fois à

la couronne de France de ne pas laisser échapper les beaux
territoires imprudemment promis.

Tant de détails, tant de conditions, tant de complications
rendaient au fond bien aléatoire la réalisation finale de l'affaire.
C'est peut-être là une des principales raisons qui expliquent le
ralliement de Louis XII à ce mariage de sa fille. Il s'agissait en
fait de ce qu'on appelait un mariage *a futuro*, correspondant à
nos actuelles fiançailles et susceptible de rupture, souvent
contre indemnité. Seul était indissoluble le mariage *de presente*,
c'est-à-dire l'union scellée par le sacrement religieux et
consommée entre époux nubiles.

Suivant l'usage immémorial des chancelleries princières, on
célébra ces fiançailles avec une grande solennité. Une ambassade de l'archiduc Philippe le Beau arriva dans le courant d'août
1501 à Lyon, où le traité des accordailles fut signé par le roi et la
reine en présence de tout le conseil. Puis Louis XII célébra
l'événement en ordonnant une série de réjouissances, sa femme
en notifiant la nouvelle à ses bons et fidèles sujets de Bretagne,
le pape, dès qu'il fut prévenu, en la faisant « tambouriner » aux
différents carrefours de la Ville éternelle.

Conscient des avantages ainsi consentis à la Maison des Habsbourg, Louis XII espérait bien recevoir en échange quelques
compensations, en particulier la conclusion d'une paix définitive avec Maximilien et — serpent de mer de la politique française — l'investiture du duché de Milan qui, au moins en théorie, continuait d'être accordée à Ludovic le More, malgré sa
captivité. Le 3 octobre 1501, Georges d'Amboise arrive en la
petite cité impériale de Trente, avec une suite imposante, digne
tout à la fois d'un prince de l'Église et d'un ambassadeur du
souverain français. Affable, courtois, conciliant, Maximilien
accepte de discuter un projet de traité, dans lequel sont également compris son fils l'archiduc Philippe et les deux souverains
espagnols : un de ces traités de paix comme on en signait tant et
qui, malgré des promesses éternelles, ne portaient guère à
conséquence ; celui-ci allait-il empêcher Ferdinand l'Aragonais
de trahir très vite ses engagements dans le Napolitain ?

Pourtant, à la fin du mois de novembre, les parents du jeune

« fiancé », Philippe le Beau et Jeanne d'Espagne, sont accueillis
en France. Voyage triomphal qui, par Saint-Quentin, Ham,
Noyon, Compiègne, Senlis, Saint-Denis, Paris, allait mener le
couple princier de Valenciennes à Blois, où Louis XII accueillit
ses visiteurs en accentuant pour la circonstance la légendaire
simplicité de ses manières. « Que voilà un beau prince ! » laissat-il échappé — bien sûr à haute voix — quand il vit venir à lui
l'archiduc, qui tenait de sa mère des traits d'une grande finesse
et de son père une prestance incomparable. Mais déjà s'avançait
la princesse Jeanne, un peu guindée comme on l'est en Castille ;
le roi ne lui laissa pas le temps de terminer ses trois révérences
protocolaires et se précipita vers elle, les bras ouverts, en lui
glissant à l'oreille, de son ton bonhomme : « Madame, je sais
bien que vous ne demandez qu'à estre entre vous femmes ; allezvous en voir la reine, et nous laissez ici entre nous hommes. »
Quant à la petite Claude, on la montra très vite à ses futurs
beaux-parents, et de loin, vraisemblablement pour les empêcher
de trop remarquer sa laideur et ses quelques imperfections.

Durant les cinq jours que ces augustes visiteurs restèrent sur
les bords de la Loire, on discuta beaucoup du traité envisagé à
Trente et de ses compléments. On évoqua pêle-mêle le concert
des puissances européennes, la Croisade, l'Italie, Ludovic le
More — que le roi refusa catégoriquement de libérer, malgré les
prières de l'archiduc —, les menées des Suisses et surtout
l'investiture du Milanais, dont l'octroi, selon Philippe, n'était
plus qu'une question de temps, une simple formalité. Dans
l'entourage du roi et de Georges d'Amboise, tout le monde
croyait à une paix proche et durable, « le plus grand bien que
Dieu pust envoyer à ses créatures ». C'est sur cette certitude
radieuse et consolante que Fausto Andrelini, versificateur stipendié de la Cour, se permit de commettre quelques mauvais
hexamètres dans un latin médiocre, assez peu virgilien. Euphorie de courte durée, car il apparaissait bientôt que Louis XII,
une fois de plus, avait eu le tort de se laisser bercer par de trop
belles paroles, et ce sur un point qui pour lui était essentiel :
l'investiture du duché de Milan.

Dans ses promesses volontairement vagues, le roi des

Romains Maximilien s'était retranché derrière l'autorité du *Reichstag*, la Diète impériale, toute-puissante, selon lui, pour trancher ce délicat problème. Vers la fin de novembre 1501, les envoyés français se rendent donc à Mayence, où ils devront attendre leur convocation devant l'assemblée germanique, réunie à Francfort. Ils restent là plus d'un mois sans rien voir venir et, de guerre lasse, décident de se rendre eux-mêmes aux bords du Main. Ils arrivent au *Römer*, la fameuse maison de ville où se tiennent ordinairement les assemblées. Ils cherchent dans les diverses salles et doivent constater qu'ils ne trouvent nulle part ni le roi des Romains, ni les princes, ni les députés, ni les électeurs d'empire, devant qui ils auraient dû prêter serment, faire hommage et recevoir en contrepartie la fameuse investiture. Journée des dupes et scène presque cocasse dont le ridicule risque de rejaillir indirectement sur le roi de France.

Celui-ci ne sauva la face qu'en réagissant avec beaucoup de dignité, avec la fermeté calme d'un homme qui ne demande que l'application des engagements conclus, donnant ainsi une leçon d'esprit chevaleresque à Maximilien le *Teuerdank*. Celui-ci, c'est clair, ne s'exécuterait que contraint et forcé. Sur l'injonction de Louis XII, plus irrité qu'il ne paraissait, les ambassadeurs français se transportèrent alors d'une traite jusqu'à Innsbruck, où se terrait alors le roi des Romains. Pendant quelques jours, celui-ci chercha encore à louvoyer, bien qu'il eût affirmé à ses visiteurs « vouloir leur déclayrer à plain ce qu'il avoit dedans son estomach ». Finalement, malgré ses « variabilités, changements et instabilités », Maximilien dut promettre une fois de plus l'investiture, mais en apprenant à ses interlocuteurs qu'il ne le ferait pas publiquement, mais « secrètement en sa chambre », à cause de « la grande crierie que les Lombards expulsés [donc nostalgiques du temps Sforza] lui faisoient ». Les Français affectèrent de considérer cette nouvelle promesse comme une grande concession et l'on se sépara en « toute doulceur ».

En 1503, essentiellement accaparé par les affaires napolitaines, Louis XII crut pouvoir profiter de l'engagement matrimonial avec les Austro-Espagnols pour trouver un terrain d'entente avec Ferdinand d'Aragon, son complice, son rival et surtout son

rival de plus en plus heureux dans le sud de l'Italie. L'intermédiaire allait être tout naturellement Philippe le Beau, non seulement fils de Maximilen, mais surtout gendre de l'Aragonais et
futur beau-père de la princesse Claude. Il revint donc en France
au début de 1503 pour traiter d'une paix (une de plus !) dans le
royaume de Naples et « icelle jurer et accorder, comme il mons-
treroit par sa dicte procuration signée du Roy et de la Royne
d'Espaigne ». Il en sortit, le 5 avril, un bel accord, beaucoup plus
favorable à la France que celui d'août 1501, à savoir « que le
Roi, pour le bien de la paix, se désaisissoit de la part de royaume
de Naples qui luy appartenoit, au proufict de Madame Claude,
sa fille ; que Leurs Majestés Catholicques en feroient de même
de leur portion, en faveur de Charles de Luxembourg, futur
espoux de la dicte Dame Claude ; que Sa Majesté Très Chres-
tienne seroit dégagée de la promesse qu'il avoit faicte de céder à
Madame Claude le duché de Milan pour sa dot ; qu'enfin il y
auroit une amnistie de bonne forme et qu'on cesseroit de part et
d'autre tout acte d'hostilité ». Le tout signé, paraphé, juré par les
deux parties et... aussitôt caduc, car désavoué par les Espagnols,
malgré les engagements pris !

Déçu, ballotté entre des influences contradictoires et devenu
presque aussi versatile que Maximilien lui-même, le bon
Louis XII avait tendance à revenir maintenant aux choix du
maréchal de Gié. Trouvant plutôt des avantages à un mariage
éventuel de Claude et de son cousin le duc de Valois-Angoulême, il voulait, comme il le disait dans son langage imagé,
« unir les souris et les chats du royaume ». Tout à ses obsessions,
à sa haine envers le trop vigoureux François et sa trop orgueilleuse mère Louise de Savoie, Anne de Bretagne ne l'entendait
évidemment pas de cette oreille et se répandait en récriminations pleurnichardes, voulant justifier coûte que coûte le choix
de 1501 : « Vraiment, lançait-elle au roi, à vous entendre, l'on
croirait que toutes les mères conspirent le malheur de leurs
filles. » Ce à quoi Louis répondait en haussant les épaules qu'« il
faut qu'un homme souffre beaucoup d'une femme, quand elle
aime son honneur et son mary ». Scènes de ménage qui relèvent plutôt d'un certain comique bourgeois, comme lorsque le

souverain, agacé par les tracasseries de sa femme, lui clôt le bec
par un apologue inattendu : « Sachez, Madame, qu'à la création
du Monde, Dieu avoit donné des cornes aux biches aussy bien
qu'aux cerfs ; mais que, comme elles se virent un si beau boys
sur la teste, elles entreprindrent de leur faire la loy ; dont le
souverain créateur étant indigné, leur osta cet ornement, pour
les punir de leur arrogance. » A en croire un historien du
XVIIIᵉ siècle, « la Reine, qui étoit spirituelle, sentit où portoit
l'apologue. Elle cessa d'importuner le Roi à ce sujet ; mais elle
se retourna en tant de manières qu'elle empêcha de son vivant
l'accomplissement de ce mariage » (c'est-à-dire avec le duc de
Valois-Angoulême). Ce qui est tout à fait vrai, mais n'est pas
tout.

Au début de 1504, avec les nouvelles catastrophiques venues
du Napolitain, l'état de Louis XII, une fois de plus, s'était gravement altéré : il perdit peu à peu le sommeil, l'appétit et tomba
finalement au dernier degré de la faiblesse, à tel point que
« plusieurs cryèrent que de luy fust faict », en particulier ses
médecins qui se déclarèrent hors d'état de le sauver. A l'énoncé
de ce verdict, le royaume réagit avec une unanimité impressionnante. Un peu partout, spontanément, des processions solennelles s'organisèrent, des foules considérables — toutes classes
confondues — se rendirent dans les divers lieux de pèlerinage,
pour implorer de Dieu la guérison du souverain bien-aimé.
Présente auprès de son mari, qui résidait alors à Lyon, Anne de
Bretagne était la seule à garder sa placidité habituelle au milieu
de l'affliction générale et le maréchal de Gié, qui se tenait au
courant des moindres détails, estima qu'il fallait prendre un
minimum de précautions.

Il accourt auprès de Louis XII, réussit à tromper la vigilance
de la reine et, le 20 février, fait signer au malade une confirmation formelle de son engagement pris en 1501 sur le mariage de
sa fille avec le duc François. Il repart aussitôt dans le val de
Loire, fait contrôler tous les bateaux qui descendaient vers Nantes et garder par des détachements sûrs toutes les routes de
Bretagne. On prétendra plus tard — sans preuves, mais avec une
certaine vraisemblance — qu'il envoya en même temps des

messages secrets à ses amis, clients et capitaines pour prendre la reine Anne de vitesse et prévoir une occupation militaire du duché dès l'annonce du décès royal.

Finalement, à la surprise générale, Louis, dans le courant du printemps, récupéra quelques forces, mais il fallut continuer à le traiter avec des soins infinis : lors de ses déplacements (car ceux-ci recommencent dès le début du mois de juin dans tout le pays ligérien, où il avait voulu revenir, à Blois, aux Montils, à Chambord, à Madon, à Chaumont et même jusqu'à Orléans !), il ne voyageait qu'en litière hermétiquement close, avec, dans son convoi, une masse considérable de tapisseries qu'on tendait immédiatement pour calfeutrer chacun de ses appartements successifs. Évidemment, ses activités étaient encore très réduites, même au château de Blois, pourtant sa résidence préférée et la plus confortable : il se contentait de feuilleter quelques livres pris au hasard, de laisser rêveusement ses doigts amaigris errer sur une grosse mappemonde, de surveiller derrière ses vitres plombées l'état de ses jardins, d'y faire par exemple creuser un puits ou élever une butte pour le tir de ses archers.

C'est le moment que la reine choisit pour prendre une revanche et pousser à fond son avantage, bien secondée par le cardinal d'Amboise, lui-même d'autant plus influent qu'il semblait débarrassé de son rival auquel l'opposaient, entre autres, de graves divergences sur la réorganisation de l'armée française : le maréchal voulait tout bouleverser et, s'inspirant de principes qui n'aboutirent que beaucoup plus tard, il pensait à la mise sur pied d'une sorte de force militaire nationale, fondée sur un système qui annonçait plus ou moins une conscription fruste ; avec sa petitesse coutumière et son absence totale de génie prophétique, Amboise redoutait surtout de voir cette innovation donner à Gié un poids politique excessif et soutenait au contraire, de toutes ses forces, le maintien du système traditionnel.

Quinze jours avant Pâques, d'une façon trop providentielle pour être absolument spontanée, un certain Pierre de Pontbriand sollicite une audience royale. Ce personnage douteux présentait tous les caractères de ce qu'on appellerait aujourd'hui un « agent double » : compatriote et serviteur du maréchal, il espionnait depuis longtemps pour le compte de celui-ci, tout en le trahissant allègrement au profit de Louise de Savoie. Or, apparemment indifférente au dévouement de Gié pour son *César* François, peut-être pour se débarrasser d'un « protecteur » trop encombrant ou pour se rapprocher de la reine, voire pour des raisons plus obscures, la comtesse d'Angoulême avait juré depuis longtemps la perte du vieux soldat et l'on peut penser que c'est elle qui avait incité le peu scrupuleux Breton à aller auprès de Louis XII, pour porter de graves accusations sur Pierre de Gié.

Tout en serait évidemment resté là si, quelque temps plus tard, Georges d'Amboise n'avait repris l'affaire à son compte. Il convoqua Pontbriand, se fit répéter ses déclarations par le menu et s'empressa de faire dresser par écrit un acte d'accusation en règle contre le maréchal, en précisant, entre autres, que celui-ci avait donné l'ordre d'arrêter la reine Anne au cas où Louis XII mourrait ; qu'il avait tenté de brouiller le roi avec la comtesse d'Angoulême, en lui disant qu'on cherchait en haut lieu à la déconsidérer, à la séparer de son fils, à la déposséder de ses biens.

Même si le cardinal savait bien que de tels racontars avaient plus de chances d'émouvoir la reine que le roi, il fit parvenir le document au souverain qui, toujours soucieux de limpidité, convoqua le maréchal et lui remit, sans mot dire, la déposition de Pontbriand. En homme violent qu'il était, Gié clama son innocence, son indignation, sa douleur et, dans son écœurement, partit aussitôt pour Paris, ce qui le fit considérer — bien à tort — comme expulsé de la Cour et allait donner de nouveaux encouragements à ses pires ennemis.

Le 6 juin 1504, de Rouen, le cardinal d'Amboise lance un ordre d'arrestation non contre lui, mais contre l'un de ses plus fidèles amis, Olivier de Coëtmen, grand maître de Bretagne. Le 10 juin, le chancelier de France Guy de Rochefort est chargé de procéder aux premiers interrogatoires des « témoins » (en fait, des accusateurs) ; mais, soucieux de ne pas se compromettre dans une affaire qui s'annonce délicate, il préfère s'effacer et

demande au roi de désigner à sa place deux autres magistrats.
Leurs noms sont connus deux jours plus tard : il s'agit de
Jean Nicolaÿ, maître des requêtes de l'hôtel, un protégé du
cardinal d'Amboise ; et de Maur de Quenech'quevilly, conseiller au Grand Conseil, un des Bretons de la reine.

Les questions à poser reflétaient bien l'orientation qu'on voulait donner à l'enquête : il s'agissait en particulier de savoir si
Gié avait convoité le duché pour lui-même *(sic)*, s'il avait
médité l'arrestation de la reine et de la princesse Claude dans
l'intention de leur faire un « mauvais parti », s'il avait effectivement prévu la séquestration du jeune duc de Valois, ainsi que
des violences physiques ou morales sur la personne de sa
mère.

Il y avait tout de même quelques risques à charger ainsi un
personnage encore aussi puissant que le maréchal : cette fois,
Pierre de Pontbriand prit peur et rétracta sans vergogne ses
premières affirmations. Protégée en quelque sorte par sa condition princière, Louise de Savoie pouvait estimer avoir moins à
redouter, et c'est avec une incontestable complaisance, sinon
même une certaine délectation, qu'elle fit part de ses « souvenirs ». C'est ainsi que Gié lui aurait dit une fois que la reine ne
l'aimait pas, mais qu'il « ne s'en soucioit guère et à elle ne
croignoit rien et se tenoit sûr du roi son maître » ; qu'il avait dit
aussi que, « si Dieu faisoit son plaisir du roy, [c'est-à-dire le
rappelait à lui], la royne pensoit bien s'en aller [en Bretagne] et
emmener avec elle Madame sa fille, mais on l'en garderoit
bien » ; qu'il lui avait dit encore : « Madame, vous devez entendre que je suis la personne de ce royaume qui vous peut mieulx
servir, ou nuire, ou faire mauvais tour. »

S'ils avaient bien été tenus, il s'agissait là de propos impru-
dents, sans plus, et le butin des deux commissaires semblait si
maigre qu'on ne pouvait s'en tenir là. Il fallait tout abandonner,
ou reprendre dès le début. Sous la pression des ennemis du
maréchal, c'est la seconde solution qui fut adoptée : le 24 juillet 1504, le secrétaire Florimond Robertet soumit au roi un
projet de lettre établissant une véritable commission d'enquête,
chargée cette fois de questionner tout le monde, accusateurs,

accusé, témoins divers. Nommément désignés, les membres étaient comme par hasard connus pour être accessibles à l'intimidation ou à la corruption. Étienne de Carmone, troisième président à Paris ; Jean de Selve, encore conseiller au parlement de Toulouse et futur second président à Rouen ; Antoine de Louviers, conseiller à Paris ; Jean Pavie, conseiller à Toulouse ; Pierre de Saint-André, juge-mage de Carcassonne ; et un homme encore jeune qui fera beaucoup parler de lui par la suite, l'Auvergnat Antoine Duprat, alors maître des requêtes ordinaires de l'hôtel. Le surlendemain, après avoir beaucoup hésité, le roi apposait enfin sa signature, laissant ainsi son fidèle Pierre de Gié devenir un accusé.

Avec l'effacement du maréchal, c'était toute une orientation politique qui passait désormais au second plan et la reine Anne le comprit bien ainsi ; voyant là une occasion de promouvoir définitivement la sienne et le mariage de sa fille avec un rejeton des Habsbourg. Prit-elle en personne l'initiative de renouer des contacts directs avec les Austro-Espagnols ? Toujours est-il qu'en ce même mois de juillet 1504 (alors que Louis XII est toujours aussi faible), on voit Maximilien proposer à celui-ci une négociation sur tous les problèmes encore pendants entre eux et plus particulièrement sur ce qui touche l'Italie. L'Autrichien va plus loin encore et se déclare prêt à conclure une amitié indissoluble entre lui-même, son fils l'archiduc Philippe, les souverains espagnols et la France. Tout l'été se passe donc en conciliabules fiévreux, pour aboutir enfin aux fameux traités dits « de Blois », signés le 22 septembre 1504.

Plutôt que le singulier — comme on le fait trop souvent —, il est en effet préférable d'employer le pluriel, car il y a trois séries d'accords. Comme convenu dès le début, le premier établit une alliance indissoluble entre Maximilien, Philippe et Louis, qui ne seront plus désormais qu'une âme « dans trois corps ». Quant au roi d'Aragon, il est cordialement invité à souscrire à la nouvelle entente, à la condition de remettre à l'archiduc Philippe la garde du royaume de Naples jusqu'au mariage de son fils Charles. Ce qui pour Louis XII revenait à abandonner ses droits sur toute l'Italie méridionale. Il recevait, il est vrai, quelques compensations, et d'abord 900 000 florins à titre d'indemnité. En outre, moyennant 120 000 florins et la promesse de lui remettre chaque année une paire d'éperons d'or, le roi de France obtenait de Maximilien la promesse de l'investiture milanaise dans les trois mois.

Resté secret, le second traité complétait en quelque sorte le précédent. En y associant le pape Jules II avec son plein accord, les négociateurs prévoyaient une ligne contre les Vénitiens, que Maximilien détestait particulièrement et voulait punir. Nous déconcerte davantage l'attitude de Louis XII qui, en cette affaire, dut être une fois de plus circonvenu par son entourage : même s'il estimait avoir quelques raisons d'en vouloir à la Sérénissime République, même si celle-ci n'avait pas toujours manifesté une loyauté absolue envers la France et surtout pendant la croisade antiturque de 1501, il n'en reste pas moins vrai que les Vénitiens figuraient alors parmi les alliés traditionnels du royaume, des alliés contre lesquels il n'était peut-être pas bon de se retourner ainsi.

Le troisième traité (de loin le plus important) reprenait le projet de mariage entre Charles de Gand (ou de Luxembourg) et Claude de France, en s'engageant cette fois tout à fait nettement et en précisant tous les détails connexes : si le roi mourait sans héritier mâle, les époux recevraient le duché de Milan, Gênes et ses dépendances, le duché de Bretagne, les comtés d'Asti et de Blois, le duché de Bourgogne, la vicomté d'Auxonne, l'Auxerrois, le Mâconnais et Bar-sur-Seine. Rien de moins ! Ce qui aurait signifié, sinon un véritable dépècement du royaume, en tout cas un amenuisement considérable et l'on comprend que, dans une perspective nationale et traditionnelle, bien des historiens français se soient montrés indignés par de tels arrangements.

Un des meilleurs exemples est celui que nous donne Henry Lemonnier, dans sa contribution à la fameuse *Histoire de France*, publiée sous la direction d'Ernest Lavisse : « Quelque effort qu'on fasse pour tout comprendre en histoire, on n'arrive pas à expliquer par quelles raisons, en vue de quels profits matériels, le roi avait consenti à signer de pareils engagements, et ses conseillers à y donner leur adhésion. On ne peut y voir que l'effet de la monomanie d'Anne de Bretagne et de la décrépitude maladive de Louis XII : aliéner non seulement les conquêtes italiennes, mais la Bretagne, mais la Bourgogne, et cela après que Charles VIII avait rendu ou cédé l'Artois, la Franche-Comté, le Roussillon ! Et que dire du rôle de Georges d'Amboise et de ceux qui, à cette occasion, continuent à accoler à son nom l'épithète de *sage ministre* ? »

Tout est pourtant très simple et ce passage nous rappelle qu'on peut être un excellent historien et en même temps déraper dans les ornières de l'anachronisme. Comment un roi de France du XVIe siècle aurait-il pu réagir de la même façon qu'un intellectuel des années 1900, fils spirituel direct ou indirect de la Révolution française, formé par toute la tradition du XIXe siècle, patriote sincère, obsédé par l'idée de nation et, de surcroît, traumatisé par les défaites relativement récentes de 1870 et 1871 ?

On comprend en même temps son hostilité profonde (bien qu'assez discrète) à l'égard de la reine Anne qui, après les traités de Blois, apparaît comme la grande gagnante de l'affaire. La joie de celle-ci est telle qu'elle en perd même toute prudence. Visiblement persuadée de ce que son mari n'en a plus pour bien longtemps à vivre, elle prépare avec conscience et minutie l'éventuelle séparation de la Bretagne et de la France. C'est ainsi que, sans se cacher le moins du monde, elle fait envoyer à Nantes ce qu'elle possède de plus précieux ; peu après, de la Cour de Rome qui a d'abord résisté à ses demandes réitérées, elle obtient une concession capitale à ses yeux : renouvelant et confirmant des brefs de ses prédécesseurs Nicolas V et Pie II, le pape Jules II interdit par un *motu proprio* de conférer des bénéfices ecclésiastiques en Bretagne à des gens qui n'y seraient pas nés ou qui n'y résideraient pas de façon habituelle.

Anne se sentit bientôt assez forte pour pousser encore son avantage et manifester ses succès par un geste symbolique. Pendant longtemps, Louis XII l'avait incitée à faire son entrée solennelle à Paris. Mais, soit par sa volonté de rester plus duchesse de Bretagne que reine de France, soit par prudence, se sachant médiocrement populaire auprès des Parisiens, la reine s'était toujours refusée à faire ce geste, allant même en 1501 jusqu'à revenir sur sa promesse, malgré les préparatifs qui avaient été entrepris pour la recevoir.

Brusquement, à l'automne de 1504, depuis Fontainebleau, Louis XII écrit au prévôt des marchands, aux « eschevins, bourgeois, manans et habitants » de Paris pour leur annoncer que sa « très chière et aimée compagne » a manifesté l'intention de faire enfin son entrée dans la principale ville du royaume. Il les avertit par la même occasion qu'il désire qu'elle soit « recueillie [accueillie] le plus joyeusement et honorablement », de même que sa « propre personne ». Le 18 novembre en effet, comme cela s'était déjà passé lors de son premier mariage, Anne se rendit à l'abbaye de Saint-Denis, pour y prendre la couronne des mains de son vieux complice, le cardinal-légat Georges d'Amboise ; le lendemain, selon la coutume, elle couchait au village de La Chapelle et, le 20, passait la porte Saint-Denis :

« Au devant d'elle, raconte Jean d'Auton, fut toute la Court de Parlement, en triumphant arroy. Le prévost et tous les seigneurs de la ville avecques tous les collieges de l'Églize la furent recueillir, et chascun d'eulx à son rang luy fist sa harangue et oraison. Les rues estoyent de riches tappisseryes tendues et parées ; à toutes les portes et aux quarroys par où elle passoit, se jouèrent nouvelles comedyes et divers personnages, en louant très haultement la magnificence du lys et l'excellence de l'ermyne. Tous les princes qui lors estoyent en court, les gentilshommes du roy et grande baronnye de France et de Bretaigne estoyent avec la royne, laquelle fut ainsi conduyte en la ville de Paris, où fist là les serments acostumez, et fut receue honnorablement avecques joyeulx accueil et dons d'inestimables richesses. »

A la fin de cette journée pleine de cérémonial, de harangues françaises ou latines et peut-être aussi d'ennui pesant, un souper splendide fut donné dans la grand'salle du palais, auquel plus de mille convives avaient été invités. Entourée des gentilshommes de la Cour, des officiers de la ville et des gens du Parlement, la reine, assise à la Table de marbre, reçut en cadeau une grande nef d'or, du poids de soixante marcs. Pour l'occasion, son visage, habituellement grave, respirait un certain bonheur. Ne disait-on pas qu'elle se trouvait enceinte une fois de plus ? La politique qu'elle avait patronnée ne commençait-elle pas à porter ses fruits ?

Le 6 avril 1905, en effet, en la ville alsacienne de Hagueneau, alors impériale, l'envoyé de Louis XII était enfin admis à prêter devant Maximilien foi et hommage pour le duché de Milan : « Moi Georges d'Amboise, prêtre, cardinal du titre de Saint-Sixte [etc.], promets et jure au nom, place et de l'ordre du Roy Très Chrestien, en qualité de duc de Milan, en vertu des ordres que ledit Seigneur roy m'a donnés, qui me constituent en son nom et place ; je promets et jure sur les Saincts Évangilles à vous, roy des Romains, toujours Auguste, que le roy de France mon Maistre, en sa qualité de duc de Milan et de toutes ses appartenances, doit pour le présent et pour la suite des temps à Vostre Majesté, comme roy des Romains, son véritable seigneur, et à ses successeurs, estre fidèle, obéissant et le servir ; et avancer le bien, la prospérité et la gloire de Vostre Majesté et du Sainct Empire Romain, et en détourner tous les malheurs ; et faire et accomplir toutes autres choses que doit un prince fidèle et vassal de Vostre Majesté et du Sainct Empire Romain, sans aulcun dol ni fraude. »

Le lendemain, « en sa chambre », comme il l'avait promis depuis longtemps, Maximilien accorda l'investiture du Milanais au roi de France et à ses descendants mâles, « issus de légitime mariage », ou, à défaut d'enfants mâles, à ses filles et à leurs héritiers mâles, soit, en fait, à l'éventuelle descendance de Claude de France et de Charles de Gand-Luxembourg, ce qui comblait d'aise la reine Anne de Bretagne.

CHAPITRE XII

Père du Peuple

Tout semblait donc conforter Anne de Bretagne dans son optimisme, mais, à bien des points de vue, elle devait être cruellement déçue. Dès le mois de décembre 1504, elle avait dû admettre que sa grossesse n'était qu'illusion. Légèrement antérieur, un autre événement allait entraîner assez vite bien des bouleversements sur l'échiquier des diverses combinaisons princières : le 24 novembre, Isabelle la Catholique était morte, laissant à Ferdinand l'Aragonais, son veuf, l'administration de la Castille. Cette décision inattendue lésait évidemment leur fille Jeanne, la femme de Philippe le Beau. Celui-ci se fâcha, prit le titre de roi de Castille et, dans cette affaire complexe, s'estimait à tort ou à raison trahi par Louis XII, ce qui risquait, à terme, de compromettre le beau projet matrimonial austro-français.

Plus grave encore, l'affaire du maréchal de Gié n'évoluait pas dans un sens totalement favorable aux intérêts et aux désirs de la reine. La désignation d'une nouvelle commission en juillet 1504 n'avait guère fait avancer la procédure et il fallut attendre l'automne pour voir le maréchal comparaître, à Orléans, devant le Grand Conseil.

L'interrogatoire ne comprit pas moins de cent questions et dura du 15 au 23 octobre. Pratiquement à chacune des interrogations, l'accusé, très calme, très digne, répondit de la même façon : *nego* (je nie), comme lorsqu'on lui demanda s'il avait eu des « intelligences » avec l'Angleterre, l'Espagne, le roi des

Romains ou encore le duc de Valentinois, c'est-à-dire César Borgia. En de rares exceptions, il daigna donner quelques explications supplémentaires : quand on l'accusa d'avoir affirmé ne pas se soucier de l'amitié que pouvait ou non lui porter la reine, il s'écria qu'il « ne voudroit avoir dit telles paroles de la moindre gentille femme du royaume » et convint seulement que des « haineux » lui avaient, « de longtemps », aliéné les bonnes grâces de sa compatriote ; de même, à celui qui lui reprochait d'avoir confié qu'« il aimeroit mieux que Monseigneur d'Angoulême eust espousé la moindre bergère de ce royaulme que Madame [Claude], si la fortune estoit telle que Madame fût malaisée de son corps et n'estoit pour porter enfant », il rappela au contraire que son désir avait toujours été de voir le duc de Valois épouser la princesse Claude, au moins avant que celle-ci fût fiancée à l'archiduc Charles de Luxembourg.

Impressionnés par une telle fermeté, les magistrats refusèrent de donner satisfaction aux représentants de la reine, qui demandaient une enquête supplémentaire en Bretagne, vraisemblablement pour compromettre aussi la famille du vieux soldat. Ils désignèrent de nouveaux commissaires pour procéder à l'instruction contradictoire et, par *recolements,* vérifier si les premiers *témoins* maintiendraient leurs dépositions face à l'accusé. Pontbriand s'englua dans une succession d'affirmations, de dénégations, de rétractations, tandis que, tout aussi piteusement, Louise de Savoie dut revenir sur certaines de ses dénonciations. Seul un autre des accusateurs, le sire Alain d'Albret, maintint ses dires, mais, malgré sa haute naissance, l'homme avait trop mauvaise réputation pour convaincre de sa sincérité un tribunal soucieux de justice.

L'instruction terminée, le procureur du roi prononça un long réquisitoire, impitoyable, prétentieux et touffu, comme on les pratiquait à cette époque. Il rappela d'abord que le maréchal avait été comblé d'honneurs et de bienfaits par trois rois successifs (Louis XI, Charles VIII, Louis XII) : « Ces choses sont à pondérer, continuait-il imperturbablement, pour remontrer la grandeur et exécrabilité du crime de Rohan [Gié], qui ressemble à pourceau, lequel au commencement de sa jeunesse est beau ;

puis après, quand il vient à plus grand âge, il se nourrit, sous
l'arbre, du gland que l'arbre produit, et s'en engraisse tellement
qu'il déprise l'arbre et emploie toute sa force à fouger et à
déraciner l'arbre qui l'a nourry et engraissé : car, par les grands
honneurs, bénéfices et largesses à luy impartis des princes, il
s'est tellement engraissé et trouvé environné d'honneurs et
richesses qu'il est entré en superbité, comme fit Lucifer en
Paradis ; a esté aveuglé d'ignorance et d'ingratitude ; a oublié le
bas degré d'où il estoit procédé jusqu'à monter si haut, et par sa
malice s'est découvert, pensant se faire roy lui-mesme, plus
orgueilleux et superbe que ne fut onc Lucifer. »

Le zélé magistrat énumérait ensuite tous les arguments prou-
vant ou plutôt semblant prouver que, depuis au moins cinq ans,
Gié n'avait que « pensée mauvaise » contre la couronne de
France ; en particulier au cas où le roi « seroit allé de vie à
trespas », le maréchal ne s'était-il pas préparé à prendre en main
le gouvernement du royaume ? N'avait-il pas entrepris même
d'« arrester la royne et mandé à tous la retenir et empescher les
passages, pour qu'elle n'allast en sa seigneurie de Bretaigne et
n'y amenast sa fille » ? Or, ne l'oublions pas, « les roys sont les
ministres du ciel sur la terre ; le roy de France qui est au-dessus
de tous les roys, représente un Dieu faict homme, *tanquam
corporalis deus* ; la royne sa compaigne participe à la mesme
nature, *vir et uxor, eadem caro ; uxor est pars corporis mariti sui* ;
la fille joit du privillège de ses parents et peut estre nommée
royne du vivant de sa mère : donc quiconque attente à la personne de la fille ou de la femme du roy est coupable de lèse-
majesté divine et humaine ». C.Q.F.D.

En conséquence, le procureur général qualifiait le maréchal
de « parjure » et d'« infâme », en l'accusant de cinq crimes de
lèse-majesté contre cinq personnes physiques ou morales différentes : le roi, le futur roi, la « chose publicque », la reine et la
fille du roi. Il demandait enfin que le coupable fût retenu prisonnier et, « sans avoir égard à sa dignité de chevalier », soumis à
la torture pour avouer ses crimes avant de recevoir le châtiment
qui s'imposait, en ayant la tête tranchée, ses biens confisqués,
ses enfants déclarés infâmes et incapables d'hériter.

Peut-être encouragé par le fait que, sur ordre du roi, les souffrances de la « question » lui furent finalement épargnées en raison de son âge et de son rang, le maréchal répliqua en prétendant récuser ses divers accusateurs, même Louise de Savoie, qu'il ne craignit pas de prendre assez vivement à partie. Apparemment, il cherchait à gagner du temps, à la grande fureur de la reine et de ses procureurs qui proclamaient partout qu'à ce rythme le procès risquait d'être « éternel ». Ceux-ci n'étaient pas au bout de leurs peines : par un arrêt du 30 décembre 1504, le Grand Conseil, revenu à Paris, rendit toute sa liberté au maréchal, qu'il ajourna au 1er avril suivant pour se présenter avec les arguments et les preuves de ses récusations. Anne de Bretagne en écumait de rage, impuissante qu'elle était devant l'indépendance de la justice souveraine.

D'autres épreuves l'attendaient, car la santé du roi allait gravement s'altérer durant cette année 1505. Or, même si la reine n'avait pour son second mari qu'un attachement des plus médiocres, certains aspects ou plutôt certaines conséquences de cet état maladif ne pouvaient la laisser totalement indifférente. Déjà, comme le raconte Jean d'Auton, « à la fin du moys de feuvrier, le roy se trouva dedans Paris, tout altéré et mal de sa personne, pour la froideur et humidité dudit lieu, qui par temps d'iver est moult froid et moiste ; par quoy ses médecins luy dirent que le changement d'air et l'esloing de ce lieu où il estoit luy allègeroyent son mal et que, pour le myeulx de sa santé, besoing estoit de s'en aller autre part ; ce qu'il fist, car incontinant [il] deslogea de Paris et s'en alla par eau jusques au pont de Saint-Cloud et oultre... De là, s'en alla par terre jusques à Chartres, à Chasteaudung, à Bonneval et à Bloys, la royne tousjours avecques luy. Audict lieu de Bloys, [il] se trouva, par ung temps, assez bien, et fist très bonne chère, et là, avec la royne et Madame Claude, leur fille, [il] fist joyeusement sa feste de Pasques ».

Répit de courte durée. Au commencement d'avril, Louis XII rechute, et cette fois de façon gravissime. Au milieu de sa fièvre, de son délire, dans de brefs moments de lucidité, il se confesse auprès du dominicain Jean Clérée, se prépare à la mort,

échange quelques mots avec ceux qui l'entourent, peu nombreux ; car seuls étaient admis auprès de lui quelques intimes :
Amboise, bien sûr ; La Trémoïlle, son vainqueur de Saint-
Aubin-du-Cormier, maintenant son premier chambellan ;
Robertet, son secrétaire ; Dunois, son cousin, le fils de son
ancien compagnon de jeunesse ; la reine enfin, qui, cette fois,
sembla vraiment touchée et prodigua au malade, de jour comme
de nuit, tendresse, compassion, petits soins.

La situation quasi désespérée du roi fut bientôt connue à
l'extérieur, et, comme l'année précédente mais avec encore plus
d'ampleur, une affliction spontanée se manifesta un peu partout
dans le royaume où, selon Claude de Seyssel dans son *Histoire
du roy Loys XII*, « on eust dit que chascun avoit perdu son
propre enfant ». Des prières, des messes, de processions se succédaient dans presque toutes les paroisses ; des mères de famille
éplorées, cheveux épars, un cierge à la main, menaient leur
progéniture visiter, parfois à des dizaines de lieues de leur domicile, les grands centres de pèlerinage ; à Blois, à Amboise, à
Tours, dans d'autres villes du val de Loire, on vit des hommes,
des femmes, des vieillards « aller tous nus » dans les églises et s'y
flageller en public, pour mieux demander à Dieu de rendre la
santé à « celuy qu'on avoit si grant peur de perdre, comme s'il
eust été père d'ung chascun et qu'il les eust tous engendrés ». Ce
qui semble bien être l'un des premiers cas où le nom de « père »
ait été attribué à Louis XII par quelques-uns de ses sujets, en
attendant le titre plus glorieux encore de « Père du Peuple ».

D'autres bonnes âmes vouaient le roi à la sainte hostie de
Dijon que, de notoriété publique, il vénérait particulièrement ;
La Trémoïlle promettait de faire à pied le pèlerinage de Notre-
Dame-de-Liesse, près de Laon ; futur adversaire inexpiable de
Louis XII, le pape Jules II ordonnait, pour le 15 juillet, une
procession solennelle du Saint-Sacrement et accordait les
« grands pardons du jubilé » à tous ceux qui prieraient dans les
églises pour la guérison de leur souverain ; quant à la reine, elle
se tournait vers tous les saints de la Bretagne, saint Gildas, saint
Tugdual et surtout la Vierge du Folgoët, à laquelle elle avait
déjà eu souvent recours.

C'est à ce moment précis que, recouvrant momentanément la raison, le roi mit à profit une absence de sa femme pour faire venir Amboise en la seule présence de Robertet, qui savait respecter quand il le fallait le mutisme et la discrétion d'un puits. Il est possible que Louis ait alors consulté son vieil ami, mais il est surtout vraisemblable qu'il se fit relever par celui-ci (homme d'Église) de tous les serments qu'il avait pu prêter publiquement et qui risquaient de contredire les nouvelles décisions prises. En effet, le roi dicta aussitôt après son testament, scellé du sceau secret et qui annulait tout simplement les traités de Blois conclus l'année précédente.

Comme s'il découvrait *in extremis* les conséquences catastrophiques des engagements pris sous l'influence d'Anne de Bretagne avec Philippe et Maximilien d'Autriche, Louis XII ordonnait, d'une manière expresse et absolue, que, « pour le bien, seureté et entretènement de la chose publicque de son royaulme », sa fille Claude et son cousin le duc François de Valois-Angoulême fussent mariés « incontinent que Madame Claude sera venue en aage pour ce faire » et nonobstant le mariage antérieurement conclu avec l'archiduc Charles de Luxembourg. Le roi interdisait en outre à sa fille de quitter le royaume avant son mariage sous aucun prétexte et institua un conseil de régence où, à côté de la reine et de Louise de Savoie, réduites à jouer les figurantes auprès du brave Amboise, — peut-être trop sensible à des influences contradictoires —, la réalité du pouvoir serait détenue par des hommes sûrs et indépendants tels qu'Engilbert de Clèves, comte de Nevers, La Trémoïlle, le chancelier Rochefort et l'inévitable Florimond Robertet. Une semaine plus tard, réalisant ainsi la politique du maréchal de Gié, mais sans lui, le malade recevait son nouveau futur gendre comme un fils et comme un héritier.

Comme si cet acte le délivrait d'un remords pesant qui l'empêchait de goûter pleinement à la vie, bientôt après et à la surprise générale, Louis XII se sentit mieux et entra peu à peu en convalescence, jusqu'à une « guérison » considérée par l'opinion publique comme un véritable miracle. Dès qu'il eut récupéré assez de forces, le roi se montra impatient d'assurer le

succès de son nouveau projet matrimonial : il s'agissait maintenant de le voir approuver par la reine. Celle-ci résista avec un
incroyable acharnement. Mais, comme cette fois le roi sut se
montrer inflexible, elle ne trouva plus aucun appui auprès de
Georges d'Amboise (qui sentait que le vent venait de tourner) ni
auprès des autres membres du Conseil privé. La rage au cœur, il
lui fallut se soumettre et accepter la décision, bientôt transcrite
en forme de lettres patentes, signées le 31 mai 1505, mais non
enregistrées au Parlement en raison du secret d'État contenu
dans le texte.

Ce serait mal connaître la Bretonne de supposer qu'elle ait pu
s'en tenir là. Dès que son mari sembla hors de péril, elle décida
brusquement de se rendre en Bretagne et partit dès le 1er juin.
Cette décision surprenante intrigua passablement les contemporains, et l'ambassadeur florentin du moment se contente de
rapporter l'opinion commune, qui reprenait elle-même le prétexte officiel : « On dit que c'est pour accomplir certains vœux,
faicts pendant la malladie du roy. » N'ayant pu surmonter son
dépit, elle continuait à en vouloir farouchement au roi et croyait
se venger en manifestant ainsi son indépendance d'épouse et de
duchesse. Partant avec une suite splendide, sûre de faire dans sa
province un voyage triomphal, visiblement heureuse d'afficher
bruyamment sa souveraineté, elle fut accueillie avec un enthousiasme indescriptible par les Bretons aussi bien dans les campagnes que dans les diverses villes aux rues jonchées de fleurs et
tendues de tapisseries herminées. A Nantes, elle réunit ses
États, qui l'approuvèrent en toutes ses décisions, et trancha sur
diverses affaires intérieures de sa province. De Morlaix, où des
arcs de triomphe exaltaient sa glorieuse ascendance en remontant jusqu'au lointain Conan Meriadec, elle s'en alla visiter
pompeusement les pèlerinages de Saint-Jean-du-Doigt et de
Notre-Dame-du-Foll'goat, qu'elle combla de présents.

Elle restait à l'écoute des affaires proprement françaises, et
des courriers quotidiens lui apportaient des nouvelles de son
mari. Comme elle se trouvait à Vitré, plus ou moins sur le
chemin du retour, elle apprit que l'état de Louis XII semblait
donner à nouveau quelques inquiétudes ; on sut peu après que

ces rumeurs étaient sans fondement ou, du moins, avaient été très exagérées ; mais elle avait eu le temps d'arrêter aussitôt son convoi, n'acceptant de reprendre la route qu'après des assurances formelles sur le nouveau rétablissement du souverain, ne voulant « jamais partir ny marcher ung pas, avant qu'elle n'entendist qu'il estoit revenu en convalescence, estant bien résolue à ne [re]mettre les pieds en France, s'il fust mort ». Paroles qui justifiaient *a posteriori* les anciennes précautions et méfiances du maréchal de Gié.

Celui-ci, la reine Anne, même au fond de sa Bretagne, continuait à ne point le perdre de vue et, plus encore, à le poursuivre de son acharnement. Comme convenu depuis l'arrêt du 30 décembre 1504, le vieux soldat avait attendu assez paisiblement dans son beau château angevin du Verger la date du 1er avril, prévue pour son nouvel « ajournement ». Brusquement, le 14 mars, une ordonnance royale avait dessaisi le Grand Conseil pour tout porter devant le Parlement de Toulouse. Décision lourde de sens pour les initiés malgré un prétexte anodin qui sauvait au moins les apparences : c'est que les gens du Grand Conseil, étant continuellement occupés des affaires du royaume, ne faisaient pas « résidence en ung lieu » et que « ceste matière pourrait prendre plus longtrain que Nous et la raison ne voudrions ». La réalité était que la reine ne se fiait pas assez à la souplesse de ces magistrats, pas plus qu'à celle du parlement de Paris : pour ne point risquer d'être confronté à cette délicate affaire, le président Baillet ne s'était-il pas fait porter malade ? L'un des anciens commissaires, Carmonne, ne se terrait-il point sur ses terres ? Ne venait-on pas de voir, le 24 janvier, en pleine séance solennelle, le nouveau conseiller Antoine Duprat (qu'on aurait pu croire plus compréhensif envers la raison d'État), rappeler de façon respectueuse les services passés du maréchal ?

A Toulouse, donc très loin de la capitale et de la surveillance exercée par une certaine opinion publique, le pouvoir allait estimer avoir davantage les coudées franches. A Toulouse, les juges étaient connus à la fois pour leur sévérité envers les justiciables et pour leur relative compréhension pour les intérêts de la couronne. A Toulouse, surtout, régnant en lieu et place de la coutume parisienne qui ne retenait même pas la notion de lèse-majesté, le droit romain insistait au contraire beaucoup sur ce crime, chef d'accusation d'autant plus grave que sa définition était restée relativement floue et ses contours élastiques.

Cette fois, Anne pensait avoir trouvé l'arme absolue. Elle loua à grands frais les services d'une véritable armée de procureurs, chargés, les uns au nom du monarque, les autres en son nom propre, de mener la poursuite à fond ; pour donner un peu plus de consistance à son action, elle envoie consulter jusqu'en Italie, à l'université lombarde de Pavie, les plus illustres jurisconsultes, en particulier Hippolyte de Marseille et Louis de Bologne qui, ne fût-ce que par simple courtoisie, s'empressent de conclure à la totale culpabilité du maréchal, « condempnable comme criminaux de lèse-majesté ». Des chevaucheurs sillonnaient en permanence la route difficile de Nantes à Toulouse, porteurs de directives, de comptes rendus... et de sommes ou cadeaux corrupteurs. Avec de la bonne monnaie d'or ou d'argent, mais aussi des bijoux, des étoffes précieuses, des distributions de vins recherchés, de venaison, de porc salé, on en était venu à soudoyer cyniquement les frères, les parents, les femmes, voire les maîtresses des austères magistrats toulousains. Désormais, la victime ne semblait plus pouvoir échapper à la vindicative Bretonne ; toujours soucieux de rentrer en grâce auprès du couple royal, Commines lui écrivait vers le 23 juillet 1505 : « Je loue Dieu, Madame, de coy l'affère du marésal prend traict à vostre honneur et plaisir. »

Pierre de Gié venait alors de comparaître devant les magistrats de Toulouse, du 21 juin au 19 juillet. Malgré une chaleur torride et les débuts d'une épidémie de peste, le vieillard n'avait rien perdu de son habituelle combativité et avait même demandé l'interrogation de nouveaux témoins, y compris celle du roi ! Belle audace qui devait réussir, puisque le tribunal lui accorda finalement satisfaction sur ce point, mais en renvoyant la suite des débats à l'automne.

Comme il est évident, Louis XII allait assez peu apprécier cette requête, bien qu'il suivît le procès avec moins d'attention que ne le faisait sa femme. Sa grande affaire, c'était maintenant le mariage de Claude avec son cousin François de Valois-Angoulême et, sur ce point précis, il sut mettre au moins à profit la longue absence d'Anne de Bretagne. Au milieu de juillet 1505, il déclara officiellement la future union, fit venir le jeune duc près de lui, au Plessis-lez-Tours, et contraignit tous les capitaines de forteresses à jurer obéissance aux diverses prescriptions de son testament ; il s'agissait en particulier d'empêcher par tous les moyens la princesse Claude de quitter le royaume avant la cérémonie des noces : ce qui correspondait très exactement au projet que ses détracteurs continuaient de reprocher au maréchal de Gié.

Maintenant qu'il avait mis sa femme devant le fait accompli, avec une décision apparemment irrévocable, le roi estimait qu'elle pouvait, qu'elle devait même revenir au plus vite en France. Mais celle-ci persistait dans sa bouderie bretonne et, comme les lettres pressantes de Louis XII ne suffisaient point à la fléchir, il fallut faire donner le cardinal d'Amboise, resté, malgré tout, très influent auprès de la reine. Il lui écrivit, lui aussi, mais en utilisant d'autres arguments que des prières instantes : à savoir que le souverain se montrait fort courroucé par ce voyage intempestif et que l'on pouvait craindre de voir cette brouille prolongée provoquer « la mocquerie de toute la chrestienneté ». Anne de Bretagne était toujours aussi sensible au ridicule, comme à tout ce qui pouvait toucher son honneur ou sa réputation : au bout de cinq mois de pérégrinations, elle revint à Blois vers la fin du mois d'octobre.

Quelques jours plus tard, le 2 novembre, le roi recevait enfin les commissaires chargés de l'interroger dans le cadre de l'affaire Gié. Par la suite, sa déposition a disparu (pour quelles raisons exactes ?) des dossiers, et l'historien sentimental ou pointilleux peut le déplorer aujourd'hui encore, s'il y tient. En fait, peu importe. Pour nous et peut-être aussi pour les contemporains, l'essentiel est que le procès, cet interminable procès touchait alors à sa fin et à une fin relativement honorable pour toutes les parties.

Le parlement de Toulouse devait consacrer encore dix-huit séances pour entendre le maréchal en personne et huit autres

pour se faire une opinion. Il rendit enfin son arrêt le 9 février
1506, par lequel il renonçait à retenir contre l'accusé le crime de
lèse-majesté. Se contentant de reproches finalement assez
vagues (« pour réparacion d'aulcuns excès et faultes, desquels a
apparu à la Court, et pour certaines grandes causes à cela mou-
vans »), il retirait à Pierre de Gié le « gouvernement et garde de
Monseigneur le duc de Valois », le commandement des places et
châteaux d'Amboise, Angers et autres lieux, ainsi que la charge
de capitaine de cent lances ; il le suspendait pour cinq ans de son
office de maréchal de France, pendant le même laps de temps le
bannissait de la Cour « de dix lieues, sur peine de confiscation
de corps et de biens » et lui faisait restituer au roi une somme
estimée plus tard à 18 800 livres tournois, ce qui était peu en
raison de la fortune détenue par l'accusé. De même, la sentence
était, au fond, bien modérée en comparaison de ce qui avait été
souhaité par Anne de Bretagne.

Gié comprit bien vite que ce résultat confirmait indirectement la justesse de sa cause. Il voulait en profiter pour amener le
roi à tirer les conséquences qui s'imposaient, c'est-à-dire à exercer le droit de grâce royale en sa propre faveur. Il signa un
recours, plutôt soutenu et même conseillé en ce sens par les
membres du Parlement qui venaient de le juger.

Mais, toujours aussi haineuse, la reine avait déjà eu bien du
mal à digérer le camouflet d'un verdict selon elle trop clément
et elle avait au moins besoin d'une consolation symbolique. Elle
se déchaîna tant auprès de son pacifique époux que non seulement il n'accorda pas sa grâce, mais qu'il dut même ordonner, le
25 mars, l'exécution immédiate de la sentence. Cette exécution
ne pouvait consister que dans quelques démonstrations assez
vaines, mais rien ne fut épargné pour leur donner le plus d'éclat
possible.

Le 1er avril donc, un peu partout en France, on publia l'arrêt,
on le lut à Paris en toute solennité, sur la fameuse Table de
marbre, au beau milieu de la grand'salle du palais, pleine d'une
foule attentive ; on le notifia au lieutenant général des maré-
chaux ; à Angers, puis à Amboise, devant la principale porte du
château, en présence du bailli, des élus et des autres officiers

locaux, on le cria à son de trompe, avant d'aller le déclamer, mais de façon moins tonitruante, dans la chambre qu'occupait Louise de Savoie, une autre des adversaires victorieuses de Pierre de Gié.

Quant à celui-ci, loin d'un tel tintamarre, il s'était déjà retiré, avec beaucoup de noblesse et de grandeur d'âme, en sa demeure du Verger, d'où il ne devait plus guère sortir désormais et où il allait mourir quelques années plus tard, en 1513, quelque peu oublié, mais laissant à ses fils des biens considérables et un nom resté, malgré tout, intact.

Au moment où Gié se voyait condamner, la politique qu'il avait longtemps préconisée recevait en quelque sorte une consécration définitive. Le roi avait fini par trancher en faveur d'une union matrimoniale entre sa fille et le duc François. Avant la conclusion définitive d'un tel projet, bien des obstacles subsistaient, en particulier l'irréductible hostilité de la reine et la déception prévisible des « Autrichiens ».

Dans ce qui s'annonçait donc comme une lutte de longue haleine, aucun allié, aucun soutien ne devait être ni méprisé, ni rejeté. C'est pourquoi le roi eut l'idée (ou se laissa suggérer l'idée) de se faire demander par son peuple ce qu'en fait il avait déjà décidé de son propre mouvement. Comme on aura l'occasion de le retrouver parfois chez lui, Louis XII, malgré une certaine médiocrité, semble avoir deviné plus ou moins clairement l'importance que pouvait représenter l'opinion de ses sujets ou de certains d'entre eux.

Tout s'est passé comme si avait été tentée une opération visant sinon à manipuler, du moins à manier ce qu'on appellera plus tard l'opinion publique. On constate simplement qu'au début de 1506 commencent à circuler dans les provinces les plus reculées des rumeurs encore vagues, relatives à un possible mariage de la princesse Claude, « fille unicque du Roy nostre Sire », avec son cousin François. Celui-ci, peu de gens évidemment le connaissaient, mais nombreux étaient ceux qui, déjà, disaient le préférer à ce Charles de Gand ou de Luxembourg, un prince encore plus inconnu, un étranger qui résidait, disait-on, quelque part dans les Flandres brumeuses : pendant des semaines et des semaines, ces bruits, en grossissant, suscitèrent la curiosité, puis monopolisèrent l'attention : « On ne parloit d'aultre matière, entre gens de tous estatz, par les maisons, marchés et églises. »

Pour exposer plus clairement leur opinion, les plus audacieux parmi ces politiciens de carrefour n'attendaient même plus que le pouvoir royal consentît à les interroger ; agissant comme de véritables agents en mission (qu'ils étaient peut-être, mais comment le savoir exactement ?), ils proposaient de choisir dans les principales villes du royaume « aulcuns notables personnaiges », chargés d'exposer au souverain « les causes de leur perplexité », ainsi que « la chose qu'ils désiroient ».

Comme s'il n'attendait que la généralisation de telles initiatives plus ou moins spontanées, Louis XII put donner l'impression de céder au vœu unanime de son royaume, en envoyant « à tous ses parlements de France et à toutes ses villes pour faire venir vers luy, de chascun lieu, gens saiges et hommes consultez », ce qui, à l'extrême rigueur, pouvait passer pour une convocation d'États généraux. Certains historiens s'y sont laissé prendre et n'ont pas craint d'employer sans précautions une expression qui, en de telles circonstances, risque de faire illusion. Les derniers vrais « États généraux », ceux de 1484, n'avaient pas laissé un si bon souvenir et, même si l'ancien duc d'Orléans avait autrefois voulu en faire un instrument personnel, on peut penser que, devenu roi, il ne tenait pas à renouveler semblable expérience.

Cette fois, il s'agissait plutôt d'une chambre d'enregistrement triée sur le volet, à raison de deux députés par bonne ville, en général un noble et un bourgeois qui, dans une atmosphère anormalement calme et consensuelle, avaient été plus nommés par les autorités locales que véritablement élus. Moins soucieux de se plaindre ou de dresser un catalogue de réformes que de manifester leur unité sur un seul point face aux récriminations de la Maison d'Autriche, les « députés », arrivés à Tours dans les premiers jours de mai 1506, se mirent aussitôt d'accord sur la forme que prendrait leur « libre démarche » pour demander le mariage de Madame Claude avec son cousin Valois. « Après quoy, ils supplièrent le roi que son bon plaisir fust de leur donner audience et oyr la remonstrance qu'ils luy voudroient faire pour l'utilité et bien public de son royaume. »

Le souverain promit de les entendre dès le lendemain, jeudi 14 mai : c'est alors — surprise agréable ? Auguste comédie minutieusement combinée à l'avance ? Comment savoir ? — que Louis XII recevra le nom de « Père du Peuple » qui lui est resté dans l'histoire et qui, à tort ou à raison, a fait discourir à perdre haleine ou, plus simplement, fait rêver bien des historiens. Ces derniers ont tous puisé à la même et unique source pour relater cette journée mémorable ; il s'agit d'une relation anonyme, mais immédiatement contemporaine, reproduite dans les *Lettres de Louis XII* (édition Godefroy, Bruxelles, 1712, t. I, p. 43) et intitulée *Récit de ce qui s'est passé lors de la remonstrance faicte au roy Louis XII par les États du Royaume, pour l'engager à consentir au mariage de Madame Claude de France avec Monseigneur François, duc de Valois*. Le plus simple est, nous a-t-il semblé, de citer ce passage *in extenso*, malgré sa relative longueur :

« Le jeudy quatorziesme de may l'an quinze cent six, le roi de France estant au Plessis-lez-Tours assis en une grande salle, en siège royal, à deztre d'un costé de Monsieur le Légat d'Amboise, du Cardinal de Narbonne [Guillaume Briçonnet], du chancelier et grant quantité d'archevesques et évesques ; et de l'autre costé de Monsieur le duc de Valois, et de tous les princes du sang, et autres seigneurs et barons dudit royaume en grand nombre, aussy du Premier Président de la Court de Parlement [Jean de Ganay, futur garde des Sceaux], et plusieurs conseillers, donna audience publique aux députez des États du Royaume illec assemblez, lesquels... [s'exprimèrent]... par la bouche d'un docteur de Paris, nommé Maistre Thomas Brico. »

Selon les critères de l'époque, les États n'avaient pas choisi n'importe qui. Ce Thomas Brico, ou plutôt Bricot, était même à sa manière un personnage considérable. Chanoine de Notre-Dame, professeur de philosophie à l'université de Paris depuis les dernières années du XVe siècle, modèle possible de nos rabelaisiens Thubal Holopherne et Janotus de Bragmardo, il avait

publié plusieurs ouvrages, entre autres un *Cursus optimarum
questionum super totam logicam,* des *Questiones sex librorum
metaphysices,* un *Textus abbreviatus... super octo libris physico-
rum,* autant de compilations, abréviations et gloses diverses sur
l'inévitable Aristote, ouvrages devenus pour nous parfaitement
illisibles, mais considérés alors comme fondamentaux. C'est
donc par la bouche d'un maître aussi prestigieux que les États
« firent remonstrer audict seigneur Roy, en langage françoys,
comment, ils estoient venus vers luy en toute humilité et révérence pour luy dire aulcunes choses concernans grandement le
bien de sa personne, l'utilité et prouffict de son royaume et de
toute la chrétienneté ; assçavoir que, au moys d'apvril en l'an
passé [en fait, c'était durant cette même année 1506, suivant le
nouveau style], il avoit esté moult griefvement mallade, dont
tous ceux de son royaulme avoient esté en grant soucy, crain-
gnant de le perdre, cognoissant les grands biens qu'il avoit fait
en plusieurs choses singulières, assçavoir pour la première, qu'il
avoit maintenu son royaume et son peuple en si bonne paix que
par le passé n'avoit esté en plus grande tranquillité, et tellement
qu'ils sçavoient que les poulles portoient le bacinet sur la tête
[c'est-à-dire qu'elles portaient le petit récipient qui servait à leur
mesurer le grain, signe de ce qu'elles se sentaient en sécurité] en
façon qu'il n'y avoit si hardy de rien prendre sans payer ; aussy
qu'il avoit quitté sur son peuple le quart des tailles ; seconde-
ment qu'il avoit réformé la justice de son royaume et mis bons
juges partout, et mesmement à la Cour de Parlement de Paris ;
et pour ces causes, et autres qui seroient longues à réciter, il
devait estre appelé le " roy Loys douzième, Père du Peuple ". Et
après, ledit Brico et tous ceux desdits estatz se mirent à genoux,
et dit iceluy Brico : " Sire, nous sommes icy venus sous vostre
bon plaisir pour vous faire une requeste pour le général bien de
vostre royaume, qui est telle que vos très humbles sujets vous
supplient qu'il vous plaise de donner Madame Claude de
France, vostre fille unicque, en mariage à Monsieur François,
duc de Valois, icy présent, qui est tout françois ", disant oultre
plusieurs belles parolles qui esmeurent le roy et les assistans à
pleurer.

« Ce fait, le roi appela Monsieur le Légat, le Cardinal de
Narbonne et Monsieur le Chancelier. Ils parlèrent un espace
ensemble, après se remit chascun en son lieu, et dit ledit chancelier, par l'ordonnance du Roi, à ceulx desdits étatz, que le roy
avoit bien ouy et entendu leur requestre et remonstrance, et que
quant aux louanges par eux à luy données, qu'elles venoient de
Dieu ; que s'il avoit bien fait, il désiroit encores de mieux faire ;
et au regard de la requestre touchant ledit mariage, qu'il n'en
avoit jamais oy parler. »

Là, le roi exagère évidemment, mais nous savons que, lorsque
c'est absolument nécessaire, cet homme franc et sincère ne
répugne pas au mensonge. Soucieux de ménager son auditoire,
il lui assurait en même temps que « de cette matière il commu-
niquerait avec les princes de son sang pour en avoir leur
advis ».

« Le lundi en suivant le roy vint au mesme lieu où il avoit esté
ledict jeudy, accompaigné comme dessus, réservé ceux des
estatz, demanda à Monsieur le Légat et aux autres leurs opi-
nions sur la requestre faicte par ceux desdits estatz, savoir si elle
étoit utile et raisonnable pour luy et son royaume. Sur ce, fut le
premier opinant Monsieur l'évesque de Paris, après le Premier
Président dudit Paris, et de celuy de Bordeaux ; lesquels parlèrent bien longuement pour mieux ouvrir leurs esprit et enten-
dement des autres, tellement que tous d'une voix et opinion
s'accordèrent à ce que la requeste desdits estatz estoit bonne,
juste et raisonnable, et par ensemble supplièrent au roy accorder
ledit mariage.

« Le mardy vint le roy comme dessus audit lieu où furent
mandez vers luy lesdits estatz, ausquelz par son chancelier il fit
dire ce que s'enssuit :

« " Messieurs, le roy, nostre souverain seigneur, a parfunde-
ment penssé à la requeste que luy fistes jeudi dernier passé. Sur
quoy il vous fait dire que ainsy qu'il a accoustumé de faire ses
affaires, mesmement en ceux qui touchent le bien et utilité de
son royaume et de ses subgets, lesquelz il a fort à cueur, tellement que bien souvent il veille quant les autres dorment, par-
quoy l'avez justement baptisé *Père du Peuple ;* et combien qu'il

ne se deffie point de vous et est bien asseuré que ne luy voudriez faire requeste qui ne fust bonne et deuëment fondée, touttesfois a-t-il bien voulu mander et convocquer tous les princes de son sang, les seigneurs, barons et principaulx conseillers de son royaume, aussy de la Duché de Bretaigne, pour leur communiquer la requestre que vous ensemble luy avez faicte pour, sur ce, avoir leur opinion et conseil ; et après ce qu'il a eu leur advis, luy ont remontré par plusieurs raisons évidentes pour le bien utilité de son royaume, ses pays et subgets et de toute la chrétienneté, qu'il consente et accorde que le mariage de Madame Claude de France, sa fille unicque et de Monsieur le duc de Valois se face, non seulement [ils] luy ont donné ce conseil, mais [ils] luy ont d'un commun accord requis et prié se consentir audit mariage comme vous autres.

« " Et pour ce que le roy, nostre souverain seigneur, a tousjours désiré et désire sur toutes choses le bien et utilité de sesdits royaume et subjets, et de faire chose qui soit agréable à Dieu et à la Chrétienneté, après meure délibération s'est libéralement condescendu et condescendent à vostre dite demande et requeste, et veut que le mariage se face de Madame Claude, sa fille, et de Monsieur de Valois icy présent, et afin que [vous] cognoissiez que le Roy nostre souverain seigneur, ne veut longuement différer la chose, il veut et ordonne que les fiançailles de maditte dame, sa fille, et de mondit sieur de Valois se facent jeudi prochain venant, pour, après qu'ils seront en leur âge, consommer ledit mariage.

« " Et combien que par cy-devant a esté pourparlé du mariage de madite dame Claude avec autre [évidemment Charles de Luxembourg], toutesfois il n'y a eu chose traitée qui puisse nuire ou empescher ledit mariage, car il n'y a eu que parolles.

« " Et pour ce que nous sommes tous mortels et qu'il n'y a chose plus certaine que la mort, ny plus incertaine que l'heure d'icelle, le roy, nostre souverain seigneur, veut que si le cas advenait qu'il allast de vie à trespas, sans avoir lignée masculine, que vous promettiez et juriez, et faictes promettre et jurer par les habitants des cités et villes dont vous estes envoyez, selon la forme qui vous sera baillée par escrit, de faire accomplir et consommer ledit mariage, et obeyrez et tiendrez, le dict cas advenant, mondit sieur de Valois [comme] vostre vray roy, prince et souverain seigneur, et que, de tout ce, envoyerez vos lettres et scellés de chascune cité et ville en dedans la feste de la Magdeleine prochain venant ; combien que le roy, avec l'ayde de Dieu, a bon espoir de vivre [et] qu'il fera consommer le dict mariage et verra les enfans de ses enfans. "

« Après ce que mondit sieur le chancelier eust finy son propos, ledit docteur Brico pour lesdits estatz commença à dire : " *Domine, magnificasti gentem et multiplicasti laetitiam* ", et autres plusieurs allégations de la saincte écriture, disant : " *Vox populi, Vox Dei, haec est dies quam fecit Dominus et quam expectavimus, et venimus in ea* " ; et après, ceux desdits estatz se mirent à genoux et aussi ledit docteur, et dit : " Sire, nous vous remercions très humblement de la part de tous nos subgets de l'accord qu'il vous a plu leur faire, nous prions Dieu qu'il vous veuille longuement laisser vivre en bonne prospérité et santé, la reyne, Madame votre fille, Monsieur de Valois et Messieurs de votre sang, et, quant à vous, envoyer les lettres et scellés qu'il vous a pleu nous ordonner ; toutes les citez et villes par lesquelles nous sommes envoyez sont et seront prêts à vous obéir, car il n'y a ville ny citez qui n'ait un fouet à trois cordons : le premier cordon est le cœur de vos subgets qui vous aiment parfaitement ; le second est force, car tous en général et en particulier sont deliberez de mettre corps et biens en danger pour vous ; le troisième cordon est muniments de prières et oraisons que vos subgets font tous les jours pour votre bonne santé et propérité, disant, *Vive, Vive le roy !* et, après son règne, luy doint Dieu le royaume de Paradis. "

« Après ce que ledit docteur eust parlé, Monsieur le Chancellier alla parler au roi, puis retourna en sa place, et dit en soubsriant ces parolles ausdits des estatz : " Messieurs, le roy cognait de plus en plus l'amour et affection que ses bons subgetz ont à luy, et vous fait dire que, s'il vous a esté bon roy avec l'aide de Dieu, il se parforcera de vous faire de bien en mieux, et vous le donra à cognoistre par effet, tant en général qu'en particulier, et

pour ce que le roy sçait que vous, Messieurs, qui estes icy pre-
sens, estes les principaux du conseil des villes et citez qui vous
ont envoyez devers luy, et que vostre absence pourrait porter
préjudice à la chose publicque, à cause des affaires qui survien-
nent de jour à autre, il vous donne congé de vous en retourner,
et est d'advis que seulement demeurent ung de chascune desdi-
tes villes, pour luy dire les affaires d'icelle, si aucunes en ont, à
quoy le roy leur fera bonne et briève expédition. "

« Lors se leva ledit chancelier et prit ung livre des sainctes
évangilles, sur lequel tous ceux desdits estatz jurèrent d'entretenir ce qui dessus est dit et le faire ratifier par lesdits citez et
villes.

« Le jeudy vint-uniesme dudit mois de may, le roy et la reyne
vinrent en la salle qui estait richement parée, et tost après fut
apportée Madame Claude, laquelle le seigneur infant de Foix
portait sur son bras.

« Et avec eux vinrent le duc de Valois et tous les princes et
barons, aussy Madame d'Angoulesme et les autres princesses, et
tant desuitte de dames et damoiselles, qu'il sembloit que le
royaume de femynie y fust arrivé.

« Lors Monsieur le Chancelier lut certains articles de traité de
mariage contenant en substance que, si le roy avoit lignée masculine [une fois] ledit mariage consommé, [il] donnoit audit
sieur duc de Valois et à laditte dame, pour son *[sic]* dot, les
comtés d'Ast et de Blois, les seigneuries de Soissons et de Coucy,
et la reyne en ce cas donne à laditte dame Claude cent mil
escus ; et au cas que le roy ne eust lignée masculine, et que celuy
qui serait roy voulut recouvrer lesdites comtés et seigneureries,
serait tenu de donner pour récompense audit sieur duc de Valois
et à laditte dame vingt mil francs de rente en titre de duchés.

« Après furent faictes et solempnisées les fiançailles de mondit sieur de Valois et de madite dame Claude, et les fiança
Monsieur le Légat.

« Depuis lesdites fiançailles, le roy a fait passer à monstres et
en armes les gentilshommes de sa maison qui fut le lundy
ensuivant, et, durant ce jour et toute la sepmaine, ont esté faictes
joustes et tournois, où le roy pour les voir estait à cheval sur ung
grand coursier, soy monstrant le plus joyeux du monde.

« D'autre part, le roy a pris le serment des princes et barons de son royaume, et pareillement de ceux de Bretagne, dont iceux et chascun par soy a baillié ses lettres et scellés en la forme qui s'ensuit :

« " Nous, [etc.], promettons et jurons sur nos foys et honneurs, et sur les sainctes évangiles de Dieu pour ce que par nous corporellement touchées, que nous ferons et procurerons par effet de tout nostre pouvoir, jusques à y exposer corps et biens, que le mariage de Madame Claude de France et de Monsieur le duc de Valois, lequel il a plû au roy, par le commun advis, accord et consentement de nous et de tous les autres princes de son sang, ceux de son conseil, et les principaux seigneurs, barons, citez et bonnes villes du royaume, consentir, conclure et accorder, se fera, accomplira et consommera incontinent que iceux sieur et dame seront en aage pour accomplir et consommer ledit mariage, et, pour ce faire, n'espargnerons corps ne biens, mais les y exposerons, comme dit est ; et si le roy, que Dieu ne veuille, va de vie à trespas sans laisser enfans masles, nous tiendrons et reputerons mondit sieur de Valois pour notre roy et souverain seigneur et, comme tel, luy obeyrons. En tesmoingt de ce, nous avons signé ces présentes de nostre main, et à icelles fait mettre scel armoyé de nos armes, à Tours, le vingt-uniesme de may quinze cent six. " »

Si le ralliement presque inespéré des députés bretons dut être considéré comme une trahison ou un camouflet supplémentaire par la reine Anne, il est sûr que les États de Tours offrirent à Louis XII bien des raisons de se montrer satisfait : en annulant de fait l'ancien projet de mariage avec un archiduc autrichien, en fiançant solennellement sa fille avec un prince français, par surcroît héritier présomptif de la couronne, il effaçait les traités de Blois et sa grossière erreur de 1504, il maintenait les règles traditionnelles de la succession capétienne par ordre de primogéniture, sauvegardait l'intégrité territoriale du royaume, consacrait l'unité de ses sujets et renforçait l'autorité royale, obtenant ainsi l'un de ses plus beaux succès de politique intérieure.

CHAPITRE XIII

La politique intérieure
de Louis XII

La politique intérieure de Louis XII a joui très tôt d'une bonne réputation, tant chez les vieux chroniqueurs que chez les historiens plus tardifs. Mais les aspects qui, à la réflexion, peuvent nous sembler essentiellement positifs ou intéressants ne correspondent pas forcément à ce qui a le plus frappé nos prédécesseurs.

Ordinairement on félicite Louis XII pour avoir été un gestionnaire économe et l'artisan de nombreuses améliorations du système monarchique. Si nous ne nous en tenons qu'au nombre de ses édits et ordonnances, à leur importance aussi, il apparaît incontestablement comme un grand réformateur. Seule question : était-ce prémédité, voire « programmé », comme l'on dirait aujourd'hui ?

L'un des rares historiens qui se soient intéressés à Louis XII avant nous, Jean-Alexis Néret, croit pouvoir parler d'un véritable *plan* avec lequel notre héros serait arrivé en accédant au trône : « Le nouveau roi apportait donc un plan, ses desseins étaient mûris. Il voulait ordonner les finances et la justice afin de soulager le peuple, accroître la richesse et la population du pays en faisant régner l'ordre intérieur et en éloignant la guerre. » L'historien croit pouvoir expliquer la relative précision de ce programme par le fait que le roi aurait à quelques reprises entrevu Machiavel et il rappelle que, selon cet auteur, le souverain doit chercher à se faire une réputation de bonté, de clémence et de libéralité qui n'exclut pas des soucis de parcimonie. Il cite même à ce sujet un passage du *Prince* : « Il est sage de se résoudre à être appelé avare, qualité qui n'attire de la part des Grands que du mépris sans haine, plutôt que de se mettre, pour éviter ce nom, dans la nécessité d'encourir la qualification de rapace qui engendre le mépris et la haine tout ensemble. » Ces rappels suffisent-ils à faire de Louis XII un disciple du Florentin ?

Tout ce qu'on peut avancer, c'est que, durant sa longue captivité de Bourges, le futur roi avait peut-être eu le temps d'évoquer les problèmes généraux de la politique ; qu'il avait lu le *De officiis* de Cicéron, qu'il le relisait souvent et semblait même l'avoir médité ; qu'il avait été mûri par les événements, les brimades de son beau-père Louis XI, les déceptions, les rebuffades, l'attente interminable de la couronne ; qu'il arrivait au trône avec la bonne volonté et le gros bon sens des médiocres, ce qui vaut parfois mieux que les programmes trop ambitieux des intelligences exceptionnelles ; et que, selon toute vraisemblance, il se montrait assez à l'écoute du monde environnant pour essayer de régler successivement les différents problèmes, en quelque sorte au coup par coup.

Le roi fut-il seulement le véritable père des réformes et des règlements qui lui sont attribués ? Ou ne s'est-il pas plutôt contenté de parrainer des idées suggérées par ses proches ? Par le maréchal de Gié dans le domaine militaire ? Par le pieux cardinal d'Amboise, qui s'est toujours montré fort soucieux de ramener les diverses communautés monastiques du royaume à une plus stricte observance de leurs règles ? Ou encore par l'insaisissable Florimond Robertet, dont le rôle a peut-être été d'autant plus important qu'il est toujours resté discret ?

Pour se prononcer avec plus de précision sur ces différents points, il est préférable de voir à la suite les grands secteurs de la réalité française qui ont été l'objet de semblables « réformes » ou décisions générales. Les domaines sont en effet variés, puisqu'il s'agit aussi bien de l'armée, des universités, des ordres monastiques, de la vie économique, des affaires fiscales et financières que des problèmes législatifs ou judiciaires.

A ce dernier point de vue, la liste des principales décisions est éloquente : en avril 1499, c'est l'édit des Montils-lez-Blois, qui érige l'Échiquier de Normandie en Parlement ; en juin, la déclaration de Paris, qui interdit de recevoir de nouveaux officiers en la chambre des Comptes, « au-delà du nombre dont elle est composée » ; en juillet l'ordonnance de Lyon, relative à l'administration de la justice par le Châtelet de Paris ; le 22 décembre, la déclaration d'Orléans, « portant défense » aux divers officiers de justice ou finances de contrevenir aux ordonnances royales, leur interdisant même de tenir compte des lettres de dispense qui leur seraient accordées sur ce point ! Le 24 juin 1500, c'est l'édit de Lyon, précisant davantage les attributions et la juridiction de la cour des Aides ; le 5 juillet, le mandement de Lyon, enjoignant à la chambre des Comptes de procéder sans tarder à l'inventaire du trésor des chartes ; le 20 mars 1501, la déclaration de Moulins, réglementant la juridiction de la chambre des Comptes de Paris ; en juillet l'édit de Lyon établissant le Parlement d'Aix-en-Provence ; le 27 juillet 1504, les lettres de Chaumont-lez-Blois, ordonnant de déposer au trésor des chartes tous les documents relatifs au Domaine royal ; en mai 1505, la déclaration de Blois réglementant la « police » des examinateurs au Châtelet de Paris ; le 4 mars 1506, les lettres de Blois recommandant de rédiger les diverses « coutumes » dans les pays de droit non écrit ; le 20 octobre 1508, l'ordonnance de Rouen sur les pouvoirs et les fonctions des trésoriers de France ; le 19 décembre, les lettres de Blois prévoyant la publication des coutumes d'Auvergne ; en avril 1510, l'édit de Troyes sur les attributions et prérogatives des « clercs-notaires » au Châtelet de Paris ; le 21 janvier 1511, d'autres lettres sur la publication des coutumes de la prévôté et vicomté de Paris ; le 26 février, l'ordonnance de Lyon sur l'« abréviation » des procès en Bretagne ; en décembre, l'édit de Blois, réglementant le fonctionnement de la chambre des Comptes de Paris ; le 19 juillet 1512, l'édit de Blois établissant la cour des Aides du Languedoc à Montpellier, « avec définition de ses attributions fiscales et criminelles », édit complété par celui d'Amiens, en date du 15 octobre 1513 et confirmant les fonctions des généraux des finances en cette ville, « avecques deffenses faictes au Parlement de Tholoze d'en congnoistre ».

Certaines autres décisions sont plus importantes encore. Par les lettres patentes de Paris, le 13 juillet 1498, Louis XII organisait définitivement le Grand Conseil, sur des bases à peu près fixes et solides. Apparue dans les années 1460 avec des compétences d'abord assez floues, puis plutôt spécialisée dans les questions de fiefs et de bénéfices, ou encore d'administration hospitalière, mais avec des possibilités d'action sur l'ensemble du royaume, cette institution sans domicile fixe était en outre dotée d'un personnel instable. Désormais tout allait changer : « Considérant qu'en [Nostre] Grant Conseil, qui souventes fois estoit ambulatoire,... avoient esté et estoient... introduictes les plus grandes matières et affaires de [Nostre]... Royaume, tant héréditaires, bénéficiaires qu'aultres, lesquelles n'avoient pu estre vuydées... à cause de qu'au dict Grant Conseil [il]... n'y avoit auparavant nombre souffisant... de conseillers ordinaires... sçavoir faisons... qu'avec Nostre dict chancellier... et oultre le nombre des maistres ordinaires de Nostre hostel, y aura dorésenavant, pour l'assistance de Nostre dict Grant Conseil, le nombre de vingt conseillers, tant d'Église que lays, et Nostre Procureur général en Nostre dict Grant Conseil. »

Nommés après enquête sur leur « grande suffisance, idoineté, science, preudommie et bonnes expériences », désormais astreints à résider à tour de rôle « en la Cour » pour leur service, ces conseillers d'un nouveau type avaient droit aux gages, honneurs, droits, profits, prééminences et prérogatives des officiers de cours souveraines. Coup assez rude pour le parlement de Paris ; voyant en effet d'un mauvais œil une institution qui pouvait devenir sa rivale, celui-ci cherchait le moindre prétexte pour manifester son hostilité. Finalement et avec beaucoup de sagesse, le roi sut imposer une « réconciliation » : lorsque le premier président se fut plaint de ce qu'on refusait l'entrée du Grand Conseil à ses officiers, Louis fit savoir que : « La cour [de Parlement] estant au premier lieu et avant le Grant Conseil, son vouloir estoit que, quand Messieurs les Présidens et Conseillers iroient au Grant Conseil, on leur ouvrist l'huys et qu'ils y

entrassent quand ils voudroient. » Le Parlement gardait donc sa
prééminence, l'ordre était sauvé.

L'administration et la vie judiciaires n'étaient pas seulement
empoisonnées par ces menues querelles protocolaires, et c'est
peut-être une des raisons pour lesquelles Louis XII essaya
d'améliorer tout le système. A cet égard, la grande ordonnance
de Blois, datée de mars 1499, est restée justement célèbre. Rédigée à l'issue d'une assemblée de notables qu'on avait bien voulu
consulter sur ce point, rendue pour « l'entretènement de la justice, abbréviation des procès et soulagement du peuple », elle ne
contient pas moins de cent soixante-deux articles et aborde en
fait des domaines qui débordent à l'occasion le strict cadre du
judiciaire tels que la religion, la vie universitaire ou la collation
des grades.

Toutefois, un certain nombre de principes ou de prescriptions peuvent être retenus du point de vue qui nous intéresse.
Certes tout n'est pas neuf, et le législateur reste, par exemple,
d'une inflexible sévérité à l'égard des vagabonds, surtout ceux
qui ont déjà été condamnés à des peines afflictives, « fustigez,
essoreillez, bannis », et repris pour d'autres délits ou crimes
(articles 90-92). De même, certains historiens ont pu s'en étonner, la mansuétude bien connue de Louis XII ne va pas jusqu'à
lui faire supprimer la torture, bien au contraire : « Lesdicts procès faicts à toutes les dilligences dessusdictes, jusques à la question ou torture, nosditz juges... feront délibérer ladicte question
en la Chambre du Conseil, ou aultre lieu secret, par gens notables et lettrez non suspects ny favorables... et, ladicte question
dellibérée, la feront incontinent exécuter sans divertir à autres
actes si faire se peut, sinon le jour ensuyvant sans rien en dire ny
révéller à personne » (article 112).

Notons toutefois que toutes les précautions seront prises pour
que l'opération se fasse dans des limites strictement établies :
« Quant à exécuter ladicte question ou torture, ledict greffier
sera présent qui escripra les noms des sergens et aultres présens,
la forme et la manière de ladicte question, et la quantité de l'eau
qu'on aura bailliée audict prisonnier, et par quantefois la réité-
ration de la torture, si aulcune y en a, les interrogatoires et les

responses, avec la persévérance du prisonnier, la constance ou variacion, et l'endemain de ladicte question, sera derechef interrogé ledict prisonnier hors du lieu où il aura eu ladicte torture pour veoir sa persévérance et sera escript le tout par ledict greffier. »

Pour l'essentiel, ce texte se souciait en effet de défendre ou de ne pas trop sacrifier les intérêts du justiciable. L'examen des témoins et leur interrogatoire devaient désormais être menés par les magistrats eux-mêmes, non plus par leurs adjoints ou clercs (articles 14 et 15) ; les prisonniers « arrestez et ajournez à comparoir en personne » seront interrogés « à toute diligence » (article 106) ; une fois appliquée, la question ou torture ne pourra être « réitérée » sans nouveaux indices (article 114) ; quant aux amendes, dont le taux éminemment variable et la levée fantaisiste entraînaient bien des abus, elles « seront taxées par un mesme registre, avec la condamnation,... de laquelle taxation nostre receveur pourra lever un roolle si bon luy semble » (article 122).

On essayait aussi, et peut-être principalement, de ne pas livrer les sujets du roi à des magistrats trop insuffisants, douteux ou indignes de leurs charges. Sans être vraiment sanctionné, l'absentéisme est, si l'on peut dire, réglementé : « Pour ce que souventes fois advient que pour malladie de père ou mère, ou succession eschuës à nosdits conseillers, ou aultre chose raisonnable, touchant leurs affaires particulières, nosdicts conseillers sont contraincts eux absenter hors nostre dicte Cour ; ordonnons que ce faire ne pourront, sinon par congé et licence de nosdites cours, lesquelles respectivement leur arbitreront le délay plus brief que faire se pourra pour leur retour, selon l'exigence de ladicte matière, sur quoy nous en chargerons la conscience de Nosdictes Cours » (article 25).

On fixe les heures et les jours où présidents et conseillers ont impérativement à se trouver dans l'enceinte du palais de justice (article 23) ; il est recommandé aux juges d'avoir avec eux le livre des « ordonnances par Nous faictes et nos prédeccesseurs » (article 78) ; et, de même que les procureurs, les avocats, les notaires, les greffiers, les huissiers, tout le personnel du Parlement, ils devront, selon l'article 162, faire serment de respecter ces ordonnances, ce qui va peut-être sans dire, mais va encore mieux en le disant.

Surtout sont précisées les exigences minimales et les règles d'accession aux charges de judicature. Ainsi les lieutenants généraux des baillis et sénéchaux, trop souvent ignares en matière juridique, devront maintenant être « docteurs ou licenciez *in altero jurium* en université fameuse » (article 48).

D'une façon plus générale, les officiers des Parlements ne pourront plus être élus que par scrutin public, « de vive voix » (article 32) et reçus qu'après un examen préalable. Enfin, avant même d'avoir ordonné que « le père et le fils et les deux frères ne pourront estre en une mesme cour » (article 41), ce qui voulait éviter népotisme et colonisation familiale, hélas ! trop fréquente, on condamnait à nouveau, en une éternelle rengaine, une fois de plus absolue et définitive, la fameuse vénalité des offices. Et avec quelles audaces, quelles nouveautés dans le détail des prescriptions ! Qu'on en juge plutôt :

« Combien [que] par les ordonnances aulcun ne puisse achepter office de judicature, néantmoins sous couleur de quelque congé qu'ils ont obtenu de Nous ou de Nos prédécesseurs, lesdictes ordonnances ont esté enfrainctes, et à ceste cause avons déclairé et déclarons que [Nous]... n'entendons pas déroger esdictes ordonnances, et, si, par importunité ou aultrement, [Nous]... en commandions aulcunes lettres, [alors Nous]... deffendons à Nostre Chancelier de... les sceller et si, par surprise ou aultrement, elles estoient scellées, [Nous]... prohibons et defendons aux gens tenans Nos Cours de Parlement, baillifs, seneschaux et aultres juges et officiers ou leurs lieutenants, pour quelque commandement ou lettres itératives qu'ils puissent obtenir de Nous, de n'y obéir et obtempérer » (article 40).

Beau souffle, beau style, beau texte, beaux sentiments, mais ce qui est excessif est sans importance, comme le disait à peu près Chamfort. C'est peut-être pour cette raison que l'ordonnance de mars 1499 semble avoir été imparfaitement appliquée. Du moins, dans un autre texte législatif presque aussi célèbre, il fallut reprendre et réaffirmer une grande partie de ces mesures, mais en élargissant encore le domaine concerné.

Cette ordonnance de Lyon, promulguée en juin 1510, est moins bien rédigée que la précédente, elle manque d'ordre et d'unité, les différents articles s'enchaînent mal, et certains sont d'une obscurité qui trahit une certaine précipitation, la précipitation de celui qu'on considère comme son principal inspirateur et qui devait mourir précisément à ce moment-là : le cardinal Georges d'Amboise. Ces défauts expliquent peut-être les réticences du parlement de Paris qui retarda l'enregistrement du texte jusqu'au 21 avril 1512.

Au hasard de ses soixante-douze articles, on continue certes à ménager les justiciables, en interdisant par exemple de grossoyer inconsidérément les procès et de transcrire dans les actes certaines pièces peu utiles à la manifestation de la vérité, ce qui entraînait des dépenses excessives pour les parties en présence (article 18) ; des mesures nouvelles frappent les usuriers : il est interdit aux notaires de recevoir leurs contrats (article 65), tous les officiers de justice doivent les poursuivre sans pitié (article 64) et ceux qui les dénonceront « auront la tierce partie des amendes qui en viendront » (article 66) ; de nombreuses décisions concernent les notaires : ils devront désormais tenir un registre scrupuleux de tous leurs actes (article 63), leur nombre sera réduit pour plus d'efficacité (article 62), leurs offices ne pourront être conférés que par le roi ou par le chancelier (article 42).

Mais surtout on y prend des dispositions concernant la pratique judiciaire aussi bien dans le pays de droit écrit, où les enquêtes se feront à l'avenir non plus en latin, mais en « langage vulgaire » (article 47), que dans certains secteurs où l'emportait plutôt le droit coutumier : « Pour ce que, au ressort de Nostre Cour de Parlement de Bourdeaux, [il] y a aucuns païs coutumiers esquels les coustumes ne sont aulcunement arrestées, [Nous] avons ordonné et ordonnons qu'elles seront, pour l'abréviation de justice et soulagement de nos sujets estans audis païs, accordées et arrestées, ainsy que [Nous] avons ordonné faire en Nostre Cour de Parlement à Paris » (article 49).

La rédaction des coutumes provinciales devait en effet être

l'une des tâches principales du règne. L'idée avait déjà été lan-
cée sous Charles VIII, mort trop tôt pour la mener à bien, et
il fallut attendre 1505 pour voir reprendre le projet. C'est alors
que, sur les conseils de Georges d'Amboise, le roi choisit au sein
du Parlement de Paris les « commissaires » à qui allait être
confié le soin de fixer la législation française des provinces septentrionales : en particulier l'avocat du roi, Roger Barme,
remarquable par son esprit et son savoir *(sublimis ingenio et
litterarum splendore clarus),* et le premier président Thibaut
Baillet, lumière de la magistrature française, spécialiste averti
aussi bien du *Décret,* du *Digeste* romain, des *Édits royaux* que des
multiples usages provinciaux. Jusqu'à la mort de Louis XII, en
accord avec les baillis, les sénéchaux et les représentants des
trois états dans diverses juridictions, ces deux légistes ne cessè-
rent pas de vérifier et de faire approuver de nombreuses coutumes du pays, purgées des usages abusifs, des adjonctions discutables, commentées, mieux ordonnées et surtout clarifiées.

Amboise voulut être présent à la rédaction de la première,
celle de Tours, la seule dont il signera d'ailleurs le procès-
verbal, le 5 mai 1505 ; puis suivirent celles de Melun (octobre
1506) ; de Sens (mars 1507) ; de Montreuil-sur-Mer, d'Amiens,
de Beauvais et d'Auxerre à la fin de cette même année ; celles de
Chartres, du Poitou, du Maine et de l'Anjou en 1508 ; de
Meaux, de Troyes, de Chaumont, de Vitry-en-Perthois et
d'Orléans en 1509 ; d'Auvergne en 1510 et de Paris en 1511. Si
le roi put en voir publier encore deux autres, pour l'Angoumois
et La Rochelle, il mourut en laissant son œuvre inachevée :
plusieurs provinces durent attendre près d'un siècle pour voir
leurs coutumes rédigées à leur tour, ce qui, par comparaison,
donne une idée de l'extraordinaire fièvre législative qui a marqué ce règne et explique en partie l'image de « roi justicier » qui
s'est attachée à Louis XII.

Soucieux de justice, il a pu l'être jusqu'à se démarquer de
l'Église en des circonstances assez délicates, ainsi que le montre
l'affaire des vaudois du Haut-Dauphiné. Comme cela leur arrivait à dates plus ou moins régulières, ceux-ci venaient d'être
persécutés à nouveau : depuis 1488, sur l'initiative des autorités

locales civiles et ecclésiastiques, ces paisibles populations subissaient un surcroît de brimades. Dès son avènement, le roi avait reçu leurs plaintes, aussitôt transmises au Grand Conseil. En 1501, après mûres délibérations et malgré les réticences de ses membres clercs, celui-ci accepte d'envoyer sur place deux commissaires pour mener une enquête approfondie. Bientôt abandonnée, mais reprise en 1507, elle devait aboutir à des conclusions accablantes, mettant particulièrement en cause les abus commis par l'archevêque d'Embrun, ses représentants et les quelques forces armées qui leur avaient été confiées : plusieurs paysans avaient été massacrés, leurs villages dévastés, leurs fermes pillées, leurs femmes violentées ; on citait en particulier le cas d'une famille qu'on avait enfermée dans une maison, avant de mettre le feu tout autour, tandis que le « suppôt » ecclésiastique leur criait : « Vous serez tous brollés si vous ne dictes que estes vaudois et hérétiques ! » Surtout, l'on avait fait défense à ces populations d'en appeler à la justice royale, ce qui était évidemment le crime le plus grave !

Après avoir vu de nombreux prêtres rétracter leurs accusations d'hérésie même contre leurs paroissiens les plus douteux, tout rentra dans l'ordre assez vite. Sans aller jusqu'à s'en prendre à l'archevêque ou à ses exécutants, un jugement du parlement de Paris en date du 27 février 1509 cassait toutes les sentences rendues précédemment par les juges locaux et réhabilitait solennellement tous les montagnards condamnés. Sans se mettre au premier plan, Louis XII avait suffisamment montré ses intentions au Grand Conseil pour que l'affaire pût suivre son cours jusqu'à sa conclusion devant la suprême juridiction du royaume.

Roi législateur, roi justicier, roi économe aussi : le féodal qu'on avait connu dans sa jeunesse prodigue et dépensier apparut assez vite comme un monarque assez soucieux des deniers publics et certains allèrent — phénomène plutôt rare ! — jusqu'à lui reprocher son insuffisante générosité, voire son « ingratitude » à l'égard de ses bons serviteurs, comme ce fut le cas après la seconde conquête du Milanais : bien des capitaines qui s'étaient couverts de gloire dans les régions lombardes

avaient espéré des dons en abondance, ils n'avaient reçu que des
félicitations chaleureuses. Déçus, ils ont peut-être inspiré certaines « farces » ou « soties », jouées par les clercs de la basoche
aux Halles ou sur les marches du palais de justice dans le courant de l'an 1500.

Dans l'une, Louis XII était — comme par hasard ! — représenté malade, hâve, pâle, la tête enveloppée de pansements, les
pieds dans des pantoufles ; pour sa guérison, il demandait un
broc d'« or potable », image un peu lourde qui n'avait rien de
bien méchant, mais que tout le monde comprenait sans difficulté. Dans une autre, convoquée par « Mère Sotte », une
assemblée de « Sotz Fieffez » égratignait successivement tous les
souverains de la chrétienté et désignait le roi de France comme
le prince le plus avare de l'univers.

Si les basochiens, jouvenceaux irresponsables et peut-être
manipulés, s'amusaient à stigmatiser ainsi la pingrerie du roi, la
plus grande partie des sujets semble avoir été essentiellement
sensible aux diverses mesures financières du règne. Peut-on
parler de véritable politique ?

Quelques vagues idées semblent guider la conduite de
Louis XII. Dès que c'est possible, il comprend qu'il faut restreindre les dépenses, à commencer par les siennes propres :
c'est ainsi que, pour ne pas trop augmenter les impôts, il s'infli-
geait quelques privations personnelles, essentiellement d'ordre
vestimentaire, d'ailleurs plus symboliques qu'efficaces ; car ces
coquetteries à rebours ne l'empêchaient pas d'entreprendre des
constructions coûteuses, comme celle de la chambre des Comptes de Paris, d'offrir de riches parures à sa fille aînée ou de
laisser Anne de Bretagne vivre sur un pied particulièrement
luxueux. Retenons en revanche le train relativement modeste
de la Cour, la limitation volontaire de certains effectifs, surtout
à la maison du roi, ou encore, le 20 décembre 1506, la publication de lettres patentes à Blois, qui réduisaient de façon sensible
les gages des trésoriers de France et de plusieurs autres catégories d'officiers.

Sans être un grand spécialiste de la chose financière, le roi
devine aussi la nécessité absolue d'une bonne comptabilité et il

reviendra plusieurs fois sur cette idée au cours de son règne : le 12 janvier 1501, des lettres de Blois contraignent les membres des diverses cours des comptes à tenir des registres plus rigoureux ; le 18 avril 1504, l'obligation est étendue aux receveurs des aides et des tailles ; le 24 novembre 1511, l'édit reprend toutes ces dispositions, généralise les redditions de comptes, prévoit un certain nombre de peines en cas de négligences ou d'infractions.

Louis a aussi entendu dire qu'il n'y a pas de bonnes finances sans de bonnes monnaies à la valeur stable et bien définie. Le 11 mars 1499, la déclaration de Blois en définit les cours de façon précise ; le 22 novembre 1506, l'ordonnance de Blois définit les modalités de fabrication et réglemente le métier d'orfèvre-monnayeur ; en mai 1514, le mandement de Paris revient avec plus de force encore sur ces divers points.

En fait, la succession de ces décisions multiples et diverses ne doit pas trop nous faire illusion. En matière financière, Louis XII n'aura jamais de programme bien défini. Il n'a pas apporté de modifications radicales à la structure même de son administration ; dans l'ensemble, il est resté fidèle à la pratique de ses prédécesseurs. En bon féodal qu'il n'a jamais cessé d'être, il considérait qu'il devait essentiellement compter sur les revenus de son domaine personnel : ainsi, au début de son règne, c'est sur sa propre cassette qu'il a payé les obsèques de son cousin Charles VIII ainsi que les frais de son sacre et, partiellement, ceux de son mariage.

En ce qui concerne les ressources « ordinaires » — la taille, les aides, la gabelle —, tout se passe comme s'il s'efforçait d'y recourir le moins possible. Quand, en 1503, il entreprit son expédition contre la Catalogne et le Roussillon, il refusa, contre l'avis de la majorité de ses conseillers, de recourir à une « crue de tailles » (c'est-à-dire à une augmentation) et préféra toute une série d'expédients, au demeurant assez classiques : c'est ainsi qu'il mit en vente de nouveaux offices, qu'il aliéna une partie de son domaine, qu'il emprunta de grosses sommes à ses officiers et aux plus importantes villes du royaume, en particulier à Paris qui devait lui avancer 40 000 livres tournois, exigence réduite un peu plus tard à 30 000. Pour l'expédition de Gênes, cinq ans après, il dut tout de même se résigner à prévoir un supplément d'impôts directs, mais la rapidité de la campagne et le produit de certaines rapines lui permirent finalement de renoncer à cette levée — fait qui, d'après son panégyriste Claude de Seyssel, ne s'était pas vu depuis Saint Louis !

Si le roi pouvait se permettre à l'occasion une telle mansué-tude, c'est qu'en même temps il ne se gênait point pour imposer à diverses régions italiennes des « indemnités de guerre » parfois très lourdes. On a même pu prétendre que, pendant quelques années, la France avait pu vivre, ou mieux vivre, en « exploi-tant » le duché de Milan, la seigneurie de Gênes ou le royaume de Naples. Du point de vue strictement fiscal, de telles affirma-tions semblent très exagérées : même si Louis XII n'a dominé que pendant une période très courte sa part d'Italie méridionale, nous savons qu'il avait le temps de prévoir des dispositions visant à l'administrer le plus correctement possible ; et, à Milan, il n'a guère augmenté les impôts en comparaison de ce qu'ils étaient à l'époque des Sforza ; mieux, il laissait l'essentiel de leur produit sur place, pour le plus grand bien de son duché et de ses sujets lombards. Toutefois reconnaissons-le : au moment de la conquête de ces divers territoires, au moment ou après la reprise de Gênes qu'il fallait punir, au moment de la guerre contre les Vénitiens, on peut relever des exactions, des amendes, des pil-lages systématiques dont le bénéfice passait les Alpes pour aller en France même et y alléger d'autant — bien que très indirec-tement — le poids de la fiscalité royale.

Sur ce dernier point, le bilan est, au total, plutôt positif. A la fin du règne de Louis XI — qui n'a jamais entrepris d'expédi-tions lointaines —, les tailles atteignaient en moyenne le chiffre énorme de presque 4 millions de livres ; sous François Ier, bon an mal an, 5 millions ; sous Louis XII, malgré les guerres et après 1512, malgré les défaites, elles ne dépassent guère 1 500 000 livres tournois.

Ce souci de ménager le contribuable est constant durant tout le règne, mais se traduit en particulier dans un grand texte législatif, promulgué à Paris le 11 novembre 1508 : l'ordonnance sur « la juridiction des élus, les aides, les tailles et les gabelles ». En fait, nous y trouvons deux grands thèmes.

Un thème général qui, en quelque sorte, vise à moraliser les pratiques des divers officiers de finances, surtout ceux qui ont la charge directe de la fiscalité, car se « commectent par chascun jour, tant par les officiers que aultres, innumérables abuz et exactions, à la foullée et oppression de Nostre povre peuple et diminucion des deniers, à Nostre très grand déplaisir, parce que de tout Nostre cueur ne désirons que icelluy soulaiger et lever sur luy le moins que possible [il] Nous est ». En conséquence de quoi, les élus, receveurs, greffiers, grenetiers, contrôleurs et mesureurs de sel seront désormais tenus à l'obligation de rési-dence, alors que tous ne la respectent pas et qu'ils « commec-tent » trop souvent des remplaçants « dont les aulcuns sont fort ignorans, au moyen de quoy nostre peuple est fort opprimé ». En outre, les collecteurs des impôts s'entendaient pour se par-tager à l'amiable l'adjudication des « fermes », acquises ainsi au meilleur prix, ce qui lésait évidemment le trésor royal. Doréna-vant on publiera les « fermes estant à bailler », à deux ou trois marchés précédant le bail, franchement et ouvertement, sous la surveillance de représentants du roi. Quand il s'agissait de répartir l'impôt, se commettaient aussi d'autres abus, le roi ayant été en particulier averti de ce « qu'en plusieurs lieux de Nostredict Royaume se assiet grand'somme de deniers sur le pauvre peuple plus que les mandements et commissions ne contiennent et que [Nous]... n'avons ordonné estre levée pour les affaires de Nous et de Nostredict Royaume ». Pour rétablir un peu plus de justice, il fallut donc recourir à un minimum de sévérité : les contrôleurs trop peu scrupuleux risquèrent des sanctions assez graves, et les collecteurs des tailles devaient être directement surveillés par les élus, eux-mêmes étroitement tenus en laisse.

L'autre partie de l'ordonnance est essentiellement consacrée à la gabelle, car les opérations financières sur le sel donnaient lieu à bien des malversations, malversations dont les sujets et les finances royales se trouvaient être les premières victimes. Il fut en particulier recommandé aux divers grenetiers et contrôleurs d'entreposer le sel dans des endroits bien isolés et bien aérés, « autrement le sel ne peut bonnement sescher, mais demoure mouete et relent, [ce]... qui est grand dommaige et danger pour la santé du corps humain ». Inconvénients qui gênaient également de nombreuses activités professionnelles, plus ou moins fondées sur la conservation des viandes.

Ces soucis plus larges relèvent de ce qu'on appellerait aujourd'hui le domaine économique ou socio-professionnel et se retrouvent dans d'autres décisions du règne : en septembre 1498, l'édit de Paris crée quatre jurés « sur le mestier de faiseurs de drap d'or, d'argent et de soie en la ville de Tours » ; en juillet 1501, l'édit de Lyon donne des définitions plus précises concernant les poids en général, ainsi que les aunes et autres mesures de toiles au pays de Languedoc ; le 20 octobre 1508, l'édit de Rouen « porte règlement » sur le taux des vivres et marchandises, de même que sur l'affichage et la publication annuelle des ordonnances de police ; le 6 octobre 1512, l'édit de Blois soumet à certaines conditions l'importation de l'alun étranger ; le 9 avril 1513, des lettres patentes concernent le métier d'imprimeur ; en juillet 1514, d'autres lettres, de Paris cette fois, édictent certaines mesures sur l'exploitation des mines d'argent et de cuivre en Bourgogne et en Nivernais.

Mais le plus important de ces textes date de 1503 : ce sont les lettres patentes de Lyon qui autorisent l'exportation des grains de province à province, « par la rivière de Soone et le païs du Lyonois » ; en fait, il s'agissait d'une petite révolution qui vit abolir pour la circonstance tous les péages, « touages » et autres droits qui grevaient les marchandises à destination ou en provenance de Lyon ; en même temps, sur le Rhône et son principal affluent, disparaissaient — au moins en théorie — les « écluses », pêcheries et moulins qui entravaient la navigation sur les deux cours d'eau. On considère ordinairement que c'est cette ordonnance qui, octroyée à perpétuité, allait permettre l'essor commercial de la grande cité durant le premier tiers du XVIe siècle.

En fait, la sollicitude du roi devait s'attacher à de multiples aspects de la vie française. Nous avons vu comment l'influence du maréchal de Gié avait suscité un certain remaniement du système militaire, mais les problèmes les plus graves étaient posés en temps de paix par les guerriers désœuvrés. Reprenant une ordonnance prise en 1493 par Charles VIII, ordonnance qui mettait sur pied une force de protection pour les populations désarmées, Louis XII l'étendit aux abus des nobles, « comtes, barons, chevalliers, gentils hommes et aultres, ayans terres, hommes et subjects, qui se travailloient journellement à lever sur lesdicts hommes et subjects plusieurs sommes de deniers, grains, vins, tant par remonstrances de les garder de gens d'armes, menaces, que aultres voyes indues ».

L'influence du cardinal d'Amboise, elle, allait concerner de préférence des domaines plus proches de ses soucis ecclésiastiques, mais il est impossible de préciser si c'est lui qui, en quelque sorte par-delà la tombe, inspira l'ordonnance du 9 mars 1511 contre les jureurs et blasphémateurs, ordonnance qui, malgré ou à cause de sa sévérité, ne fut guère appliquée.

En revanche, le pieux et scrupuleux prélat souffrait du relâchement qui affectait plusieurs ordres religieux. Dès le 13 mai 1498, des directives sont envoyées au chapitre général des Prémontrés, pour aboutir à une réforme ; plus tard, il en ira de même pour l'Ordre de Cluny et, plus particulièrement, l'une de ses filiales parisiennes, le prieuré de Saint-Martin-des-Champs. Mais, avec deux communautés du quartier Latin (les Jacobins et les Cordeliers), ces tentatives allaient se révéler beaucoup plus délicates. Tout particulièrement chez les Dominicains de la rue Saint-Jacques, on put assister à de véritables émeutes contre les mesures envisagées. En mars 1503, des religieux en armes, peut-être au nombre de douze cents, avaient transformé leur couvent en une véritable citadelle ; le Parlement dut exiger leur soumission par un arrêt en bonne et due forme, puis les menacer d'envoyer contre eux les archers de la prévôté, pour les amener à se soumettre. L'agitation dura encore assez longtemps, causée peut-être par l'accumulation de rancœurs plus anciennes, liées elles-mêmes à d'autres tentatives de réformes, celles de l'Université.

Le 31 août 1498, l'édit de Paris sur les privilèges des « escol-

liers » parisiens dénonçait les abus alors existants ; il visait tout
particulièrement le fait que, « sous ombre et couleur » des libertés traditionnelles, maîtres et élèves n'en faisaient qu'à leur tête
dans les rues de la Montagne-Sainte-Geneviève, molestaient les
passants sans vergogne et ne prêtaient en général pas la moindre
attention à la juridiction des cours souveraines. Malgré « remontrances », plaintes et protestations, le Parlement finissait par
enregistrer le texte le 17 mai 1499. Une émotion indicible agita
aussitôt les collèges, des « placards » apparurent un peu partout
sur les murs, les professeurs se déchaînèrent contre la violence
qui leur était faite et il fallut menacer de bannissement tous les
meneurs pour ramener le calme au quartier Latin, tout en
contraignant les universitaires à respecter davantage la loi générale : Louis XII avait fait comparaître devant lui, à Corbeil, les
représentants de l'*Alma Mater,* en leur signifiant personnellement sa détermination.

Aspect souvent peu connu de sa personnalité, en contradiction avec sa légende bonasse, Louis XII pouvait en effet se
montrer extrêmement autoritaire. Nous avons déjà pu remarquer que, même face à Anne de Bretagne, il savait tenir tête
quand il le fallait, quand une décision lui tenait vraiment à
cœur : ainsi dans sa lutte inexpiable contre Jules II ; ainsi en ce
qui concerne le projet de mariage entre Claude de France et
François de Valois-Angoulême, dès que le principe en eut été
retenu une bonne fois.

Certes il lui arrivait de faire grâce, comme en témoignent par
exemple ces lettres de rémission, datées de juillet 1498, en
faveur d'habitants de Saint-Aignan-sur-Cher qui, au cours
d'une émeute, avaient tué un percepteur d'impôts, mais, s'il le
juge bon, il n'hésite pas à sévir, et lourdement. Au cours de son
conflit avec l'Université, il fait chasser du royaume le virulent
prédicateur Jean Standonck, principal du collège de Montaigu,
qui avait un peu trop violemment protesté contre les atteintes
aux privilèges scolaires et, peut-être plus encore, s'était permis
de critiquer la dissolution du mariage royal avec Jeanne de
France. Après les défaites napolitaines, le roi n'hésite pas, semble-t-il, à envoyer au moins deux trésoriers prévaricateurs

à la potence. De même à l'égard de certains bouchers parisiens :
en 1508, pour ne pas avoir à acquitter les droits sur le bétail
entrant dans la capitale, ceux-ci allaient abattre clandestinement dans les bourgades des environs, à Louvres, à Longjumeau
ou encore à « Monstreuil sous le Boys de Vincennes » ; pour
combattre une pratique contraire à ses intérêts, Louis XII donna
à ses officiers des pouvoirs très étendus de saisie et de perquisi-
tion, avec des sanctions allant de l'amende (fort lourde) à
l'emprisonnement.

L'autoritarisme du souverain se voit peut-être mieux encore
dans ses relations avec les institutions traditionnelles. Face au
Parlement, sa politique est double. Quand ses intérêts (essentiellement financiers) y trouvent leur compte, Louis sait faire des
concessions et fermer les yeux sur les pratiques de la vénalité, au
mépris de ses propres interdictions. Mais, en général, il se montra très méfiant et, à l'occasion, fit même preuve d'une extrême
désinvolture, surtout en ce qui concerne le recrutement des
officiers. Pour les présidents et les conseillers, la grande ordonnance de mars 1499 prévoyait essentiellement des nominations
par voie d'élection ; en contradiction partielle avec ces bons
principes, sur dix-sept nouveaux présidents, Louis en désigna
directement douze ; pour les soixante-dix nouveaux conseillers
apparus au cours du règne, seuls dix-huit ont été régulièrement
élus !

Quand, par ailleurs, le Parlement se croit en mesure de
s'opposer catégoriquement à une décision royale, bien mal lui
en prend ! En 1501, Louis XII fait don du Maine à l'ancien roi
Frédéric de Naples. Aussitôt la plus haute juridiction française
refuse l'entérinement, bien que son premier président ait été
amplement averti de la volonté du souverain. En effet, de toute
évidence, celui-ci ne souffrirait pas, sur ce point, la plus légère
résistance à ses ordres, « vu que c'estoit pour le bien et traicté de
paix, et que pour vingt mille livres de rentes [accordées au
Napolitain] le royaulme gagnoit pour lors les cinq cent mille
livres et plus ». En définitive, il semble bien que jamais l'acte de
donation n'ait été enregistré, ce qui — fait rarissime — n'empêcha nullement le roi de passer outre et de mettre *de facto* don

Frédéric en possession de son comté manceau. Seule concession peut-être aux objections de la cour et conformément à un sacro-saint principe (le non-démembrement du Domaine royal), cette donation ne se fit qu'à titre viager, et, à la mort du Napolitain, le Maine fit retour à la couronne de France.

En ce qui concerne les États généraux, Louis avait cru pouvoir utiliser cette tribune en 1484, alors qu'il n'était encore que premier prince du Sang. Mais il connaissait trop bien l'institution pour y recourir une fois devenu roi et il se garda bien de lancer un ordre quelconque de convocation. Quand il jugera bon de faire appel à son peuple, il réunira ses représentants pour des objectifs bien précis, en montrant bien qu'il ne s'agit pas pour eux de faire entendre des doléances, mais de plébisciter sa politique. Ce devait être tout particulièrement le cas en 1506, à la fameuse assemblée de Tours, qui semblait apporter au nouveau projet de mariage de la princesse Claude l'approbation de l'opinion publique tout entière.

Cette « opinion publique », Louis XII fut vraiment l'un des premiers rois à s'en préoccuper. D'une façon générale, il ne manquait aucune occasion de mettre en valeur les excellentes mesures prises sous sa responsabilité, et, dans ses messages au Parlement, ne cessait d'insister sur les importantes remises fiscales accordés au « pauvre peuple », sur le soin apporté par lui à la composition de son conseil, sur certains articles qui, par exemple dans la grande ordonnance de 1499, auraient pu passer inaperçus.

Ses démêlés avec Jules II allaient lui permettre de donner toute sa mesure dans ce domaine. Le pape n'avait pas craint d'excommunier le roi, qui pouvait se trouver ainsi dans une position délicate vis-à-vis de ses sujets. Déjà, à en croire certains rapports, le peuple murmurait, évoquant à voix basse l'« impiété » de son maître. Louis XII voulut alors expliquer sa politique, en confiant à son « valet de chambre », Jean Lemaire des Belges, de rédiger un traité polémique, au titre un peu long, mais éloquent : *De la différence des schismes et des conciles de l'Église universelle, et de la prééminence et utilité des conciles de l'Église gallicane* (Lyon, 1511). Fort de l'appui royal, l'auteur s'en prenait avec une extrême violence au souverain pontife, déclarant par exemple que « les schismes sont tousjours venus du costé des Papes, et les conciles, de la part des Princes ». Il allait jusqu'à reprocher au Saint-Père de se dire « souverain de l'Église, à la sienne très grande confusion, scandalisacion et murmures du peuple chrestien ». Il est peut-être intéressant de rappeler que cet appel pressant à la rénovation du christianisme allait, fort peu d'années plus tard, trouver une sorte d'écho chez un certain Martin Luther...

Engagé comme il l'était dans sa lutte, Louis XII n'allait pas en rester là. A-t-il seulement encouragé et approuvé, ou au contraire commandé une « moralité » qui fut jouée aux Halles de Paris, le Mardi gras 24 février 1512 ? C'est la seconde hypothèse qui nous apparaît la plus vraisemblable. Pensionné officieux du souverain, le Normand Pierre Gringore ou Gringoire avait déjà soutenu la politique royale contre le pape dans son poème des *Folles Entreprises* en 1505, puis, plus tard, dans sa *Chasse du Cerf des Cerfs*. Dans son *Jeu du Prince des Sots*, le poète n'hésite pas à mettre Jules II en scène sous le nom d'*Homme obstiné*, revêtu des habits pontificaux et coiffé de la tiare. Figurés par deux acteurs portant chacun le costume de sa nation, *Peuple français* et *Peuple italien* se plaignent des souffrances qu'ils ont endurées de plusieurs personnages, en particulier d'*Homme obstiné*. Celui-ci apparaît alors et, avec un incroyable cynisme, se répand en propos particulièrement odieux, devant ses deux confidentes, *Hypocrisie* et *Simonie*. Mais *Punition divine* apparaît tout à coup et contraint ces trois coupables à se repentir de leurs odieux péchés. Conclusion qui, paraît-il, aurait profondément impressionné les spectateurs, en modifiant l'opinion de tous ceux qui, comme Anne de Bretagne, voulaient envers et contre tout rester fidèles au pape.

Il faut constater toutefois que c'est sur les habitants de la capitale que devait surtout porter un tel effort : l'opinion publique française se réduisait-elle, pour Louis XII, à la seule opinion parisienne ? On peut d'autant plus en douter que, comme ses prédécesseurs Charles VII, Louis XI et Charles VIII, lui-même résida fort peu dans la plus importante ville de son

royaume. Il n'y faisait jamais que des séjours assez courts ;
depuis que le vieil hôtel Saint-Paul avait été abandonné puis
loué à des particuliers, il résida longtemps dans les appartements du temps de Saint Louis, au palais de la Cité ; plus tard,
toujours dans la même enceinte, il habita dans le charmant petit
hôtel du Bailliage du Palais, construit à peu près en même
temps que la Chambre des comptes, donc vers 1504, mais sur
lequel les érudits locaux (sauf Fédor Hoffbauer, bien sûr !) ont
encore peu écrit ; c'est seulement à la fin du règne, en particulier en 1514, qu'il alla loger à l'hôtel des Tournelles, rue Saint-
Antoine, une vaste bâtisse qui avait vu les fêtes de Charles VI et
les désordres d'Isabeau la Bavaroise. Il fallut la restaurer en un
temps très court, réparer les verrières, remeubler les pièces,
tendre de tapisseries les chambres d'apparat pour accueillir
dignement la reine Mary d'Angleterre et voir l'épanouissement
tardif d'un roi qui, jusque-là, s'était montré essentiellement
nomade.

Amboise, Paris, Angers, Lyon, Parthenay, Grenoble,
Orléans, Melun, Moulins, Bourges, Tours, Rouen, Reims,
Troyes, Dijon, Amiens, Abbeville, Saint-Denis-en-France,
Noyon, avec retours multiples à Lyon et à Grenoble, la liste des
principales étapes royales illustre bien ce caractère itinérant de
la monarchie louis-douzienne. Un nom de lieu revient néanmoins plus souvent que les autres : c'est Blois, Blois qui l'a vu
naître, Blois au cœur de ce comté qui a toujours été la possession
la plus fidèle de sa famille. Le roi avait en effet une préférence
pour cette jolie petite ville, pour la lente majesté de son fleuve,
pour son air pur, sans oublier, dit-on, le teint éclatant de ses
femmes et de ses jeunes filles.

De toute façon trop petit pour loger la Cour royale, le château
gardait au début du règne un aspect médiéval, avec son mur
d'enceinte aux défenses massives, son énorme donjon et une
grosse tour que Charles d'Orléans lui avait ajoutée. Dès 1498,
Louis entreprend la reconstruction de l'ensemble, beau chan-
tier qui va s'étendre sur plusieurs années. Quand est achevé le
« logis neuf » (c'est-à-dire le bâtiment qui aujourd'hui correspond à l'entrée), la Maison royale peut s'y installer pratique-

ment au complet : il est vrai que « maison civile » et « maison militaire » ne dépassent pas encore le demi-millier de personnes. Ce faible chiffre correspond à la relative modestie du train de vie, uniquement relevé par les goûts un peu plus luxueux de la reine Anne et de son propre entourage où, unis par une admiration commune pour sa personne, se mêlent des Bretons, des Navarrais et une masse non négligeable de « Français ».

Au moins quand il se trouve à Blois, la vie quotidienne du roi est réglée de façon aussi rigoureuse que répétitive. Il se lève chaque matin à six heures, entend la messe, puis travaille toute la matinée ; à onze heures, il « dîne », généralement seul à sa table, mais entouré de sa domesticité, de ses conseillers, de ses divers intimes, tous debout. Le repas terminé, il passe dans les appartements de sa femme, puis rend visite à sa fille Claude, ensuite, selon le temps, il recommence à travailler, descend à son jardin ou, bien évidemment, il part à la chasse. Après le repas du soir et avant de se coucher (en général très tôt, vers huit ou neuf heures), il travaille encore, reçoit les ambassadeurs et, revenant aux affaires intérieures, lit attentivement les dépêches l'informant très régulièrement sur l'état de son royaume. Mais comment se présentait cette France de Louis XII ?

CHAPITRE XIV

La France de Louis XII

Limitée au nord par les collines de l'Artois, à l'est approximativement par la Meuse et la Saône, la France ne dépassait guère le Rhône à l'est qu'au niveau du Dauphiné et de la Provence ; en revanche, au sud-ouest, ses limites restaient pour l'essentiel en deçà de la chaîne pyrénéenne : le Roussillon était redevenu aragonais en 1494, et la Navarre gardait son indépendance ; quant au Béarn, il ne se rattachait à la monarchie que par une vassalité passablement floue. Plus petit que la France actuelle, le royaume s'étendait sur environ quatre cent cinquante mille kilomètres carrés, soit cent mille de moins qu'aujourd'hui. Avec les moyens de communication de l'époque, il fallait, depuis Paris, deux jours pour atteindre Orléans, deux pour Amiens, quatre et demi pour Calais, six pour Lyon ou Limoges, dix pour Toulouse et deux bonnes semaines pour Marseille.

En l'absence de recensements et de dénombrements comme on en connaîtra plus tard, on ne peut que hasarder quelques évaluations. Néanmoins historiens et démographes sont à peu près d'accord pour estimer que la population française pouvait compter alors entre seize et vingt millions d'habitants. Aucune ville ne dépassait, semble-t-il, vingt mille occupants, même les plus actives comme Rouen, Lyon ou Marseille. Il n'y avait que Paris qui allait au-delà et dépassait, selon certains, le chiffre de cent mille.

Sur cette superficie et cette population totales, entre les trois quarts et les quatre cinquièmes revenaient au Domaine royal, c'est-à-dire au territoire contrôlé directement par le souverain. En effet, sans parler d'une multitude de petites seigneuries et de nombreux fiefs d'importance moyenne — comme la vicomté de Turenne, le comté de Dunois, la principauté d'Orange ou le Sancerrois — subsistaient alors quelques véritables principautés vassales de la Couronne : ainsi le duché d'Alençon ; le Béarn ; le comté d'Angoulême, que possédait François de Valois, l'héritier présomptif du trône ; ou encore le duché de Bourbonnais, le duché d'Auvergne, le comté de la Marche, le comté de Montpensier, le comté de Forez, la Dombe et le Beaujolais, qui appartenaient aux diverses branches des Bourbons. Mais, dans l'ensemble, morcelés, isolés, parfois grignotés, divisés au moment des héritages malgré les avantages des aînés, ces fiefs avaient souvent perdu de leur importance et les empiétements, les tracasseries continuelles des officiers royaux ne cessaient de réduire dans les faits l'ancienne indépendance des seigneurs, petits ou grands. Par ailleurs, l'extension du français de langue d'oïl dans les couches les plus dynamiques, les plus aisées ou les plus puissantes de la population amorçait déjà une sorte d'uniformisation du royaume.

A en croire les quelques contemporains qui nous ont laissé des témoignages directs, vivants, la France aurait connu alors une sorte d'âge d'or et nous voyons fleurir, concernant le règne de Louis XII, des descriptions assez idylliques. « Il ne courut oncques du règne de nul des autres, nous dit le chroniqueur Jean de Saint-Gelais, si bon temps qui a fait durant le sien. » D'après Claude de Seyssel, « la popularité fut plus grande qu'elle n'avoit jamais esté. Les villes se bastirent mieulx, les faulxbourgs s'agrandirent, les landes et aultres lieux incultes se desfrischoient. Cependant les denrées se soustenoient à plus hault prix, preuve de plus grande consummacion. Les péages, gabelles, greffes et aultres revenus semblables augmentèrent des deux tiers sur le règne précédent... On ne faict guère maison sur rue qui n'ait boutique pour marchandises ou pour art méchanicque, et les marchands font à présents moins de difficultés d'aller à Romme, à Naples, à Londres et ailleurs delà la mer qu'il n'en faisoient autrefois d'aller à Lyon ou à Gennes : car l'auctoriré du Roy à présent régnant est si grande que les subjects sont honnorez en tous païs, tant sur terre que sur mer, et [il]... n'y a si grand Prince qui osast les oultrager ».

Cette vision optimiste a été reprise par les historiens. Ainsi au XIXᵉ siècle : « La France présentait, de toutes parts, dans les villes et dans les champs, l'aspect le plus riche et le plus heureux ; les grandes fortunes diminuaient, mais beaucoup de petites fortunes se formaient de leurs débris : *car, d'autant que les biens et l'argent se départent entre plus de personnes, autant en a moins un chacun.* La population s'augmentait, avec la prospérité du pays ; tous travaillaient pour accroître leur avoir ; le commerce avait pris un accroissement extraordinaire ; les nobles eux-mêmes s'en mêlaient. » Thème repris par d'autres au XXᵉ siècle : « Jamais les bourgeois n'ont été aussi opulents, écrit Jean-Alexis Néret ; le pays n'est qu'une vaste entreprise. On chante, on joue, on travaille, on danse... Dans les plus humbles villages, la ronde entraîne dans la joie, confondus, baillis et valets, bourgeois et prêtres. » Il n'y manque, comme en d'autres descriptions, que les nobles et les paysans.

Qu'en fut-il exactement ? Il est sûr que l'environnement général était plutôt favorable à un certain essor de la vie économique. Capitales pour la vie agricole, les conditions météorologiques s'amélioraient lentement et seule l'année 1504 devait laisser un mauvais souvenir. Pendant plusieurs mois, de mars à septembre, une sécheresse tenace avait affecté une bonne partie du pays, au grand dommage des cultures et du bétail. Un peu partout, on supplia le ciel de faire revenir la pluie ; à Paris, des cérémonies solennellement honorèrent la châsse de sainte Geneviève ; à Lyon, on promena d'une église à l'autre la mâchoire de saint Jean-Baptiste, le corps de l'un des saints Innocents et les reliques de saint Henri, suivis par des multitudes de fidèles vêtus de linges immaculés. Ces « processions blanches » ne ramenèrent quelques précipitations qu'à l'automne, alors que les récoltes étaient déjà perdues. La catastrophe frappa d'autant plus les imaginations que, pour le reste du temps, les années donnaient à peu près satisfaction, avec des hivers plus courts, moins rigoureux, des saisons intermédiaires moins humides qu'elles ne l'avaient été à la fin du siècle précédent, et des étés assez chauds, mais sans excès.

En même temps, c'est l'époque des grandes découvertes. Même si les Français — sauf quelques Normands et quelques Basques sur les côtes d'Afrique occidentale — ne participent point encore à ce grand événement, même s'ils continuent à dépendre largement des Portugais, des Flamands, voire des Vénitiens pour leur « avitaillement » en produits exotiques, ils profitent indirectement du grand essor qui va peu ou prou affecter toute l'Europe occidentale. Dès avant 1515, le numéraire commence à affluer et contribue au redémarrage général des affaires et de l'économie.

Les paysans sont évidemment ceux qui sont restés le plus à l'écart de ces bouleversements, et si leur condition s'est améliorée de façon assez sensible, cela s'explique moins par la conjoncture commerciale de l'Europe ou du monde que par la politique royale. Au moins en apparence et peut-être avec une certaine sincérité, Louis XII se posait comme le protecteur des faibles contre les forts, des petits contre les grands et, en particulier, des agriculteurs contre tous ceux qui pouvaient être amenés à les brimer ou à les exploiter de façon excessive : « Le menu peuple, aimait-il à répéter, est la proie des gens d'armes et des gentilshommes, et ceux-ci sont la proie du Diable. »

Une anecdote bien connue illustre son intérêt pour le monde paysan. Un jour, il avait vu l'un de ses courtisans maltraiter un laboureur. Exceptionnellement, il fit venir le bouillant noble à sa table, où celui-ci fut servi abondamment en viandes et en vins, mais sans pain. Le lendemain, il le revoit et lui demande s'il a trouvé la table royale à son goût. Avec cette liberté de parole qui régnait au château de Blois, le gentilhomme répond en riant au souverain que rien n'y manquait, hormis le pain. Louis semble étonné, car le pain, au fond, ne mérite guère qu'on regrette son absence ; piqué au vif, le courtisan réplique aussitôt que, selon lui, le pain est absolument nécessaire à la vie. « Alors, lui demande sévèrement le roi, pourquoi avez-vous battu un laboureur, qui vous met le pain à la main ? »

Un point est sûr : en raison de la conjoncture générale, le
paysan français est un peu plus heureux sous Louis XII qu'il ne
l'a été auparavant et ne le sera plus tard. Cela tient non seulement à une moindre pression fiscale, mais aussi au fait que les
droits seigneuriaux, souvent abandonnés ou peu respectés
durant et depuis la guerre de Cent Ans, n'ont pas encore été
intégralement rétablis, comme ce sera le cas dans la seconde
moitié du siècle. « Toutes les provinces de ce royaume, constate
l'Italien Antonio de Beatis, ont en abondance de l'avoine et du
blé... les porcs sont très gros... et généralement ils sont roses ; on
ne les mange guère que salés. »

Cité par Yvonne Bézard dans une thèse classique, repris plus
tard par Jean-Alexis Néret, l'exemple de Laurent Vallet, laboureur dans le sud de la région parisienne, a beaucoup fait rêver les
historiens : à sa mort, les notaires ont trouvé dans ses réserves
quatre-vingts livres de lard et treize livres de beurre. L'aisance
est telle chez certains qu'ils parviennent même à faire entreprendre des études à au moins un de leurs fils ou de leurs
neveux et l'on retrouve parfois ceux-ci parmi les avocats au
parlement de Paris : ainsi Fiacre Lefèvre, originaire des environs de Pontoise ; Pierre Lecouvreur, qui venait de Picardie ; ou
encore ce Robert Lancelin, dont toute la famille, installée à
Vélizy, Villacoublay et Fontenay-le-Fleury près de Versailles,
s'est en quelque sorte cotisée pour l'envoyer « aux escolles ».
D'autres feront mieux encore, comme ces Machault du Rethé-
lois, dont les descendants ne tarderont pas à se glisser dans le
monde de l'office judiciaire, avant de devenir, bien plus tard, les
fameux et puissants Machault d'Arnouville.

Ces exemples ne concernent guère, il est vrai, que des
« laboureurs », c'est-à-dire la catégorie la plus aisée, peut-être la
plus évoluée du monde paysan, et, plus spécialement, des laboureurs du Bassin Parisien, Ile-de-France ou Champagne. Qu'en
était-il exactement des métayers quercynois, des mainmortables
nivernais ou des obscurs tâcherons agricoles de l'Avranchin ?
Seules des études poussées permettraient d'aboutir à des conclusions plus satisfaisantes, et l'on peut regretter ici que les premières années du XVIᵉ siècle aient encore si peu attiré l'attention des

spécialistes d'histoire économique et sociale, trop souvent rebutés par les difficultés — pourtant surmontables — de la paléographie moderne.

Un peu moins mal connue, la noblesse peut sembler en perte de vitesse à cette époque. Elle ne s'est pas encore tout à fait remise des grandes saignées du XVe siècle, ainsi que des désordres multiples qui ont aidé les diverses « communautés de manans et paysans » à s'affranchir de certains devoirs, de certaines redevances, de certaines servitudes. Pourtant elle reste le symbole de vertus spécifiques, elle reste un modèle et, peut-être mieux encore, un idéal social : c'est ainsi qu'elle peut se renouveler et s'accroître grâce à de multiples anoblissements qui à terme, au bout de quatre générations, donneront d'authentiques gentilshommes. Déjà se multiplient les procès qui vont permettre aux seigneurs de retrouver l'intégralité de leurs droits. Aux plus en vue de ces nobles, aux plus entreprenants aussi, la Cour et surtout les affaires d'Italie offrent par surcroît de perspectives nouvelles, tout à fait alléchantes : ainsi, pendant quelques années à Naples, plus longtemps dans le Milanais, ils y trouveront des charges honorifiques ou bien rémunérées, des sinécures juteuses, des terres à bon marché, des seigneuries vacantes, des héritières bien nanties. Si la politique transalpine de Louis XII rencontre une adhésion très large, c'est en partie parce que le second ordre du royaume y trouve largement son compte.

A certains égards, la bourgeoisie marchande peut être considérée comme l'une des principales bénéficiaires de l'époque. De l'examen de nombreuses généalogies, de plusieurs études savantes, on serait tenté de conclure que, durant la guerre de Cent Ans, surtout dans les dernières années, sa puissance financière et foncière n'avait cessé de s'accroître. Un événement comme l'extension considérable du commerce mondial, par l'effet des grandes découvertes, peut aussi l'avoir favorisée de façon directe ou indirecte. Pourtant, quand un enrichissement spectaculaire semble couronner son esprit d'entreprise ou sa ténacité, cette catégorie sociale se satisfait rarement de continuer à s'épanouir en tant que telle. Dès qu'ils le peuvent, les

« marchands bourgeois » investissent une partie, souvent la plus
grande partie, de leurs capitaux dans des achats de terres, de
seigneuries, et ils essaient en même temps de passer dans un
autre monde, celui de l'office, mutation sociale facilitée alors
par la vénalité, pratique toujours condamnée dans les principes
et toujours favorisée dans les faits.

Mais l'achat de fiefs et de charges diverses dans le domaine de
la justice ou celui des finances n'est lui-même qu'une étape, un
passage obligé vers le but ultime et, au fond, unique de tout
l'effort social : l'acquisition de la noblesse. Dans notre thèse de
doctorat, nous avons montré combien cette démarche essen-
tielle, privilégiée et peut-être même exclusive, avait en quelque
sorte fait passer la plupart de ces bourgeois ambitieux à côté des
principaux événements de l'époque : la fermentation religieuse
et surtout la fièvre culturelle.

Pour la période correspondant au règne de Louis XII, plutôt
que le terme attendu, popularisé à tort ou à raison par Giorgio
Vasari, puis repris par Jules Michelet et Jakob Burckhardt, le
grand seiziémiste Augustin Renaudet a préféré employer celui
de « pré-Renaissance », mais il est bien connu que les périodes
préparatoires ont souvent autant d'importance que les moments
de véritable épanouissement, comme sera, dans une certaine
mesure, l'époque de François Ier.

Si celui-ci a eu une réputation de mécène, elle ne doit pas
faire d'ombre à celle de son prédécesseur. En effet, celui-ci n'est
point resté indifférent au mouvement des arts et des lettres.
Nous l'avons vu entreprendre des constructions à Blois ou ailleurs, nous le verrons pensionner érudits, écrivains, poètes et
artistes. Honorable latiniste, lecteur assidu de Cicéron, il était
bibliophile comme son père Charles d'Orléans et profitait cyniquement de ses conquêtes pour enrichir ses collections. Sur le
fonds des rois de Naples, il devait récupérer dix manuscrits grecs
et deux cent dix-huit manuscrits latins qui se trouvent
aujourd'hui à la Bibliothèque nationale. De même, il mettra la
main sur la *libreria* ducale de Milan, sans cesse enrichie depuis
plus d'un siècle par les Visconti, puis par les Sforza, et fera
transférer le tout au château de Blois, avant d'y joindre la

magnifique collection flamande léguée par le sire de La Gru-
thuze, également riche en copies enluminées de Virgile,
d'Homère ou de Tite-Live.

La mode, en effet, est à l'antiquité. Louis XII a pris Marc-
Aurèle comme modèle et protège Josse Bade, le grand humaniste imprimeur qui, venu de son Brabant natal, est installé à
Paris depuis 1495 ; pour lui permettre de consulter plus facilement des manuscrits à la Marcienne, il faisait de l'helléniste
Jean Lascaris son ambassadeur à Venise ; il se fait offrir en
hommage par Claude de Seyssel, grand vulgarisateur et futur
évêque de Marseille, la plupart des traductions que celui-ci a
faites de Xénophon, de Sénèque, de Justin, d'Eusèbe Pamphile,
de Thucydide, d'Appien, de Flavius Josèphe, de Diodore de
Sicile ; enfin et surtout, il se laisse impressionner par les exceptionnelles dispositions linguistiques d'un des notaires de sa
chancellerie, Guillaume Budé, et, l'autorisant à se consacrer
pleinement à ses recherches, lui accorde en 1505 le poste —
apparemment peu absorbant — de secrétaire d'ambassade à
Rome, haut lieu d'une certaine effervescence érudite.

L'Italie était en effet le grand relais avec la latinité, le pays qui
semblait pouvoir donner des leçons d'humanisme au reste de
l'Europe, et — grâce à l'exemple de Laurent Valla, à celui de
Boccace, plus encore à celui de Pétrarque (pourtant mort depuis
plus de cent vingt-cinq ans !) — apparaissait à beaucoup comme
la grande inspiratrice, comme le modèle de la perfection littéraire. Mais, annonçant déjà les affirmations brutales et la
volonté émancipatrice d'un Joachim du Bellay dans sa *Défense et
Illustration de la Langue Française,* le Poitevin Jean Bouchet
devait lever, dès 1500, l'étendard de la révolte contre une excessive influence italienne ; même si ses vers peuvent nous sembler
bien mirlitonesques, ils nous adressent au moins un message
sans équivoque :

> *Si vous lisez les triomphes (de) Pétrarque*
> *Et les hauts faitz de Dante de Tétracque,*
> *Vous n'y verrez que pure théologie...*

Pour lui, Jean Marot, Pierre Gringoire et même le pâteux
Jean d'Auton (dont nous avons pu découvrir la prose !) écrivent
un français « aussy beau que le latin » et rejoignent ainsi dans
son admiration un poète comme le lointain Jean de Meung :

> *Regardez bien le Romant de la Roze,*
> *Et vous verrez que c'est une grand'choze...*

Les élites à la recherche de leur identité nationale redécou-
vrent tout naturellement la nécessité de l'histoire. L'un et
l'autre chroniqueurs assez plats et dépourvus de tout sens critique, le moine mathurin Robert Gaguin et le notaire de chancellerie Nicolas Gilles viennent de mourir à quelques mois
d'intervalle, en 1502-1503. Avec eux, c'est en quelque sorte
toute une époque qui disparaît, et ils seront vite oubliés. En
revanche, les imprimeurs font passer sous les presses Froissart,
Enguerrand de Monstrelet et même les premiers volumes des
Chroniques de Saint-Denis, dont le clerc Jehan Descourtils pro-
posera bientôt des extraits significatifs dans sa *Mer des Hystoires,*
un des plus grands *best-sellers* de l'époque. Ce qui ne devait pas
empêcher la fantaisie la plus échevelée de reprendre ses droits :
en 1504, Jean Lemaire des Belges recevait de Louis XII la
commande de ses *Illustrations des Gaules,* avec mission de bien
montrer, à travers une succession d'allégories, de symboles, de
scènes imaginaires et de prosopopées, la filiation de la nation
franque avec l'antique cité de Troie, la race de Priam et la
descendance d'Hector.

Il faut dire que ce Jean Lemaire des Belges était essentiellement un poète qui, auprès des contemporains, passait pour le
plus grand de sa génération. Du moins est-il resté le plus connu
— ou le moins ignoré — de ceux qu'on a désignés sous le nom
de « grands rhétoriqueurs ». Il ne s'agissait pas d'une école à
proprement parler, mais plutôt d'un type d'auteurs dont les
productions s'échelonnent sur plus de quatre-vingts ans, depuis
Georges Chastellain (mort en 1453) et Jean Meschinot (mort en
1491), jusqu'à Guillaume Crétin et Jean Molinet, encore actifs

ou publiés dans les premières années du règne de François
Ier.

Pendant longtemps, au XIXe siècle ou dans les premières
années du XXe, les historiens de la littérature se sont montrés fort
durs envers eux, essentiellement présentés comme des mania-
ques de la rime, « rimes batelées, brisées, enchaînées, équivo-
quées ou à double queue », dans des « rondeaux simples,
jumeaux, doubles, virelais simples ou doubles, fatras simples et
doubles, ballades communes, balladantes, fratisées », acrosti-
ches, baguenaudes, couplets à volonté, j'en passe et des meilleurs. Comme le dit Gustave Lanson, « jamais décadence littéraire n'a produit de plus misérables, de plus baroques pauvre-
tés... ; [ni donné]... en telle abondance toute sorte de fruits
monstrueux et grotesques, le plus étonnant fouillis de poésie
niaise, aristocratique, pédantesque, amphigourique, allégori-
que, mythologique, métaphysique, un laborieux et prétentieux
fatras où les subtilités creuses et les ineptes jeux de mots tenaient
lieu d'inspiration et d'idées ».

Depuis une trentaine d'années, la critique a partiellement
réhabilité ces malheureux. Au lieu de ne voir en eux que « les
tristes produits d'une civilisation moribonde », *La Littérature
Française* publiée sous la direction d'Antoine Adam (Paris,
Larousse, 1967, tome I) fait remarquer qu'ils se sont imposés, au
contraire, « dans la vigueur — et non pas dans le déclin — de
leur époque, comme des intellectuels moralement et culturelle-
ment engagés, comme de soigneux artistes de l'image et du
verbe, des maîtres fiers d'une langue en pleine floraison ».

L'unanimité des uns et des autres se fait au moins sur Jean
Lemaire des Belges qui, doit reconnaître Lanson, est un
« humaniste, un artiste » ; son œuvre « est traversée de lueurs
qui annoncent la Renaissance ». Selon l'ouvrage déjà cité
d'Antoine Adam, il a « dépassé ses maîtres par son ouverture
intellectuelle et ses dons poétiques ». Né dans le Hainaut —
donc hors de France — en 1473, soit vingt ans après la mort de
Georges Chastellain, il avait tenté sa chance auprès du duc
Pierre de Bourbon, puis auprès de l'archiduchesse Marguerite
d'Autriche, mais c'est finalement à la Cour de Louis XII et

d'Anne de Bretagne qu'il allait donner le meilleur de lui-même.
Il mourut sous François Ier, vraisemblablement au début de
ce règne, et nous savons au moins qu'il fut soutenu jusqu'au
bout par l'amitié et l'admiration de nombreux autres poètes,
y compris des gens qui pouvaient avoir une inspiration différente.

En effet on peut difficilement considérer comme de véritables « grands rhétoriqueurs » des auteurs dont les vers, peut-être
plus simples, moins surchargés d'allusions érudites, ne dédai-
gnaient ni l'expression naïve de leurs sentiments, ni même des
succès plutôt populaires : ainsi Pierre Gringoire, déjà mentionné ; Martial d'Auvergne, procureur au Châtelet de Paris,
qui rimait les *Arrests des cours d'amour* ; ou encore Guillaume
Coquillart, que sa qualité d'official de Reims n'empêchait point
de prêter parfois l'oreille à une muse souriante, sinon même
légèrement égrillarde. Enfin, dans quelle *école* précise classer
des poètes de cour ou de ville à l'expression relativement libre et
spontanée, mais sans excessive familiarité, comme Octovien de
Saint-Gelais, Jean Bouchet ou Jacques Lelieur ? Quant à Jean
Marot, essentiellement connu pour avoir été le père de Clément, il mérite assurément plus de considération qu'il n'en a eu
jusqu'ici : ne disait-on pas de sa poésie qu'elle était « une espèce
de musique, laquelle contenoit un certain nombre de syllabes
avec aulcune suavité en forme de doulceur et d'équison-
nance » ?

Même si Louis XII, qui aimait beaucoup la musique, avait
ramené de Milan un orchestre *complet* (?!) de six instrumentis-
tes, en ce domaine l'inspiration venait plutôt des Flandres ou du
nord de la France, avec le prolifique Jean Ockeghem, devenu
par la suite trésorier de Saint-Martin de Tours ; le subtil contra-
pontiste picard Loyset Compère ; et le plus grand de tous, son
compatriote Josquin des Prés, que les contemporains appelèrent
unanimement le « prince de la musique ».

Les Français dominaient également en certains arts plastiques. Les orfèvres de Paris valaient, dit-on, les plus habiles
ouvriers de Florence et l'Italien De Grassis raconte l'étonnement admiratif de cet amateur éclairé qu'était le pape Jules II

devant un « grant botequin » d'or et de pierreries que lui avait envoyé le roi à une époque où celui-ci se voulait encore son ami.

Si, en ce qui concernait la gravure sur bois ou la gravure sur cuivre, les Allemands restèrent les maîtres pendant très longtemps encore (en tout cas jusqu'en 1515), nos graveurs en médailles et monnaies allaient donner toute la mesure de leur talent. A côté de ses pièces qui, comme les écus d'or, les « grands blancs », les « gros » ou les « demi-gros » d'argent, portaient le porc-épic ou l'écu fleurdelisé, Louis XII est le premier des souverains français qui aient été figurés sur des monnaies appelées « testons » parce qu'elles représentaient sur l'une des deux faces sa tête en vue de profil. De diamètre plus grand, certaines médailles sont de véritables chefs-d'œuvre de précision et de minutie ; ainsi celle qui, œuvre de Michel Colombe, fut fondue à Tours en 1499 et donne du monarque un portrait presque caricatural ; surtout celle qui, gravée par Nicolas Leclerc, fut offerte en 1500 au couple royal par la ville de Lyon : d'un côté, elle portait le buste du roi, plus idéalisé qu'à Tours, avec une devise assez longue et, bien entendu, flatteuse : *Felice Ludovico regnante duodecimo, Caesare altero, gaudete omnis natio* (sous le règne de l'heureux Louis XII, cet autre César, que toute nation se réjouisse) ; du côté pile, on reconnaissait Anne de Bretagne, sur fond semé d'hermines, avec ces mots tout aussi enthousiastes : *Lugdunensis respublica, gaudete ; bis Anna regnante benigne, sic fuit conflata* (Réjouissez-vous, Lyonnais ; Anne régnant pour la seconde fois avec bienveillance, ainsi son effigie a été fondue).

Mais là où la suprématie des Français était la moins contestée, c'était dans le domaine de la peinture sur verre, vieille spécialité nationale, déjà illustrée dans les cathédrales de la grande époque gothique. C'est, dit-on, d'après des cartons d'Albert Dürer et de Léonard de Vinci qu'Anne de Bretagne fit faire à ses frais les verrières du couvent des Minimes de Chaillot ; disparues à la Révolution française, elles passaient pour être d'incomparables chefs-d'œuvre ; on y voyait la reine représentée « au naturel », en prière vis-à-vis de sa sainte patronne. L'archevêque d'Auch fit, de même, orner sa cathédrale de vitraux peints par Armand de Mole (ou Demole), dans le style qu'illustrera plus tard Jean Cousin : on peut toujours y admirer aujourd'hui l'*Incrédulité de saint Thomas*, considérée comme la plus belle réussite du maître. Deux autres grands verriers français, Claude de Marseille et frère Guillaume, atteignirent alors une telle renommée que Jules II (encore lui !) les fit appeler à Rome pour peindre les vitraux du Vatican. Les éloges de Bramante, de Michel-Ange et de Raphaël furent tels qu'ils restèrent dans la péninsule pour apprendre leur art à des jeunes Italiens.

Au contraire, dans la plupart des autres disciplines plastiques, c'était plutôt aux Français de se mettre à l'école des Transalpins. Plus exactement, beaucoup le croyaient. Bien à tort, les peintres flamands avaient perdu de leur ancien prestige ; Jean Foucquet, Lucas Rogier, Jacquemin Gringonneur étaient morts, parfois depuis longtemps, Jean Bourdichon vieillissait ; quand il arriva en Italie, Louis XII admira sans réserves les œuvres que produisaient les maîtres d'alors ou leurs divers prédécesseurs : Pérugin, Giorgione, Filippo Lippi, Gentile et Giovanni Bellini. A l'occasion de la première entrée du roi dans Milan, Léonard de Vinci dirigea les fêtes organisées pour la circonstance : il fit fonctionner plusieurs automates de son invention et offrit au Très-Chrétien deux beaux tableaux représentant des femmes (fort peu vêtues). Plus tard, Louis XII aurait voulu poser pour le grand artiste ; l'affaire ne se fit pas, mais, cédant vraisemblablement aux prières instantes du cardinal Georges d'Amboise, le peintre vint alors s'installer en France, où il devait rester jusqu'à sa mort.

Pourtant nous ne pensons pas que ce soit l'influence de celui-ci qui ait directement suscité l'émergence d'une sorte d'école nationale, dont le « chef » passa pour être Jean Perréal ou Périat, dit encore Jean de Paris. Pendant longtemps, pour les chercheurs, ce ne fut guère qu'un nom, et il fallait se contenter de quelques rares détails ; on savait ainsi qu'on l'appelait dès 1506-1508 le « second Zeuxis ou Appelles en peincture » et que certains de ses contemporains décrivaient ses tableaux comme des compositions avec « villes, chasteaux de la conqueste, et l'assiette d'ilceux, la volubilité des fleuves, l'inégalité des montagnes, la planure du territoire, l'ordre et le désordre de la bataille, l'horreur des gisans en occision sanglante, la misérableté des mutilés nageans entre mort et vie, l'effroy des fuyans, l'ardeur et impétuosité et l'exaltation et hilarité des triumphans ». Grâce aux historiens de l'art, on a pu, il y a quelques années, commencer à identifier certaines de ses œuvres, en particulier un portrait de Louis XII qui se trouve actuellement au château de Windsor, incontestablement la plus belle et la plus vivante, peut-être même la plus fidèle représentation du roi.

De la même façon, l'on peut citer, pour les quinze premières années du XVIᵉ siècle, un certain nombre de sculpteurs bien français ou travaillant en quelque sorte dans l'orbite culturelle de la France : ainsi l'Avignonnais Antoine Lemonturier, qui travaille jusqu'à sa mort, survenue après 1500 ; le Lorrain Ligier Richier, qui commence alors son apprentissage et s'épanouira essentiellement dans sa Lorraine natale ; et surtout Michel Colombe, toujours lui, qui est l'auteur d'un remarquable *Saint Georges* (aujourd'hui au musée du Louvre) et a décoré à Nantes le tombeau du duc de Bretagne François II.

Mais, il faut bien le constater, les sculpteurs les plus célèbres de notre pays sont alors les frères Jean et Antoine Juste (ou Giusti de Betti), des Tourangeaux de fraîche date, venus en fait d'Italie ; Lorenzo da Mugiano, qui nous a laissé du roi une très belle effigie en albâtre ; le Modenais Guido Mazzoni, dit le Paganino, à qui fut commandé le tombeau de Charles VIII — une merveille de bronze émaillé que la Convention fit envoyer à la fonte en 1793 —, ou encore Paolo-Poncio Trebati qui, tout à la fois, travailla le marbre et dressa les plans de plusieurs belles bâtisses seigneuriales en Basse-Normandie.

Souvent nous trouvons en effet des artistes qui pouvaient se dire en même temps sculpteurs et architectes. Dans son ouvrage déjà cité sur Louis XII, Jean-Alexis Néret a fort justement mis l'accent sur la fièvre de construction dont la France sembla alors saisie, sur un « besoin de construire, d'élever des édifices ou de bâtir une maison, qui pressait alors le roi, les nobles, le popu-

laire... Partout on taille la pierre ; chaque paroisse a son gros
œuvre, chaque grand seigneur son château à agrandir...
l'importance du bâtiment deviendra considérable dans l'économie nationale. On demande partout des maîtres maçons, et ils
profitent des offres nombreuses pour hausser leurs prix, ou
entreprendre à la fois plusieurs ouvrages ».

De fait, il nous faut constater qu'aujourd'hui encore, malgré
les révolutions, les destructions, les « plans d'aménagement » et
autres vandalismes de toutes sortes, la France a gardé un nombre important de constructions remontant à ces premières
années du XVIᵉ siècle. Pour ne mentionner ici que Paris et ses
seules constructions bourgeoises, sans valeur artistique particulière, on en compte encore plusieurs dizaines, soit beaucoup
plus que pour le XIVᵉ et le XVᵉ siècle réunis : rappelons au hasard
les vestiges du collège des Lombards, rue de la Montagne-
Sainte-Geneviève ; ceux du collège de Fortet, rue Valette ; plusieurs demeures rue des Rosiers, rue des Écouffes, rue Vieille-
du-Temple, rue Galande, rue Saint-André-des-Arts ; plusieurs
autres rue Saint-Denis, plus spécialement les deux petits
immeubles qui se trouvent de part et d'autre de l'ancien cul-
de-sac Basfour ; ou encore la maison occupée sous François Iᵉʳ
par le notaire et secrétaire du roi Germain de Marle, à l'angle de
la rue Bailleul et de la rue de l'Arbre-Sec.

On n'oubliait pas pour autant de réparer, de restaurer, d'enrichir, de compléter les anciens monuments, ces témoignages du
passé qu'on n'affublait pas encore du terme dédaigneux de
« gothicque ». En 1504, Louis XII consacre des fonds importants à une tâche semblable, en envoyant le « maistre d'œuvre »
Martin Chambige (ou de Chambigez) achever la cathédrale de
Senlis, qualifiée pour la circonstance de « bel et somptueux
édiffice » ; cet entrepreneur devait en profiter pour réparer
aussi, dans la même ville, l'église Saint-Pierre et son clocher,
« grant, magnificque et l'un des plus somptueulx de Nostre
Royaume ». A la cathédrale de Bourges, où la tour nord s'était
effondrée en 1505, on en commença trois ans plus tard la
reconstruction (qui ne s'acheva qu'en 1540 !). C'est aussi le
moment où, sous la direction de Jacques et Roland Leroux, sont

entrepris à la cathédrale de Rouen le grand portail et la tour du Beurre, où sont poursuivis ou achevés les croisillons de Beauvais, les deux façades du transept à la cathédrale de Sens, le gros œuvre de l'église Saint-Pierre à Coutances et, enfin, à Paris, la tour de Saint-Jacques-de-la-Boucherie, qui domine toujours le quartier du Châtelet de sa silhouette élancée.

En ce qui concerne les constructions vraiment originales, notre période voit plus spécialement surgir du sol ou s'embellir de façon notable les hôtels de ville de Dreux, d'Orléans, de Noyon et de Saint-Quentin ; le splendide palais de justice de Rouen, très endommagé en 1944, mais restauré depuis ; les nouveaux châteaux de Blois et de Chaumont ; la résidence du Verger, que le maréchal Pierre de Gié s'était commandée en Anjou ; le château de Vigny ; le château de Meillant, près de Saint-Amand-Montrond ; la grande fontaine de Clermont-Ferrand. A Paris, il faut citer, entre autres, l'hôtel de Sens, achevé sur l'ordre de l'archevêque Tristan de Salazar, l'hôtel des abbés de Cluny, l'hôtel des abbés du Bec-Hellouin rue Saint-Jacques, l'hôtel d'Hercule près des Grands-Augustins et cette extraordinaire demeure de la rue des Bourdonnais qu'on a longtemps appelée l'hôtel de La Trémoïlle alors qu'elle appartenait au maître des comptes et trésorier de France Pierre Legendre, chevalier, seigneur d'Alaincourt et de Magny-en-Vexin. Ce pur chef-d'œuvre ayant été impitoyablement démoli sous Louis-Philippe, il n'en reste aujourd'hui que quelques débris dispersés à tous les vents dans la cour de l'École des Beaux-Arts et, *in situ*, un modeste liséré de pierre, coincé entre deux maisons d'une désespérante banalité.

Pour les constructions les plus ambitieuses et, finalement, les plus significatives de l'époque, on n'hésitait pas à faire appel, en ce domaine aussi, à des artistes venus d'outre-mont. Le plus connu est un dominicain de Vérone qui avait étudié l'architecture dans Vitruve (évidemment !) et à l'école des épigones florentins de Brunelleschi ; il s'agissait de fra Giovanni Giocondo, dont les Français devaient faire frère Jean Joconde.

Louis XII le fit venir dès 1499, le nomma aussitôt « architecte royal », tout en lui confiant la reconstruction du pont Notre-

Dame qui venait de s'effondrer et que l'Italien transforma en un ouvrage de pierre bientôt considéré comme le plus beau, le mieux bâti de tous ceux qui existaient alors en Europe. Giocondo resta près de huit ans de ce côté-ci des Alpes, où il laissa, entre autres, la façade orientale du château de Blois et cette « merveille » que fut la chambre des Comptes de Paris, universellement admirée par les contemporains (souvenons-nous de Rabelais, au chapitre des *Apedeftes*), malheureusement disparue dans le gigantesque incendie de 1737.

Le principal mérite de notre dominicain architecte est, au fond, d'avoir su assimiler l'essentiel de ce qui était encore le style « français », qu'on a même pu appeler à la fin du XIXe siècle le style « Louis XII », avec, comme l'a dit si bien Paul Lacroix, « ces hauts combles d'ardoise que surmontent des fleurons en plomb doré, ces lucarnes encadrées de dentelles de pierre, ces escaliers extérieurs et couverts, ces aiguilles festonnées, ces milliers d'ornements qui courent à l'entour des fenêtres à plein cintre et revêtent les murailles de tourelles, enfin ces devises sculptées sur toutes les faces de l'édifice travaillé comme une pièce d'orfèvrerie ».

Selon tous les témoins de l'époque et des deux siècles suivants, le chef-d'œuvre de l'époque fut incontestablement le château de Gaillon que le cardinal Georges d'Amboise se fit construire sur une hauteur qui dominait la basse vallée de la Seine, entre Rouen et Vernon, à peu près au niveau des Andelys, mais sur l'autre rive. Participèrent, entre autres, à sa construction Guillaume Senault, Pierre Valence et, selon certains auteurs, fra Giocondo lui-même. Dépecée, dégradée, partiellement détruite, cette bâtisse autrefois considérable n'est plus aujourd'hui que l'ombre d'elle-même ; mais les galeries à colonnes, la décoration savante, le mobilier d'une richesse inouïe ; la chapelle ornée de fresques peintes par Andrea Solario, de statues sculptées par Antoine Juste, de bas-reliefs et de frises taillés par Michel Colombe ; la cour pavée de marbres multicolores ; le jardin à l'italienne avec ses avenues rectilignes, ses terrasses et ses escaliers monumentaux, tout emportait l'admiration extasiée des profanes aussi bien que celle des spécialistes, comme Jacques Androuet du Cerceau qui, outre ses relevés graphiques, nous a laissé de l'ensemble une description aussi enthousiaste qu'imprécise.

Commencés vers 1500, les travaux devaient se continuer jusqu'à la mort du cardinal d'Amboise, menés alors par Pierre Delorme et Pierre Fain. Pourtant l'essentiel était achevé dès 1506, une date qui correspond à une sorte de point culminant durant ce règne de Louis XII.

CHAPITRE XV

Ultimes satisfactions italiennes

Avant même d'avoir entamé la seconde moitié de son parcours, l'année 1506 semblait devoir être particulièrement bénéfique pour la France. Le sol national était, depuis quelque temps déjà, préservé des invasions étrangères ; les épidémies, surtout de peste, épargnaient momentanément les populations ; point trop pluvieuse ni trop sèche, ni trop excessive dans ses températures, la météorologie permettait cette fois d'espérer des récoltes abondantes ; le train encore modeste de la Cour royale, l'absence de projets militaires importants et aussi l'exploitation (d'ailleurs modérée) des possessions milanaises permettaient de maintenir les impôts directs à un niveau tout à fait supportable ; soutenu par ses États de Tours, le souverain avait réussi à sauvegarder les intérêts essentiels du royaume.

Certes, Philippe d'Autriche, le père de l'ancien fiancé éconduit, n'avait guère apprécié le « reniement » français et était même allé, avec le roi et la reine de Navarre, jusqu'à jeter les bases d'une entente offensive contre le Capétien ; mais il devait mourir d'une pleurésie dès le 25 septembre, âgé seulement de vingt-huit ans, laissant désemparés ses nouveaux alliés, ses divers sujets, sa femme Jeanne de Castille et son père Maximilien. Au contraire, après des mois et des mois de faiblesse persistante, Louis XII, par un de ces « miracles » dont il était coutumier, était maintenant tout à fait remis, il reprenait même avec une vigueur nouvelle sa vie active d'autrefois, ses chevau-

chées harassantes, ses exercices physiques et, comme la reine
Anne n'avait pas encore atteint ses trente ans, certains ne déses-
péraient pas de voir un fils lui venir au monde.

Cette euphorie toute relative n'allait pas tarder à être troublée
par les affaires italiennes, et, à cet égard, l'intervention,
l'influence du pape Jules II semblent avoir été décisives. Resté
assez discret pendant les premières années de son pontificat,
manifestant même une grande sollicitude à l'égard de Louis
XII, de sa famille et de son ministre Georges d'Amboise, cet
ancien protégé et allié de la France allait maintenant donner
toute la mesure de ses exceptionnelles qualités politiques. Au
début, il ne fit que reprendre à son compte les intentions de son
prédécesseur Alexandre VI Borgia, en projetant de chasser des
villes pontificales les seigneurs qui les tenaient en fief et, avec
les années, en étaient devenus les véritables maîtres.

Une cité, entre autres, lui tenait à cœur, c'était Bologne, aux
mains d'un certain Bentivoglio, de surcroît son ennemi personnel. Mais comme le pape ne se sentait pas assez fort pour
reprendre seul une place de cette importance, il se tourna vers le
roi de France et lui demanda du secours. Sans réfléchir davantage, en bon fils aîné de l'Église, tout heureux de lui rendre
service, Louis XII ordonna aussitôt au gouverneur du Milanais,
Chaumont d'Amboise, de seconder le souverain pontife en lui
envoyant toutes ses troupes disponibles. Bentivoglio aurait sûrement résisté avec la dernière énergie aux entreprises de Jules II
mais, face au roi, il préféra ne pas trop insister et livra sa ville,
choisissant de s'en remettre à la protection des Français plutôt
qu'à la très aléatoire clémence du Saint-Père.

Jules II éprouva du moins la joie d'entrer dans *sa* ville avec
tout l'apparat militaire d'un vainqueur, de faire tomber quelques têtes et de lever sur les Bolonais une lourde amende. Il sut
aussi montrer sa reconnaissance, donnant 8 000 ducats à Chaumont d'Amboise, 10 000 aux fantassins suisses qui avaient participé à l'affaire et une infinité de bénédictions pour le reste de
l'armée ; il accorda aux Français deux chapeaux de cardinal,
l'un pour l'évêque de Bayeux, l'autre pour l'archevêque d'Auch,
neveu de Georges d'Amboise ; celui-ci n'était pas oublié non

plus et voyait sa légation prolongée sa vie durant ; quant à Louis
XII, il recevait la nomination pour tous les bénéfices ecclésiastiques du duché de Milan.

En fait, cette générosité apparente cachait de plus sombres
desseins, car le pape rêvait depuis longtemps d'imposer la seule
domination du Saint-Siège à toute l'Italie, en la débarrassant
successivement des divers princes étrangers qui la mettaient en
coupe réglée. Mais, pour atteindre un tel but, il fallait utiliser les
uns pour éliminer les autres, à commencer par le plus remuant
et surtout le plus puissant qui, à tort ou à raison, passait pour
être le roi de France. Sous main, il inspirait toutes sortes de
manœuvres pour nuire aux intérêts de Louis XII, contrecarrer
ses projets et, plus encore, pousser ses sujets à se révolter contre
lui, comme va l'illustrer, au moins partiellement, la rébellion de
Gênes en 1506-1507.

Depuis très longtemps, cette ville superbe et turbulente,
pleine de factions, de vengeances et de poignards, voyait s'opposer la noblesse et le « peuple », le « peuple gras » (les bourgeois,
les riches marchands) aussi bien que le « peuple maigre » des
artisans, des marins, des portefaix. Entre les uns et les autres, on
ne comptait plus les incidents, devenus quasi quotidiens.
Comme il arrive souvent en pareil cas, une goutte d'eau allait
faire déborder le vase : le 15 juin 1506, au beau milieu de la
place Doria, un noble gifle un « vilain » ; en quelques heures, les
bas quartiers se soulèvent, vingt-cinq mille autres « vilains »
prennent les armes, pillent les demeures aristocratiques, massa-
crent quelques patriciens, ce qui conduit tous les autres à quitter
la ville dans une panique indescriptible.

Certains d'entre eux se rendirent jusqu'en France, pour se
plaindre auprès du roi. Ils furent bientôt rejoints par le gouverneur de Gênes, Philippe de Ravenstein, qui les appuya chaude-
ment. Tous suppliaient Louis XII de les aider à reprendre la
ville et à punir l'audace du peuple, car c'était le corps entier de
la noblesse, de la noblesse génoise, milanaise et française qui
avait été outragé dans leurs personnes. Mais, entre-temps, le roi
avait reçu également Messer Niccola de Oderico, un « docteur »
chargé de défendre les intérêts du « peuple » ; il hésitait beau-

coup sur la conduite à suivre et, en attendant, se contenta de
renvoyer Philippe de Ravenstein à Gênes, avec sept cents fantassins et cent quarante cavaliers, « pour sa seurté ».

Geste maladroit qui sembla prouver aux yeux des roturiers
génois la préférence de Louis XII pour les nobles. Tout en
continuant d'affirmer leur loyauté envers le roi de France, des
assemblées plus ou moins spontanées prenaient des décisions
lourdes de conséquences : sous l'influence de quelques meneurs
(eux-mêmes manipulés, semble-t-il, par des « suppôts » du pape,
ce pape qu'on retrouve ici en un moment crucial), la forme du
gouvernement fut changée. En particulier, l'on créa huit magistrats, symboliquement appelés « tribuns du peuple », tous choisis dans les familles bourgeoises ou marchandes. Et, quand
Ravenstein revint à Gênes, des milices déterminées le contrai-
gnirent à délaisser la ville, pour se retirer dans la citadelle.

A l'annonce de ces nouvelles initiatives, Louis XII comprit
qu'il devait réagir, mais en restant encore dans les limites de la
modération. Il envoya à ses sujets génois un « docteur » — un de
plus ! —, Michele Riz ou Ricci, Napolitain réfugié en France
depuis 1504. Avec une « grande douceur » et toute une série
d'arguments bien enchaînés, celui-ci prétendait leur démontrer
l'injustice de cette action et leur fit valoir les suites funestes qui
en résulteraient : la perte de leurs biens et de leurs libertés, sans
oublier la mort pour beaucoup d'entre eux, sacrifiés ainsi à
l'ambition de la petite minorité qui les faisait agir.

Il en aurait fallu davantage pour impressionner les Génois,
qui se montrèrent plus hostiles encore aux « ultramontains ».
Tandis que les Pisans leur envoyaient un secours de deux mille
cinq cents fantassins, tandis que, dans le Milanais même, quelques villes se risquaient à manifester leur solidarité et à enrôler
quelques soldats, ceux qui tenaient désormais la municipalité la
faisaient entrer en rébellion ouverte, abattre les armoiries fleur-
delisées, rejeter carrément la tutelle du roi de France, élire
comme doge Paul de Novi (un vulgaire teinturier de profes-
sion !) et tenter une action jusque devant Monaco, qui appartenait aux Grimaldi, famille de la noblesse locale.

Mais cela ne suffisait pas aux yeux des plus déterminés. Le

vendredi 12 mars 1507, lendemain de la Mi-Carême, une vingtaine de Français et Françaises s'étant réfugiés dans une petite
forteresse (le *Castellaccio* ou châtelet), puis rendus sous promesse de vie sauve, ils furent aussitôt massacrés avec un raffinement de cruauté qui montre bien dans quelle horreur étaient
tenus les « Barbares du Nord » : « Aux ungs, nous dit Jean
d'Auton, [ils] entrecroisèrent les bras et estachèrent, et leur fen-
dirent le ventre et l'estomach, en leur arrachant le cueur et les
entrailles du corps ; puys [ils] picquèrent les cueurs d'iceulx
contre esteppes et posteaulx et se souillèrent les mains dedans le
sang des morts inhumainement ; les autres, [ils] taillèrent en
pièces sans pytié, avecques les femmes qui là estoyent, lesquelles
[ils] firent mourir de tant cruelle et estrange mort que l'horreur
du faict me déffend la manière de dire. »

Pour Louis XII, le temps de la clémence était passé. Déjà
pendant l'hiver, à toutes fins utiles, il avait procédé à des enrôlements de Suisses et de lansquenets. En apprenant les excès du
Castellaccio, sa décision fut prise. Comme il se sentait maintenant
en meilleure forme, comme aussi il jugeait la mésintelligence
entre ses généraux responsable de ses récents échecs napolitains,
il décida cette fois de commander en personne la nouvelle expédition militaire. Mais, devenu un peu plus prudent avec l'âge et
l'expérience, il prit quelques précautions avant de passer les
Alpes et n'oublia pas de pourvoir à la sûreté du royaume, dont il
chargea Louis de La Trémoïlle, nommé pour la circonstance son
lieutenant général et mis à la tête de huit cents hommes d'armes,
effectif qui pourrait paraître dérisoire si le souverain n'y avait
ajouté plusieurs « compagnies » de fantassins.

Parti de Grenoble le 3 avril, lendemain de Pâques, après des
adieux « tendres et douloureux » à son épouse, Louis arrivait le 11
à Suse avec une armée estimée à cinquante mille hommes, ce qui
semble fort exagéré. Selon les mêmes sources, les Génois ne
pouvaient guère aligner que vingt à vingt-cinq mille hommes,
mais ils tenaient tous les défilés, tous les passages de la chaîne
montagneuse qui entourait leur ville et, pour mieux en défendre
l'approche, Paul de Novi avait fait construire un « bastillon » à
mi-côte, là où la montée était la plus raide. De l'avis de tous les

connaisseurs, cette position aurait été imprenable si le doge avait eu à sa disposition d'autres troupes que des « pâtres sans discipline ou des bourgeois sans courage ».

Le samedi 25 avril, les Français prenaient le « bastillon ». En soixante-douze heures, ils brisaient les ultimes velléités de la résistance adverse : ...« Toute la montagne fut jonchée de morts et ensanglantée du sang de ses paouvres Gennevoys, qui furent menez tuhant jusques dedans les portes de Gennes, et plus de deux mille par les montagnes, tant que le nombre des morts fut extimé à quatorze cents hommes, et de Françoys environ trente-six... » A la différence de Jean d'Auton, d'autres sources parlent de deux cents tués génois et de deux cents tués « français », soit un bilan équilibré. Mais qui croire ?

Le 28, une députation demande à se présenter au vainqueur : « Nous sommes icy venus, annoncèrent-ils, et envoyez devers le Roy, nostre souverain seigneur, de par les cytadins et tout le peuple de la désollée cité de Gennes, pour au premier nous recommander tous très humblement à sa bénigne grâce ; et, au surplus, pour la composition de l'amende et satisfaction du meffaict que sadite pouvre cyté de Gennes, gouvernée soubz la main du peuple deslyé et conseil de mutins désordonnez, a par cy devant commis et perpétré contre sa très haulte seigneurie et sacré magesté ; le supplyant très humblement qu'il luy plaise prendre sadicte ville entre ses mains et en sa sauvegarde, et son pouvre peuple à mercy avecques la vie et biens sauves. »

Encore très furieux, Louis refusa de les recevoir, ne les jugeant pas dignes de sa présence, mais il accepta au moins de les renvoyer au cardinal d'Amboise. Les prenant de très haut, celui-ci se contenta de leur déclarer qu'il « fallait se résigner à subir la loi qu'il plairait au vainqueur de leur donner ».

Pourtant, comme son représentant avait su le faire après la reconquête du Milanais, Louis XII se montra relativement clément, illustrant l'emblème qu'il portait alors sur sa cotte d'armes ; il s'agissait d'un roi d'abeilles environné de son essaim, avec cette légende : *Non utitur aculeo Rex cui panemus* (le roi auquel nous obéissons ne fait point usage de son aiguillon). Certes, et c'était bien le moins, le Capétien rattacha directement au domaine royal la ville et ses dépendances, aussi bien proches que lointaines, comme la Corse ou l'île de Chio ; il laissa les Génois attendre ses décisions finales pendant plus de huit longs jours, il destitua la plupart de leurs magistrats, proclama les habitants « atteints et convaincus des crimes de révolte et de lèse-majesté, ... condamnez à expirer leurs forfaits par la perte de leurs biens et de leur vie », fit brûler les chartes de leurs privilèges et exécuter une soixantaine des rebelles les plus compromis : parmi eux Demetrio Giustiniani qui, au cours de son interrogatoire (assez poussé...), révéla que, par l'intermédiaire de ses agents, le pape avait beaucoup contribué à la révolte de la ville ; et, bien évidemment, Paul de Novi, que les marins du roi avaient pu ramener de Corse où il s'était enfui. Enfin et surtout, Louis annonça son intention d'imposer une lourde amende, à savoir 300 000 ducats pour lui-même, 300 000 pour les frais de la guerre et 40 000 pour la construction d'une nouvelle forteresse destinée à mieux tenir l'ensemble de l'agglomération.

Mais, cédant à la relative bonté de sa nature, peut-être sensible au souvenir de ses amours lointaines avec la très hypothétique Thomassine Spinola, Louis XII devinait aussi l'importance financière, commerciale et stratégique du grand port ligure. S'opposant à la majorité de son conseil, il refusa donc de laisser entrer dans la ville le gros de ses fantassins picards, suisses ou allemands, qui n'auraient pas manqué de la mettre à sac : « Il ne povait pas prendre sur luy de la traicter de la sorte, pour ce qu'il ne vouloit pas céder en clémence aux Romains ses prédécesseurs. » Il s'empressa donc de rendre « vie et biens » à l'immense majorité de ses humbles sujets, accepta de réduire leur amende à 60 000 mille ducats, de recevoir des notables un nouveau serment de fidélité et même de remplacer son cousin maternel Philippe de Ravenstein par un gouverneur plus avisé, le vieux Raoul de Lannoy, bailli d'Amiens, auquel il recommanda de traiter Gênes avec humanité et de faire administrer la justice avec toute l'intégrité possible.

Les peuples sont ingrats : passé le premier moment de joie et de surprise, ce ne fut pas cette clémence que les Génois retinrent surtout par la suite, imités en cela (mais parfois pour d'autres raisons) par nombre de leurs contemporains. Parmi eux, citons surtout les chroniqueurs, les poètes, les miniaturistes à la solde du Capétien, les Jean Marot, Fausto Andrelini, Jean d'Auton, Jean Molinet, Jean Lemaire, André de La Vigne, Jean d'Ivry, Valeran de Varanis et autres Jean Bourdichon qui célébrèrent tous à l'envi l'incomparable « victoire » de Gênes et surtout l'entrée solennelle du 28 avril qui en est la manifestation la plus perceptible.

Si toutes ces scènes de grandeur et de majesté se ressemblent plus ou moins, il faut insister un peu plus sur celle-ci qui fut considérée par tous les témoins comme un des sommets du règne, minutieusement décrite, ainsi qu'on peut s'y attendre, par le fidèle Jean d'Auton : « Le Roy, sur les huit heures du matin, partit de son logis..., armé de toutes pièces, vestu d'ung riche soye d'orfeverrye, l'armet sur la teste, tout empennaché de plumes blanches, monté sur un coursier tout noir, bardé de mesme acoustrement qu'estoit son soye. » Louis XII était précédé de cinq mille Suisses, trois mille « aventuriers », deux mille Gascons, mille Picards, cinq cents « laquais » et six cents « lances », qui s'arrêtèrent à la porte de la ville ; mais purent entrer avec lui trois cents autres « lances », quinze cents arbalétriers et vingt-deux chariots d'artillerie. Dans les rues, se massait une foule énorme, inquiète et abattue, mais qui, tant bien que mal, essayait de faire honneur à son vainqueur : « Aux fenestres de ladicte ville, précise une autre source cité par le *Cérémonial françois*, ... [il y] avoit des draps d'or, veloux, tapitz de Turquie et aultres choses singulières, gectées par les fenestres et garniz de belles dames. En aucungs coins de rue, [il] y avoit aucuns escharffaulx où [il] y avoit de belles dames et belles filles, autant belles qu'il est possible de veoir, bien parées et acoustrées, crians audit seigneur : *Miséricorde !* » (Pourquoi ne pas tenter à nouveau ce qui avait si bien réussi autrefois avec Thomassine Spinola ?)

Les détails de ces deux relations concordent, dans une assez large mesure, avec ceux d'une très belle miniature de Jean Bourdichon, qui est en même temps l'un des portraits équestres les plus connus du roi : on le voit dans la ville, passant devant un palais, dont les fenêtres sont garnies de divers personnages ; la rue est pleine de soldats et Louis s'avance, une petite épée nue à la main, coiffé d'un casque à plumes blanches, vêtu de rouge et d'or, couleurs qu'on retrouve sur la housse de son cheval noir. Au-dessus de sa tête, quatre notables portent un dais, également rouge et or. Au premier plan, face au roi, leurs longs cheveux blonds dénoués dans le dos, des jeunes filles en blanc tiennent des rameaux de paix, en signe de soumission.

Si les louangeurs pensionnés ont surtout vu là gloire et magnificence, le public génois, finalement, fut surtout sensible à de telles humiliations, ainsi qu'à certaines autres, comme cette scène pénible qui vit « trente cytadins..., des plus solempnelz de la ville,... [avec] leurs chiefs descouverts, et tous [en] robes noires, habillez en dueil, les testes raises [rasées] et bien pesneuz. Lorsqu'ils arrivèrent en la présence du Roy, ils mirent les deux genoilz en terre, cryant miséricorde..., à quoy le Roy n'entendit, mais se mist en chemin ».

Certaines maladresses blessent plus qu'une vraie rigueur et, à bien des points de vue, l'affaire de Gênes n'est pas à porter au crédit de Louis XII. Prendre parti pour une noblesse en perte de vitesse contre un peuple majoritaire et déterminé revenait à s'aliéner définitivement les forces vives de la grande cité, au départ point trop hostile à la domination française ; en revanche, ne pas punir suffisamment les vaincus, ne pas les écraser sous la terreur, ne pas briser à tout jamais leur puissance les incitait à prendre la clémence du vainqueur pour de la faiblesse et à guetter le moment favorable pour se ménager une revanche.

Ni le roi ni Amboise n'eurent jamais vraiment conscience de cette sottise, mais, comme l'écrit fort justement Michelet, « on pouvait en faire une plus grande, magnifique et splendide, celle de ruiner Venise », notre alliée inconstante, certes, mais traditionnelle et parfois efficace. Or l'on n'y manqua pas... A la fausse « victoire » de Gênes succédera, deux ans plus tard, la fausse « victoire » d'Agnadel, le fait d'armes le plus glorieux de Louis XII et le plus inutile, sinon le plus néfaste.

Le fait de reprendre en quelques jours seulement le grand

port ligure avait été pour l'Italie et même pour l'Europe un véritable coup de tonnerre, d'autant plus impressionnant que, pour la plupart, les observateurs prévoyaient une longue, une très longue résistance génoise, étalée sur plusieurs mois, peut-être même davantage encore.

A Paris, où la nouvelle arriva le 8 mai, ce fut évidemment la joie, on dansa dans les rues, le parlement se rendit en corps à Notre-Dame pour y faire chanter le *Te Deum* et sonner les grosses cloches. Ailleurs, les réactions furent beaucoup plus mitigées. Quand l'ambassadeur de France l'informa de ce succès, Jules II commença par pâlir de rage, ne pouvant que répéter : « *Non credo !* » (Je n'en crois rien) ! » Et, quand il ne lui fut plus possible de douter, le Saint-Père se retira dans sa chambre, d'où il ne sortit plus pendant trois jours. En bon spécialiste de la chose militaire, Gonzalve de Cordoue eut lui aussi bien mal à accepter le fait accompli : « Il n'est possible à mon avis qu'en si peu de temps une si forte ville fust si tost rendue ! » Se trouvant alors à Naples, Ferdinand d'Aragon eut lui aussi bien du mal à cacher son dépit, mais il savait faire contre mauvaise fortune bon cœur : il proposa donc au roi de France une entrevue, à la fois pour voir de près ce fâcheux vainqueur, le juger et, si possible, l'engluer de belles promesses pour mieux le neutraliser.

L'infortuné Louis XII n'y vit évidemment que du feu et, avec son esprit désespérément chevaleresque, accepta la proposition. La rencontre eut lieu du 24 au 28 juin 1507 dans le petit port ligure de Savone, avec cette profusion de magnificence, de démonstrations amicales et de politesses réciproques qui était alors habituelle en pareilles circonstances. Que devait-il en rester sur le plan politique ? Au total bien peu de chose, sinon qu'une fois de plus Louis XII acceptait, en fait, le *statu quo* en Italie du Sud, c'est-à-dire la perte du Napolitain, passé sous domination aragonaise. Piètre consolation : Ferdinand lui promettait, mais secrètement et verbalement (!), un secours de troupes qui pourraient, le cas échéant, être utilisées contre Maximilien.

En effet, de tous les souverains d'Europe, il n'y en eut aucun à qui la victoire génoise de Louis XII fit plus de peine qu'au roi des Romains. Il avait aussitôt convoqué la Diète à Constance, lui faisant valoir les dangers que représentait la puissance du Très-Chrétien pour les droits impériaux sur l'Italie et obtenant d'elle quelques subsides afin de lever des troupes. Menace réelle pour Louis XII, puisque, huit mois plus tard, à la fin de février 1508, l'Autrichien passait les Alpes avec dix ou douze mille hommes, se faisait proclamer empereur en la cathédrale de Trente et, afin de mieux pousser son avantage contre les Français, voulut contraindre les Vénitiens à le soutenir.

Pour une fois fidèle à son alliance habituelle, la Sérénissime refusa sèchement, et, grossie de sept mille Français commandés par Trivulce, son armée marcha contre le nouvel empereur. Déconcerté par tant d'audace, celui-ci n'attendit même pas l'affrontement et fut le premier à déserter ses troupes, bientôt battues à plates coutures. Il ne restait plus qu'à négocier une trêve, ce que les Vénitiens acceptèrent, mais en se gardant bien de tenir au courant les représentants de Louis XII. Celui-ci, qui était alors rentré en France, apprit à Blois la « trahison » de la République qu'il soupçonnait en outre d'avoir des visées sur certaines villes de Lombardie et à qui il reprochait d'occuper des dépendances milanaises telles que Brescia, Bergame ou Crémone. Primesautier, irréfléchi, emporté comme il pouvait l'être parfois, il s'en montra fort offensé, ce qui, en opposition absolue avec les intérêts du royaume, allait préluder à un renversement complet de ses alliances.

Si le roi de France n'avait au fond que des raisons relativement légères d'en vouloir aux fils de saint Marc, le pape, l'empereur et, dans une moindre mesure, le roi d'Espagne étaient poussés dans leur hostilité par des considérations qui passaient pour beaucoup plus fondamentales. Ferdinand d'Aragon, parce qu'il guignait avidement plusieurs ports que la République avait gardés sur la côte des Pouilles, en particulier Otrante ; Maximilien, parce que ses armées venaient de l'humilier au cours de la dernière campagne, en lui ravissant la plus grande partie du Frioul, ainsi que plusieurs places importantes en Istrie, Fiume, Trieste, et qu'il brûlait de les récupérer ; mais le plus résolu était assurément Jules II.

Ce Génois d'origine avait eu toute sa vie une profonde aversion pour Venise, la grande rivale de sa patrie dans son commerce méditerranéen et son influence dans tout le Proche-Orient ; par surcroît, la Sérénissime maintenait des garnisons à Cesena, à Rimini, à Faenza, vieilles cités pontificales ; elle prétendait ne plus lâcher Ravenne et Cervia qu'elle occupait depuis plus longtemps encore ; elle lorgnait manifestement Imola, Forli et toute la ligne des places fortes en bordure de l'Apennin, qui appartenaient en théorie au patrimoine de saint Pierre ; elle empiétait même sur le spirituel en prétendant se passer de la chancellerie romaine pour la distribution des bénéfices vacants, ce qui lui avait permis, tout récemment encore, de refuser la nomination d'un des neveux du pape à l'évêché de Vicence ; enfin elle persistait à entretenir des rapports coupables avec les Turcs infidèles, contre qui une croisade était envisagée en permanence depuis bien des années.

Pour ces trois hommes, adversaires traditionnels ou potentiels de la France, attaquer Venise pouvait représenter un intérêt supplémentaire, à condition de casser son alliance avec le Très-Chrétien, ce qui permettait peut-être d'éliminer successivement l'une des deux puissances, puis l'autre. C'est ce à quoi allait se consacrer une femme dont l'influence ne cessa de croître au cours des années suivantes : la douce, la suave, la dangereuse Marguerite d'Autriche, fille de Maximilien ; depuis la mort de son frère Philippe le Beau, elle était devenue, pour le compte de son jeune neveu Charles de Luxembourg, la « régente » des Pays-Bas et détenait à ce titre une puissance certaine, en particulier quelques ressources financières dont elle saura faire profiter à l'occasion son père chéri, l'empereur perpétuellement démuni.

L'aigreur de Louis XII contre les Vénitiens risquait de n'être que temporaire, et l'habile princesse le savait fort bien. Par l'intermédiaire de ses agents à la Cour de France, elle sut au contraire entretenir et développer cette irritation, comme en témoigne ce passage d'une lettre en style figuré, où elle faisait valoir au roi que les Vénitiens « avoient construit ung labyrinth où ils nourrissoient le Minotaure de discorde, éternel fléau des aames royalles, mais que, comme une aultre Ariadne, elle [oui, elle, Marguerite d'Autriche !] possédoit le fil de la Concorde pour diriger seurement ung aultre Theseus dans ce dédalle de fourberies ». « L'autre Thésée » désignait vraisemblablement Louis XII et le « fil de concorde » devait faire allusion à une alliance en bonne et due forme.

Le Très-Chrétien devait, hélas !, se laisser prendre à ce beau langage, se conduisant en cette occasion, pour reprendre les termes employés au XVIIe siècle par l'historien François-Eudes de Mézeray, « comme auroit fait un simple particulier piqué au jeu, mais non pas en roi qui, pour son bien et pour celui de son royaume, aurait dû dissimuler pour l'heure son ressentiment et attendre du bénéfice du temps le moment favorable de se venger avec fruit ». Il était poussé dans ce sens par Georges d'Amboise qui, de son côté, reprochait aux cardinaux vénitiens de lui avoir fait perdre, deux fois de suite, par leur défection, le souverain pontificat. Au Conseil, seul le vieil Étienne de Poncher, évêque de Paris, eut le courage de défendre l'alliance traditionnelle avec la Sérénissime. Soit par conviction, soit par souci de ne pas heurter le roi dont le choix semblait, en tout état de cause, ne plus faire de doute, aucun des autres membres n'osa soutenir l'imprudent prélat.

A la fin de novembre 1508, se retrouvèrent donc à Cambrai les légats du roi et de l'empereur auxquels s'étaient joints ceux de Ferdinand : Amboise représentait Louis XII et Marguerite, son père Maximilien. Pour l'essentiel, ces deux protagonistes commencèrent par s'abandonner aux charmes pervers de la diplomatie secrète, car il importait de prévenir les soupçons que les Vénitiens auraient pu nourrir sur cette rencontre à laquelle ils n'avaient pas été invités. Pour mieux leur cacher la vérité, on répandit le bruit que le but des diplomates était de régler le vieux contentieux franco-bourguignon sur les Pays-Bas flamands, qui comme fief, dépendaient toujours de la couronne de France. Persuadés de ce qu'ils n'étaient point concernés par ces pourparlers, les Vénitiens se laissaient donc aller à une trompeuse tranquillité.

En réalité, entre le gros cardinal et la fine princesse, les discussions semblent avoir été assez vives, si l'on en croit du moins une lettre de Marguerite à l'un de ses confidents, l'« advisant qu'il n'a pas esté sans avoir bien souvent mal à la teste, et nous sommes, Monseigneur le légat et moy, cuidié prendre au poil. Touteffoys, à la parfin, nous nous sommes réconciliés et faicts amis ensemble le mieulx que a esté possible dont nous avons bien voulu vous advertir pareillement ».

Le 10 décembre enfin, on aboutissait à deux traités. Le premier, public, n'était destiné qu'à faire illusion : entre l'Autrichien et le roi de France, il prévoyait une alliance durable, elle-même ouverte au pape, aux rois d'Angleterre, d'Aragon, de Hongrie et dirigé contre les Ottomans : quel beau prétexte que la croisade !

Secret et de loin le plus important, « fatal appointement qui devait causer la mort de deux cent mille hommes », le second jetait les bases de la ligue contre Venise. Il était prévu, entre autres, que les princes confédérés entreraient en campagne le 1er avril de l'année à venir ; qu'aucun d'eux n'abandonnerait la guerre sans le consentement de ses alliés ou avant d'avoir repris sur les Vénitiens ce que réclamaient les uns et les autres : Ravenne, Cervia, Faenza, et Rimini pour le pape ; Rovereto, Vérone, Padoue, Vicence, Trévise, le Frioul et l'Istrie pour Maximilien ; Brescia, Crémone et Bergame pour Louis XII ; Otrante, Trani, Brindisi et Gallipoli pour Ferdinand ; que le duc de Ferrare, le marquis de Mantoue, Florence et le roi de Hongrie, qui réclamaient eux aussi la restitution d'autres secteurs, seraient soutenus dans leurs revendications, à condition de contribuer aux frais et aux actions de guerre ; que, pour mieux contraindre la Sérénissime à rendre ces possessions, le pape ferait usage de ses armes spirituelles, allant, s'il le fallait, jusqu'à lancer l'« interdit » sur tout le territoire vénitien ; et qu'au terme de toutes ces entreprises, Maximilien accorderait au roi de France une nouvelle investiture pour le duché de Milan, mais en comprenant cette fois tout ce qu'on pourrait reprendre aux Vénitiens.

Au bout de quelques semaines, ceux-ci finirent par apprendre la vérité, informés non seulement par leurs espions, mais, détail

piquant, par le pape lui-même. Surtout soucieux de nuire aux
Français, celui-ci promettait en effet à la Sérénissime d'abandonner la Ligue, à la seule condition de pouvoir récupérer à
l'amiable *ses* deux cités de Faenza et de Rimini. Il n'y gagna
qu'une rebuffade, tout en persuadant les Vénitiens de se préparer au pire.

Or la situation de la République n'était point désespérée. A
cette époque, son commerce restait florissant, et elle gardait
dans son trésor de quoi soutenir une guerre assez longue ; elle
entretenait sur tout son territoire des places fortes bien appro-
visionnées et solidement fortifiées ; sa flotte était une des plus
importantes de la Méditerranée ; comme il était connu qu'elle
payait avec exactitude des soldes un peu plus élevées qu'ailleurs,
elle put renforcer rapidement ses troupes terrestres ordinaires
jusqu'à disposer de quelque deux ou trois mille hommes
d'armes, de cinq mille chevau-légers, de trente ou quarante
mille hommes de pied et d'une artillerie considérable. Masse
impressionnante dont elle confia la charge à deux chefs expérimentés, le vieux, le prudent, peut-être le trop prudent Pittigliano et son adjoint, le jeune, l'audacieux, peut-être le trop
audacieux Bartolomeo Alviano.

Comme Maximilien avait obtenu que Louis XII entrerait en
campagne le premier, celui-ci, en bon chevalier qu'il était, toujours soucieux de respecter ses engagements, envoya au début
d'avril 1509 son roi d'armes Montjoie à Venise, pour déclarer la
guerre à la République de la façon la plus loyale possible et selon
les formalités requises. Quelques jours plus tard, il passait les
Alpes avec son armée, une armée d'un type nouveau, dont la
composition semblait justifier *a posteriori* la politique inspirée
par le maréchal de Gié.

En effet, jamais encore la proportion des mercenaires étrangers, suisses ou allemands, n'avait été aussi faible, car Louis XII
avait fini par se lasser de leur indiscipline, de leurs excès et
surtout de leurs exigences en matière de soldes qui, coûtant très
cher au trésor royal, semblaient excessives à ce souverain économe. En revanche, jamais n'avait été aussi importante la part
des contingents nationaux, en application d'une ordonnance

promulguée le 12 janvier 1509, qui recommandait la levée de
fantassins sur le territoire français et en régularisait minutieusement l'emploi. Trop récentes pour être appliquées intégralement, ces mesures avaient toutefois commencé à recevoir leur
application en diverses provinces, en Normandie, en Anjou, en
Champagne, dans le Dauphiné, plus encore en Gascogne et en
Picardie, deux provinces qui, à elles seules, représentaient presque un quart des effectifs royaux durant cette campagne de
1509.

Comme lors de l'affaire génoise, Louis avait tenu à mener
personnellement ses troupes au combat, bien que son état physique laissât fort à désirer : dans une chute, son cheval était
tombé sur lui, le blessant à la jambe ; exceptionnellement, le roi
dut voyager en litière, souffrant encore beaucoup, mais il ne
tolérait pas le moindre arrêt ou le moindre ralentissement,
impatient qu'il était d'en découdre avec son nouvel adversaire ;
de son côté, le cardinal d'Amboise endurait les tortures de la
goutte, mais, contre l'avis de ses médecins, il était parti lui aussi
et suivait son maître dans une seconde litière.

Louis arriva à Milan le 1er mai et, au bout de quelques jours, il
se sentit en état d'enfourcher à nouveau son cheval. Bien
qu'encore imparfaitement remis, il ressentait une telle excita-
tion à la perspective des grandioses batailles qui s'annonçaient,
il montrait un visage si radieux que les Milanais admiratifs en
augurèrent une victoire assurée et qu'ils accompagnèrent le duc
sur quelques milles quand, le 10 mai, il quitta la ville avec vingt
mille hommes de pied et deux mille trois cents lances, force
suffisante pour vaincre sans trop de problèmes, croyait-on, « une
nation de banquiers et de prêteurs sur gages ».

Ainsi allait commencer cette guerre qui, écrit le Lombard
Paolo Giovio (dit encore Paul Jove), « fut la plus atroce et la plus
longue que l'Italie ait connue depuis l'invasion des Goths ». Dès
l'entrée sur le territoire de la Sérénissime, fidèle à la tactique de
terreur généralisée qu'il avait déjà préconisée pour la conquête
du Milanais, puis pour celle du Napolitain, Louis XII fit ravager
systématiquement le pays, massacrer toute garnison qui s'était
permis de ne pas se rendre aux premières sommations et rame-

ner un butin immense, aussitôt acheminé vers la France en d'interminables convois.

Pourtant les Vénitiens ne se laissèrent pas impressionner, ils manœuvrèrent habilement pour essayer de désorienter leur adversaire et reprirent même sur lui la petite ville de Trévi. Piqué au vif, le roi voulut alors se venger par un coup d'éclat, fit tomber à son tour la place de Rivolta. Fort de ce très relatif succès, il envisagea de s'emparer de Vaila, point important proche de Lodi, pour couper aux Vénitiens toute communication avec Crémone, où ceux-ci avaient leurs magasins. Mais ayant deviné cette intention, Pittigliano et Alviano, pour une fois d'accord, firent rebrousser chemin à leurs troupes afin de couvrir au plus vite la place menacée.

Le 14 mai, les Français rattrapaient Bartolomeo Alviano près de l'Adda, au niveau du petit village d'Agnadello ou Agnadel, qu'il venait d'occuper alors que Louis XII avait bien compté s'y installer. « Certes il n'est question de loger, remarqua-t-il, avec son langage simple et imagé, quand il fut prévenu de ce contretemps, mais de donner la bataille ; et, avant que le soleil soit couché, on verra bien à qui le logis demeurera. Mais quoi ! ajouta-t-il en souriant, les Vénitiens sont-ils déjà logés pour le sûr ? — Oui, Sire, lui répondit Chaumont d'Amboise, et ils travaillent à renforcer leur place. — Or bien, conclut placidement le roi, il faudra donc aller loger sur leur ventre. »

A la grande surprise du Très-Chrétien, de Chaumont, de Trivulce, les solides Romagnols de l'armée vénitienne résistèrent vaillamment aux assauts des contingents royaux. On se battait de part et d'autre avec une incroyable fureur et, dans l'euphorie du sang répandu, avec l'ardeur qu'on pouvait attendre de lui en pareil cas, Louis XII, l'épée à la main, se portait de tous côtés comme au bon temps de Saint-Aubin-du-Cormier et soutenait de son active présence les uns et les autres. « Enfants, le roy vous veoit ! » : inlassablement répété, ce cri de La Trémoïlle, qui suivait son maître, contribuait à ranimer le courage des différents corps de troupes. Car Louis montrait vraiment l'exemple, « faisant merveilles », fonçant, enfonçant, bousculant, fendant, tranchant, sans craindre le canon ennemi qui ne cessait de faucher des soldats tout autour de lui. Quelques-uns de ceux qui l'entouraient lui représentèrent le danger auquel il s'exposait : « Rien, rien, leur répondit-il agacé, quiconque en aura peur, qu'il se mette derrière moi, il n'aura point de mal. »

Belles paroles, pieusement recueillies par les témoins, reproduites par les chroniqueurs, répétées par les historiens, mais qui masquent l'essentiel : ce n'est pas l'héroïsme du roi, c'est une initiative de Bayard qui, en fin de compte, fit pencher la balance en faveur des Français. En déclenchant un mouvement tournant — d'ailleurs assez risqué — à travers les marais de l'Adda et en se jetant, avec le gros des lances royales, sur le flanc des Vénitiens, l'intrépide Dauphinois allait déclencher une indescriptible panique dans la cavalerie adverse qui tourna bride aussitôt et prit la fuite.

L'infanterie, elle, continua de se défendre et se fit massacrer sur place. La tuerie fut horrible ; ceux qui demandaient grâce étaient assommés, éventrés, débités à la hache, tout comme ceux qui cherchaient à se défendre ; leurs corps amoncelés formaient, paraît-il, une monstrueuse « montagne », de quarante pieds de circonférence et de huit de hauteur, dans laquelle les rares survivants étouffaient sous le poids des morts. Comme ses hommes, Louis XII ne cessa de frapper que lorsqu'il fut arrêté par son propre épuisement physique. Au terme de cette boucherie, les Vénitiens auraient eu de huit à dix mille morts (contre quelque quatre cents Français) et perdu, avec tous leurs bagages, l'essentiel de leur belle artillerie. « Ainsy, nous dit Saint-Gelais, furent vaincus une nation de gens saiges, puissans et riches et qui n'avoient oncques esté subjuguez qu'à cette fois, depuis que Attila, roy des Huns, les avoit destruicts. »

Fort de son éclatante victoire, Louis poussa son effort en direction de l'est ; Crémone, Bergame, Brescia lui tombèrent, pour ainsi dire, entre les mains. La terreur continuait d'être un moyen de conquête; les villes qui tentaient de lui résister étaient traitées d'une manière impitoyable et les garnisons passées au fil de l'épée ; à Peschiera où, plutôt que de se rendre, le provéditeur vénitien et son fils lui « avoient montré leur cul par-dessus la muraille », le roi les fit étrangler en sa présence ; les paysans

qui osaient lancer : « Vive saint Marc » ou qui refusaient de
crier : « Vive le Roy » étaient aussitôt pendus et, chez les Français, l'on riait, raconte le chroniqueur de Bayard, de « voir ces
rustres essayer d'emporter les créneaux à leur col ». Au total, en
dix-sept jours, Louis acheva de conquérir ce qui devait lui revenir des possessions vénitiennes : il s'agissait d'un territoire considérable qui agrandissait d'un bon tiers le duché de Milan et
grossissait les revenus royaux d'au moins 100 000 ducats par
an.

Louis XII ne s'arrêta qu'au Mincio, au bord duquel il se vit
remettre les clefs de cités situées encore plus loin, telles que
Vérone, Vicence et Padoue. Mais, par scrupule de partenaire
honnête, il eut soin de renvoyer ces objets symboliques à Maximilien qui, d'après le traité de Cambrai, devait recevoir ces
villes comme part du butin final. Peut-être le roi agissait-il aussi
par prudence politique, devinant que les autorités de la République essayaient ainsi de l'opposer à son allié.

Geste apparemment bénéfique, puisque celui-ci, qui tardait à
se manifester, fit enfin descendre son armée sur l'Italie, où elle
fit sa jonction avec les troupes françaises. De son domaine de
terre ferme, Venise ne possédait alors presque plus rien ; elle
avait délié les villes vassales de leur serment de fidélité, afin de
leur épargner les misères d'une guerre sauvage ; elle avait fait
rendre au pape Ravenne, Faenza, Rimini, Cervia, restitué à
l'Espagne les ports que celle-ci convoitait sur les côtes napolitaines ; et imploré la paix, une paix que, forts de leurs succès,
Jules II, Louis XII et Maximilien lui refusèrent hautement.

Mais ces vainqueurs eux-mêmes ne s'entendaient guère.
L'empereur, en particulier, hésitait visiblement sur la conduite
à suivre, et, dès le milieu de juin, la Sérénissime vit là une
occasion de reprendre espérance. Déjà, contre les bandes autri-
chiennes qui sillonnaient le Vicentin, les villageois du pays se
lançaient dans une véritable guerre de partisans ; Trévise se
soulevait en faveur de sa métropole ; des paysans des environs et
des soldats de Saint-Marc ayant réussi à en passer les portes,
cachés dans des chariots de foin, Padoue, le 17 juillet, massacrait
jusqu'au dernier les huit cents lansquenets de sa toute récente

garnison impériale. Outré, Maximilien vint mettre le siège devant la ville, mais, mal secondé par ses alliés français, il rentra en Allemagne avec tout son monde dans le courant de septembre.

De ces débuts fracassants, de ces suites moins glorieuses, on ne voulut guère retenir en France que les débuts fracassants. Soucieux comme il pouvait l'être d'entretenir la ferveur de son opinion publique, Louis XII chercha-t-il à susciter ce mouvement ? Ou celui-ci prit-il en quelque sorte naissance de lui-même ? Il est assez difficile de trancher. Toujours est-il qu'on assiste à la fin de 1509 et au début de 1510 à une véritable floraison d'ouvrages chantant la gloire du roi, l'incomparable vainqueur d'Agnadel. Poète officiel et valet de chambre de la reine Anne de Bretagne, Jean Marot compose un long poème, le *Voyage de Venise*, que son fils, le célèbre Clément, fera imprimer vingt-trois ans plus tard. Symphorien Champier fait publier à Lyon ses *Triomphes du Très Chrétien roy de France Loys, douzième de ce nom, contre les Vénitiens*. Récemment nommé évêque de Marseille, le Savoyard Claude de Seyssel tient à exprimer sa reconnaissance avec « *L'excellence et la félicité de la victoire qu'eut Très Chrestien Roy de France, Loys douziesme du nom, dict le Père du Peuple, contre les Vénitiens, au lieu appelé Agnadel* ». Mais il croit bon, l'année suivante, de se défendre pour avoir trop loué son maître et fait paraître une *Apologie des louanges de Loys XII, roy de France, pour répondre aux détracteurs*.

Le tableau de cette littérature enthousiaste ne serait pas complet sans la mention de celui qu'on considérait, à tort ou à raison, comme le plus remarquable poète du temps : le « grand rhétoriqueur » Jean Lemaire des Belges qui, dans sa *Légende des Vénitiens*, en un flot d'images allégoriques, de mignardises stylistiques, de fables, d'hyperboles et de prosopopées, annonçait tout à la fois le « terme proche » de la Sérénissime République et l'imminente domination du roi Très-Chrétien sur le monde entier. Vision grandiose, mais légèrement irréaliste qui ne prévoyait point la suite des événements, en particulier ce qu'on peut appeler le « tournant de la Sainte Ligue ».

CHAPITRE XVI

Le tournant de la Sainte Ligue

Une fois de plus, c'est l'attitude du pape qui allait faire tout changer. Il avait obtenu de la Sérénissime les villes qu'il convoitait depuis longtemps et qui, selon lui, constituaient face aux dangers venus du nord des bases indispensables à la défense des frontières pontificales. Même si, au fond de son cœur, il continuait à détester farouchement la cité des lagunes, il estimait aussi que sa disparition totale serait une catastrophe pour la puissance romaine, donc pour l'Italie tout entière. Face aux Turcs toujours menaçants en Adriatique, face aux Impériaux qui contrôlaient les passages des Alpes, face aux Français si fâcheusement installés en Lombardie et même face aux Aragonais cramponnés dans le Napolitain, Venise restait pour la péninsule une sentinelle incomparable, qu'il avait certes été bon d'humilier, mais sans la frapper à mort : « Si cette ville n'existait pas, confiait-il alors à Bernardo Dovizio da Bibbiena, alors il faudrait faire une autre Venise. »

Déjà les cardinaux vénitiens Grimani et Cornaro s'entremettaient pour préparer la réconciliation, malgré l'opposition des prélats français alors présents à Rome, qui faisaient littéralement le siège du vieux pape : « Si vous pardonnez à la République, lui faisaient-ils valoir sans cesse, vous enfoncerez un poignard dans le cœur du roi. » Il en aurait fallu davantage pour impressionner Jules II, que ces arguments geignards renforçaient au contraire dans sa nouvelle détermination.

Pourtant les négociations furent longues, délicates et c'est seulement à la fin de février 1510 que Jules II consentit à accorder son pardon, ce qui permit à la papauté de procéder à l'une de ces séances symboliques dont elle raffolera pendant longtemps encore : le 24 du même mois, vêtus de robes écarlates, les ambassadeurs vénitiens vinrent s'agenouiller devant la porte de bronze qui fermait la basilique de Saint-Pierre ; ils attendirent ainsi, et assez longuement, la majestueuse arrivée du souverain pontife qui, porté sur la *sedia gestatoria* et suivi de douze cardinaux, tenait à la main une verge d'or ; tout le monde devait entonner alors le *Miserere* et, à chaque verset, l'évêque de Rome se penchait pour donner aux suppliants un très léger coup de baguette. Le chant terminé, les portes de Saint-Pierre s'ouvrirent largement et les diplomates purent enfin pénétrer à l'intérieur : l'interdit lancé contre la République venait d'être levé. Quelques jours plus tard, le Vénitien Trevisano écrivait au doge : « le Saint-Père est très sage et très grand homme d'État ; il souffre de la goutte et de bien d'autres maladies encore, mais il est toutefois plein de force et d'ardeur ; il veut être le seigneur et le maître du monde entier ».

Bien qu'abandonnés par leur tout-puissant allié spirituel, Louis XII et Maximilien commencèrent par s'entêter, renouvelèrent même leur accord d'une façon solennelle et se promirent respectivement de repasser l'année suivante en Italie, chacun à la tête d'une nouvelle et nombreuse armée, pour éliminer définitivement la puissance vénitienne et même, s'il le fallait, contraindre le pape à modifier sa politique.

C'est que, depuis le début d'avril 1510, le roi de France se sentait porté par l'espérance : la reine Anne se trouvait enceinte une nouvelle fois, et, un peu partout en France mais surtout au couvent des Célestins de Paris, le futur père faisait célébrer des messes ou dire un nombre incalculable de prières, pour obtenir enfin un fils. Certes, en même temps, la santé du cardinal d'Amboise donnait des inquiétudes à son entourage, mais cela faisait déjà plusieurs mois qu'il souffrait de la goutte, une maladie dont on ne meurt pas forcément, qui parfois peut même se prolonger pendant des années et des années.

Malgré des maux au moins aussi pénibles, le pape manifestait de son côté une détermination peu commune. En paroles, certes : excité en permanence par le nationalisme culturel de certains humanistes italiens, il ne parlait plus que « de jeter au Tibre les clefs de saint Pierre, de prendre en main l'épée de saint Paul » et de bouter les « Barbares » hors de la péninsule, tous les barbares et en particulier les maudits Français. Mais aussi et surtout en actes : c'est ainsi que, grâce à son active diplomatie, il obtint bientôt un succès spectaculaire du côté des cantons suisses.

Pendant longtemps, ceux-ci avaient constitué pour le roi de France un inépuisable vivier de mercenaires, source de profits considérables pour ces hautes terres alpestres considérées alors comme désespérément ingrates. Déjà, nous l'avons vu, Louis XII cherchait depuis quelque temps, pour des raisons d'économie, à diminuer le nombre de ses « soudoyers » helvétiques, ce qui avait suscité déceptions et rancœurs parmi ces populations montagnardes. Jules II était parfaitement au courant de ces nouveaux sentiments, ce qui lui permit de s'entendre plus facilement avec l'évêque de Sion, Mathieu Schinner, qui exerçait non seulement une grosse influence dans son diocèse du Valais, mais dans la plupart des cantons alémaniques situés plus au nord. L'homme était intelligent, autoritaire, fort ambitieux et ne se montra pas insensible à la promesse de la pourpre cardinalice s'il parvenait à persuader ses compatriotes d'abandonner l'alliance française pour s'attacher à la défense quasi exclusive des intérêts pontificaux.

La fidélité est une qualité suisse : avant de se décider, les cantons envoyèrent une délégation à Louis XII, pour lui demander de lever à l'avenir davantage de troupes helvétiques et d'augmenter substantiellement les soldes. Au lieu de chercher à négocier ou à gagner du temps, Louis XII crut bon de prendre ses interlocuteurs de très haut, leur déclarant « avec colère » qu'il ne pouvait comprendre comment « de misérables montagnards, à qui l'or et l'argent estoient inconnus avant que les aultres roys ses prédécesseurs ne leur en donnassent », osaient le regarder comme leur tributaire ; et qu'ils étaient « faicts pour solliciter des grâces », non pour dicter leur loi.

On ne pouvait pas être plus maladroit. Dès le 16 mars 1510, les montagnards déçus signaient avec les représentants du pape une convention solennelle aux termes de laquelle ils mettaient immédiatement quinze mille fantassins à sa disposition et s'engageaient à lui en envoyer six mille autres à chaque fois que seraient menacés son territoire, sa personne ou ses biens.

Dans la foulée de cet indéniable succès, Jules II en remportait bientôt un autre. Essentiellement francophile, ou du moins point trop francophobe, le roi d'Angleterre Henry VII était mort le 22 avril 1509 ; depuis, son fils et successeur, le remuant et tonitruant Henry VIII, se montrait essentiellement soucieux de se démarquer de la politique paternelle et, poussé par le pape, finit par se brouiller avec la France. En même temps ou presque, l'infatigable Jules II accordait à l'Espagnol Ferdinand ce que lui-même et ses deux prédécesseurs lui avaient toujours refusé jusque-là : l'investiture totale du royaume de Naples, fief dépendant théoriquement du Saint-Siège.

La reconnaissance du roi d'Espagne n'allait pas tarder à se manifester. Contre les deux nouvelles armées française et impériale qui venaient de se rejoindre près de Vérone, Ferdinand envoya des troupes qui, parties de Naples, s'appliquèrent à traverser lentement la botte italienne. Tout à sa joie, Jules II se laissait porter « par les ailes de la victoire » ou, plus exactement peut-être, par celles de sa proche éventualité. Pêle-mêle, il exultait en voyant les Vénitiens reprendre Vicence aux Impériaux, excommuniait le duc de Ferrare, un fidèle allié de la France, prétendait le priver de ses fiefs ecclésiastiques, lui reprenait Modène *manu militari*, essayait de soulever à nouveau Gênes contre le Très-Chrétien et, impatient de porter à ses adversaires l'estocade finale, avançait hardiment jusqu'à Bologne, casqué, cuirassé, botté, dans le tumulte poussiéreux de ses bandes helvéto-romaines et de son cortège ensoutané : « Dieu sçait, nous dit un chroniqueur, comment ses mitres, croix et crosses estoient belles à veoir voltiger parmi les champs. »

Une seule question pour nous : de quelle façon Louis XII allait-il réagir à tous ces événements qui étaient pour lui autant de provocations ? Rentré depuis plusieurs mois dans son royaume, le souverain plongeait alors dans les douceurs d'une réalité proprement française. Du 16 au 26 mars 1510, il vint séjourner à Paris (ce qui n'était pas si fréquent), profitant de cette occasion pour rendre visite au Parlement et s'y assurer par lui-même de la façon dont la justice était rendue. Puis il partit pour la Champagne, où il n'avait pas remis les pieds depuis son sacre. Dans tous les lieux où il passait, sa seule présence attirait des foules énormes, débordantes de ferveur et de reconnaissance. A en croire Saint-Gelais, « jamais la France, disoit ce pauvre peuple dans le transport de sa joie, n'a eu d'aussy bon roy, et qui l'ait gouvernée avec plus de sagesse. Par ses soins, la justice nous est rendue, et nous sommes en paix. Nous sommes à couvert des pilleries des gens de guerre et de finances ; nous vivons dans l'abondance ; nous ne sommes point écrasés d'impôts, et nous passons nos jours heureux et tranquilles ».

Les mêmes témoignages d'amour et de respect se retrouvèrent en Bourgogne, qu'il traversa ensuite pour se rendre à Lyon, où l'attendait le cardinal d'Amboise. Rattachée récemment et malgré elle à la couronne de France, cette province pouvait passer pour plus réticente à l'égard du pouvoir royal. Pourtant, dès que la nouvelle de son approche se répandait, de village en village, « hommes et femmes s'assembloient de toutes parts et couroient après luy, à trois ou quatre lieues ; et quand ils povoient atteindre à toucher sa mule, ou à sa robe, ou à quelque chose du sien, ils baisoient leurs mains et s'en frottoient le visaige, d'aussy grande dévotion qu'ils eussent faict d'aulcune relicque ».

En arrivant à Lyon, Louis trouva son vieil ami et serviteur Amboise dans un état particulièrement alarmant. Sa santé laissait à désirer depuis longtemps, et il s'était déjà trouvé si mal au mois d'octobre précédent qu'il avait rédigé son testament, consacrant une grande partie de sa fortune à des legs pieux ou charitables : 10 000 livres tournois aux couvents « honnestement refformés » ; dix mille aux « paouvres filles à marier » ; 10 000 à la cathédrale de son archevêché pour les employer à la décoration du chœur ; 10 000 pour la fondation d'une chapelle en son château de Gaillon, à placer sous le vocable de son patron, saint Georges ; 2 000 écus d'or au soleil pour l'érection de sa tombe, en marbre ; et 2 000 autres pour dire des messes.

Cette fois, une épidémie de coqueluche venait d'éclater dans la grande cité rhodanienne : « Peu de gens, précise Guillaume d'Asnières, tant ès villes qu'aux champs, l'évadèrent et, selon les complections des personnes, les aulcuns étoient moins mallades que les aultres ». Affaibli depuis trop longtemps, Amboise ne devait pas s'en remettre : il mourut le 25 mai, tout juste âgé de cinquante ans.

Quant à Louis XII, il nous surprendra toujours. Dans son entourage, on avait beaucoup redouté l'effet qu'aurait sur son moral le décès du ministre et l'on prit soin de l'éloigner dans la campagne lyonnaise au moment où commença l'agonie. La funeste nouvelle lui arriva au bout de quatre jours, comme il se trouvait à la chasse. Emporté par le feu de l'action, le roi écouta distraitement et ne rentra vers la ville qu'après avoir atteint sa proie. Lui, qui avait la larme si facile, pleura-t-il beaucoup ? On ne sait même pas si, finalement, il éprouva des regrets bien vifs en perdant celui qui passait pour être son auxiliaire le plus indispensable.

Un point est sûr ; le cardinal Georges d'Amboise ne sera pas vraiment remplacé ; dans les dernières années du règne, c'est Louis XII qui semble avoir assumé seul les responsabilités du pouvoir. Cela entraînera-t-il de grandes modifications dans la politique menée ? Pour l'essentiel, nous ne le pensons pas. Les objectifs restent globalement les mêmes, avec le souci de ménager autant que possible les populations proprement françaises, la prédilection attendrie pour les possessions milanaises et une faiblesse coupable en faveur de l'alliance avec Maximilien. Dans la pratique plus quotidienne, nous retrouvons — au moins tant qu'elle vivra — l'attention prêtée à certains choix ou desiderata de la reine Anne ; le caractère confus, voire cahotique de la diplomatie pratiquée ; enfin la même dose, ce même mélange de loyauté, de naïveté et, à la limite, d'inconscience, seules armes à opposer aux menées beaucoup plus subtiles, plus ambiguës ou même malhonnêtes de nos divers adversaires et partenaires. Seul change véritablement le style, devenu après 1510 nettement plus tranché, plus brutal. Car, si Amboise avait vécu davantage, on peut penser qu'il aurait su écarter quelques initiatives risquées qui, dans les mois ou les années suivantes, seront tentées à l'encontre du Saint-Siège et plus particulièrement à l'encontre de Jules II.

En apprenant la mort de l'ancien cardinal-légat, celui-ci n'avait pu contenir sa joie sauvage : « *Laudato Sia Dio perche adesso io son solo papa !* » s'était-il écrié (« Dieu soit loué de ce qu'à présent je suis seul pape ! ». Il estimait en outre que cet événement allait beaucoup affaiblir Louis XII, qui n'aurait plus maintenant de conseillers réputés aussi habiles que le défunt. Il commença donc par proposer tout bonnement au roi de renoncer à protéger désormais son allié, le duc de Ferrare.

Sur le refus du roi — refus attendu, escompté —, le Saint-Père se retourne vers ses amis suisses et les lance, au mois d'août 1510, contre le Ferrarais, mais en précisant — délicate attention ? ou hypocrisie suprême ? — qu'il n'est pas question de menacer le Milanais royal. Peu importe, d'ailleurs : les héros semblaient fatigués et, tout suisses qu'ils étaient, nos envahisseurs ne dépassèrent point la moitié du chemin, revenant bien vite sur leurs pas en direction de Bellinzona ; dès septembre, le plus grand nombre d'entre eux étaient revenus sagement à Lucerne. Au fond, il n'y avait pas que le roi de France qui se faisait jouer et, de rage, le bouillant Jules II faillit « en avaler sa barbe ».

Il allait bientôt avoir d'autre raisons de s'indigner, car — signe des temps, signe aussi d'une incontestable radicalisation — Louis XII osa porter la lutte sur le plan proprement ecclésiastique. En septembre, il convoque à Tours l'ensemble de ses évêques. Sans soulever la moindre opposition dans l'assistance, le cardinal de Saint-Malo prononça un implacable réquisitoire contre les « crimes » de Jules II, contre ses « erreurs » politiques, contre ses « trahisons » envers ses différents alliés successifs. Unanimes, les prélats français déclarèrent que le Saint-Père n'avait point le droit de guerroyer contre les princes, au moins pour des raisons purement temporelles, mais que le roi Très-

Chrétien pouvait en revanche combattre la puissance pontificale s'il s'agissait de veiller à la sécurité de ses États ou à celle de ses alliés. Ils annulaient à l'avance toute excommunication, toute censure ecclésiastique qui pourrait être dirigée contre eux-mêmes ou contre le souverain ; si l'évêque de Rome se refusait à la conciliation, ils prévoyaient même de convoquer un concile général, afin de « porter remède aux langueurs du corps ecclésiastique », formule d'autant plus inquiétante qu'elle restait volontairement vague. Enfin, décision plus matérielle, mais non négligeable, ils accordèrent au Très-Chrétien un don exceptionnel de 240 000 livres tournois pour les frais d'une guerre éventuelle et s'ajournèrent à Lyon pour le 11 mars de l'année suivante 1511.

Depuis Philippe IV le Bel deux siècles plus tôt, jamais aucun roi de France n'était allé aussi loin que le bon Louis XII contre l'autorité du Saint-Siège : le schisme, le schisme affreux, terreur de tous les papes et de toutes les bonnes âmes, était en vue. Dans l'unanimité des Français groupés derrière leur roi, une voix manquait cependant, celle de la reine. Entièrement soumise à l'influence discutable de son confesseur Yves de Maheuc, pieuse, très pieuse comme elle l'était, et même, disons-le, étroitement bigote, confite en petites dévotions sécurisantes mais quasiment païennes, Anne ne put jamais s'accommoder de cette rupture avec Rome. Jamais elle n'accepta de voir son cher clergé breton s'associer à la démarche de l'Église gallicane, et, dès le 26 septembre, les prélats et docteurs du duché, dans leur grande majorité, acceptèrent de repousser, par une déclaration solennelle la plupart des décisions adoptées par l'assemblée de Tours.

Louis XII devait tenir d'autant moins compte de ces réserves qu'il se trouvait déjà engagé dans un processus à peu près irréversible. Au début d'octobre, la guerre éclatait en Italie du Nord entre Français et pontificaux. Avec sept mille hommes, Chaumont d'Amboise venait de coincer Jules II dans Bologne ; déjà il tenait une des portes de la ville, les cardinaux ne savaient plus à quel saint se vouer ; un court instant, le pape lui-même perdit la tête, prêt à se rendre sans conditions, à implorer sa grâce, à fuir n'importe où, déguisé en berger, en mendiant, en portefaix. Puis il se reprit et sut arrêter le Français sous les murs de la ville en l'abusant avec de belles paroles, des mensonges, de fausses propositions de paix, ce qui donna aux Vénitiens et aux Espagnols le temps d'arriver avec des forces supérieures à celles de Chaumont. Celui-ci dut se retirer précipitamment, tellement abasourdi par ce retournement de situation qu'il en mourut de fatigue et de chagrin quelque temps plus tard, le 11 mars 1511, à l'âge de trente-huit ans.

Au contraire, tout à fait ragaillardi, l'indestructible Jules II prenait La Mirandole dès le 21 janvier, il sillonnait en maître le rebord septentrional des Apennins, traîné dans son confortable chariot à quatre bœufs, faisait pendre ou décapiter ici et là des traîtres convaincus ou supposés, prenait au passage Imola et Ravenne, donnait le chapeau à neuf nouveaux cardinaux — dont Mathieu Schinner qui recevait ainsi la récompense de ses bons et loyaux services —, sans oublier de repousser avec dédain les ouvertures de paix que lui faisaient alors la France et l'empereur, car il refusait de traiter tant que le duché de Ferrare ne lui serait pas rendu.

Louis XII savait ce qui lui restait à faire : passer encore une fois les monts, avec de nouveaux contingents nationaux qui devaient retrouver quatre mille lansquenets sous les murs de Vérone. Mais il fut rejoint dans la capitale du Dauphiné par la reine Anne qui, par ailleurs, continuait à entretenir une correspondance suspecte avec les pires ennemis du royaume, non seulement le roi d'Aragon, mais Jules II lui-même. Avait-elle une mission spéciale à remplir ? Il est impossible de le savoir. Rappelons seulement que, pour convaincre le roi, la rusée Bretonne savait toujours utiliser certains arguments, sinon même des armes secrètes. Que se passa-t-il alors ? Remarquons au moins qu'Anne accoucha, très exactement neuf mois après cette rencontre grenobloise, rencontre au terme de laquelle Louis devait renoncer à passer en Italie, pour repartir avec sa femme vers leurs habituelles résidences des bords de Loire.

Si pour certains et en particulier pour le pape, il avait pu paraître absolument nécessaire de pousser le roi à ne pas repren-

dre la route de l'Italie, leur calcul fut partiellement déjoué. Car
en Lombardie, à côté de l'éternel Trivulce qui venait de dépasser la soixantaine, apparaissait alors, comme successeur de
Charles Chaumont d'Amboise, un nouveau chef chez les Français, Gaston de Foix, dont l'action allait bouleverser la situation
militaire. Par son père, il appartenait à la vieille famille de
Foix-Narbonne. Par sa mère Marie, fille de Charles d'Orléans et
de Marie de Clèves, il se trouvait être tout simplement le propre
neveu de Louis XII, qui nourrissait pour lui une grande affection et venait de lui accorder le duché de Nemours. En 1511,
Gaston avait à peine vingt-deux ans. Ce grand homme qui portait encore la barbe clairsemée de l'adolescence et que certains
purent comparer au *Saint Georges* de Donatello, ce grand jeune
homme un peu grêle, aimable, charmant et enjoué allait se
révéler l'un des plus remarquables capitaines de son temps.

Dès le début de mai 1511, Foix fonce sur Bologne, avec des
troupes peu nombreuses, certes, mais avec une telle rapidité,
une telle fougue que Jules II, craignant d'être assiégé, n'insiste
pas et quitte la ville par une porte dérobée, s'enfuyant vers l'est.
Il laisse derrière lui, en qualité de légat, son giton bien-aimé, le
cardinal Alidosi, universellement méprisé, méprisable, selon
toute vraisemblance acquis aux intérêts français.

Travaillés par les partisans des Bentivoglio, leurs anciens sei-
gneurs, les Bolonais se soulevèrent le 21 mai contre les autorités
pontificales qui, tant bien que mal, continuaient de tenir la cité.
Ils renversent la statue du pape (pourtant une œuvre de Michel-
Ange !), démolissent les tours de la citadelle, font entrer les
Français à l'intérieur des remparts ; le neveu du Saint-Père,
Rovere d'Urbino, bat piteusement en retraite, lui aussi en direction de l'est, abandonnant sur place artillerie, armes et bagages.
Au même moment, Trivulce reprend La Mirandole et notre
allié le duc de Ferrare récupère sans la moindre difficulté l'inté-
gralité de ses territoires.

C'est à Ravenne que Jules II apprit ces consternantes nouvelles. Cette fois, il n'avala pas sa barbe, mais il se déchaîna
contre son neveu, auquel il reprochait sa faiblesse, sinon même
sa lâcheté : « S'il me tombe entre les mains, marmonnait-il dans

ses dents cariées, je le ferai écarteler à quatre chevaux ! » Le 24,
sûr de son pardon, Alidosi vint se jeter aux pieds du pape, en
prenant bien soin de rejeter sur Rovere toute la responsabilité
des malheurs survenus. Jules se penchait déjà, en un geste de
mansuétude attendrie, quand son neveu surgit à l'improviste,
ivre de rage, prenant à la gorge le répugnant cardinal, ce couard,
ce traître, ce misérable ! Lui aussi au comble de la fureur, le
pape chassa Rovere de sa vue. Celui-ci n'alla pas très loin ;
entouré d'une bonne escorte, il attendait dans la rue le pontifical
favori ; quand il le vit paraître, il le fit descendre de cheval, le
gifla sur ses deux tendres joues et lui fendit le crâne avec le
pommeau de son épée, laissant ses spadassins achever au cou-
teau le trop bel Alidosi.

Tandis que tout Ravenne ne faisait qu'en rire, que la majorité
du Sacré Collège approuvait en se voilant la face, que « les
hommes de bien » applaudissaient sans retenue à cet acte de
salubrité publique, le pape, fou de rage et de douleur, quittait la
ville deux heures plus tard, pleurant comme un enfant au fond
de sa litière. En arrivant à Rimini le 28 mai, une surprise supplémentaire l'attendait, bien autrement désagréable. Aux portes
de la cathédrale, aux portes de toutes les églises, il put voir un
avis placardé, en date du 16 mai : « Vu la nécessité d'un concile
et le décret *Frequens* du concile de Constance, et considérant la
négligence de Notre Très Saint-Père le Pape et la violation par
lui du serment prêté à l'issue du conclave, les représentants du
Saint Empire Romain Germanique et du Roi Très Chrétien
proposent la convocation d'un Concile Général. » Plus précisément, en application des décisions prises à Tours puis à Lyon,
cinq cardinaux — quatre Français et un Espagnol — l'invi-
taient, lui le pape, à comparaître devant un concile convoqué à
Pise pour le 1er septembre suivant.

Jules II discerna aussitôt le danger. Il savait que, maintenant
veuf de Bianca Sforza, Maximilien nourrissait l'ambition
bizarre d'ajouter un jour la tiare pontificale à sa couronne impériale. Mais la menace principale venait de France. Le vieux
pontife connaissait bien l'orgueilleuse Église gallicane, traditionnellement méprisante envers les excessives dévotions ita-

liennes, toujours si méfiante à l'égard de Rome, si soucieuse d'indépendance et si indéfectiblement fidèle à ses rois dès que ceux-ci avaient la moindre querelle avec le Saint-Siège.

De fait, l'annonce du concile de Pise trouva un écho immédiat sinon dans l'ensemble de l'opinion publique française, du moins dans le cercle plus restreint des publicistes et poètes traditionnellement à la solde du pouvoir royal. Jean d'Auton, comme à l'accoutumée, se permit de commettre quelques vers exécrables, dont le retentissement semble avoir été particulièrement modeste. En revanche, Jean Lemaire des Belges publia un *Traité des conciles et des schismes* qui, prenant évidemment la défense de Louis XII, connut une certaine audience. Les seuls qui rendirent vraiment quelques services à la cause royale furent des auteurs plus indépendants, plus proches aussi des masses urbaines, auxquelles ils savaient s'adresser en un langage compréhensible, simple et imagé : le cas le plus célèbre est celui de Pierre Gringore, ou Gringoire, qui fit tout particulièrement représenter avec un certain succès deux pièces de théâtre, sa *Moralité de l'homme obstiné* et surtout sa *Chasse du cerf des cerfs*, allusion un peu lourde au pape, qui se proclamait traditionnellement *servus servorum Dei*, le serviteur des serviteurs de Dieu.

Quant au *cerf des cerfs* lui-même, il ne lui restait plus, en pareilles circonstances, qu'à délaisser — au moins provisoirement — la cuirasse et l'épée pour reprendre ses habituelles armes spirituelles. Rentré à Rome le 27 juin, brûlant de fièvre, il fulmina dès le lendemain la bulle *Sacrosanctae* qui convoquait un contre-concile en la basilique de Saint-Jean-de-Latran, prévu pour le 19 avril suivant, donc de l'année 1512 (n. st.) et menaça des pires sanctions tous les cardinaux qui ne se soumettraient pas immédiatement. Décision presque superflue pour l'Italie, dont le clergé, pour son immense majorité, restait fondamentalement fidèle au pape, comme en témoignaient les messages de soutien qui, de tous points de la péninsule ou presque, ne cessaient d'affluer au Vatican.

Le Saint-Père, pourtant, était brisé par tant d'épreuves. Le 17 août, il tomba gravement malade et sembla même en être arrivé à la dernière extrémité. Un peu partout dans Rome, on le croyait mort, et, comme il arrivait souvent en pareil cas, la populace des bas quartiers commençait à s'agiter dangereusement. Des audacieux parvinrent même jusqu'à la chambre du pape, qu'ils pillèrent consciencieusement sous ses yeux médusés, ne lui laissant que le lit où il gisait, impuissant devant tant de tranquille irrespect. Certains de ses anciens obligés, voire de ses plus fidèles intimes, commençaient à évoquer ses vices sans baisser la voix, jasaient sur ses travers, accablaient sa mémoire. Un évêque de Rieti qui se voyait déjà parvenir au souverain pontificat, Pompeo Colonna, accourait au Capitole, y lançait des discours enflammés, proclamait son programme : la réconciliation avec le Très-Chrétien, l'épuration de la curie, la punition des corrompus, la liberté pour tous, les nobles et les bourgeois, sans oublier le petit peuple.

Hélas ! Au bout de quelques jours euphoriques, un messager apportait « l'effroyable nouvelle » : après avoir mangé une pêche, puis bu un verre de malvoisie, le Saint-Père était littéralement revenu à la vie et semblait maintenant en pleine forme, prêt à punir les traîtres — qui, comme Pompeo Colonna, n'avaient pas attendu pour prendre la fuite entre-temps —, prêt aussi à reprendre avec plus d'ardeur encore le combat contre le schisme maudit.

Il commença par jeter l'interdit non seulement contre Pise — qui avait le tort d'accueillir en ses murs le concile « français » —, mais aussi contre Florence, à laquelle il reprochait d'avoir laissé une de ses villes vassales prendre une telle décision. Surtout, le 5 octobre 1511, il promulguait l'acte de ce qu'on appellera désormais la Sainte Ligue, une coalition ouvertement dirigée contre la France et qui rassemblait, outre le Saint-Siège, l'Espagne, la Sérénissime République de Venise et les cantons suisses, tout en étant ouverte à l'empereur, resté provisoirement l'allié très théorique du roi Très-Chrétien.

Avant que Maximilien ne se décidât à changer de camp, la ligue vit Henry VIII Tudor la rejoindre assez vite, dès le 13 novembre. L'Anglais ne tarda pas à aller plus loin encore et, peu après, signa un pacte spécial avec les Espagnols, pacte qui lui laissait les mains libres pour conquérir la Guyenne et lui permettait de reprendre ainsi les anciennes prétentions de ses prédécesseurs, les Édouard III, les Henry V, les Henry VI. Soucieux d'agrandir en même temps son enclave de Calais, il voulait aussi attaquer la France par le nord, faisait, disait-on, des préparatifs pour débarquer en baie de Somme, et Louis XII, qui possédait assez bien son histoire de France, croyait voir recommencer une nouvelle guerre de Cent Ans.

Il se sentait d'autant plus inquiet qu'il connaissait les objectifs affichés de la Sainte Ligue : revenir à l'union de l'Église, ce qui revenait à faire disperser, au besoin par la force, le concile de Pise, grande pensée du règne ; reprendre pour le compte du pape Bologne, Ferrare et toutes les villes de la bordure septentrionale apennine que celui-ci réclamait ; enfin et surtout chasser les Français du Milanais et les refouler jusqu'au-delà des Alpes.

La perspective de ces graves dangers ne semble pas avoir poussé Louis XII à rechercher un accommodement, de réalisation fort improbable au demeurant. Le 1er novembre 1511, sous la protection de cent cinquante archers commandés par Lautrec, quatre cardinaux, deux archevêques, quatorze évêques, cinq abbés, plusieurs théologiens et canonistes se rassemblèrent à Pise. Parmi eux, il n'y avait guère que des Français, fort mal reçus par la population locale. Suprême humiliation, ils se virent même refuser l'accès de la cathédrale et durent se réfugier dans une autre église. La première séance, le 5 novembre, fut, comme il se doit, consacrée aux cérémonies inaugurales, procession, grand-messe, encensements, chants, musique et désignation d'un président, qui fut le seul Espagnol présent, le cardinal de Santa-Croce Bernardo de Carvajal. Le 7, furent proclamés les cinq décrets sur lesquels se fondait le concile. On réfuta successivement les quatre reproches que lui adressait la Cour de Rome et l'on déclara solennellement ne pas vouloir empiéter sur la dignité pontificale, mais seulement rétablir le gouvernement des « principaux » de l'Église, pour mettre fin à l'omnipotence du Saint-Siège. Et, le 12, effrayés de l'attitude de plus en plus hostile des Pisans, les « pères conciliaires » jugèrent

plus prudent de se replier sur Milan, où ils ne furent pas beaucoup mieux accueillis par le clergé lombard.

Malgré ces débuts peu glorieux, malgré l'attitude inquiétante
de Maximilien qui se rapprochait insensiblement de la Sainte
Ligue, malgré les pressions exercées par la reine Anne (qui se
déclarait sans vergogne pour le contre-concile de Latran), Louis
XII s'entêtait et prévoyait même une attaque directe contre les
États du pape. Il avait ordonné à Yves d'Alègre, gouverneur de
Savone, de confisquer en Ligurie tous les biens patrimoniaux de
Jules II, de sa famille, de ses amis et de jeter en prison tous ceux
qu'on pouvait soupçonner de lui rester fidèles. Il écrivait en
même temps à Gaston de Foix, établi alors à Milan, de se tenir
prêt à toute éventualité, car lui-même ne pouvait encore venir,
préférant rester auprès de la reine, dont la grossesse atteignait
son huitième mois.

En bonne tactique, sans attendre d'être attaqué, le pape prit
les devants. Déjà il faisait avancer les Espagnols sur Bologne, les
Vénitiens sur Ferrare et surtout les Suisses sur la Lombardie,
cœur de la cible. Dans le courant de novembre, 11 000 de ces
rudes montagnards franchissaient le Saint-Gothard enneigé,
derrière un immense étendard rouge qui avait déjà flotté lors des
victoires remportées autrefois sur Charles le Téméraire. Le 9
décembre, ils atteignirent Varèse, qu'ils mirent aussitôt à sac.
N'essayant point de s'opposer à un pareil déferlement, lui-
même fortement retranché dans Milan, Gaston les laissa arriver
jusque devant la ville, devinant que son artillerie et ses fortes
murailles ne seraient pas sans impressionner ces fantassins plus
à l'aise dans le maniement de l'arquebuse ou de la pertuisane
que dans l'art poliorcétique. Calcul judicieux, puisque, au bout
de cinq jours, les Suisses se replièrent sur Monza, non sans piller
et détruire de fond en comble plus de vingt villages malencon-
treusement situés sur leur trajet de retour. Puis, alanguis de
souvenirs délicieusement sanglants, alourdis de butin, les
« meilleurs soldats du monde » rentrèrent bien sagement jusque
dans leurs lointaines montagnes, à l'amère fureur de Jules II et
de son complice Mathieu Schinner.

Louis XII venait d'apprendre cette nouvelle relativement

favorable, quand, le 21 janvier 1512, vers trois heures de l'après-midi, en son château de Blois, Anne de Bretagne lui donna un fils. Il eut à peine le temps de s'en réjouir, car l'enfant devait mourir en moins d'une heure. Nous le savons, ce n'était pas en ce domaine la première déception du roi, toujours aussi désireux d'avoir un petit dauphin. Peut-être endurci par les expériences précédentes ou gardant l'espoir d'obtenir satisfaction une autre fois, il semble avoir surmonté assez vite sa tristesse. Dès la fin du mois, il n'attendait plus, semble-t-il, que les relevailles de sa femme pour prendre à nouveau la route de Lyon et repasser en Italie : n'avait-il pas déclaré peu auparavant qu'il entendait garder Bologne coûte que coûte et qu'il la défendrait en personne, avec autant de détermination que sa bonne ville de Paris ?

Finalement il ne reparaîtrait plus jamais au-delà des Alpes. L'état de la reine, mal remise de son dernier accouchement, suffisait de toute façon à le retenir en val de Loire ; par surcroît, en mauvaise santé lui-même, il venait de trouver en son neveu Gaston de Foix un général remarquable qui pouvait en quelque sorte le relayer sur les champs de bataille et allait, durant la brève campagne du printemps 1512, donner toute la mesure de son génie militaire.

Dès janvier, forte de huit mille fantassins, de mille cavaliers, de quinze cents genétaires et de vingt-deux pièces d'artillerie, l'armée espagnole, bientôt rejointe par huit cents lances pontificales, avait mis le siège devant Bologne, défendue par quelques centaines d'hommes seulement, des partisans des Bentivoglio ou des soldats aux ordres de Lautrec. L'opinion générale était que les « Français » ne pourraient résister bien longtemps aux forces combinées du pape, du roi Ferdinand et de la Sérénissime République de Venise.

Pourtant Gaston n'écoute pas ces sombres prédictions, quitte Milan, retrouve son allié le duc de Ferrare et se rapproche hardiment de Bologne, où Lautrec semblait sur le point de se rendre. En fait, il apprend alors que l'investissement n'est pas terminé, il repère le passage resté libre et, en pleine nuit, à travers les tourbillons de neige et de vent, au nez et à la barbe des

assiégeants endormis, il fait entrer dans la ville treize cents lances et quatorze mille gens de pied, exploit passablement invraisemblable et cependant bien réel. En se réveillant, les Hispano-
pontificaux avaient devant eux une cité devenue imprenable :
avec beaucoup de sagesse, ils choisirent de se replier sur la
Romagne.

Au même moment ou presque, les Vénitiens réussirent à
tromper la vigilance des Français et à pénétrer par surprise dans
Brescia, mais sans parvenir à s'emparer de la citadelle, qu'ils
serraient de près. Gaston comprend aussitôt le danger, ne laisse
dans Bologne que quatre mille hommes, fonce avec le reste de
ses troupes, écrase en cours de route un corps d'armée de la
Sérénissime, arrive le 19 février devant Brescia, en force les
portes après une lutte furieuse contre les soldats de Saint-Marc,
délivre enfin la citadelle et, pour permettre à ses hommes de se
détendre, les laisse saccager la ville autant qu'il est possible.
Vingt-deux mille personnes, paraît-il, seront égorgées, et même
s'il semble bien que cette ville ne pouvait compter alors autant
d'habitants, il est sûr que là nous avons affaire à l'un des massacres les plus atroces qu'on ait connus au cours de ces guerres.

Fort d'un tel exemple, Gaston de Foix repart, cette fois pour
la Romagne. Il sait que les circonstances lui sont maintenant
favorables et que l'occasion est peut-être décisive. De France, il
vient de recevoir quelques renforts de Gascons, de Champenois
et d'Allemands qui lui donnent une légère supériorité numérique, au moins sur les seuls Espagnols. Il sait aussi que Louis XII
a hâte d'emporter la décision, car, toujours prêts à se vendre, les
Suisses semblent vouloir redescendre sur le Milanais, Ferdinand
menace la France par la Navarre, Henry VIII poursuit ses préparatifs de débarquement et Maximilien vient de conclure avec
les Vénitiens une trêve de huit mois qui ressemble fort à une
trahison envers le Très-Chrétien.

Il ne restait plus qu'à rencontrer les troupes ennemies, ce qui
n'était pas si facile, car, fidèle à la tactique italienne, l'armée
hispano-pontificale se dérobait avec art, cherchant à fatiguer, à
désorienter les Français, cherchant aussi à gagner du temps

jusqu'à l'arrivée des Vénitiens qui, après leurs derniers déboires, reconstituaient leurs forces. Pour contraindre l'ennemi à combattre, il fallait le menacer en un point qui lui importait tout particulièrement.

C'est pourquoi le 9 avril, jour du Vendredi saint, Gaston de Foix se jette à l'improviste sur Ravenne, qui appartient désormais au pape et que tient Marcantonio Colonna, avec quinze cents fidèles et un peu d'artillerie. L'assaut des Français échoua, ils y perdirent trois cents hommes, mais, craignant de voir la place finir par se rendre, l'armée de la Ligue arriva dès le lendemain en vue des troupes royales. Pour le neveu de Louis XII, l'objectif était atteint : la bataille devenait à peu près inévitable.

L'engagement commença au matin du 11 avril 1512, jour de Pâques, entre deux masses humaines d'une importance sensiblement égale. Pendant les deux premières heures, tout devait se borner à un duel d'artillerie, très meurtrier de part et d'autre, mais sans apporter de résultats décisifs, les uns s'abstenant d'attaquer, les autres n'osant sortir de leurs retranchements. Une double initiative française allait tout précipiter. Gaston de Foix ayant disposé son armée en demi-cercle, il fit passer sur ses arrières une partie des canons de sa droite sur sa gauche pour créer un effet de surprise et prendre davantage l'ennemi de flanc ; de son côté, La Palisse lâchait sa cavalerie de réserve sur les escadrons espagnols qui se battirent d'abord avec un incontestable panache : « Vindrent ainsy mil hommes d'armes des leurs, comme gens désespérés de ce que nostre artillerie les affolait, ruer sur nostre bataille, en laquelle estoit Monsieur de Nemours [c'est-à-dire Gaston de Foix] en personne et aultres, jusques au nombre de quatre cens hommes d'armes ou environ, qui receurent lesdits ennemis de si grant cœur qu'on ne vit jamais mieulx combattre. Monsieur de Nemours rompit sa lance entre les deux batailles et perça ung homme d'armes des leurs, tout à travers et demi brassée davantage *[sic]*. » Mais, décimés en même temps par l'artillerie royale, les cavaliers de la Ligue commençaient à reculer en désordre ; bientôt les principaux chefs ennemis prirent la fuite ou furent faits prisonniers.

Seule ou presque, l'infanterie espagnole réussissait encore à
se maintenir : cette « masse énorme, serrée, avec l'épée pointue
et le poignard, soutenait sans sourciller, comme l'écrit si bien
Michelet, la mouvante forêt des lances allemandes » au service
du roi de France. Peu à peu, les fantassins de Ferdinand commencèrent à fléchir. Certaines compagnies se laissaient anéantir
sur place, d'autres avaient pris la fuite, d'autres encore tentaient
de se replier en bon ordre sur Ravenne. C'est en poursuivant
une de ces bandes que Gaston aurait reçu une arquebusade à
bout portant. Tombé de cheval, il ne put se relever, et les Espagnols en déroute l'achevèrent à coups de pique. Un peu plus
tard, on retrouva son corps percé de dix-huit blessures, reçues
toutes par-devant. Près de quinze mille hommes devaient rester
comme lui sur le champ de bataille, dont un tiers de « royaux »,
beaucoup de chefs, anciens des campagnes milanaises ou napolitaines comme Yves d'Alègre, La Cropte, Dumolard, et encore
plus de simples soldats, « piétons » français ou lansquenets allemands.

Avec Gaston de Foix, Louis XII perdait non seulement un
neveu chéri, un vrai fils, mais surtout un « lieutenant » remarquable, qui, en quelques mois seulement, avait su s'imposer à
d'autres chefs plus âgés que lui, comme Trivulce, s'attacher la
fidélité de mercenaires qu'on oubliait parfois de payer, joindre
l'audace à la prudence, l'improvisation aux préparatifs les plus
minutieux, donner une mobilité toute nouvelle à l'artillerie et
imposer à l'infanterie un rythme beaucoup plus rapide, aussi
bien sur la route que sur les champs de bataille. Quand il eut
appris la triste nouvelle, le roi eut pour Gaston les larmes qu'il
n'avait pas assez versées pour son ami Georges d'Amboise :
« Plust à Dieu, se serait-il écrié, que je n'eusse pas un pouce de
terre en Italie, et que mon neveu et que le reste des seigneurs
fussent en vie, et j'aimerois mieux que l'ennemi eust une victoire pareille à la nostre ! »

La consternation régnait de même dans le camp français. Dès
le soir de cette triste victoire, les capitaines tinrent conseil. A
l'unanimité, comme nouveau lieutenant général du roi et successeur de Gaston, ils désignèrent Jacques de Chabannes, sei-

gneur de La Palisse, qui avait été assez grièvement blessé au cours de la bataille. Soldat loyal et brave, il n'avait pas, hélas ! les éminentes qualités militaires de son prédécesseur.

Ce fut lui qui, à ce titre, reçut les clefs de Ravenne, mais sans pouvoir empêcher Gascons, Picards, Allemands de piller impitoyablement la ville et de massacrer ses habitants avec presque autant de fureur qu'ils l'avaient fait naguère à Brescia. L'effet de ces nouveaux excès fut tel dans toute la Romagne que Rimini, Cesena, Imola, Cervia, Faenza s'empressèrent de se soumettre aux représentants du roi de France. Le pape perdait d'un coup tout ce pays qu'il avait eu tant de mal à reprendre aux Vénitiens.

Quand il apprit toutes ces nouvelles le 14 avril, Jules II se vit déjà assiégé dans Rome par les hordes « schismatiques » ; il prit peur et courut s'enfermer au château Saint-Ange. Ses fidèles, ses familiers, les cardinaux présents se jetaient à ses pieds, le suppliant d'accepter toutes les conditions que pourrait lui imposer Louis XII. L'imprévisible vieillard était sur le point de céder quand il apprit successivement que Gaston était mort et bien mort, que, d'une façon plus générale, les vainqueurs semblaient très éprouvés par cette perte, que le duc de Ferrare était reparti chez lui avec ses troupes, que La Palisse serait visiblement un chef médiocre et que les Suisses, toujours aux aguets, ne demandaient qu'à rentrer en scène. Déjà, le pape reprenait confiance. Une fois encore il se prépara à la lutte.

Il le faisait avec d'autant plus de détermination que, par surcroît, Louis XII venait de commettre une grossière erreur. Il avait pensé que sa victoire allait lui permettre de dissocier la Sainte Ligue, espérant au fond de lui-même une réconciliation avec le Saint-Père. Moyennant quoi, il avait ordonné à La Palisse non seulement d'arrêter sa marche sur Rome, mais d'évacuer toutes les villes romagnoles qui venaient d'être prises et même de licencier une partie de ses troupes. Jules II sut mettre à profit une semblable aubaine : feignant un court moment de répondre aux avances pacifiques de Louis XII, il en profitait pour rameuter un peu partout ses partisans, se rapprocher davantage encore de l'hésitant Maximilien, préparer activement son contre-concile de Latran et, bien évidemment, exciter l'ardeur guerrière des Suisses, plus indispensables que jamais aux projets pontificaux.

En moins de quelques semaines, voire en quelques jours, tout le fruit de la bataille de Ravenne était perdu. Gaston de Foix était mort pour rien.

CHAPITRE XVII
Les défaites

Au moment où les Français quittaient la Romagne, Jules II ouvrait le concile de Latran, auquel participaient personnellement une centaine de prélats. La plupart d'entre eux étaient italiens, mais on voyait affluer les adhésions venues de Hongrie, d'Espagne, d'Angleterre, d'autres pays encore auxquels vint s'ajouter en novembre le poids décisif du Saint-Empire. Certains naïfs, comme le général des Augustins Gilles de Viterbe, avaient cru qu'on aborderait essentiellement les abus de l'Église et leur nécessaire réforme.

En fait, on comprit vite qu'il s'agissait surtout de combattre et même d'anéantir le concile rival de Pise-Milan, de condamner une fois de plus la Pragmatique Sanction de Bourges, de restreindre autant que possible les libertés des diverses églises nationales, de proclamer l'union solennelle de l'Église sous la houlette de Rome, de reprendre intégralement la théorie traditionnelle accordant au pape une suprématie totale sur les conciles et n'attribuant qu'à lui le pouvoir de convoquer des assemblées de ce type.

Pour le Saint-Père, il s'agissait là d'un éclatant succès. Désormais, il pouvait élargir encore la Ligue. Toujours contre la France, il conclut le 17 mai une nouvelle alliance avec Venise, l'Angleterre, l'Espagne et, cette fois, l'empereur Maximilien, qui réintégrait tout naturellement le camp des ennemis ordinaires de Louis XII. Or, contre celui-ci, l'on ne pouvait rien faire sans les Suisses.

Qu'à cela ne tienne ! le bouillant évêque de Sion, Mathieu Schinner, sut une fois de plus leur parler le langage qui convenait : « L'Épouse de Notre Seigneur Jésus-Christ, notre Sainte Église, est, comme l'Italie tout entière, cruellement opprimée, maltraitée, déchirée. Le *tyrannus gallicus* [ou tyran français] veut l'asservir, pour imposer son joug impie à toute la chrétienté. Aussi ne cesse-t-elle de réclamer à ses enfants un secours urgent et très rapide ! » Dès le début de mai, vingt-cinq mille Suisses arrivaient par la vallée de l'Adige et marchaient sur Vérone où ils faisaient leur jonction avec les Vénitiens, en attendant les pontificaux qui venaient de reprendre la Romagne et de nouveaux renforts espagnols qui s'avançaient à marches forcées depuis les lisières du royaume de Naples.

Pour faire face aux trois armées qui se proposaient visiblement d'entrer toutes à la fois en Milanais, La Palisse pouvait encore aligner quinze mille hommes, mais, sur ce nombre, il allait bientôt perdre six mille lansquenets, qui repartirent en Allemagne pour obéir aux ordres de l'empereur Maximilien. Autant dire qu'il n'avait pratiquement plus d'armée, et le malheureux n'insista pas.

Tandis que le peuple lombard se soulevait un peu partout contre les « Barbares d'outre-mont », tandis qu'il acclamait le nom des Sforza et en particulier celui du jeune Massimiliano, le fils du More, tandis qu'il chassait du *Duomo* les cardinaux-prélats réputés « schismatiques », qu'il refusait de continuer à payer les impôts royaux et massacrait allègrement tout ce qui était français, tandis que, de leur côté, Gênes, Savone, Plaisance chassaient les garnisons françaises, La Palisse se voyait contraint d'abandonner successivement Bologne, Bergame, Crémone, Pizzighettone, Asti, Pavie et même Milan, à l'exception toutefois de la citadelle, qui allait résister longtemps encore. Emmenant à sa suite les derniers membres du concile, d'abord réuni à Pise puis dans la capitale lombarde, il rentra en France avec la plupart de ses troupes vers la fin de juin 1512, suivi de près jusqu'au passage des Alpes par les harcèlements continuels des mercenaires suisses.

Louis XII était revenu à Grenoble avec la reine pour y

recueillir les débris de ce qui avait été une si belle armée. Énergique et courageux comme il l'était toujours dans l'adversité, il pensait déjà à lever de nouveaux subsides, à reconstituer des troupes, à enrôler d'autres mercenaires pour se prémunir contre la menace anglaise et surtout à attaquer Ferdinand d'Aragon en Navarre. Il devait même lancer une timide tentative de ce côté en octobre 1512, mais, au lieu de prendre personnellement en main les opérations, de mener au-delà des Pyrénées ce nouveau corps expéditionnaire de sept cents hommes d'armes et mille fantassins, il préféra confier le tout à La Palisse, tout en restant lui-même frileusement calfeutré à Blois, ce qui explique peut-être l'échec de cette diversion.

Diversion, en effet, car, pour Louis XII, le principal théâtre d'opérations ne pouvait être que le Milanais, où il avait une revanche capitale à prendre. Désormais, il avait perdu de façon définitive l'appui de Maximilien qui, le 19 novembre 1512, venait enfin d'entrer dans la Sainte Ligue, de la façon la plus nette et la plus officielle. Pourtant, avec les levées systématiques — et partielles — du ban et de l'arrière-ban, avec un appel plus large encore aux contingents provinciaux et les accords passés avec de nouveaux lansquenets allemands, le roi pensait reprendre d'ici peu l'initiative en Italie du Nord.

Par surcroît, la situation intérieure de son ancien duché ne l'incitait-elle point à un relatif optimisme ? Les troupes d'occupation suisses et allemandes s'y comportaient de façon déplorable. Appelé par celles-ci dans la capitale de ses pères, Massimiliano Sforza avait attendu jusqu'au 29 décembre 1512 pour revenir, ce qui montrait son peu de confiance en lui-même. Dès les premiers jours, il avait déçu tous les espoirs mis en lui. De santé médiocre, faiblement intelligent, mal inspiré, mal conseillé, le nouveau duc commença son règne en s'abaissant à de faciles vengeances ; ses exactions intolérables, ses injustices criantes lui aliénèrent rapidement les sympathies de ses sujets. Un mois après en avoir égorgé avec tant d'ardeur, les plus excités de la populace regrettaient déjà les Français et le « temps du bon duc Louis ». Le plus grave était que, parmi les coalisés, les appétits s'aiguisaient et que chacun lorgnait sur des parts plus ou moins importantes du gâteau milanais : à Bellinzona, Domodossola, Lugano et Locarno, les Suisses auraient bien voulu ajouter Côme, Novare et Varèse ; le marquis de Mantoue émettait des prétentions sur Peschiera ; le duc de Savoie, sur Verceil ; les Vénitiens, sur tout ce qu'ils avaient perdu en 1509 ; quant au pape, non seulement il exigeait à voix haute Parme et Plaisance, mais il souhaitait secrètement récupérer tout ce que réclamaient les autres.

Malgré les incontestables succès de sa politique, Jules II ne décolérait pas. Parmi les « Barbares », il avait réussi à ne chasser d'Italie que les Français, mais il en restait d'autres : les Suisses, les Allemands, surtout les Espagnols auxquels il semblait vouloir se consacrer désormais. Au cardinal Grimani qui lui demandait quelques précisions sur ce point, il répondit en agitant nerveusement son bâton : « Oui, avec l'aide de Dieu, je leur reprendrai Naples ! »

Un seul détail gênant : cette fois, l'aide du ciel allait lui manquer. Déjà ses forces l'abandonnaient, irréversiblement. Le 4 février 1513, il réglait les détails de ses funérailles. Puis il se confessa et demanda aux cardinaux présents de prier pour le repos de son âme ; en tant que prêtre, il eut soin de pardonner aux « schismatiques » de Pise, mais, en tant que pape, il maintint sa malédiction. Il avait déjà reçu l'extrême-onction quand il refusa une ultime requête, présentée par l'une de ses filles naturelles, Felicia, qui lui demandait un chapeau de cardinal pour son frère utérin. Dans la nuit du 20 au 21 février enfin, il mourut.

Si l'on peut penser qu'à cette nouvelle Louis XII eut du mal à réprimer un soupir de soulagement, il apparaît que, dans l'immédiat, ce décès ne changea guère le cours des choses. Dès le 11 mars, le cardinal Jean de Médicis était élu sous le nom de Léon X. Encore assez jeune, ce gros homme d'intelligence médiocre et de mœurs incertaines n'avait évidemment ni l'envergure, ni l'âpreté haineuse de son prédécesseur. L'ambassadeur impérial Alberto Pio de'Carpi le représente comme humain, généreux, bienveillant, ami des arts et prêt à jouer les mécènes : « Il sera, écrit-il à Maximilien, doux comme un

agneau plutôt que féroce comme un lion, plus partisan de la
paix que de la guerre, mais certainement il ne sera pas l'ami des
Français. » Il allait donc continuer la politique de Jules II, mais
avec un bonheur inégal. Déjà la situation s'annonçait pour lui
un peu moins favorable.

Par un de ces retournements continuels dont nous commençons à avoir l'habitude, Louis XII réussit bientôt à pratiquer une
première cassure dans la coalition antifrançaise. Les Vénitiens,
redoutant en effet une excessive mainmise du pape, de l'Espagne et de l'empereur sur l'entité italienne, abandonnent brusquement leurs alliés, et, par le traité du 14 mars 1513, s'entendent avec la France pour partager à l'amiable le nord de la
péninsule : le Milanais au Très-Chrétien, les possessions pada-
nes, frioulanes et istriennes de l'empereur à la Sérénissime.

En digne successeur de Jules II, le nouveau pontife réagit
d'abord avec une fermeté qu'on n'aurait point attendue de lui :
le 5 avril, il met sur pied la ligue dite « de Malines », qui resserre
les liens entre le Saint-Siège, Maximilien, l'Angleterre, l'Espagne et, bien évidemment, les cantons suisses. Les objectifs
étaient plus précis et ambitieux qu'ils ne l'avaient jamais été : il
s'agissait d'empêcher à tout prix le retour des Français en Italie,
de ruiner à jamais leur prépondérance en Europe occidentale et
même, si possible, de chasser Louis XII du trône.

En quelque sorte cachées par des déclarations hostiles aux
Turcs et qui servaient de prétexte, ces dernières clauses étaient
restées secrètes, et le roi de France put se croire les mains plus
libres qu'elles ne l'étaient en réalité. En mai 1513, vers le 10 du
mois, grossis de nouvelles recrues provinciales et de lansquenets allemands, ses contingents ramenés de Navarre franchissaient sur son ordre, une nouvelle fois, les Alpes, pour
reprendre Milan et la Lombardie. Plus que jamais perclus de
goutte, Louis a dû rester au château de Vincennes en compagnie du jeune duc François de Valois-Angoulême, son héritier
présomptif, dont l'influence semble grandissante. Grâce à des
courriers quotidiens, voire biquotidiens, ils pouvaient surveiller
à peu près les opérations, confiées à deux « lieutenants généraux » de fidélité éprouvée, Trivulce et surtout Louis de La
Trémoïlle.

Tout avait assez bien commencé pour eux. Tandis que leurs alliés les Vénitiens attaquaient par l'est, les Français prenaient Alexandrie sans coup férir, et Milan se soulevait une fois de plus, cette fois contre le fils de Ludovic, qui prit la fuite avec deux cents chevaux, un millier d'hommes, quelques canons et alla s'enfermer dans Novare. Les troupes royales investirent aussitôt la place, dont les défenses semblaient bien faibles pour soutenir longtemps le siège d'une armée entière. Les conseillers militaires du Sforza le savaient et ne mettaient plus leurs espoirs que dans l'arrivée de leurs bons amis suisses.

Sur ce point, ils n'allaient pas être déçus : les cantons leur envoyaient dix-huit mille hommes qui, après une marche d'une rapidité foudroyante, arrivèrent en vue de la ville au soir du 5 juin. L'emportement et la fraîcheur de ces rudes guerriers étaient tels qu'ils voulaient se précipiter immédiatement sur l'armée adverse.

En fait, ils durent remettre l'affaire au lendemain, tout en profitant de la nuit pour faire passer douze canons et cinq mille des leurs à l'intérieur de la ville, dont les défenses se trouvaient ainsi renforcées de façon appréciable. Dès les premières heures de la matinée, ils attaquèrent de deux côtés à la fois, leur artillerie tirant sans arrêt depuis les remparts, leurs fantassins surgissant à l'improviste des forêts avoisinantes. Même s'ils perdirent eux-mêmes quelques milliers des leurs, les Suisses purent mettre parfaitement à profit l'effet de surprise et procédèrent à un véritable carnage dans les rangs « français ». Par la suite, à l'heure des comptes, ils prétendirent avoir fait main basse sur une partie du matériel et des bagages, ainsi que sur vingt-quatre grosses pièces d'artillerie, ce qui est vrai ; avoir tué plus de huit mille hommes au total, ce qui est peut-être exagéré ; et avoir en particulier anéanti les deux tiers des lansquenets allemands, ce qui n'est pas invraisemblable.

La Trémoïlle et Trivulce furent sauvés d'un désastre plus grand encore par le fait que, les Suisses, n'ayant point de cavalerie, ne purent exploiter à fond leur victoire. Avec les contingents qui leur restaient, les deux chefs parvinrent au moins à se retirer en bon ordre et, par le Mont-Cenis, à repasser en France.

Une nouvelle fois, le Milanais était perdu pour Louis XII. Même s'il savait faire face à l'adversité, même s'il ne s'avouait jamais vaincu, même si, à l'annonce de cette mauvaise nouvelle, il devait déjà penser à une revanche future, c'était évidemment là un coup très dur pour lui, que l'inquiétude poussait à accentuer le côté spectaculaire de ses dévotions et à accorder des dons considérables à plusieurs communautés religieuses de la région parisienne.

Inquiet, il l'était d'autant plus que la guerre s'installait maintenant au nord du royaume, sur la partie vulnérable de nos frontières picardes. Henry VIII venait en effet de passer à l'action, en principe de concert avec Maximilien. Durant la dernière semaine de mai et la première de juin, des troupes anglaises n'avaient cessé de traverser le bras de mer pour se masser autour de Calais.

Plutôt que de chercher à s'emparer de Boulogne, d'Ardres ou de Guines qu'il convoitait depuis longtemps, le Tudor se laissa convaincre par Maximilien et, pour mieux s'assurer son aide, accepta de mettre le siège devant Thérouanne, une ville alors assez importante que l'Autrichien rêvait d'ajouter aux domaines de son petit-fils, l'archiduc Charles de Gand-Luxembourg.

Dès qu'il fut au courant, Louis XII réagit assez vite et envoya quelques troupes vers le nord, surtout de la cavalerie, mais sans se faire trop d'illusions sur les possibilités d'une résistance efficace à brève échéance. Fort heureusement, nos adversaires agissaient eux-mêmes sans hâte excessive. Il fallut attendre le 30 juin pour voir Henry VIII débarquer sur le continent et la mi-juillet pour que Maximilien se montrât enfin, ce qui permit au moins à Louis XII de se rapprocher du front, de s'installer pour plusieurs semaines dans sa bonne ville d'Amiens, de mieux surveiller les opérations et aux Français d'arriver à leur tour en vue de Thérouanne, de s'installer solidement dans le camp retranché de Blangy, voire de faire passer quelque quinze cents lances, des vivres, de l'armement dans la ville assiégée.

Les quinze premiers jours d'août furent occupés d'escarmouches diverses qui permettaient aux cavaliers français de « faire la nique » à des ennemis beaucoup plus nombreux, les dix mille

archers anglais et les cinq ou six mille Allemands aux ordres de
Maximilien. Enfin, même s'il ne présenta rien de bien remarquable sur le plan tactique, l'engagement décisif eut lieu le
lendemain de l'Assomption.

Pour exécuter les ordres du roi, les Français avaient décidé de
ravitailler la ville qui résistait toujours. Une grande partie de la
garnison devait sortir du camp de Blangy avant le jour pour
soutenir la cavalerie légère qui arriverait au galop jusque sous
les murs de Thérouanne : chaque monture porterait derrière la
selle ou bien un sac de poudre ou la moitié d'un porc salé, que
les assiégés viendraient prendre au plus vite, tandis que les
hommes d'armes de la cavalerie lourde protégeraient l'opération. Une fois la mission accomplie, les ravitailleurs et leur
escorte se retireraient sans avoir, espérait-on, attiré l'attention
des Anglo-Allemands.

Malheureusement, Henry VIII avait été averti du projet par
ses espions. Dans la nuit du 15 au 16, plusieurs milliers de ses
hommes s'installèrent avec un peu d'artillerie sur des tertres
boisés où l'on pouvait aisément se cacher, puis couper la retraite
aux Français lorsqu'ils reviendraient de leur expédition. Celle-
ci réussit en effet au-delà de toute espérance ; et, joyeux d'avoir
joué un bon tour aux Anglais, les nôtres rentraient sur Blangy en
abandonnant toute prudence : certains s'étaient même arrêtés
pour « poser la lance et oster la cuirasse », car le soleil commençait à être chaud.

C'est alors que les canons ennemis commencèrent à faucher quelques têtes. Déjà une nuée de fantassins dévalaient les
pentes, profitant de la surprise et faisant assez grand massacre.
Chez les Français, ce fut un beau désordre, suivi par un
sauve-qui-peut général, avec les cavaliers qui, pour aller plus
vite, pour fuir jusqu'au village voisin de Guinegatte ou
Enguinegatte, jouaient des éperons « d'une façon merveilleuse ».
Quant à ceux qui tentèrent de résister, comme certains des
« plus grands de France », comme le comte de Dunois ou le duc
de Longueville, ceux-là se retrouvèrent prisonniers et couchè-
rent le soir même dans le camp d'Henry VIII. Même si les pertes
françaises restèrent modestes — pas plus de deux cents

morts, une misère ! —, l'effet moral fut désastreux et l'on parla longtemps de la fameuse « défaite » de Guinegatte ou « journée des Éperons » !

Maigre consolation : grâce à l'opération de ravitaillement qui avait coûté si cher aux forces royales, Thérouanne tenait toujours, et, selon l'avis des experts, sa résistance pouvait se prolonger fort longtemps encore. Mais Louis voulait pouvoir ordonner d'autres missions aux quelque deux mille hommes d'armes qui la défendaient héroïquement depuis bientôt neuf semaines. Par des intermédiaires non identifiés, il « leur fit entendre qu'ilz trouvassent moyen de faire honnourable composicion ». Ce qui leur fut accordé par les assiégeants, car ceux-ci, de leur côté, craignaient d'être retenus devant ces murs rebelles jusqu'à la fin de la campagne. La garnison rendit la ville le 23 août et en sortit avec les honneurs de la guerre, les hommes d'armes chevauchant « enseignes desployées, l'armet en la tête et la lance sur la cuysse », les gens de pied marchant en bon ordre, « en sonnant du tabourin ».

Malgré ces quelques consolations d'amour-propre, il s'agissait bel et bien d'une nouvelle défaite, et Louis XII ne s'y trompa point. Avec son gouvernement, il faisait front néanmoins, cherchant visiblement à susciter chez ses sujets une sorte de réaction nationale, maintenant que — grande nouveauté depuis Louis XI — le sol national commençait à être à nouveau foulé par les pas de l'ennemi. Des guetteurs spéciaux reçurent l'ordre de hâter les courriers, et la reine Anne elle-même envoya l'un de ses pages annoncer à la municipalité d'Orléans la chute de Thérouanne. Tout se passait comme si le roi tenait à ce que les quatre coins du royaume pussent être atteints au plus vite par toutes les nouvelles, même les plus mauvaises.

Celles-ci continuaient à s'accumuler. Le roi Jacques IV d'Écosse restait, avec Venise, l'un de nos rares alliés ; par loyauté envers Louis XII et dans l'intention de le soulager sur le front de Picardie, il venait de pénétrer dans le nord de l'Angleterre avec une forte armée, mais, le 9 septembre, à Floddenfield, il fut battu par le comte de Surrey et tué à l'issue de la bataille, avec — paraît-il — dix mille de ses meilleurs soldats. Rassuré sur la situation de son propre royaume, Henry VIII pouvait donc, en toute tranquillité, mettre le siège devant une autre place-forte, Tournai, qui appartenait alors à la France.

Battu, menacé de toutes parts au nord du pays, Louis apprenait bientôt que, pour comble d'infortune, les Suisses menaçaient tout aussi dangereusement ses frontières de l'est. Poussé lui-même par l'infatigable Marguerite qui ne désespérait pas de récupérer intégralement l'héritage de sa mère, Maximilien venait de s'entendre avec les cantons pour jeter sur la Bourgogne une armée mixte de trente mille hommes, qui pourrait même pénétrer plus avant dans l'intérieur de la France et marcher sur Paris, laissé sans défenses.

Louis XII, il est vrai, avait plus ou moins prévu une telle éventualité. A La Trémoïlle, revenu d'Italie, il avait confié la garde du duché. Mais, avec seulement mille lances et six mille fantassins, laissé pratiquement sans argent, sans instructions, en butte aux réserves, sinon même à l'hostilité d'une partie de la population qui était restée fidèle à la dynastie du Téméraire, le fidèle soldat ne pouvait pas entreprendre grand chose. Quand, le 7 septembre 1513, l'envahisseur parut devant Dijon, la situation de la ville semblait désespérée, et La Trémoïlle avait aussitôt envoyé un courrier spécial à Amboise, où le roi sortait péniblement de maladie.

Celui-ci fit seulement répondre qu'en raison de la guerre de Picardie « il ne povoit lui envoyer secours ». En conséquence de quoi, il le laissa faire « ce qu'il pourroit pour le prouffict et utilité de luy et du Royaulme ». Ce qui était bien vague et semblait accorder toute liberté au vieux serviteur de la monarchie. Du moins celui-ci comprit-il ainsi le message. Il se hâta d'entamer des pourparlers avec les gens des cantons, étant bien déterminé, pour sauver la Bourgogne, le roi et la France, à accepter toutes les conditions qui lui seraient proposées ; par simple réflexe de négociateur et pour donner plus de poids à ses futures concessions, il feignit seulement de vouloir résister, d'ergoter sur les différents points du futur accord, puis consentit à tout.

Le premier article prévoyait que le roi de France aurait à

payer aux Suisses, en deux termes, la somme énorme de 400 000 écus d'or, dont 20 000 comptant, au moment où le siège serait levé. Par le second, Louis XII renonçait solennellement à tous ses droits sur le duché de Milan, sur la seigneurie de Gênes, même sur le comté d'Asti, et abandonnait le tout à Massimiliano Sforza. Enfin le troisième stipulait un désaveu formel du concile de Pise et une adhésion sans réticence à celui de Latran.

Ce traité dit de Dijon, en date du 14 septemre 1513, fut signé du côté suisse par Jacques de Watteville, avoyer de Berne, qui, en cette affaire, fit preuve d'une certaine imprudence, car il négligea de demander si La Trémoïlle était bien muni des pouvoirs nécessaires pour prendre semblables engagements au nom du roi son maître. De leur côté, ses hommes se contentèrent de toucher leurs 20 000 écus comptant, levèrent le siège et repartirent en hâte vers leurs lointains cantons.

En général, les contemporains reconnurent ou ne tardèrent pas à reconnaître les services insignes que La Trémoïlle avait rendus au royaume en cette occasion. « Sans cette honneste défaite, écrit Jean Bouchet, le royaulme de France estoit lors affolé, assailly en toutes ses extrémitez par ses voisins adversaires, [il]... n'eust, sans grant hasard de finalle ruyne, pu soustenir le faix et se deffendre par tant de batailles. » De son côté, le Chroniqueur « du chevallier Bayart » nous apprend que, « de cette composicion, fut blasmé le dit seigneur de La Trémoïlle par plusieurs, mais ce fut à grand tort, car jamais homme ne fit si grand service en France pour un jour, que quand il fit retourner les Suysses de devant Dijon, et depuys l'a-t-on bien connu de plusieurs manières ».

Parmi ceux qui l'ont blâmé en cette affaire, il y aurait eu le roi. En fait, il semble bien que Louis XII ait compris le service que La Trémoïlle lui avait rendu. Mais, feignant la colère, il refusa de ratifier le traité, sous le prétexte que le général avait agi sans avoir reçu les pouvoirs suffisants et que certaines clauses étaient attentatoires à sa royale majesté : de toute évidence, la perspective d'abandonner définitivement Milan et son cher comté d'Asti lui semblait un sacrifice absolument inacceptable.

Le risque était de voir revenir les Suisses, plus agressifs et belliqueux que jamais. Aussi prit-il soin de les ménager malgré tout, leur envoyant, faute de mieux, 50 000 écus en plus des 20 000 déjà versés. Il en aurait fallu bien d'autres pour calmer la rancœur de ses adversaires ; un peu partout en Europe, les belles âmes de service stigmatisaient la mauvaise foi du Très-Chrétien ; Ferdinand jouait la consternation ; Maximilien s'indignait ; Henry VIII l'assurait de sa compassion, et, sans avoir refusé le second versement français, les cantons venaient de se prononcer, d'une voix unanime, pour une vengeance éclatante envers le Capétien.

Celui-ci comprit qu'il fallait aller plus loin encore dans la voie de certaines concessions, aussi loin que le permettaient le souci de sa dignité et la considération de ses intérêts primordiaux. De même qu'elle était toujours restée en rapport avec la Cour de Rome, Anne de Bretagne continuait une correspondance avec l'Espagne, plus particulièrement avec le vieux Ferdinand d'Aragon, car elle n'avait pas perdu tout espoir d'avoir un jour pour gendre l'un de ses petits-fils, en même temps petit-fils de son cher Maximilien : à défaut de Charles de Gand-Luxembourg, son cadet Ferdinand d'Autriche ferait tout aussi bien l'affaire. Certes la fille de la reine, la princesse Claude, était en principe promise à François de Valois-Angoulême, le cousin détesté. Mais Anne n'avait-elle point accouché en 1510 d'une seconde fille à peu près viable, la princesse Renée, qui, malgré son jeune âge, conviendrait parfaitement pour une nouvelle combinaison matrimoniale ?

Par un acte passé le 16 novembre 1513 avec le roi d'Espagne, Louis XII cédait tous ses droits sur Asti, Gênes et Milan à cette dernière fille, qui les apporterait en dot à celui des deux archiducs d'Autriche — Charles ou Ferdinand — que leur grand-père aragonais lui choisirait pour mari. Quel intérêt pour le Très-Chrétien, dans tout cela ? Pour garder au moins ses possessions italiennes à titre viager — dernière consolation... —, Louis avait désormais un atout de plus, puisqu'il parvenait à détacher l'Espagne d'une coalition qui lui était hostile.

Ce n'était encore qu'une première fissure dans cet édifice

diplomatique imposant que représentait la Sainte Ligue. Léon X apparaissait comme l'autre maillon faible de l'alliance. Il avait la haine moins totale et moins tenace que celle de Jules II. En outre, certaines décisions du roi de France commençaient à porter leurs fruits : Louis XII avait en effet interdit tout envoi de subsides à la Cour de Rome, ce qui réduisait d'autant les revenus du Saint-Siège. En même temps, comme elle l'avait fait pour l'Espagne, Anne de Bretagne s'agitait beaucoup en faveur d'une réconciliation avec le pape.

Le seul obstacle à celle-ci était le concile « schismatique » de Pise, ou plutôt ce qui en restait, transféré d'abord à Milan, puis à Lyon, où ses derniers partisans le maintenaient en survie très théorique. Évidemment, comme préalable à tout accord, Rome exigeait une adhésion totale au contre-concile de Latran. Louis XII se laissa d'autant mieux convaincre par les pressions de sa femme que, pour une fois, celles-ci allaient dans le sens des intérêts royaux. Dès le début de décembre 1513, il avait envoyé dans la Ville éternelle deux ambassadeurs nantis de pleins pouvoirs, Louis de Forbin et surtout Claude de Seyssel, le savant évêque de Marseille, qui n'avait jamais cessé de faire le lien entre la reine et le nouveau pape.

Ce fut le 18 décembre que les deux hommes, arrivés la veille au Vatican, remirent aux autorités du Saint-Siège l'acte officiel par lequel Louis XII révoquait le « conciliabule » schismatique. Il y était dit en particulier que le roi avait cru avoir de bonnes raisons pour convoquer l'assemblée de Pise ; mais, ayant appris depuis que le nouveau pape n'approuvait pas la conduite de son prédécesseur, il n'avait plus de motifs pour soutenir ce concile, « attendu », disait le texte latin, « que, le pape Jules II étant mort, tout sujet de haine et de défiance avait cessé ; en conséquence de quoi, les ambassadeurs du roi Très-Chrétien déclaraient en son nom renoncer audit concile de Pise et adhérer à celui de Latran, comme au seul concile légitime véritable ».

Le Saint-Père assistait à cette séance et, le lendemain, publiait une bulle adressée à tous les princes chrétiens, pour les exhorter à la paix et à l'union, en leur ordonnant des prières et des processions publiques, afin d'obtenir, par la grâce du ciel,

cet heureux résultat. Ce qui était une façon comme une autre de
dissoudre la Sainte Ligue, mais entraînait forcément, de la part
des autres puissances, une modification de leur attitude. C'est
ainsi que Maximilien et Henry VIII persistèrent dans leur hostilité à l'égard de la France.

Anne de Bretagne, elle, avait au moins la satisfaction de voir
le roi, son époux, redevenir fils soumis de la véritable Église
catholique, apostolique et romaine. Ce devait être là une de ses
dernières joies.

CHAPITRE XVIII

La fin

Très « maltraictée » par les sages-femmes, Anne de Bretagne ne s'était jamais vraiment remise de son dernier accouchement, le 21 janvier 1512. Depuis, des maux de reins continuels, de brusques poussées de fièvre, des douleurs au niveau de la vessie et des mictions sanguinolentes avaient permis aux médecins de diagnostiquer la gravelle, affection due à la présence dans l'urine de petits corps granuleux un peu semblables à du sable.

Vers la fin de 1513, cette maladie devait s'aggraver sensiblement ; au début, l'entourage de la reine persistait à se montrer relativement optimiste et elle-même s'abusa quelque temps de son état. Mais, après Noël, le mal empira encore, et l'on vit Anne se préparer très sagement à la mort, se confessant, pardonnant, comme il se doit, à tous ses ennemis et allant même jusqu'à laisser, par testament, l'administration de ses biens et de ses filles à sa vieille rivale Louise de Savoie, ce qui revenait à accepter enfin ce que la Bretonne avait toujours refusé jusquelà : la future conclusion du mariage de la princesse Claude avec le duc François de Valois-Angoulême.

Après dix jours de souffrances à peine tolérables, la reine s'éteignit le lundi 9 janvier 1514. Elle n'avait encore que trente-huit ans, ce qui, même pour l'époque, pouvait être considéré comme un âge relativement jeune.

Bien que la défunte ait été d'un caractère souvent difficile, bien qu'elle n'eût joui pendant longtemps que d'une popularité moyenne, sinon médiocre, une certaine émotion se répandit à cette triste nouvelle, au moins à en croire certaines relations du temps. On peut même parfois parler d'une véritable affliction, en particulier au château de Blois, ainsi que dans toute la ville, où chacun avait eu peu ou prou l'occasion d'entrevoir la reine ; dans sa *Relation des funérailles d'Anne de Bretagne*, Pierre Choque, son roi d'armes, nous donne même à ce sujet des détails assez précis : « Chascun joignoit les mains, disant prières et oraisons, et [je]... crois que de mémoire d'homme l'on ne vit, pour ung jour, plus grand'pitié, car non seullement les princes et les princesses, mais les gens de tous estatz, qui là estoient, sembloient que aultre mestier n'eussent appris que pleurer, tordre les mains et prier. »

Choque est en quelque sorte un écrivain officiel, qu'on peut toujours soupçonner d'exagération complaisante. Mais la Chronique du « Chevallier Bayart » confirme à peu près ses affirmations, en élargissant même le champ de son témoignage : « Ce fut dommaige non pareil pour le Royaulme de France et dueil perpétuel pour les Bretons ; la Noblesse des deux païs y fit perte inestimable, car, de plus magnanime, plus vertueuse, plus saige, plus libéralle, ni plus accomplie princesse n'avoit porté couronne en France depuis qu' [il] y a eu titre de royne. Les François et les Bretons ne plaignirent pas seulement son trespas, mais, en Allemagne, Espagne, Angleterre, Escosse et en tout le reste de l'Europe, [elle]... fut plaincte et pleurée... »

De toutes ces douleurs, sincères ou de commande, la plus totale, la moins douteuse semble avoir été celle du roi, « si affligé que huit jours durant ne faisoit que larmoyer, souhaitant à toute heure que le plaisir [de] Notre Seigneur fust luy aller tenir compaignie ». En effet, il ne demandait plus qu'à mourir : « Allez ! ne cessait-il de répéter à ses confidents, et faictes le caveau et le lieu où doibt estre ma femme, assez grand pour elle et pour moy, car, devant que soit l'an passé, je seray avecques elle et luy tiendrai compaignie... » Prédiction tout à fait juste, notons-le au passage.

Il veilla au moins, et d'assez près, à l'organisation des funérailles. Dans les deux jours qui suivirent le décès, les chirurgiens de la Cour, selon l'usage, embaumèrent le corps après en avoir extrait le cœur qui, déposé dans une custode d'or, fut porté à Nantes, au couvent des Carmes, où se trouvait déjà le tombeau de ses parents. L'inhumation proprement dite eut lieu à Saint-Denis le 15 février, célébrée avec une pompe dont on retrouve l'écho dans plusieurs relations anonymes du temps, imprimées chacune à quelques milliers d'exemplaires et distribuées à profusion dans le pays tout entier, car, même au fond du plus grand désespoir, le roi n'oubliait jamais de tenir son opinion publique en haleine.

La disparition d'une aussi forte personnalité que la reine laissait un vide immense. Et pendant plusieurs semaines, désorienté, aboulique, sans forces, Louis XII sembla se désintéresser de tout ce qui l'entourait. Quand enfin il recommença à prendre un peu goût à la vie, à l'action, ce fut d'abord pour s'attaquer à une vieille affaire, toujours pendante en raison de l'hostilité qu'Anne de Bretagne n'avait cessé de lui manifester, pratiquement jusqu'à sa mort. Car si Claude de France et François de Valois-Angoulême étaient fiancés depuis 1506, le mariage n'avait toujours pas été célébré, alors que le prince, âgé maintenant de vingt ans, et la princesse de quinze, avaient atteint et même dépassé le moment de la nubilité.

Certes ce n'était pas avec beaucoup d'enthousiasme que le roi pensait donner sa fille à l'héritier présomptif de la couronne. Il savait que celui-ci, élevé en enfant gâté, avait reçu une éducation fort imparfaite et même tout à fait déplorable ; qu'il entretenait une liaison publique et fort tapageuse avec l'une des plus belles femmes de Paris, la sculpturale Madame Disommes, mariée à un vieux magistrat fort complaisant, mais qu'il comptait en même temps de nombreuses autres bonnes fortunes, causes, à en croire les mauvaises langues, d'une maladie tenace et inavouable.

Mais c'étaient surtout ses folles dépenses et ses prodigalités excessives qui faisaient hésiter le roi. Ce dernier craignait en effet de voir François lui causer, en devenant son gendre, un surcroît d'embarras et de soucis. Au début d'avril 1514 en par-

ticulier, une sombre histoire d'escompte pratiqué sur les finances de l'État avec la complicité de quelques généraux était revenue aux oreilles de Louis XII qui, malgré sa répugnance, dut
faire venir le coupable pour le réprimander — oh, avec douceur, qu'on se rassure ! — et aussi pour le mettre en garde
contre diverses tentations. Car les buts du jeune ambitieux
(mariage *royal* ? accession au trône ?) pouvaient être plus éloi-
gnés qu'il ne le croyait. A ce sujet, le roi, comme il aimait
souvent le faire, lui raconta l'un de ses souvenirs personnels, en
forme d'apologue : une fois qu'il voyageait et qu'il se croyait
prêt d'arriver à une ville parce qu'il en voyait le clocher derrière
un repli de terrain, il s'aperçut, tout en chevauchant, que ce
n'était là qu'une illusion et qu'il faudrait marcher beaucoup
plus qu'il ne l'avait cru tout d'abord.

A la suite de cette édifiante conversation, François n'en
devint pas plus économe, mais, pour acquérir davantage d'indépendance financière et peut-être mieux satisfaire ses folies, il
comprit qu'il lui faudrait d'abord atteindre le « premier clocher » de ses ambitions, à savoir la dot de sa cousine Claude de
France. Pour cela, il veut faire de plus en plus parler de lui,
jouer un rôle politique important, se couvrir d'une « gloire
immortelle » ; il s'abouche à tout hasard avec l'ambassadeur
vénitien, s'agite beaucoup, parle à tort et à travers, souhaite
ouvertement une nouvelle expédition pour reconquérir le Milanais, expédition dont il prendrait évidemment le commandement et qui lui permettrait de donner à la France d'innombrables victoires.

Démarche fortuite ou délibérée, en tout cas plus intelligente,
il trouvait en même temps, dans l'entourage immédiat du roi,
des appuis peut-être intéressés, mais fidèles et utiles ; en particulier le grand maître de France Artus Gouffier de Boisy et
surtout l'indispensable secrétaire, l'homme de toutes les combinaisons réussies, Florimond Robertet. Celui-ci connaissait assez
Louis XII pour savoir que cette activité tumultueuse et ces
paroles inconsidérées ne risquaient guère de l'impressionner ; il
savait aussi interpréter les réactions du roi : si celui-ci, depuis
quelque temps, ne sortait plus de sa chambre, s'il se prétendait à

nouveau malade, c'était peut-être pour des raisons valables, c'était peut-être aussi un moyen de reporter *sine die* la célébration d'un mariage qui, pis encore, pourrait très bien ne jamais avoir lieu.

Avec beaucoup de précautions, de patience et de tact, les deux hommes entreprirent donc de guider les pas encore hésitants de l'héritier présomptif. Ils l'amenèrent à fréquenter assidûment les fastidieuses réunions du Conseil, à discuter longuement avec le roi sur les questions les plus importantes, à feindre l'intérêt pour ce qui le retenait le moins, à se renseigner auprès de la chancellerie sur la compétence ou la fidélité de certains détenteurs d'offices, à prendre connaissance des dossiers les plus rébarbatifs, à lire les dépêches des ambassadeurs et même à ne pas dédaigner la rédaction de certaines lettres officielles.

Ce temps de mise à l'épreuve se révéla finalement assez court, d'autant plus que, de leur côté, Boisy et Robertet ne cessaient de faire valoir auprès du souverain l'exceptionnelle rapidité avec laquelle leur protégé venait de manifester ses nouvelles aptitudes. Au début de mai, se prétendant « tout à fait guarri », en tout cas assez ragaillardi par le magnifique printemps de cette année-là, Louis XII se décida à quitter enfin Vincennes où, avait-il annoncé naguère, il ne souhaitait pas se voir conclure le mariage de sa fille. Il partit donc pour Saint-Germain, dont le calme, les paysages, l'air pur semblaient parfaitement convenir à son état et où le château passait pour permettre des fêtes relativement grandioses. Florimond Robertet ne s'y trompa point ; pour lui, c'était le signe que le roi acceptait enfin de voir Claude épouser François, auquel il le fit immédiatement savoir.

Le roi avait-il déjà pris sa décision ? Ce qui est sûr c'est que, très savamment, il sut la faire attendre. Il partit le 8 mai, arriva le soir même à destination et, pendant cinq jours, laissa courir les rumeurs les plus folles. Détestant le duc de Valois, les fidèles de la reine défunte, surtout des Bretons, encore nombreux à la Cour, croyaient déjà exaucés leurs vœux les plus chers : à les en croire, jamais le pape n'accepterait d'envoyer ses dispenses pour un tel mariage ; c'était au contraire l'archiduc Charles de Gand-

Luxembourg qui allait prendre Claude pour femme et devenir ainsi duc de Bretagne, au grand dam du trop prétentieux Valois-Angoulême ! Quant à la seconde fille de Louis, Renée de France, elle allait de même se faire épouser par l'archiduc cadet, Ferdinand d'Autriche. D'autres ajoutaient même que ces unions avec la dynastie de Habsbourg allaient être couronnées par une troisième : celle du roi veuf avec l'archiduchesse Éléonore, la propre sœur de Charles et de Ferdinand ! Cinq jours d'angoisse indicible pour François qui, sentant le sol se dérober sous ses pieds, ne trouvait plus que les oreilles complaisantes de l'ambassadeur vénitien pour recueillir ses larmoyantes récriminations.

Brusquement, le 13 mai, coup de théâtre. Un bref avis du palais annonce officiellement le mariage de Claude et de son cousin Valois-Angoulême, en un style volontairement très sec, tout à fait dénué d'enthousiasme ; il était même précisé que, de par la volonté du roi, la cérémonie aurait lieu dans la plus stricte intimité, par égard pour le décès récent de la reine et le deuil qui affectait encore la Cour. Dès lors, tout allait se faire très vite, et, le 18 mai, le mariage fut célébré dans la chapelle du château.

Mais ici les témoignages ne concordent plus. Selon Fleuranges, que le duc de Valois voulait bien honorer de son amitié : « Furent faictes les nopces les plus riches que vis jamais..., car il y avoit dix mille hommes habillés aussi richement que le roy, ou que Monseigneur d'Angoulesme, qui estoit le marié ; et, pour l'amour de la feue Royne, tout le monde est en deuil. » Brantôme, lui, insiste déjà beaucoup moins sur la somptuosité : « Le marié et la mariée n'estoient vestus et habillez que de drap noir, honnestement et en forme de deuil, pour le trespas de la Royne Madame Anne de Bretagne, mère de la mariée, en présence du Roy son père, accompaigné de touz les princes du sang et nobles seigneurs et prélatz, princesses, dames et demoiselles, tous vestus de drap noir, en forme de deuil. »

Au contraire, selon un troisième, André de La Vigne, tout semble avoit été accompli sous le signe de l'économie et de la simplicité la plus étriquée, en tout cas délibérée : « Ny trompettes, ny clairons, ny tabourins, ny ménestriers, pas de joustes ni de tournoys, pas l'ombre de drap d'or ou de soye, de satin ny de velours. » Il y avait en outre très peu d'invités, à peine quelques amis du mari. Celui-ci était arrivé en se contentant d'apporter un lit, un traversin et une couverture, tandis que, pour sa part, sa femme n'offrait guère qu'« ung petit ciel » et des rideaux de damas blanc. Après la messe (très courte) et le dîner (frugal), le roi s'en alla comme à son habitude, les deux nouveaux époux se retirèrent en leur chambre et ce fut tout.

En mariant ainsi sa fille aînée au duc de Valois, l'héritier présomptif, le roi n'abandonnait encore aucune de ses prérogatives en faveur de son nouveau gendre. Quand le surlendemain de la célébration, en application du contrat de mariage signé le 22 mai 1506 au moment des fiançailles, celui-ci réclama la délivrance effective et immédiate du duché de Bretagne, il eut la surprise de se heurter à une véritable fin de non-recevoir. Détail au moins aussi grave : plus le temps passait, moins il restait sûr de succéder un jour à son beau-père sur le trône de France.

Louis XII en effet ne se résignait pas à la perspective de lui transmettre aussi simplement la couronne, sans avoir tenté auparavant (une dernière fois ?) de la faire passer sur la tête d'un vrai dauphin, son fils légitime. Après tout, n'était-il point veuf, donc libre de se remarier comme il l'entendait ? Bien qu'il souffrît toujours de mauvaise santé et qu'il fît beaucoup plus que son âge, n'avait-il pas réussi à engrosser sa dernière femme quelque trente mois plus tôt ? N'avait-il point présent à la mémoire l'exemple de son propre père, Charles d'Orléans, qui, bien que « caduc, débille, mallade » et quasi moribond, avait eu son dernier enfant à plus de soixante-douze ans ? N'en avait-il pas lui-même vingt de moins, avec, par conséquent, toutes les espérances ?

Certes le souvenir encore brûlant de la reine Anne, qu'il semble avoir décidément beaucoup aimée, le retenait encore sur la voie d'un troisième mariage. Mais, autour de lui, certains, surtout le sire de Longueville, se chargeaient de le faire changer d'avis. L'humeur du souverain se modifiait, il retrouvait sa jovialité d'autrefois, les plus sceptiques n'excluaient plus une hypothèse qui les faisait sourire encore quelques semaines plus tôt, et François lui-même essaya de garder un minimum de sérénité : « Après tout, confiait-il à son éternel compagnon, l'ambassadeur de Venise, j'admets que le roy fasse la folie de se remarier, mais il vivra peu. Qu'il ait un fils, ce fils sera ung enfant, il fauldra une régence et, d'après l'ordre du royaume, le régent, c'est moi. » Ce qui n'était pas si mal vu et l'on peut imaginer avec effroi ce qu'aurait été l'histoire de France durant le premier tiers du XVIᵉ siècle, avec un jeune orphelin sur le trône, avec peut-être une mère inexpérimentée et, tout près de lui, son puissant, son trop puissant beau-frère et régent.

Une fois à peu près acquis le principe d'un second remariage du roi, il ne restait plus qu'à savoir avec qui. Mais les reines possibles étaient nombreuses et les gens bien informés mentionnaient, au choix, Marguerite, veuve du roi d'Écosse Jacques IV, vaincu et tué à Floddenfield, ou encore l'archiduchesse Marguerite d'Autriche, fille de Maximilien, ancienne « fiancée » de Charles VIII, veuve d'un prince espagnol, puis veuve d'un prince savoyard et devenue l'inspiratrice de nombreuses combinaisons antifrançaises ; n'était-ce point un moyen comme un autre de la neutraliser ? On parlait aussi de Mary d'Angleterre, sœur du roi Henry VIII, on reparlait de l'archiduchesse Éléonore, nièce de Marguerite d'Autriche.

Étonnons-nous seulement de voir envisager de telles unions, alors que, peu de temps auparavant, Louis XII guerroyait encore avec la plupart des pays dont ces personnes étaient princesses. C'est que, depuis quelque temps, bien des initiatives avaient en quelque sorte bouleversé la situation diplomatique. « L'année 1514, écrit fort judicieusement Henry Lemonnier, fut remplie par des négociations, auprès desquelles toutes celles des années antérieures paraissent simples. A voir le renversement continuel des alliances, les coups de surprise incessants, toutes les combinaisons essayées successivement ou concurremment et abandonnées de même, il semble bien que personne ne prenait plus au sérieux ni la politique, ni la guerre. On en arrivait à des apparences de batailles, comme Guinegatte. Cela tient peut-être à ce que tout le monde vieillissait : Louis XII,

Maximilien, Ferdinand, pendant que la jeune génération restait encore au second plan. »

Finalement la Sainte Ligue s'était en quelque sorte désintégrée d'elle-même, le roi d'Aragon s'était réconcilié avec Louis XII, qui s'était réconcilié avec le pape, qui l'avait à peu près réconcilié avec Maximilien, qui s'était lui-même réconcilié avec les Vénitiens, qui, en l'occurrence, avaient reçu l'accord de leurs alliés français.

Certes les Suisses continuaient de reprocher au Très-Chrétien la non-ratification du traité signé par La Trémoïlle à Dijon, et l'on pouvait toujours craindre de les voir revenir, la pique en avant, aux portes de la Bourgogne. Mais le roi suivait maintenant une politique qu'il aurait dû inaugurer depuis bien longtemps : il s'était fait quelques amis influents dans les cantons et leur distribuait en secret d'assez grosses sommes d'argent pour les faire intervenir au mieux de ses intérêts, lors des grandes conventions de leur peuple. Si les Français repassaient une nouvelle fois dans le Milanais, il semblait même que les montagnards laisseraient écraser désormais le pauvre duc Massimiliano Sforza, plus isolé que jamais.

En fait, contre le Très-Chrétien, il ne restait plus que le Tudor Henry VIII, sournoisement excité par Marguerite d'Autriche qui, se démarquant de son père sur ce point, espérait toujours récupérer son « beau Duchié de Bourgogne », sans oublier de « faire expresse mencion des comtés de Masconnais, Auxerrois et Bar-sur-Seine, usurpés par le roy de France ». De l'Anglais, elle venait d'obtenir l'engagement écrit de ne conclure ni paix ni trêve avec Louis XII en dehors d'elle et croyait l'attacher définitivement à sa cause autrichienne en négociant le mariage de Charles de Gand-Luxembourg (indéfiniment utilisable pour toute combinaison matrimoniale nouvelle) avec la princesse Mary Tudor.

Malgré tout, elle ne tarda pas à s'inquiéter. Au début de juin, ses agents en place à Londres lui signalaient l'arrivée de Maître Jacques Hurault, général des finances de Normandie, chargé de négocier la rançon des seigneurs français faits prisonniers à la journée des Éperons. Elle découvrit bien vite qu'on avait confié

aussi une autre mission à l'honorable fonctionnaire : prendre
contact avec l'un de ces captifs, le comte de Dunois, qui, carac-
téristique non négligeable, avait su se gagner la confiance
d'Henry en personne. Sans avoir été accrédité comme ambassadeur (ce qui aurait vraisemblablement éveillé les soupçons de la
princesse flamande), Hurault put ainsi rencontrer le monarque
anglais et obtenir de lui une suspension d'armes, suspension
d'ailleurs assez théorique puisque, depuis des mois, il ne se
passait plus grand-chose sur le théâtre des opérations d'Artois et
de Picardie.

Marguerite d'Autriche ne s'inquiétait donc pas trop, d'autant
plus qu'il était toujours question de ce à quoi elle tenait le plus :
le mariage de son neveu l'archiduc Charles avec la princesse
Mary. Mais déjà elle remarquait que d'autres pourparlers
avaient été engagés qui, du côté anglais comme du côté français,
semblaient traduire un désir réciproque de paix. A la fin de juin,
elle eut vent de certains projets d'alliance, alliance complétée,
comme il se faisait souvent alors, par un nouveau mariage, cette
fois entre Louis XII et cette même Mary Tudor qu'elle convoitait pour sa famille.

Pourtant Marguerite d'Autriche voulait espérer encore. Elle
savait qu'une difficulté subsistait entre les futurs contractants.
L'année précédente, désireux de venger son frère
qu'Henry VIII avait fait décapiter, un Anglais, le duc de Suffolk, était venu avec des lansquenets allemands pour se battre
sur le front de Picardie avec les Français contre ses compatriotes. Le roi Tudor exigeait maintenant qu'on lui remît ce traître,
destiné à un châtiment cruel. Par l'intermédiaire de ses négociateurs, Louis XII refusa avec une noblesse, avec une dignité
qu'on est parfois surpris de trouver chez un homme aux manières si communes. A la grande satisfaction de Marguerite, la
négociation achoppa sur ce point pendant deux bonnes semaines. Mais le désir de paix et de réconciliation était si grand qu'on
finit pas trouver une transaction : Louis XII ne garderait point
Suffolk à la Cour de France, mais le ferait se retirer à Metz, en
terre d'empire, où il lui verserait une pension annuelle de 6 000
livres tournois pour les services rendus, et Henry VIII accepta
cette solution.

Ce dernier obstacle levé, tout alla très vite, et le 7 août 1514, les envoyés français conclurent avec l'Angleterre un traité de paix et d'alliance. Comme Marguerite d'Autriche menaçait alors Henry VIII de publier son engagement écrit, signé avec elle quelque trois mois plus tôt, l'Anglais lui répondit aussitôt par un long mémoire : il y énumérait non seulement tous les griefs qui en justifiaient la non-observation, mais aussi les raisons qui militaient en faveur d'une réconciliation avec le Très-Chrétien. Trois jours plus tard Dunois signait le contrat de mariage et épousait Mary Tudor au nom de son souverain.

Comme par hasard, Louis XII se trouvait alors en bien meilleure santé et il apprit la nouvelle en manifestant une grande joie. Il recevait peu après à Paris le comte de Worcester, chambellan d'Henry VIII, qui était chargé d'arrêter avec les Français le détail des cérémonies et de remettre au roi une lettre autographe de la princesse, ainsi rédigée :

« Monseigneur, humblement à vostre bonne graace je me recommande, pour ce que le Roy, mon seigneur et frère, envoye présentement par devers vous ses ambassadeurs. J'ay désiré et donné charge à mon cousin le comte de Worcester vous dire aulcunes choses de ma part, touschant les fiançailles d'entre vous et moi, en paroles. De présent, je vous supplie, Monseigneur, [de] le vouloir en ce oïr et croyre comme moy-mesme, et vous assure, Monseigneur, comme je vous ay dernièrement escript et signifié, par mon cousin le Duc de Longueville [il s'agit de Dunois], que la chose que plus je désire et souhaite pour ce jour d'huy, c'est d'entendre de vos bonnes nouvelles, santé et prospérité, ainsy que mon seigneur cousin le comte de Worcester vous sçaura ce dire plus à plain. Il vous plaira, au surplus, Monseigneur, me mander et commander vos bons et agréables plaisirs, pour vous y obéir et complaire, par l'aide de Dieu, qui, Monseigneur, vous donne bonne vie et longue. De la main de vostre bien humble compaigne, Marie. »

La littérature amoureuse a évidemment connu des lettres bien autrement passionnées, mais il faut savoir composer avec les exigences du cérémonial. En outre, les deux promis ne s'étaient encore jamais vus. Comme Mary passait pour remarquablement jolie, Louis XII envoya en Angleterre son peintre officiel, Jean Perréal (dit encore Jean de Paris), afin de faire son portrait et le lui rapporter. Celui-ci fut-il achevé ? Il aurait alors été bel et bien perdu, mais il nous en reste d'autres, en particulier quelques dessins et une peinture anonyme sur bois, où nous pouvons admirer une jeune personne blonde, à la fois appétissante et distinguée, témoignages qui semblent confirmer celui de l'ambassadeur impérial dans une de ses lettres à Maximilien :

« C'est l'une des plus belles filles que l'on sçauroit voir, et ne me semble point en avoir oncques vu une si belle. Elle a très bonne grace et le plus beau maintien, soit en devises [c'est-à-dire en conversation] et danses, ou aultrement, que possible est d'avoir ; et elle n'est rien mélancholicque, ains [mais] toute récréative. J'eusse cuydé qu'elle eust esté de grande stature et venue, mais elle sera de moyenne stature, et me semble proportionnée mieulx qu'aultre princesse que je sache en Chrestienneté. »

D'abord réticente face à cette union avec une Anglaise (la race maudite !), l'opinion publique changea vite quand elle apprit que, par ses attraits physiques, la future reine ferait honneur à la couronne de France. Bientôt ce furent le contentement, la joie, la fierté qui devaient l'emporter, un peu partout dans le royaume : « Tout est suspendu à cette affaire, écrit alors l'ambassadeur vénitien, la politique, comme le reste. On ne parle plus guère que des fêtes. Ainsi sont les Français, ils se croient toujours sûrs de réussir ce qu'ils souhaitent et, comme ils viennent de réussir la conclusion de ce mariage, ils y voient un signe favorable et s'imaginent déjà revenus dans le Milanais. Il ne restait plus que l'Angleterre pour leur faire pièce et voilà que le spectre est écarté. Le roi maintenant ne cesse plus de répéter qu'il perdra la vie ou qu'il reprendra Milan... Hélas ! personne ne semble penser à une éventualité qui m'épouvante, pourtant très plausible. C'est que, dans l'état où se trouve le roi, s'amuser avec une jeune personne de seize ans, et, dit-on, fort désirable, me semble un passe-temps des plus dangereux. Là est le point noir terrifiant. Pour le reste, tout va à merveilles. »

Si quelqu'un avait quelques raisons de penser que tout n'allait pas vraiment « à merveilles », c'était bien le duc François d'Orléans, gendre du roi et surtout son héritier présomptif jusqu'à nouvel ordre. La naissance possible d'un dauphin n'avait rien qui pût le réjouir. Dans l'intimité, il avouait que le remariage de son beau-père « luy perçoit le cueur ». Mais il était bien conseillé et simulait la joie, se proposant même de figurer en belle place dans toutes les fêtes qui allaient avoir lieu, les banquets, les danses, les tournois. Quand la nouvelle reine débarqua dans le port de Boulogne, le 3 octobre 1514, le prince faisait évidemment partie de la délégation chargée de l'accueillir, avec le duc d'Alençon, le duc de Bourbon, le sire d'Orval, La Trémoïlle et bien d'autres seigneurs.

Henry VIII avait voulu que sa sœur arrivât en France avec un cortège magnifique et lui avait donné pour escorte deux mille archers de sa garde personnelle. Parmi les Grands qui faisaient partie du voyage, on remarquait, entre autres, le marquis de Dorset, le duc et la duchesse de Norfolk et surtout un fort bel homme, Charles Brandon, fait récemment duc de Suffolk (mais qu'il ne faut pas confondre avec l'autre Suffolk, celui qu'Henry VIII voulait faire condamner pour haute trahison). Ce Brandon était de petite origine, fils d'une nourrice et lui-même un ancien valet de vénerie que son ambition et ses aptitudes pour l'intrigue avaient poussé au premier rang de la société anglaise. Ce qu'on ne savait pas, mais qu'on découvrirait par la suite, c'est qu'il se trouvait être aussi, depuis quelques mois, l'amant comblé de la belle Mary, qui, pour sa venue en France, n'avait pu se résoudre à se passer de lui.

Parti quelques jours plus tôt de Paris en assez bonne forme, Louis XII venait de s'installer dans le vieil hôtel de la Gruthuse, à Abbeville, où la nouvelle reine devait faire son entrée solennelle le 8 octobre. Soucieux d'impressionner la jeune femme et contrairement à ses habitudes, il s'était mis en frais de somptuosité, étant arrivé avec sa « maison » équipée à neuf (« sayon » écarlate et toque jaune), cinq chevaux caparaçonnés d'or et treize grandes caisses de bagages.

La rencontre se fit à une lieue en dehors de la ville. Radieuse dans sa blondeur dodue, Mary sur une haquenée blanche s'avança lentement jusqu'au roi. Sans manteau, « comme un jeune homme », mais revêtu de velours rouge et coiffé « de mesme », monté sur un grand genet d'Espagne, Louis l'attendait, immobile. Quand elle l'eut rejoint, il s'opposa galamment à ce qu'elle mît pied à terre, la dévisagea longtemps, parut satisfait, l'embrassa sans descendre de cheval et lui dit seulement : « Ma fille, soyez ça bienvenue. » Puis, sacrifiant peut-être à un symbole sexuel inconscient, il fit trois ou quatre fois se cabrer sa monture à coups d'éperons, embrassa « tous les princes d'Angleterre », et, laissant les visiteurs aux soins de sa propre escorte pour les laisser procéder au rite d'une « entrée » lente et majestueuse, rentra chez lui au triple galop.

Le lendemain 9 octobre, l'union fut scellée religieusement par le cardinal de Prie. A l'issue de la nuit de noces, visiblement transformé par les délices auxquelles il avait pu accéder, le roi se déclara très satisfait, semblait fort vaillant et ne se gênait pas pour montrer qu'il attendait avec impatience le moment de s'isoler à nouveau « avecques son Angloise ». Durant le voyage de deux semaines qui les mena d'Abbeville à Saint-Denis (où le couronnement de la reine eut lieu le 5 novembre), le roi se vantait aux diverses étapes de « faire merveilles » chaque soir et « encore souventes fois jusques au matin ». Selon l'avis unanime, la beauté de Mary profitait de ces pratiques intensives et tout semblait réussir à Louis XII.

Le 1er octobre, rompant en quelque sorte avec la politique inspirée par sa fille Marguerite d'Autriche, Maximilien avait accepté de voir son petit-fils Charles de Gand-Luxembourg compris dans le traité d'alliance franco-anglaise. L'empereur pensait même signer avec la France une trêve d'un an qui officialiserait en quelque sorte la paix existante, effective depuis plusieurs mois déjà. S'estompait ainsi le risque majeur que représentait le renouvellement éventuel d'une ligue austro-suisse. Déjà Louis XII pensait avoir la voie libre pour redescendre une fois de plus dans le Milanais et ajouter à sa propre armée les dix huit mille archers que son beau-frère Henry VIII lui avait promis pour une telle occasion, sans oublier une belle flotte et cinq mille marins pour récupérer Gênes. Il venait donc de prier le nouveau commandant en chef des troupes françaises, le duc Charles de Bourbon, de passer en revue notre futur corps expéditionnaire.

Le duc François d'Angoulême, lui, voyait tous ces préparatifs d'un mauvais œil, car il estimait que la direction des futures opérations aurait dû lui revenir. Il estimait que la situation lui devenait franchement défavorable, se plaignait beaucoup auprès de ses intimes et, à l'occasion, s'en prenait à sa femme, la malheureuse princesse Claude, qui n'y pouvait pas grand-chose. Comme il n'ignorait rien de ces détails, Louis XII avait cru bon de calmer son gendre en lui accordant enfin, le 27 octobre, la « délivrance » du duché de Bretagne et en lui permettant tout particulièrement de vaquer, suivant son bon plaisir, aux affaires financières, aux offices, charges et bénéfices de la province. Le respect des convenances aurait dû pousser le prince à se rendre lui-même à Nantes pour entrer officiellement en possession de ses nouveaux pouvoirs. Mais, avec beaucoup de désinvolture, celui-ci prétexta la préparation des futurs tournois pour s'abstenir de cette corvée. Il préféra envoyer à sa place Antoine Duprat, président au Parlement de Paris, un Auvergnat sans scrupules dont l'administration brutale entraînerait d'ailleurs bien des difficultés avec les notables bretons.

En fait, le duc de Valois-Angoulême avait une autre raison de vouloir rester non loin du couple royal : c'était par souci de ne pas quitter Mary d'Angleterre, sa trop émouvante belle-mère. Rieuse, celle-ci semblait également coquette. Comment aurait-elle pu s'éprendre sincèrement de son mari, quinquagénaire précocement vieilli, voûté, desséché, ridé, édenté et, comble de disgrâce, un peu trop gourmand de jeux conjugaux ? Henry VIII lui-même connaissait l'ancienne liaison de sa sœur, ne se faisait pas trop d'illusions sur celle-ci et avait loyalement averti Louis XII de prendre garde aux caprices de la jeune femme, ajoutant que, toutefois, « Nous luy donnasmes advisement et conseil avant son département [son départ], et Nous ne faisons aulcun doubte, l'un jour plus que l'aultre, ne la trouviez telle que doibt estre envers vous et faire toutes choses qui vous peuvent venir à gré, plaisir ou contentement ».

A la Cour, on commençait à jaser. Très vite, les plus vigilants remarquèrent les marques d'amitié assez privilégiées que la reine accordait à Suffolk. Louise de Savoie fit aussitôt organiser autour de l'Anglaise une surveillance draconienne, recommandant à sa belle-fille Claude de France de ne jamais quitter la chambre de l'Anglaise pendant la journée et à Madame d'Aumont, la dame d'honneur, de n'en pas sortir durant la nuit, sauf, bien entendu, si le roi s'y trouvait.

Décidément Mary n'était pas farouche et, à défaut de Suffolk, inaccessible, elle finit par trouver à son goût le duc de Valois lui-même, « qui estoit alors un jeune prince beau et très agréable », trop sensuel assurément pour ne pas rester insensible à des charmes aussi candidement offerts. Même si elle resta quelque temps discrète, cette attirance physique réciproque ne devait guère passer inaperçue, et c'est un brave gentilhomme périgourdin qui prit sur lui de prévenir Louise de Savoie. Celle-ci le comprit tout de suite : le risque était énorme, car, si François donnait à Mary un fils, l'enfant passerait pour être de Louis XII, pourrait devenir roi un jour et priverait aussi son véritable père de la couronne ! La comtesse d'Angoulême savait parler à son *César*. Pourtant, cette fois, il était à ce point épris, tellement esclave de son désir, qu'il fallut des jours et des jours pour le dissuader de commettre une folie aux conséquences peut-être irréparables. Finalement il se montra sage, d'autant plus sage que, semblait-il, il n'allait plus avoir très longtemps à attendre le trône.

Même si, arrivée sur le continent, Mary d'Angleterre ne parvenait point à assouvir pleinement ses ardeurs, elle trouvait à son sort quelques consolations. L'atmosphère de la Cour française lui avait immédiatement plu. Frivole, elle enthousiasmait tout un chacun par son entrain, sa gaieté perpétuelle, sa virtuosité à jouer du luth, son goût pour les fêtes, les « danceries » et autres « momeries ». Le roi, surtout, paraissait complètement transformé. Cet économe devenait brusquement prodigue et offrait d'un coup à sa troisième épouse non seulement tous les joyaux venus de sa famille, mais aussi, en grande partie, ceux de la couronne ; ce casanier, ce père de famille qui vivait comme un (très) riche bourgeois devenait maintenant mondain et même galant ; lui qui, depuis des années, ne survivait que grâce à un régime sévère et à de multiples précautions, il bouleversait toutes ses habitudes. « A cause de sa femme, dit le Chroniqueur de Bayard, [il] avoit changé toute sa manière de vivre ; car, là [où] il souloit disner à huit heures [du matin], convenait qu'il disnast à midy ; où [il] souloit coucher à six heures du soir, souvent [il] se couchoit à minuit. »

En même temps, il dépérissait à vue d'œil, mais s'acharnait, d'après le témoignage de la reine elle-même, à vouloir un héritier. Inquiets, les médecins essayaient de l'amener à plus de modération, mais rien n'y faisait : « Louis, comme l'écrit délicieusement un auteur du XIXᵉ siècle, dans son zèle, courait à sa perte, avec une ardeur de néophyte. » A Paris, tout se sait rapidement, et sur les marches du Palais de Justice les rieurs de la basoche proclamaient que le roi d'Angleterre avait, en la personne de Mary, envoyé au roi de France « une haquenée pour le porter plus vite et plus doucement en Enfer ou au Paradis ».

Au milieu de décembre, Louis XII ne parvint plus à quitter son lit. Comme on l'avait parfois vu tomber aussi bas durant les années précédentes, certains croyaient avoir affaire à une faiblesse passagère dont, une nouvelle fois, le Très-Chrétien réchapperait à la surprise générale. Curieusement, c'est l'intéressé lui-même qui, le premier, semble avoir compris la gravité de cette nouvelle péripétie : « Luy estant malade, [il] envoya quérir Monsieur d'Angoulesme [François de Valois] et luy dit qu'il se trouvait fort mal et que jamais n'en réchapperoit ; de laquelle chose ledict sieur le réconfortait à son pouvoir, et qu'il faisoit ce qu'il pouvoit. »

Complètement épuisé, le roi était en effet atteint de « fiebvre pernicieuse », ce qui est un symptôme plus qu'une affection caractérisée, accompagnée toutefois de dysenterie, « de laquelle malladie tout remède humain ne put le garantir ». Comme on peut l'imaginer, il se confessa, communia pieusement, et, selon sa prédiction, quelques jours après, aux alentours de Noël, entra en agonie. Celle-ci fut longue, car « ce corps si fatigué possédait encore un ressort extraordinaire », ce que nous avons eu l'occasion de remarquer souvent : « Il fist à la mort tout plein de mines », dit un témoin ; « quand il se fut bien défendu contre la mort, confirme un autre, il mourut par un premier jour de l'an, sur lequel jour fit le plus horrible temps que jamais on vit. » Le roi expira en effet vers minuit, au soir du 1er janvier 1515 (n. st.).

Seuls quelques fidèles entouraient le lit funèbre, le confesseur Guillaume Parvi, Dunois, La Trémoïlle (oui, La Trémoïlle, le vainqueur de Saint-Aubin-Cormier, l'ancien geôlier du défunt, devenu depuis l'un de ses plus fidèles sujets). Brillaient par leur absence la reine Mary et l'héritier de la couronne, François de Valois-Angoulême qui allait devenir ainsi le roi François Ier.

Louis XII, le beau-père, passait pour économe, et l'on put lui reprocher une certaine avarice : il trouva tout de même le moyen de consacrer 52 000 livres à l'enterrement de son prédécesseur Charles VIII. Le gendre, François, se fera taxer d'excessive prodigalité : il dépensa moins de 13 000 livres pour l'inhumation de celui que tous pleuraient dans les rues, comme roi et comme « Père du Peuple ». Tout fut décidé comme si l'on voulait effacer au plus vite le nom et le souvenir de ce souverain trop populaire : transféré à Notre-Dame le 3 janvier, le corps était enseveli à Saint-Denis dès le 4. La construction du magnifique tombeau commandé à Jean Juste se fera en quelque sorte à l'écart, dans la périphérie de Tours, jusqu'à son achèvement, son transfert et son installation dans la vieille abbaye bénédictine en 1531.

CHAPITRE XIX

La survie de Louis XII

Louis XII a d'abord survécu par sa légende. Très vite, sa gestion bonhomme, économe et prudente devait profiter de la comparaison avec la politique menée par ses successeurs, François Ier, Henri II, Charles IX ou Henri III. Les troubles dus aux guerres de Religion feront regretter également la paix et l'ordre relatifs qui caractérisaient la France durant les douze ou quinze premières années du siècle. Après 1560, les États généraux s'acharnent à demander le retour au nombre d'officiers tel qu'il était sous Louis XII, ainsi que la réduction de la taille à la somme levée du temps de Louis XII.

Jusqu'au milieu du XIXe siècle, la plupart des historiens saluent la mémoire de ce roi « simple et bon » : ainsi font, entre autres, Denis Sauvage, François de Belleforest, Ferdinand de Bez, Nicolas Viguier ou Jean de Serre, Scipion Dupleix, Pierre Aubert, Charles Sorel, François-Eudes de Mézeray, Jean-Étienne Taraut, le sieur du Cerizier, le P. Jourdan ou le P. Daniel, l'abbé Lenglet du Fresnoy, l'abbé Velly, l'abbé Devienne, l'abbé Millot ou Louis-Sébastien Mercier, le vieux Louis-Pierre Anquetil, Léonard Gallois, Théodose Burette ou encore Henri Martin qui, résumant un peu tous ses prédécesseurs, fait de notre bien prosaïque « héros » « un prince humain, équitable, économe, recherchant les gens honnêtes et capables ».

Jules Michelet sera le premier à oser troubler quelque peu ce

chœur de louanges en osant mentionner « la royale stupidité »
de Louis XII. Avec la parfaite urbanité qui ne l'abandonnait
jamais, le regretté André Maurois corrigera cet excès de langage
dans son *Histoire de France* et aura peut-être le mot de la fin en
présentant le fils unique de Charles d'Orléans comme un être
« charmant et débile, aimé et digne d'être aimé ».

Hélas ! pour se faire une place parmi les personnages historiques devenus héros littéraires, il faut, comme Néron, Gilles de
Rais ou même Richelieu — le « Cardinal rouge » —, un éclat un
peu plus inquiétant dans le regard, davantage de sang sur les
mains ou une réputation nettement plus sulfureuse.

Surtout connu comme général républicain pendant les guerres de Vendée ou encore comme hébertiste guillotiné en mars
1794, le dénommé Charles-Philippe Ronsin, alors « capitaine
d'honneur de la Garde nationale parisienne », a essayé de faire
mentir ce postulat, en faisant représenter au théâtre de la
Nation, le vendredi 13 février 1790, sa tragédie *Louis XII, Père
du Peuple*. L'objet de celle-ci visait à évoquer la façon dont le roi
aurait voulu, à un moment de son règne, lutter contre ceux qui
le volaient et maltraitaient le peuple :

> *Ah ! Si le Ciel un jour remplit mon espérance,*
> *François, vous pourrez tous jouir de ma présence ;*
> *Oui, lorsque les États, par de plus sages lois,*
> *Du peuple et du monarque auront fixé les droits,*
> *A l'instant où ce trône entouré de ruines*
> *Ne sera plus en butte aux fureurs intestines,*
> *Prompt à me dépouiller de ce faste imposant*
> *Qui rend un Roi plus fier, sans le rendre plus grand,*
> *Heureux d'être gardé par l'amour que j'inspire,*
> *J'irai, l'olive en main, parcourant mon empire,*
> *Consoler nos enfants de nos malheurs passés,*
> *Payer par mes bienfaits les pleurs qu'ils ont versés,*
> *Et puissé-je bientôt à la cause commune*
> *Voir les Grands avec moi consacrer leur fortune,*
> *Et m'aider, en prenant le pauvre pour ami,*
> *A réparer des maux dont j'ai longtemps gémi.*

Tous les chemins pouvant mener à l'hébertisme, cette œuvre était en fait destinée à soutenir la politique de La Fayette et, indirectement, les prérogatives de Louis XVI, dont les vertus étaient supposées rappeler plus ou moins celles de Louis XII. A en croire une postface de l'auteur, c'est cette intention qui aurait expliqué l'insuccès de la pièce, victime d'une cabale politique. D'après le *Moniteur* de l'époque, la tragédie aurait surtout souffert... de ses propres insuffisances :

« On n'a point entendu jusqu'à la fin la tragédie de Louis XII, qui a été mise au théâtre avant hier, après avoir été demandée longtemps et longtemps attendue. Un style plus que négligé, des dialogues longs, verbeux et tristes, sans action, sans marche, sans intérêt, ont, dès le commencement du premier acte, mal disposé les spectateurs pour la pièce, dont on avait déjà pris, sur quelques relations trop fidèles, une idée assez défavorable. La rumeur a été longue et ses éclats se sont accrus en proportion de l'impatience qu'on éprouvait généralement ; mais on ne saurait reprocher au public d'avoir été injuste. Il a vu les intentions de l'auteur, son désir de peindre nos mouvements, nos malheurs, notre révolution, notre roi, nos chefs, et la dignité de notre courage au sein de la renaissance de notre liberté ; et on lui a donné sur tout cela des applaudissements plus relatifs à son but qu'à la manière dont il l'a exécuté. Malheureux comme écrivain, l'auteur s'est fait connaître comme un bon citoyen. Au point où nous sommes, ce dernier avantage peut équivaloir à un succès. »

Une exécution aussi définitive n'allait pas réduire Charles-Philippe Ronsin à un silence total ; en effet, on entendra encore parler de lui comme auteur, ainsi qu'en témoigne ce discours qu'il considérait comme fort beau et qu'il devait prononcer « à l'occasion de la cérémonie funèbre en l'honneur de nos frères d'armes, morts pour la défense de la Liberté et de l'Égalité ». Il s'agit là d'une allusion à la fameuse « journée » du 10 août 1792, qui vit le renversement de la royauté. Or, d'une façon assez curieuse, c'est à peu près à ce même moment que, de l'autre côté de la Manche, un jeune homme de vingt et un ans se faisait recevoir avocat : il s'agissait d'un certain Walter Scott...

Pourquoi Walter Scott ? Parce que, lui aussi, il se trouve être un des rares écrivains européens à avoir fait apparaître notre roi — ou plutôt notre futur roi — dans l'une de ses œuvres. Qu'on se souvienne en effet de *Quentin Durward* (première édition, Édimbourg, 1823), où, sous le règne de Louis XI, nous entrevoyons — oh, quelques courts instants ! — celui qui n'était encore que le duc Louis II d'Orléans. Il se montre en effet à certains détours de chapitres, plus particulièrement en compagnie de sa malheureuse première femme, celle qui, en tout état de cause, ne pouvait pas lui donner d'enfants.

Pourtant, et contrairement à ce qu'on pourrait croire, le fils de Marie de Clèves a survécu également par ses descendants. Malgré leurs imperfections physiques, les deux filles d'Anne de Bretagne se révélèrent des mères singulièrement fécondes : grâce à celles-ci, aujourd'hui, de par le monde, au moins plusieurs centaines de personnes peuvent prétendre être lointainement issues de Louis XII. Chez les souverains régnants, nous trouvons en particulier Son Altesse Royale le grand-duc Jean de Luxembourg qui, étant un prince de Bourbon-Parme, descend de Louis XV, lui-même fils d'une princesse de Savoie qui, de son côté, descendait de Claude de France ; il en va de même pour Sa Majesté Catholique Juan-Carlos Ier, roi d'Espagne, dont une des arrière-arrière-arrière-grand-mères était aussi une Bourbon-Parme ; quand au roi Baudoin de Belgique, il descend de la cadette Renée de France par son arrière-arrière-arrière-grand-père Louis-Philippe et les Condés. Du côtés des prétendants, citons le prince Carlos-Hugo de Bourbon-Parme ; l'archiduc Otto de Habsbourg-Lorraine, fils d'une Bourbon-Parme ; le tsar Siméon de Bulgarie ; la reine Anne de Roumanie ; le prince Victor-Emmanuel d'Italie ; le duc Amédée de Savoie-Aoste ; le prince Charles de Bourbon-Deux-Siciles ; le duc Ludwig de Wurtemberg ; le prince Louis-Napoléon Bonaparte ; le comte de Paris ; son perpétuel rival le duc Alphonse de Cadix et bien d'autres encore.

Parmi les simples particuliers, mais par la main gauche seulement, nous trouvons pêle-mêle Philippe Debargue, tisserand à Reims entre 1860 et 1870 ; le peintre « pompier » Henri

Brispot, très célèbre à la fin du XIXe siècle ; M. Valéry Giscard d'Estaing, ancien président de la République française ; Pierre Cloud, manutentionnaire aux Halles de Paris, né en 1900, mort en 1940 ; feu le général Maxime Weygand et l'ancien député progressiste de l'Ille-et-Vilaine, le baron Emmanuel d'Astier de La Vigerie, compagnon de la Libération, directeur de l'ancien journal *Libération* et décédé en 1972.

Mais Louis XII a survécu physiquement jusqu'à nous d'une autre façon, plus tangible encore, sinon par tout ce qui pouvait subsister de son enveloppe corporelle, du moins par l'un de ses morceaux. Il nous semble urgent de nous expliquer.

Le 31 juillet 1793, afin de célébrer dignement le premier anniversaire du 10 août 1792 (décidément, toujours cette date !), la Convention nationale, sur le rapport de Bertrand Barère, décrète ce qui suit : les tombeaux et mausolées des « ci-devant rois », élevés dans l'église de Saint-Denis, « dans les Temples et autres lieux », dans toute l'étendue de la République, seront détruits le 10 août prochain. En fait, pour diverses raisons, il fallut attendre le mois de septembre pour voir démonter le splendide monument dédié au roi Louis XII, qui alla rejoindre à l'extérieur de la basilique les débris des autres tombeaux impitoyablement exposés au vent, à la pluie et aux autres intempéries.

C'est le vendredi 18 octobre 1793 à l'aube qu'on ouvrit les cercueils de Louis XII et d'Anne de Bretagne : bien que les squelettes se fussent maintenus, paraît-il, en un parfait état de conservation, ils allèrent rejoindre les restes des autres Capétiens dans la chaux vive et la grande fosse commune creusée au nord du bâtiment. Une bonne épaisseur de terre allait tout recouvrir jusqu'aux exhumations de janvier 1817, où il fut évidemment impossible de retrouver, dans ce magma inextricable, assez semblable à une argile « visqueuse et brunâtre », ce qui avait pu appartenir à tel ou tel.

Pourtant, avec une omoplate d'Hugues Capet, un fémur de Charles V, un tibia de Charles VI, une vertèbre cervicale de Charles VII et quelques autres menus ossements, une côte de Louis XII avait pu être subtilisée par les soins du fameux et courageux Alexandre Lenoir, chargé d'assister à l'opération au nom de la Commission des Arts, qui dépendait de la Convention. Passé à un certain Ledru (oncle paternel de Ledru-Rollin et maire de Fontenay-aux-Roses), puis au sieur Léon Lemaire (« ancien commissaire inspecteur de l'Imprimerie et de la Librairie »), ce précieux dépôt devait revenir à l'abbaye de Saint-Denis en août 1893, exactement cent ans après les premières destructions et profanations. Tout se trouve aujourd'hui dans une boîte en bois aux dimensions assez modestes (60 × 30 × 40 cm), placée dans le caveau des Bourbons, non loin du cercueil de Louis XVIII.

A notre connaissance, celle-ci n'a pas été ouverte depuis. Quel dommage ! Car un traitement et une étude systématique de la modeste côte rescapée de la tourmente révolutionnaire nous fourniraient sûrement des indications précieuses sur ce que fut l'état physique réel du souverain. Quand le peu qui nous reste de Louis XII, Père du Peuple, pourra-t-il bénéficier de l'intérêt qui fut réservé à l'Égyptien Ramsès II et permit de réaliser ce qu'on appelle parfois, dans ce franglais exécrable qui fait tant de ravages aujourd'hui, le *check-up* partiel du lointain pharaon ?

Conclusion

Il est toujours exaltant de raconter les médiocres, ces médio-cres qui, ne l'oublions pas, représentent une bonne part de l'humanité. Parfois certains d'entre eux ont de la chance, ou une chance, voire quelques chances à la suite, ce qui les rend plus attachants encore. Pensons à Néron, devenu empereur par la vertu de l'adoption, à George de Hanovre, parvenu au trône par la mort relativement prématurée d'une lointaine cousine ; à Bernadotte, que seule sa belle prestance pouvait désigner à la tendresse sénile du roi de Suède Charles XIII ; ou encore à... Antoine Pinay, propulsé au rôle délicat de symbole national par sa nomination tout à fait fortuite à je ne sais plus trop quelle présidence du Conseil.

Médiocre au point de vue physique comme au point de vue intellectuel sinon même au point de vue moral, le dénommé Louis d'Orléans était peut-être le fils d'un palefrenier ou d'un autre serviteur employé au château de Blois. Mais, avant même sa naissance, il eut l'avantage — non négligeable — de passer pour avoir été engendré par un prince du Sang ; plus tard, devenu premier prince du Sang à son tour et même héritier présomptif du trône, il connut le bonheur supplémentaire de voir son proche cousin mourir sans enfants et de ceindre enfin la couronne.

Si l'habit ne fait pas le moine, la fonction — ou une nouvelle fonction — peut fort bien ne pas changer non plus l'individu de façon fondamentale. Médiocre personnalité quand il était un féodal et même le féodal le plus influent du royaume —, Louis XII, une fois devenu roi, restera tout à la fois un féodal et une médiocre personnalité.

Mais chez de tels êtres, tout n'est pas forcément ombre ou vide. Un homme de capacités moyennes ne peut évidemment être assimilé à un débile mental, il peut jouer un certain rôle dans la politique, dans l'histoire et nous sommes même de ceux qui pensons que, pour marquer leur temps, les médiocres l'emportent le plus souvent sur les intelligences exceptionnelles ou les esprits trop subtils : on retiendra plus le nom du pauvre Pompée que celui de Mithridate, plus celui de Gengis khān que celui d'Alphonse X le Sage et, hélas ! plus celui d'Adolf Hitler que celui de Léon Blum...

C'est que les médiocres peuvent avoir aussi certaines qualités, parfois même éminentes, comme ce fut le cas pour notre Louis XII : un certain courage physique non dénué de panache ; une intrépidité qui confinait à la plus sotte inconscience ; une jovialité d'humeur, une gaillardise facile, une simplicité de manières qui pouvaient passer pour une attitude délibérée, voire pour un moyen de gouvernement ; un goût certain pour les belles-lettres, les livres, les objets précieux qui lui font prendre place parmi les souverains éclairés de son temps ; et même — pourquoi pas ? — ce tissu de contradictions apparentes qui peut passer pour de la richesse personnelle : Louis est chevaleresque, honnête, loyal, naïf, mais, quand il le faut absolument, il n'hésite jamais à prêter un faux serment sur les Évangiles, voire sur la sainte hostie ! et il s'étonne après que ses partenaires européens le trompent en agissant de même ; ce chaste, ce sage époux, ce bon père avait été dans sa jeunesse un insatiable débauché et, Anne de Bretagne morte, il retrouva la folie des sens, jusqu'à succomber à son tour ; il entend la messe chaque jour, se confesse une fois la semaine, sa piété sincère ne peut être mise en doute, il se veut le fils soumis de l'Église catholique, et pourtant, en contradiction avec les engagements du sacre, il ose tempérer l'ardeur de ceux qui persécutent les vaudois de Provence ; pis encore, il sera, parmi tous les rois de

France, l'un de ceux qui s'engageront le plus loin dans une lutte (y compris la lutte armée) contre le Saint-Siège ; il est économe, parcimonieux et tient à ménager l'argent de ses sujets, mais il se lance dans une politique de guerre fatalement dispendieuse ; il est bon, il est doux, il est indulgent et pardonne à ses ennemis, mais il se fâche parfois et fait pendre alors quelques prévaricateurs, assurément guère plus coupables que ceux qui parviennent à sauver leur tête ; il aime le paysan, le clerc, le noble, le bourgeois, il se veut le *Père du Peuple* et ne dédaigne pas ce titre, mais, dès qu'il passe les monts, il devient un autre homme et les Italiens en savent quelque chose : c'est la politique systématique de terreur au moment de la conquête, c'est la saison où, brusquement, tout arbre se met à porter des pendus, et, dans les batailles auxquelles il lui arrive de participer, il se laisse aller à l'incomparable ivresse de l'hémoglobine répandue à flots.

Il est vrai que l'aventure milanaise fut la grande affaire de cette vie, ce qui expliquerait alors certains comportements exceptionnels ou excessifs. A ce rêve ultramontain, qui inspirera directement ou indirectement toute sa politique, il a consacré l'essentiel de ses forces.

Peut-on dire pour autant qu'il a sacrifié la France ? En fait, c'est un peu le contraire qui est arrivé : si le royaume a pu sembler à certains aussi heureux sous Louis XII, c'est peut-être parce que le roi n'avait pas trop de temps pour s'occuper de celui-ci ; c'est peut-être aussi parce que, sans toujours s'en rendre compte, il a permis à certains des groupes sociaux français les plus dynamiques de mettre à profit l'occupation et l'exploitation relative du beau duché lombard. Ce ne serait pas le moindre paradoxe de ce règne discret, mais assurément plus important qu'on ne le croit d'ordinaire.

ANNEXE

L'iconographie de Louis XII

Il n'est pas question ici de prétendre dresser une iconographie complète. Mais, en attendant de voir présenter la thèse de Mme Pascale Thibault qui, sur ce sujet, constitue une étude fondamentale et définitive, nous nous permettons, dans les limites de nos modestes compétences, de proposer quelques exemples relativement significatifs.

D'une façon générale, les représentations sont postérieures à la mort du roi, donc, pour nous, sans grand intérêt. En revanche, l'iconographie louis-douzienne authentique est relativement pauvre : nous voulons essentiellement parler des portraits qui ont été exécutés du vivant du roi ou aux lendemains immédiats de sa mort. Nous trouvons essentiellement des médailles, des miniatures, des sculptures, des peintures à l'huile sur toile ou sur bois.

Les médailles ; deux sont surtout célèbres :
- Une médaille frappée à Tours en 1499, avec le profil du roi (œuvre de Michel Colombe et Jean Chapillon) ;
- Une autre, frappée à Tours en 500, avec le profil du roi (œuvre de Nicolas Leclerc).

Les miniatures ; il y en a plusieurs dizaines, ainsi que des gravures sur bois (généralement sans intérêt) ; citons au moins les miniatures suivantes :
- Bibliothèque Nationale, Manuscrit Latin 4804, f° 1 v° (texte de la *Cosmographie* de Ptolémée) : avec le portrait du roi en prières, retouché en 1498 par Jean Bourdichon ; il s'agit d'une des plus belles représentations de Louis XII.
- Copie de la précédente, mais exécutée symétriquement en 1498, avec quelques modifications et adjonctions, en particulier de différents saints (miniature isolée, détachée d'un livre d'heure, provenant de la bibliothèque de Lord Taunton, vendue à Londres en 1920 et appartenant actuellement à un bibliophile parisien).

- B.N., Manuscrit Français 20360, f° 1 v° (*Chronique d'Enguerrand de Monstrelet*, tome I) : il s'agit d'une représentation presque caricaturale du roi, sur un cheval caparaçonné d'or et en armure de parade.
- B.N., Ms Fr 20361, f° 1 (*idem*, tome II) : avec le roi, peu reconnaissable, de profil à gauche, assis sur un trône.
- B.N., Ms Fr 702, f° 1 (texte de la *Cyropédie* de Xénophon, traduite par Claude de Seyssel) : le roi, de trois quarts à droite, assis sur un trône, reçoit l'hommage de l'auteur à genoux devant lui ; mais, totalement dénuée d'expression, peinte visiblement sans souci de ressemblance, la figure ne peut guère passer pour un portrait (cette miniature a été reproduite avec certaines modifications par plusieurs gravures sur bois illustrant des ouvrages de l'époque).
- B.N., Ms Fr 225 (texte des *Remèdes de l'une et l'autre fortunes*) : f° 1 v° : le roi, assis dans la salle d'un palais, reçoit le manuscrit des mains de l'auteur agenouillé.
  — f° 165 : dans un vaste paysage verdoyant et au premier rang d'un cortège pompeux, le roi, vêtu de rouge brodé d'or, s'avance, l'air soucieux ; le portrait, remarquablement précis, passe pour très ressemblant.
- B.N., Ms Fr 5082 :
  — f° 7 : Louis XII est assis sur un trône ; debout, le cardinal d'Amboise se tient près de lui.
  — f° 104 : Louis XII, à cheval, quitte Paris pour l'Italie.
- B.N., Ms Fr 5083 :
  — f° 124 : Entrevue de Savone entre Ferdinand d'Aragon et Louis XII.
- B.N., Ms Fr 5091 ; il s'agit du magnifique manuscrit du *Voyage de Gênes* de Jehan Marot, avec de remarquables peintures sur vélin, attribuées à Jehan Bourdichon ou à son école :
  — f° 15 v° : Louis XII sort à cheval de la ville d'Asti pour aller châtier Gênes.
  — f° 20 v° : Les bourgeois de Gênes, à genoux devant Louis XII, implorent sa grâce.
  — f° 22 v° : Louis XII fait son entrée solennelle dans Gênes reconquise (il s'agit là d'une des représentations les plus célèbres du roi).

Les peintures à l'huile sur bois ou sur toile :
- Tableau de l'École française au musée de Cluny (n° 1682 de l'ancien Catalogue Du Sommerard) : à l'occasion de son sacre, le roi est représenté agenouillé, les mains jointes ; systématiquement rajeuni, son visage ne rappelle que très vaguement le type connu de la figure de Louis XII.
- Tableau du musée des Offices à Florence (portrait en buste).
- Tableau provenant de la collection de l'archiduc Ferdinand de Tyrol

et se trouvant actuellement dans les réserves du Kunsthistorisches Museum à Vienne.

- Tableau du musée Condé de Chantilly.
- Tableau du musée de Blois (particulièrement médiocre sinon à la limite du caricatural).
- Tableau du château de Windsor, par Jehan Perréal : représenté de trois quarts à gauche, le roi passe ici pour particulièrement ressemblant et, détail tout à fait exceptionnel, avec même quelque chose de vivant dans le regard et l'expression. C'est assurément le plus beau de tous les portraits de Louis XII.
- Provenant du Parlement de Paris, un grand tableau représentait autrefois Louis XII en majesté ; peut-être était-ce aussi une œuvre de Jehan Perréal. Aujourd'hui perdu (vraisemblablement brûlé dans les incendies de la Commune, en 1871), ce portrait a été reproduit par deux dessins conservés au Musée du Louvre et reproduits à leur tour dans l'ouvrage classique d'Alexandre Lenoir : *Recueil de gravures pour servir à l'histoire des arts en France,* Paris, 1811, in-folio.

Les sculptures :

- Buste en albâtre réalisé en 1508 par l'Italien Lorenzo da Mugiano pour le château de Gaillon et se trouvant actuellement au Louvre (brisée en 1793, la tête a été refaite dans les premières années du XIXe siècle par Pierre-Nicolas Beauvallet, mais évidemment sans véritable garantie de ressemblance).
- Statue orante de Louis XII par Jean et/ou Antoine Juste pour le monument funéraire de Saint-Denis (visage empreint de beaucoup de noblesse, mais assez inexpressif et sans grande garantie de ressemblance).
- Gisant pour le même monument (effigie d'autant plus intéressante qu'elle a pu être exécutée — à quelques modifications près — d'après le masque mortuaire du roi).

CHRONOLOGIE

1389   Par son mariage avec Valentine Visconti, Louis Ier d'Orléans devient maître du comté d'Asti, en Italie.

1394   Naissance de Charles d'Orléans.

1407   Assassinat de Louis d'Orléans, sur l'ordre du duc de Bourgogne Jean sans Peur.

1415   *25 octobre :* Charles d'Orléans est fait prisonnier à Azincourt.

1440   *5 novembre :* Charles d'Orléans, libéré, quitte l'Angleterre.
        26 novembre : Charles d'Orléans épouse Marie de Clèves.

1442   Les Aragonais chassent de Naples les Angevins.

1447   Mort, à Milan, de Filippo-Maria Visconti, dont Charles d'Orléans était en principe l'héritier légitime.

1450   Gendre de Filippo-Maria Visconti, Francesco Sforza devient définitivement maître du Milanais.

1457   Marie de Clèves met au monde Marie d'Orléans.

1460   Naissance de la fille aînée de Louis XI : Anne de France, future dame de Beaujeu et duchesse de Bourbon.

1461   Mort de Charles VII et avènement de Louis XI.

1462   *27 juin :* Naissance de Louis II d'Orléans, le futur Louis XII.

1464   *23 avril :* Naissance de Jeanne de France, future femme de Louis XII.
       Décembre : Assemblée des Grands et des princes du sang à Tours.

1465   *5 janvier :* Mort de Charles d'Orléans.
       Guerre de la Ligue du Bien Public.
       Novembre : Louis XI propose à Pierre de Beaujeu la main de sa fille Anne.

1467   *14 mai :* Frédéric III accorde à Marie de Clèves l'investiture pour le comté d'Asti.

1468   Louis XI relance l'idée d'un mariage entre sa fille Jeanne et Louis d'Orléans.

1470   *30 juin :* Naissance du futur Charles VIII.
       Première imprimerie installée à Paris.

1473   *20 octobre :* Marie de Clèves accepte le projet de mariage entre Jeanne de France et son fils.
       Novembre : Mariage de Pierre de Beaujeu et d'Anne de France.

1476   *8 septembre :* Célébration du mariage entre Louis d'Orléans et Jeanne de France.

1477   Naissance d'Anne de Bretagne.
       Mort de Charles le Téméraire.
       Mariage de Maximilien avec Marie de Bourgogne.

1478   Naissance de Philippe le Beau.

1479   Mort, à Milan, de Galeazzo-Maria Sforza ; le frère de celui-ci, Ludovic, exerce la régence au nom de son neveu Gian-Galeazzo.

1480   Naissance de Marguerite d'Autriche.

1482   Mort de Marie de Bourgogne.

1483   *Avril :* Louis d'Orléans contracte la petite vérole (première de ses maladies).
       Fin juillet : Louis d'Orléans prend ses premiers contacts (secrets) avec François II de Bretagne.
       30 août : Mort de Louis XI ; avènement de Charles VIII, âgé de treize ans.

14 octobre : Louis d'Orléans est fait chevalier de Saint-Michel.
24 octobre : Charles VIII convoque les États généraux.

1484 *15 janvier-11 mars :* Réunion des États généraux.
Fin mars-début avril : Première des rechutes maladives de Louis d'Orléans.
19 avril : Louis d'Orléans s'enfuit en Bretagne.
26 mai : Louis d'Orléans revient de Bretagne.
30 mai : Sacre de Charles VIII à Reims.

1485 *Henry VII* devient roi d'Angleterre.
Naissance de Philippe de Bussy, fils naturel du futur Louis XII.
17 janvier : Louis d'Orléans essaie de soulever les Parisiens en sa faveur.
3 février : Louis d'Orléans se réfugie à Alençon.
12 mars : A Évreux, Louis d'Orléans fait sa soumission au roi.
Début de la Guerre Folle.
30 août : Louis d'Orléans s'installe à Beaugency.
« Siège » de Beaugency.
22 septembre : Louis d'Orléans se soumet une nouvelle fois à Charles VIII, qui fait alors son entrée dans Beaugency.

1486 *15 mars :* Alliance entre les Bretons et l'Empereur.

1487 Barthélemy Diaz, marin portugais, atteint le cap de Bonne-Espérance.
Marie de Clèves meurt à Chauny.
11 janvier : Louis d'Orléans s'enfuit une nouvelle fois en Bretagne.
Juin : Louis d'Orléans fait une traversée mouvementée entre Vannes et Nantes.

1488 *1er avril :* Mort du connétable Jean de Bourbon : Pierre de Beaujeu, son héritier, devient duc de Bourbon.
28 juillet : Bataille de Saint-Aubin-du-Cormier ; Louis d'Orléans est fait prisonnier.

1489 Reprise de la guerre entre Français et Bretons.

1490 *Décembre :* « Mariage » entre Anne de Bretagne et Maximilien.

1491 *Mai :* Les armées françaises emportent de nombreux succès en Bretagne.
27 juin : Louis d'Orléans est libéré après trois ans de prison.
17 novembre : Charles VIII rencontre Anne de Bretagne.
Décembre : Mariage de Charles VIII et d'Anne de Bretagne.

1492   *3 janvier :* Prise de Grenade par Ferdinand d'Aragon.
      Juillet : Mort du pape Innocent VIII.
      11 août : Élection du pape Alexandre VI.
      11 octobre : Naissance du dauphin Charles-Orland.
      12 octobre : Christophe Colomb découvre l'Amérique.

1493   *19 janvier :* Traité de Barcelone entre Charles VIII et les rois d'Espagne.
      23 mai : Traité de Senlis entre Charles VIII et Maximilien.

1494   Au traité de Tordesillas, Espagne et Portugal se partagent le Nouveau Monde.
      Mars : Maximilien se remarie avec Bianca-Maria Sforza.
      Mars : Charles VIII prend le titre de roi de Naples et de Jérusalem. Il arrive à Lyon, en vue de la campagne d'Italie.
      2 septembre : Charles VIII passe en Italie.
      6-7 septembre : « Victoire » navale de Louis d'Orléans à Rapallo.
      21 septembre : Louis d'Orléans tombe malade et reste à Asti, tandis que le gros de l'armée française descend vers l'Italie du Sud.
      21 octobre : Mort brutale de Gian-Galeazzo Sforza ; Ludovic proclamé duc de Milan.
      22 novembre : Entrée des Français à Florence.
      31 décembre : Entrée des Français à Rome.

1495   *20 février :* Entrée des Français à Naples.
      31 mars : Alliance quasi générale contre la France.
      6 avril-20 mai : Blocus d'Asti par les forces de Ludovic.
      10 juin : Louis d'Orléans prend Novare.
      20 juin : Ludovic se reprend.
      8 juillet : Victoire française à Fornoue.
      20 juillet-22 septembre : L'« horrible siège » de Novare.
      Décembre : Mort de Charles-Orland.

1496   *1ᵉʳ janvier :* Mort de Charles d'Angoulême.

1497   Vasco de Gama atteint les côtes de l'Inde.

1498   *7 avril :* Mort de Charles VIII et avènement de Louis XII.
      27 mai : Sacre de Louis XII.
      10 août-17 décembre : Procès pour la dissolution du mariage avec Jeanne de France.
      Août : Organisation définitive du Grand Conseil.

1499   *8 janvier :* Mariage de Louis XII et Anne de Bretagne.
      Février : François d'Angoulême est fait duc de Valois.

18 juillet : Les Français pénètrent dans le Milanais.
14 septembre : Chute de Milan.
Octobre : Naissance de Claude de France.
11 novembre : Grande Ordonnance sur l'administration du Milanais.

1500   Alvarez Cabral découvre le Brésil.
Janvier : Depuis l'Autriche, Ludovic repart à la conquête du Milanais.
8 avril : Battu par les Français à Novare, Ludovic est fait prisonnier.
11 novembre : Traité de Grenade, où Louis XII et Ferdinand d'Aragon envisagent de se partager le royaume de Naples.

1501   *30 avril :* Déclaration secrète de Louis XII, par laquelle il déclare nul tout accord prévoyant le mariage de sa fille Claude avec tout autre que le duc de Valois.
Juin : Début de l'invasion du royaume de Naples.
Août : Chute de Naples.
Août : « Accordailles » de Claude de France avec Charles d'Autriche.

1502   *Juillet :* Début des hostilités en Italie du Sud entre Français et Espagnols.
Juillet-septembre : Séjour de Louis XII en Italie.

1503   *21 janvier :* Naissance du premier fils de Louis XII et d'Anne de Bretagne.
Avril : Accord franco-suisse.
21 avril : En Italie du Sud, défaite française de Seminara.
28 avril : En Italie du Sud, défaite française de Cerignole.
12 juin : Perte de Naples.
Juillet : L'armée française de secours passe les Alpes.
12 août : Mort d'Alexandre VI Borgia.
21 septembre-19 octobre : Pontificat de Pie III.
Novembre : Élection de Jules II.

1504   Mort du roi Frédéric III de Naples dans son exil du Maine.
1er janvier : Capitulation de Gaëte.
20 février : Louis XII confirme sa déclaration secrète du 30 avril 1501.
Juillet : Début de l'instruction contre le maréchal de Gié.
22 septembre : Traité de Blois, sur le projet de mariage entre Claude de France et Charles d'Autriche.
24 novembre : Mort d'Isabelle la Catholique.

1505   *4 février :* Mort de Jeanne de France.
6 avril : Louis XII reçoit l'investiture du duché de Milan.

5 mai : Signature du procès-verbal de la rédaction de la coutume de Tours.

Maladie de Louis XII.

Juin-juillet : Gié comparaît devant le Parlement de Toulouse.

1506   *9 février :* Arrêt rendu contre le maréchal de Gié.
       Mai : Assemblée de Tours. Louis XII : Père du Peuple. Fiançailles de Claude de France et de François de Valois.
       Juin : Début de la rébellion de Gênes.

1507   *3 avril :* Louis XII passe en Italie.
       25-26 avril : Reprise de Gênes.

1509   *12 janvier :* Ordonnance sur l'organisation militaire du royaume.
       27 février : Jugement du Parlement de Paris, cassant les poursuites intentées contre les Vaudois.
       Avril : Début des hostilités contre Venise.
       22 avril : Mort d'Henry VII ; avènement d'Henry VIII.
       1ᵉʳ mai : Louis XII arrive en Italie.
       14 mai : Victoire d'Agnadel.

1510   *Février :* Jules II se réconcilie avec les Vénitiens.
       Mai : Mort du cardinal d'Amboise.
       Septembre : Réunion des évêques français à Tours.
       25 octobre : Naissance de Renée de France.
       Octobre : Charles de Chaumont d'Amboise guerroie contre Jules II.

1511   Rédaction de la Coutume de Paris.
       Mars : Mort de Chaumont d'Amboise, bientôt remplacé par Gaston de Foix.
       1ᵉʳ novembre : Réunion du Concile de Pise, hostile à Jules II.

1512   *11 avril :* Bataille de Ravenne ; mort de Gaston de Foix.
       21 avril : Promulgation de la Grande Ordonnance de Lyon.
       Mai : Élargissement de la Sainte Ligue contre la France.
       Juin : Les Français quittent l'Italie.
       29 décembre : Maximilien Sforza rentre à Milan.

1513   *25 janvier :* Naissance du deuxième fils de Louis XII et Anne de Bretagne.
       21 février : Mort de Jules II.
       11 mars : Élection de Léon X.
       Mai : Les Français reviennent en Italie.

5 juin : Les Français sont battus à Novare. Le Milanais est définitivement perdu.
30 juin : Henry VIII débarque près de Calais.
15 août : Défaite française de Guinegatte.
7 septembre : Les Suisses menacent Dijon.
18 décembre : Réconciliation des Français et du Pape.

1514   *9 janvier :* Mort d'Anne de Bretagne.
       18 mai : Mariage de Claude de France et de François de Valois.
       7 août : Traité de paix et d'alliance entre la France et l'Angleterre.
       3 octobre : Mary d'Angleterre arrive à Boulogne.
       9 octobre : Mariage de Louis XII et de Mary d'Angleterre.

1515   *1er janvier :* Mort de Louis XII.
       4 janvier : Inhumation à Saint-Denis.

ORIENTATION BIBLIOGRAPHIQUE

I. Sources

1. Sources manuscrites

Sources françaises :

A. ARCHIVES :
- Archives nationales :
    H 1776 et 1777.
    J 496, 497, 498, 503-508, 545, 609, 648, 682, 915, 919, 946, 947, 951, 990.
    JJ 230-235.
    K 53, 56, 58, 62, 65-68, 70-78, 96, 500, 534-537, 541, 553-555.
    KK 264-272, 312-314, 319-321, 526-528, 549, 896, 897, 902, 1416 et 1417.
    P 1359, 1365, 1367, 1373, 1375, 1474, 2531.
    PP 44.
    R4 343, 580-581, 1111 et 20638.
    U 789.
    X1A 1485, 1499-1510, 1522-1524, 1538, 3921, 4785, 4813, 4867, 8611-8613, 9318-9320 et 9323.
    X2A 41 et X3A 18.

- Archives de l'Académie française.

- Archives départementales :
    Loiret : A 1083, 1084 et 2193.
    Loire-Atlantique : E 13 et 193.

● Archives municipales :
    Bourges : A 34.
    Lyon : BB 22.
    Orléans : CC 666-669.

B. Bibliothèques :
  ● Bibliothèque nationale :
    Manuscrits français 826, 1701, 1721, 1946, 1982, 2831, 2900, 2906, 2925, 2927, 2960, 2961, 3892, 4402, 4421, 4605, 4658, 4840, 4841, 5081-5083, 5091, 6169, 6983, 6985, 6989, 10237, 10450, 15541, 15870, 17871, 20379, 20382, 20394, 20486, 20489, 20493-20495, 20498, 20638, 20855, 22335, 25713, 25716, 26097, 26098, 26099, 26101 et 26110.
    Ms Fr Nouvelles acquisitions 1232, 1365, 3041, 3653 et 3655.
    Manuscrits latins 147-152, 154, 5825, 5870, 5888, 5890, 5971, 5973, 6166, 6172, 7810, 7843, 8126, 8128, 8935, 10133, 10400, 11087, 13840, 17059 et 17138.
    Manuscrits italiens 548, 1649, 1589, 1592 et 10133.
    Manuscrits Clairambault 222-225, 307, 473, 969, 1116, 1122 et 1127.
    Manuscrits Dupuy 84, 196, 347, 570, 581, 594, 657, 751, 760, 761, 929.
    Cabinet des titres :
    Pièces originales : Amboise, Bourré, Du Refuge, Foix, La Trémoïlle, Orléans, Pot, Stuart d'Aubigny, Villebresme.
    Dossiers bleus 14522.
    Nouveaux Dossiers bleus : 6410.

● Autres bibliothèques parisiennes :
    Institut : Manuscrits 129 et Godefroy 254 et 291.
    Arsenal : Ms 3843.

● Bibliothèques municipales de province :
    Orléans : Ms 430.
    Blois : Ms 1430, 1435 et 1446.

Sources italiennes :

    Milan, *Archivio di Stato. Carteggio generale, Cancellarie Ducale (carteggio diplomatico estero), Vicende communi, Vicende personali, Gridario generale, Registri Panigarola* : N, K, EE, FF et GG.
    Mantoue, *Archivio Gonzaga* : E XV, 2 et 3 ; E XLIX, 2.

Naples, Archivio di Stato. Cancellaria aragonese, Collaterali Commune, reg. XVI.

Florence, Archivio di Stato. Lettere esterne, reg. 27.

Bibliothèque du Vatican, Fonds de la reine du Vatican, manuscrit 868.

2. Sources imprimées

ALÉANDRE (Jérôme) : *Journal autobiographique,* Paris, 1895.

AUTON (Jean d') : *Chronique de Louis XII,* Paris, 1889-1895, 4 vol.

BARILLON (Jean) : *Journal...,* Paris, 1897-1899, 2 vol.

BAUDIER (Michel) : *Histoire de l'administration du cardinal d'Amboise,* Paris, 1634.

BEURRIER (le P. Louis) : *Antiquités des Célestins de Paris,* Paris, 1634.

BONNARDOT (F.), GUÉRIN (P.) et TUETEY (A.) : *Registres des délibérations du Bureau de la Ville de Paris,* Paris, 1886-1890, t. I et II.

BOUCHOT (H.) : *Les portraits du XVIe siècle,* Paris, 1884.

BRANTÔME (Pierre de Bourdeille, abbé de) : *Œuvres complètes,* Paris, 1864-1882, 11 volumes.

BURCHARD (Johann) : *Diarum...,* Paris, 1883-1885, 3 vol.

CHAMPIER (Symphorien) : *Les gestes ensemble la vie du preux Chevalier Bayard,* Lyon, 1525.

CHESTRET DE HANEFFE (J.) : *Testament de Philippe de Clèves et de La Marche, seigneur de Ravenstein,* Bruxelles, 1899.

COMMINES (Ph. de) : *Mémoires,* Paris, 1924-1925.

DU PORT (Jean S. des Rosiers) : *La vie de Jean d'Orléans dit le Bon, comte d'Angoulême,* Angoulême, 1852.

FLEURANGES (Robert de La Marck, sire de) : *Mémoires,* Paris, 1838.

FONTANON (Antoine) : *Les Édicts de France depuis St Loys jusques à présent,* Paris, 1585.

GAGUIN (Robert) : *Compendium de origine et gestis Francorum,* s. l., 1524.

GODEFROY (Jean) : *Lettres du roy Louis XII et du cardinal d'Amboise,* Bruxelles, 1712.

GODEFROY (Théodore) : *Histoire de Louis XII,* Paris, 1622.
— *Le cérémonial français,* 1649.

GUICCIARDINI (Francesco) : *La storia d'Italia,* Florence, 1919.

IMBARD (E.-F.) : *Le tombeau de Louis XII,* Paris, 1815.

ISAMBERT (F.-A.) : *Recueil général des anciennes lois françaises depuis l'an 420 jusqu'à la Révolution de 1789,* Paris, 1821-1833.

LA VIGNE (André de) : *Le Vergier d'honneur,* Paris, 1834.

LEMAIRE (François) : *Antiquitez de la ville d'Orléans*, Orléans, 1645.

LOYAL SERVITEUR (Le) : *Histoire du Chevalier Bayard*, Paris, 1878.

MACHIAVELLI (Niccolo) : *Istorie fiorentine*, Milan, 1962.

— *Il Principe*, Milan, 1968.

MASSELIN (F. G.) : *Journal des États généraux de 1484*, Paris, 1835.

MAUMENÉ et d'HARCOURT : *Iconographie des rois de France*, Paris, 1928.

MEDIOLANENSIS (Arnulus) : *De Bello veneto libri VI*, in Graevius : *Thesaurus antiquae Italiae*, Leyde, 1704.

MURATORI (Lodovico a.) : *Annales mediolanenses*, Milan, 1740.

Ordonnances des Rois de France, t. XX.

RAMBAUD (A.) : *Histoire de la Civilisation française*, Paris, 1894.

REBUFFI (Pierre) : *Les Édits et Ordonnances des Rois de France depuis l'an 1226 jusques à présent*, Lyon, 1573.

SAINT-GELAIS (Jean de) : *Histoire de Louis XII* (édition Théodore Godefroy), Paris, 1622.

SEYSSEL (Claude de) : *Histoire de Louis XII*, Paris, 1615.

— *Les louanges du bon roi Louis XII*, Paris, 1587.

STEIN (Henri) : *Inventaire analytique des ordonnances enregistrées au Parlement de Paris jusqu'à la mort de Louis XII*, Paris, 1908.

II. Études utilisées

Il est évident que le nombre des études consultées a été beaucoup plus important, mais seuls ont été retenus les titres des ouvrages qui nous ont vraiment apporté quelque chose, à un titre ou à un autre.

ANDON (James) : « Contribution à l'établissement d'un tableau social du peuple français dans la première moitié du XVIe siècle », *in Bulletin de l'Association Guillaume Budé*, 1967, série 4, n° 3, pp. 293-301.

Anonyme : Histoire de Louis XII, Paris, 1832.

ANSELME (Le P.) : *Histoire généalogique et chronologique de la Maison royale de France*, Paris, 1726-1733.

ARIÈS (Ph.) et DUBY (G.) : *Histoire de la vie privée*, Paris, 1985, t. II.

AUFFRAY (M.) : *Louis XII, surnommé le Père du Peuple*, Amsterdam, 1775.

BARRAL (abbé de) : *Éloge de Louis XII*, Paris, 1786.

BARRÈRE (Bertrand) : *Éloge de Louis XII*, Toulouse, 1782.

BEAUCOURT (Dufresne de) : *Histoire de Charles VII*, Paris, 1881-1890.

BEAUFILS (Constant) : *Étude sur la vie et les poésies de Charles d'Orléans*, Paris, 1861.

BELLERIVES (Léonce de) : *Le Cardinal Georges d'Amboise, ministre de Louis XII*, Limoges, 1853.

BELLESERRE (M. de) : *Éloge de Louis XII*, Amsterdam, 1788.

BERCÉ (Yves-Marie) : *Fêtes et révoltes...*, Paris, 1976.

— *Révoltes et révolutions*, Paris, 1980.

BERGEVIN (L.) et DUPRÉ (A.) : *Histoire de Blois*, Blois, 1846-1847.

BERGON (Louis-Frédéric) : « Louis XII et son temps », *in Aux carrefours de l'Histoire*, 1958, n° 8, pp. 695-703.

BERNIER (Jean) : *Histoire de Blois*, Paris, 1682.

BERTY (Adolphe) : *La Renaissance monumentale en France*, Paris, 1864.

BÉZARD (Yvonne) : *La vie rurale dans le sud de la région parisienne de 1450 à 1560*, Paris, 1929.

BIMBENET (J. E.) : *Histoire de l'Université des lois d'Orléans*, Paris, 1853.

BLOCH (Marc) : *Les rois thaumaturges*, Strasbourg, 1924 ; nouv. éd., Paris, 1984.

BOIS D'ARCY : « La légitimité de la naissance de Louis XII », *in Chercheurs et Curieux*, 1955, n° 57, pp. 777-778.

BONTEMPS (G.) : *Le Prince dans la France des XVIe et XVIIe siècles*, Paris, 1965.

BOÜARD (Michel de) : *Les origines des guerres d'Italie*, Paris, 1936.

BRACHET (A.) : *Pathologie mentale des rois de France*, Paris, 1903.

BRAUDEL (F.) : *Civilisation matérielle, économie et capitalisme*, Paris, 1967-1979.

— *Histoire économique et sociale de la France*, Paris, 1977, t. I.

BRÉMOND D'ARS-MIGRÉ (H. de) : *Les chevaliers du Porc-Épic ou du Camail*, Mâcon, 1938.

BRIDGE (John S.C.) : *A History of France from the death of Louis XI*, Oxford, 1929, t. III et IV.

BROWN (Mary) : *Mary Tudor, a queen of France*, Londres, 1911.

BUISSON (Albert) : *Le chancelier Antoine Duprat*, Paris, 1935.

CAFFIN DE MÉROUVILLE : *Le beau Dunois et son temps*, Paris, 1960.

CAVIGLIA (Alberto) : « Claudio di Seyssel, arcivesco di Torino (1450-1520) », *in Mis. Stor. Ital.*, 1928, t. 54.

CHAMPION (P.) : *Charles d'Orléans, joueur d'échecs*, Paris, 1908.

CHAMPOLLION-FIGEAC (Aimé) : *Louis et Charles, ducs d'Orléans*, Paris, 1844.

— *Notice historique et littéraire sur Charles, duc d'Orléans*, Paris, 1842.

CHAUNU (Pierre) : *Le temps des réformes*, Paris, 1975.

CORDIER DE SAINT-FIRMIN (abbé) : *Éloge de Louis XII*, Amsterdam, 1778.

DACIER (Émile) : *Florimon Robertet*, Position des thèses de l'École des Chartes, 1898.

DARCY (Maurice) : *Louis XII*, Paris, 1935.

DAVIS (N. Z.) : *Les cultures des peuples. Rituels, savoirs et résistances au XVIe siècle*, Paris, 1979.

DELABORDE (H. F.) : *L'expédition de Charles VIII en Italie*, Paris, 1888.

DELACROIX (M.) : *Éloge historique de Louis XII,* Paris, 1786.
— *Éloge de Louis XII,* Paris, 1788.

DELAROCHE (A.L.) : *Histoire de Louis XII,* Paris, 1817.

DELUMEAU (Jean) : *La civilisation de la Renaissance,* Paris, 1967.
— *Naissance et affirmation de la Réforme,* Paris, 1965.

DESTEFANIS (abbé Albert) : *Louis XII et Jeanne de France,* Avignon, 1975.

DODU (G.) : *Les Valois, histoire d'une Maison royale,* Paris, 1934.

DOUCET (R.) : *Les institutions de la France au XVIᵉ siècle,* Paris, 1948.

DUBY (G.) et WALLON (A.) : *Histoire de la France rurale,* Paris, 1975, t. II.

DUBY (G.) et LE ROY LADURIE (E.) : *Histoire de la France urbaine,* Paris, 1981, t. III.

DUFAYARD (Ch.) : *De Claudii Sesseli vita et operibus,* Paris, 1892.

DUNOYER (Alphonse) : « Un conseiller de Charles VIII : Guillaume Briconnet, cardinal de Saint-Malo, 1445-1514 », *in Position des thèses de l'École des Chartes,* 1894.

DUPRAT (A.T.) : *Vie d'Antoine Duprat,* Paris, 1857.

DUPRÉ (Alexandre) : *Essai sur les institutions municipales de Blois,* Orléans, 1875.

FAVIER (Jean) : *Paris au XVᵉ siècle,* Paris, 1974.

FLORIAN (M. de) : *Éloge de Louis XII,* Paris, 1785.

FOURQUIN (Guy) : *Les campagnes de la région parisienne à la fin du Moyen Age,* Paris, 1963.

GABORY (E.) : *Anne de Bretagne, duchesse et reine,* Paris, 1941.

GALLIER (A. de) : *César Borgia, duc de Valentinois,* Paris, 1895.

GANAY (E. de) : *Un chancelier de France sous Louis XII,* Jean de Ganay, Paris, 1932.

GARAND (M.C.) : « La carrière religieuse et politique d'Étienne de Poncher, évêque de Paris (1503-1519) » *in Le Centenaire de Notre-Dame de Paris,* Paris, 1967.

GÉBELIN (F.) : *Les châteaux de la Renaissance,* Paris, 1927.

GHIGI (N.) : *Battaglia di Ravenna,* Bagnacavallo, 1906.

GINGUENÉ (M.) : *Éloge de Louis XII,* Paris, 1788.

GISI (W.) : *Der Antheil der Eidgenossen an der europäischen Politik in den Jahren 1512-1516,* Schafhouse, 1866.

GONON (P.M.) : *Séjours de Charles VIII et Louis XII à Lyon sur le Rhône,* Lyon, 1841.

GRASILIER (Léonce) : « Louis XII et les familles nombreuses », *in Nouvelle Revue,* 1923, t. 67, pp. 284-285.

GUIGNE (Georges) : *Entrée de Louis XII à Lyon,* Lyon, 1885.

HAMON (Auguste) : *Un grand rhétoriqueur poitevin, Jean Bouchet,* Paris, 1901.

HARSGOR (Mikhaïl) : *Recherches sur le personnel du Conseil du Roi sous Charles VIII et Louis XII,* Lille, 1981.

HARSIN (Paul) : « Louis XII et Jean de Hornes », *in Revue Belge de Philosophie et d'Histoire,* 1958, t. 36, n° 2, pp. 457-467.

HAUSER (Henri) : « Sur la date exacte de la mort de Louis XII », *in Revue d'histoire moderne,* 1903-1904, t. V, pp. 172-182.
— *Ouvriers du temps jadis,* Paris, 1899.

HAUTECŒUR (Louis) : *Histoire de l'architecture classique en France,* Paris, 1963, t. I.

HAYEMANN (K.) : *Geschichte der italienischen-französischen Kriege,* Göttingen, 1835.

HENRI-BORDEAUX (P.) : *Louise de Savoie,* Paris, 1954.

HERBÉCOURT (Pierre d') : Michel Riz, dit l'avocat de Naples, *in Position de thèses de l'École nationale des Chartes,* 1929.

HERVIER (D.) : « Un serviteur de Louis XII et de François Ier, Pierre Legendre », *in Bibliothèque d'Humanisme et Renaissance,* 1871, t. 33, pp. 647-688.

HUARD (Georges) : « Notes sur un tableau provenant du Palais de Justice de Paris et représentant le roi Louis XII et non Philippe IV le Bel » *in Bulletin de la Société Nationale des Antiquaires de France,* 1928, pp. 126-131.

IMBART DE LA TOUR (P.) : *Les origines de la Réforme,* Paris, 1905-1914.

JACQUART (Jean) : *François Ier,* Paris, 1981.

JOURDA (Pierre) : *Marguerite d'Angoulême,* Paris, 1930.

KENDALL (Paul Murray) : *Louis XI,* Paris, 1974.

LABANDE-MAILFERT (Yvonne) : *Charles VIII et son milieu,* Paris, 1975.
— *Charles VIII - le vouloir et la destinée,* Paris, 1986.

LABORDE (L. de) : *La Renaissance des arts à la Cour de France,* Paris, 1850.

LANGLOYS (M.) : *Éloge de Louis XII,* Bruxelles, 1786.

LAPEYRE (H.) : *Les monarchies européennes du XVIe siècle,* Paris, 1967.

LA SAUSSAYE (L. de) : *Histoire de la ville de Blois,* Blois, 1846.
— *Histoire du château de Blois,* Blois, 1850.

LA THAUMASSIÈRE (Gaspard Thaumas de) : *Histoire du Berry,* Bourges, 1689.

LEBEY (A.) : *Le Connétable de Bourbon,* Paris, 1904.

LEFRANC (Abel) : *La vie quotidienne au temps de la Renaissance,* Paris, 1938.

LEGENDRE (Louis) : *Vie du Cardinal d'Amboise,* Rouen, 1724.

LEGLAY (A.) : « La France sous Louis XII, d'après les ouvrages de M. de Maulde » *in Revue Encyclopédique,* 1899, t. 9, pp. 977-980.

LEMONNIER (Henry) : *Les Guerres d'Italie* (Collection Histoire de France, sous la direction d'Ernest Lavisse, t. V), Paris, 1903.

LEROUX DE LINCY (A.J.V.) : *Vie de la Reine Anne de Bretagne,* Paris, 1860.

LE ROY LADURIE (E.) : *Histoire du climat depuis l'an mil,* Paris, 1967.
— *Histoire du Languedoc,* Paris, 1967.
— *Les Paysans du Languedoc,* Paris, 1966.

LESUEUR (Dr) : « Louis XII à Blois », *in Mémoires de la Société des Sciences et Lettres du Loir-et-Cher,* 1966, t. 34, pp. 278-279 et 290-292.

LHOSPICE (Michel) : « Le mariage de Louis XII et de Jeanne de France a-t-il été consommé ? », *in Aux Carrefours de l'Histoire*, 1959, pp. 1173-1177.

LOT (F.) : *Recherches sur les effectifs des armées françaises*, Paris, 1962.

LUSSAN (Marguerite de) : *Anecdotes secrètes sur les règnes de Charles VIII et de Louis XII*, Paris, 1738.

MAILLARD (F.) : « Itinéraire de Louis XII (1498-1515) », *in Bulletin philosophique et historique du Comité des Travaux historiques et scientifiques*, 1979, pp. 171-206.

MANDROT (B. de) : *Ymbert de Batarnay, seigneur du Bouchage*, Paris, 1866.

MANDROU (R.) : *Introduction à la France moderne*, Paris, 1961.

MARICOURT (A. de) : *Les Valois (1293-1589), hérédité, pathologie, amours et grandeurs*, Paris, 1939.

MASSELIN (J.G.) : *Histoire de Louis XII*, Paris, 1822.

MAUGIS (Ed.) : *Histoire du Parlement de Paris de l'avènement des Valois à la mort d'Henri IV*, Paris, 1913-1916.

MAULDE LA CLAVIÈRE (René-Alphonse-Marie) : *Pierre de Rohan, duc de Nemours, dit le Maréchal de Gié*, Paris, 1885.

— *Histoire de Louis XII*, Paris, 1889-1893.

— *Procédures politiques du règne de Louis XII*, Paris, 1885.

— *Louis de Savoie et François Ier*, Paris, 1895.

— *Jeanne de France*, Paris, 1883.

— « La mère de Louis XII, Marie de Clèves », *in Revue historique*, 1888, tome 36, pp. 81-112.

— « Éloges de Louis XII en 1509 », *ibidem*, 1890, t. 43, pp. 47-65.

MAURO (F.) : *Le XVIe siècle européen*, Paris, 1966.

MAYDIEU (abbé) : *Éloge de Louis XII*, Londres, 1788.

MEDIN (Antonio) : *La lamentation de Venise*, Venise, 1889.

MELOT (Michel) : « Politique et architecture, essai sur Blois et le Blésois sous Louis XII », *in Gazette des Beaux-Arts*, 1967, t. 70, pp. 317-328.

MICHAUD (Hélène) : *La Grande Chancellerie*, Paris, 1967.

MICHEL (abbé) : *Éloge de Louis XII*, Londres, 1786.

MICHELET (Jules) : *Histoire de France ; XVIe siècle*, t. I, Lausanne, 1966.

MITTI (Francesco) : *Leone X e la sua politica*, Florence, 1893.

MOLLAT (M.) : *Genèse médiévale de la France moderne*, Paris, 1970.

MONNET (Camille) : *Bayard et la Maison de Savoie*, Paris, 1926.

MORINEAU (Michel) : *Le XVIe siècle*, Paris, 1968.

MOUSNIER (Roland) : *Le Conseil du Roi de Louis XII à la Révolution*, Paris, 1970.

— *Études sur la France de 1492 à 1559*, Paris, 1957.

— *Les hiérarchies sociales de 1450 à nos jours*, Paris, 1969.

— *Les institutions de la France sous la Monarchie absolue*, Paris, 1974.

— *Les seizième et dix-septième siècles*, Paris, 1967.

NÉRET (J.-A.) : *Louis XII*, Paris, 1948.

NOËL (abbé) : *Éloge de Louis XII*, Paris, 1788.

ORLIAC (J. d') : *Anne de Beaujeu,* Paris, s.d.

OULMONT (Charles) : *La poésie morale, politique et dramatique à la veille de la Renaissance, Pierre Gringore,* Paris, 1911.

PALUSTRE (B.) : « L'abbesse Anne d'Orléans et la réforme de l'ordre de Fontevrault », *in Revue des Questions historiques,* 1899, t. 66, pp. 210-217.

PAPION JEUNE : *Éloge de Louis XII,* Paris, 1788.

PAQUIER (J.) : *L'humanisme et la réforme, Jérôme Aléandre,* Paris, 1900.

PASTOR (L. von) : *Histoire des papes,* Paris, 1892-1900, t. IV-VI.

PÉLICIEN (C.) : *Essai sur le gouvernement de la Dame de Beaujeu,* Chartres, 1882.

PÉLISSIER (L.G.) : *Louis XII et Ludovic Sforza,* Paris, 1896-1897.

— « Protasio de' Porci et l'état de la France en août 1499 », *in Le Moyen Age,* 1893, t. VI, pp. 233-236.

PERRET (P.M.) : *Notice biographique sur Louis Malet de Graville,* Paris, 1889.

PICOT (E.) : *Les Français italianisants,* Paris, 1906-1907.

PICOT (G.M.R.) : *Histoire des États généraux,* Paris, 1872.

PIRRO (André) : « Note sur Jean Braconnier, dit Lourdault, chantre de René II, duc de Lorraine, et de Philippe le Beau, chapelain de Louis XII, mort en 1512 », *in Revue musicale,* 1928, pp. 250-252.

PLATTARD (Jean) : *La Renaissance des Lettres en France de Louis XII à Henri IV,* Paris, 1925.

PORÉE (Ch.) : *Un parlementaire sous François Ier : Guillaume Poyet (1473-1548),* Angers, 1898.

QUILLIET (Bernard) : « Une contribution de certains inventaires après décès du XVIe siècle à l'histoire sociale du XVe », *in Revue d'histoire économique et sociale,* 1974, pp. 465-481.

— *Les corps d'officiers de la Prévôté et Vicomté de Paris et de l'Ile-de-France, de la fin de la Guerre de Cent Ans au début des guerres de Religion : étude sociale,* Paris, 1982.

— « Créativité instrumentale et contexte historique en Europe occidentale moderne (XVIe-XVIIIe siècles) », *in Culture et idéologie après le Concile de Trente,* Abbeville, 1985.

— *La Fortune des membres du Parlement de Paris, de 1492 à 1560,* Paris, 1957.

— « La situation sociale des avocats au Parlement de Paris à l'époque de la Renaissance (1480-1560) », *in Culture et Société au XVIe siècle,* Paris, 1974.

RENAUDET (Augustin) : *Jean Standonck,* Paris, 1908.

— *Préréforme et humanisme à Paris pendant les premières guerres d'Italie (1494-1517),* Paris, 1916.

RENAULT (Ch.) : *La syphilis au XVe siècle,* Paris, 1868.

REULOS (Michel) : « L'université de Paris au XVIe siècle », *in Bulletin de la Société d'histoire moderne,* 1960.

ROBINSON (Miss M.) : « Claim of Orleans to Milan », *in The English Historical Review,* 1883, pp. 278 *sqq.*

RODOCANACHI (Emm.) : « Une idylle royale, Louis XII à Gênes », *in Séances de travaux de l'Académie des Sciences Morales et Politiques,* 1930, t. I, pp. 235-242.

ROEDERER (Comte Pierre-Louis) : *Mémoire pour servir à une nouvelle histoire de Louis XII,* Paris, 1819.

ROSMINI (Carlo de') : *Dell'istoria intorno alle militari imprese e alla vita di Gian Jacopo Trivulzio,* Milan, 1815.

ROY (J.J.E.) : *Histoire de Louis XII,* Lille, 1845.

SACERDOTE (G.) : *Cesare Borgia,* Milan, 1950.

SANDRET (L.A.C.) : « Recueil historique des Chevaliers de l'Ordre de Saint-Michel », *in Revue historique, nobiliaire et biographique,* 1879, t. IV.

SCARISBRICK (J.-J.) : *Henry VIII,* Londres, 1968.

SÉE (H.), RÉBILLON (A.) et PRÉCLIN (E.) : *Le XVIe siècle,* Paris, 1950.

SÉGUIN (J.-P.) : *L'information en France de Louis XII à Henri II,* Genève, 1961.

— « La découverte de l'Italie par les soldats de Charles VIII », *in Gazette des Beaux-Arts,* t. 50, pp. 127 *sqq.*

SHERMAN (Michael) : « Pomp and circumstances ; pageantry, politic and propaganda during the reign of Louis XII », *in The Sixteenth Century Journal,* Saint Louis (U.S.A.), 1978, vol. 9, pp. 13-32.

SPONT (A.) : *De cancellariae regum Franciae officiariis et emolumento (1440-1523),* Besançon, 1894.

— *Semblançay ; la bourgeoisie financière au début du XVIe siècle,* Paris, 1895.

STEIN (H.) : *Charles de France, frère de Louis XI,* Paris, 1921.

SUARD (Jean-Baptiste-Antoine) : « Panégyrique de Louis XII », *in Mémoires et correspondances historiques et littéraires inédits,* Paris, 1858.

SURIREY (H. de) : *Jean II de Bourbon (1426-1488),* Paris, 1944.

TAILHÉ (abbé) : *Histoire de Louis XII,* Paris, 1755.

TERRASSE (Ch.) : *François Ier,* Paris, 1938.

THOMAS (J.) : *La délivrance de Dijon en 1513,* Dijon, 1897.

THUASNE (L.) : *Le mal français à l'époque de l'expédition de Charles VIII,* Paris, 1886.

VALLET DE VIRIVILLE (A.) : *Histoire de Charles VII,* Paris, 1862-1865.

VAN PRAET (P.) : *Recherches sur Louis de Bruges, seigneur de La Gruthuse,* Paris, 1831.

VARESE (Carlo) : *Storia delle reppublica di Genova,* Gênes, 1835-1838.

VARILLAS (M.) : *Histoire de Louis XII,* Paris, 1688.

VASSALO (C.) : « Gli Astigiani sotto la dominazione straniere », *in Archivio storico italiano,* 1878, t. II.

VAUX DE FOLETIER (M.J.C.F. Jourda de) : *Galiot de Genouillac, maître de l'artillerie de France (1465-1546),* Paris, 1925.

VELSEN (G.) : *Die Stadt Kleve,* Clèves, 1848.

VIEUX PARIS (Le) : *Styles Louis XII et François Ier,* Paris, 1922.

VILLENEUVE (L. de) : *Recherches sur la famille Della Rovere,* Rome, 1887.

VOLTAIRE (J.-M. AROUET, dit) : *Tableau du siècle de Louis XII,* Paris, 1770.

VOUTERS (Eugène) : *Essai juridique et historique sur un procès en annulation de mariage au XVe siècle ; Louis XII et Jeanne de France,* Lille, 1931.

WADSWORTH (J.B.) : *Lyons ; the beginning of cosmopolitanism (1473-1503),* Cambridge (Massachusetts, U.S.A.), 1962.

WIESFLECKER (H.) : *Kaiser Maximilian I,* Munich, 1971-1980.

ZELLER (B.) : *La Ligue de Cambrai, Paris, 1886.*

ZELLER(G.) : *Les Institutions de la France au XVIe siècle,* Paris, 1948.

CARTES ET TABLEAUX

Les seize quartiers de Louis XII

- Adolf II de La Marck
- Margarethe de Clèves
- Gérard de Berg
- Margarethe de Ravensberg
- Philippe le Hardi
- Marguerite de Flandres
- Albert IV, Comte de Hollande
- Marguerite de Silésie
- Jean II le Bon, roi de France
- Bonne de Luxembourg
- Pierre de Bourbon
- Isabelle de Valois
- Galéas II Visconti
- Marie Blanche de Savoie
- Jean II de France
- Bonne de Luxembourg

- Adolf III de La Marck † 1394
- Margaretha de Berg et Ravensberg
- Jean sans Peur
- Margarethe de Bavière
- Charles V, roi de France
- Jeanne de Bourbon
- Gian-Galéas Visconti
- Isabelle de France

- Adolf de Clèves (1370-1448)
- Marie de Bourgogne
- Louis d'Orléans
- Valentine Visconti

- Marie de Clèves
- Charles d'Orléans

Louis XII

**Parenté de Louis XII avec les autres Valois,
les Alençon et les Dunois
(tableau partiel)**

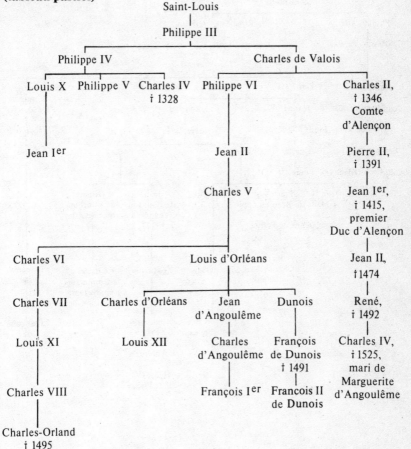

La famille de Bourbon
(tableau partiel)

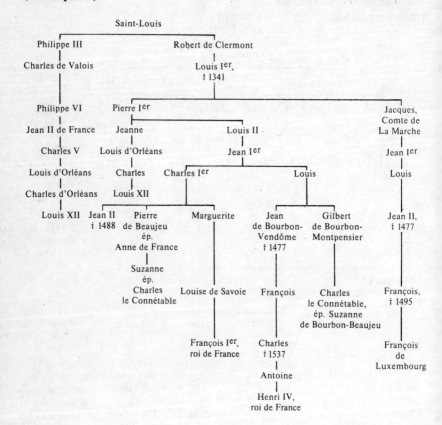

**Les Albret, les Foix et les Navarre
(tableau partiel)**

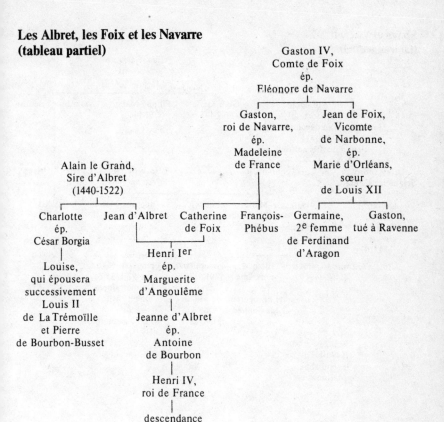

Gaston IV,
Comte de Foix
ép.
Eléonore de Navarre

Gaston,
roi de Navarre,
ép.
Madeleine
de France

Jean de Foix,
Vicomte
de Narbonne,
ép.
Marie d'Orléans,
sœur
de Louis XII

Alain le Grand,
Sire d'Albret
(1440-1522)

Charlotte
ép.
César Borgia

Jean d'Albret

Catherine
de Foix

François-
Phébus

Germaine,
2e femme
de Ferdinand
d'Aragon

Gaston,
tué à Ravenne

Louise,
qui épousera
successivement
Louis II
de La Trémoïlle
et Pierre
de Bourbon-Busset

Henri Ier
ép.
Marguerite
d'Angoulême

Jeanne d'Albret
ép.
Antoine
de Bourbon

Henri IV,
roi de France

descendance

Sforza et Visconti
(tableau partiel)

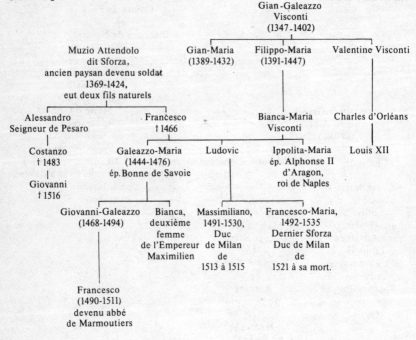

Gian-Galeazzo
Visconti
(1347-1402)

Muzio Attendolo
dit Sforza,
ancien paysan devenu soldat
1369-1424,
eut deux fils naturels

Gian-Maria
(1389-1432)

Filippo-Maria
(1391-1447)

Valentine Visconti

Alessandro
Seigneur de Pesaro

Francesco
† 1466

Bianca-Maria
Visconti

Charles d'Orléans

Costanzo
† 1483

Galeazzo-Maria
(1444-1476)
ép. Bonne de Savoie

Ludovic

Ippolita-Maria
ép. Alphonse II
d'Aragon,
roi de Naples

Louis XII

Giovanni
† 1516

Giovanni-Galeazzo
(1468-1494)

Bianca,
deuxième
femme
de l'Empereur
Maximilien

Massimiliano,
1491-1530,
Duc
de Milan
de
1513 à 1515

Francesco-Maria,
1492-1535
Dernier Sforza
Duc de Milan
de
1521 à sa mort.

Francesco
(1490-1511)
devenu abbé
de Marmoutiers

La France sous Louis XII

Calais

FLANDRES
ARTOIS

Arras

PICARDIE

Reims

Rouen

NORMANDIE

CHAMPAGNE

Paris

LORRAINE

Duché
d'Alençon

BRETAGNE

Orléans

Blois

BOURGOGNE

FRANCHE-
COMTÉ

Loire Tours

Amboise

Dijon

Nantes

Duché
de Berry

Duché de
Bourbon

Beaujolais

BRESSE

Comté
de La Marche

Moulins

Lyon

SAVOIE

Comté
d'Angoulême

Duché
d'Auvergne

Comté
de Forez

Grenoble
DAUPHINÉ

Comté
de Rouergue

Garonne

Albret

Comté
de Foix

Rhône

A

Nice

Béarn

PROVENCE

Comté de Narbonne

Comté de Bigorre

ROUSSILLON

Seine

Moselle

⬭ Principaux fiefs

A Enclave étrangère :
Comtat Venaissin

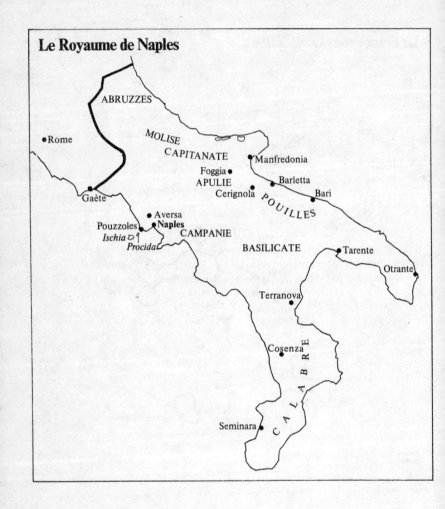

Le Royaume de Naples

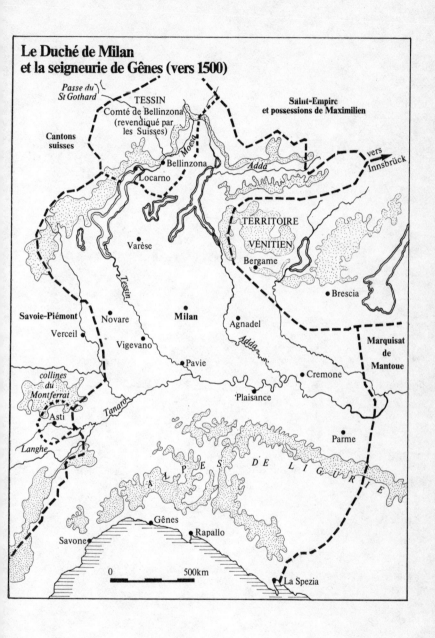

**Le Duché de Milan
et la seigneurie de Gênes (vers 1500)**

Passe du
St Gothard

TESSIN

Comté de Bellinzona
(revendiqué par
les Suisses)

Saint-Empire
et possessions de Maximilien

Cantons
suisses

Moesa

Adda

vers
Innsbrück

Bellinzona

Locarno

Varèse

TERRITOIRE
VÉNITIEN

Bergame

Brescia

Tessin

Savoie-Piémont

Novare

Milan

Agnadel

Verceil

Vigevano

Adda

Marquisat
de
Mantoue

Pavie

Cremone

collines
du
Montferrat

Plaisance

Tanaro

Asti

Parme

Langhe

A L P E S   D E   L I G U R I E

Gênes

Rapallo

Savone

0   500km

La Spezia

INDEX GÉNÉRAL

TABLE DES MATIÈRES

ACHEVÉ D'IMPRIMER
LE 30 OCTOBRE 1986
SUR LES PRESSES DE
L'IMPRIMERIE HÉRISSEY
À ÉVREUX (EURE)

35-65-7649-01
ISBN 2-213-01877-4
Dépôt légal : novembre 1986
N° d'éditeur : 2576
N° d'imprimeur : 40929
Imprimé en France